Statue de Gudéa prince de Lagash, dite « Gudéa au vase jaillissant ».
Mésopotamie, époque de la renaissance sumérienne, vers 2150 av. J.-C.
cat. n° 39

Galeries nationales du Grand Palais
7 mai - 9 août 1982

naissance de l'écriture

cunéiformes et hiéroglyphes

Ministère de la Culture
Éditions de la Réunion des musées nationaux

Cette exposition a été organisée par la Réunion des musées nationaux

4e édition, revue et corrigée

La présentation de l'exposition a été conçue et réalisée par
Jean-Paul Boulanger et Geneviève Renisio
avec le concours des équipes techniques du Musée du Louvre et des galeries nationales du Grand Palais.

ISBN 2-7118-0201-9

Paris 1982
10, rue de l'Abbaye — 75006 Paris

Commissaires

Béatrice André-Leicknam
Conservateur au département des antiquités orientales du Musée du Louvre

Christiane Ziegler
Conservateur au département des antiquités égyptiennes du Musée du Louvre

Administrateur des galeries nationales du Grand Palais

Germaine Pélegrin

Table des matières

Harpiste chantant un hymne au soleil.
cat. n° 252

Liste des auteurs

Orient

P. A. **Pierre Amiet,** Conservateur en chef du Département des Antiquités orientales du Musée du Louvre, Paris.

B. A.-L. **Béatrice André-Leicknam,** Conservateur au Département des Antiquités Orientales du Musée du Louvre, Paris.

D. A. **Daniel Arnaud,** Directeur d'Études à l'E.P.H.E., Ve section, Paris.

D. B. **Dominique Beyer,** Conservateur au Département des Antiquités Orientales du Musée du Louvre, Paris.

M. B. **Maurice Birot,** Directeur de Recherches au C.N.R.S., Paris.

J. B. **Jean Bottéro,** Directeur d'Études à l'E.P.H.E. IVe section, Paris.

J.-P. B. **Jean-Paul Boulanger** architecte D.P.L.G.

G. R. **Geneviève Renisio,** architecte D.P.L.G.

A. C. **Antoine Cavigneaux,** Chargé de Recherches au C.N.R.S., Paris.

J.-L. C. **Jésus-Luis Cunchillos,** chargé de conférences à L'E.P.H.E., Ve section, Paris.

J.-M. D. **Jean-Marie Durand,** Chargé de Recherches au C.N.R.S. et Directeur d'Études à l'E.P.H.E., IVe section, Paris.

E. L. **Emmanuel Laroche,** Membre de l'Institut, Professeur au Collège de France, Paris.

F. M. **Florence Malbran,** Chargée de Recherches au C.N.R.S., Chargée de conférences à l'E.P.H.E., IVe section, Paris.

A. P. **Alain Pasquier,** Conservateur au Département des Antiquités Grecques et Romaines du Musée du Louvre, Paris.

M. P. **Marielle Pic,** Département des Antiquités Orientales du Musée du Louvre, Paris.

J. R. **James Ritter,** Assistant de Mathématiques Anciennes à l'Université de Paris VIII, Paris.

C. R. **Christian Robin,** Chargé de Recherches au C.N.R.S. et Chargé de conférences à l'E.P.H.E., Ve section, Paris.

A. S. **Ake Sjöberg,** Conservateur des tablettes cunéiformes de l'University Museum, Philadelphie.

F. T. **Françoise Tallon,** Documentaliste au Département des Antiquités Orientales du Musée du Louvre, Paris.

C. W. **Christopher Walker,** Conservateur au Department of Western Asiatic Antiquities, The British Museum, Londres.

Égypte

M.-F. A. **Marie-France Aubert,** Conservateur au Département des Antiquités Égyptiennes, Musée du Louvre.

D. B. **Dominique Benazeth,** Conservateur au Département des Antiquités Égyptiennes, Section Copte, Musée du Louvre.

J.-L. C. **Jean-Louis de Cenival,** Chef du Département des Antiquités Égyptiennes, Musée du Louvre.

S. C. **Prof. Silvio Curto,** Soprintendente per le Antichità Egizie, Museo Egizio, Torino.

C. D.-N. **Christiane Desroches-Noblecourt,** Inspecteur général Honoraire des Musées, Paris.

S. G. **Sylvie Guichard,** Département des Antiquités Égyptiennes Musée du Louvre, Service Informatique.

T.-G.-H. J. **Prof. T.-G. Harry James,** Keeper of Égyptian Antiquities The British Museum, London.

F. v K. **Frédérique von Kanel,** Chef de travaux, École Pratique des Hautes Études, Ve section, Centre Wl. Golenischeff, Paris.

G. L. **Géraldine Lacroix,** Département des Antiquités Égyptiennes Musée du Louvre, Service Informatique.

J. L. **Jean Leclant,** Professeur au Collège de France, Membre de l'Institut, Paris.

B. L. **Bernadette Letellier,** Conservateur au Département des Antiquités Égyptiennes, Musée du Louvre.

O. P. **Olivier Perdu,** Attaché au Cabinet d'Égyptologie du Collège de France, Paris.

M.-H. R. **Marie-Hélène Rutchowskaya,** Conservateur au Département des Antiquités Égyptiennes, Chargée de la Section Copte, Musée du Louvre.

R. S. **Dr Ray Slater,** Assistant Curator, Department of Egyptian Art, The Metropolitan Museum of Art, New York.

P. V. **Pascal Vernus,** Directeur d'Études à l'École Pratique des Hautes Études, IVe section, Paris.

C. Z. **Christiane Ziegler,** Agrégée de l'Université, Conservateur au Département des Antiquités Égyptiennes, Musée du Louvre.

Les hiéroglyphes du catalogue sont d'**Olivier Perdu** et **Bernadette Letellier.**

Tablette sumérienne pictographique.
Basse Mésopotamie, fin du IVe millénaire av. J.-C.
cat. n° 7

Que toutes les personnalités qui ont permis par leur généreux concours la réalisation de cette exposition trouvent ici l'expression de notre gratitude et particulièrement
Mme Weill
ainsi que ceux qui ont préféré garder l'anonymat.

Nos remerciements vont également aux responsables des collections publiques étrangères et françaises

États-Unis d'Amérique
New York, The Metropolitan Museum of Art (department of egyptian art)
Philadelphie, The University Museum of the University of Pennsylvania (department of cuneiform tablets)

Grande-Bretagne
Londres, British Museum (department of egyptian antiquities, department of prints and drawings, department of western asiatic antiquities)

Italie
Turin, Museo egizio

France
M. le secrétaire perpétuel de l'Académie des Inscriptions et Belles lettres
M. l'administrateur général de la Bibliothèque nationale

MM. et Mmes les directeurs et conservateurs des collections suivantes :
Paris :
- Académie des Inscriptions et Belles lettres
- Bibliothèque nationale (cabinet des médailles, département des manuscrits orientaux)
- Collège de France (cabinet d'assyriologie)
- Imprimerie nationale
- Musée du Louvre (archives et bibliothèques des musées de France, département des antiquités égyptiennes, département des antiquités grecques et romaines, département des antiquités orientales, département des peintures)
- Université de Paris IV - Sorbonne (bibliothèque du centre de recherches égyptologiques)

Nous tenons aussi à remercier les personnes qui ont par leur collaboration aidé à la préparation de cette exposition, et du catalogue, tout particulièrement :
A. Berthe, D. Beyer, D. Billon, M. Birot, J.-L. Bovot, A. Caubet, P. Croquet, A. Decaudin, Ch. Dulos, A. Dussau, A. Eschalier, E. Gaillard, M.-C. Gougat, S. Guichard, Mme Herbignaux, D. Hé, M. Laffite-Larnaudie, J.-F. Mejanes, M. Martin Dupray, M. Montembault, M.-H. Nadeau, Mlle Niox, O. Perdu, M. Pic, M.-F. et C. de Rosières, M. Sérullaz, J. Starcky, F. Tallon, G. Teissier, et les auteurs du catalogue, qui nous ont souvent aidés de leurs conseils.

Nebmertouf et le singe de Thot, dieu de l'écriture et patron des scribes.
cat. n° 286

Naissance de l'écriture : cunéiformes et hiéroglyphes

L'écriture est la représentation de la pensée et du langage humains par des signes. Elle est un moyen durable et privilégié de communication entre les hommes.

Invention décisive pour l'histoire de l'humanité, l'écriture a récemment suscité plusieurs congrès spécialisés, tandis que des livres et de nombreux articles lui ont été consacrés. L'idée d'en faire le thème d'une exposition circulait dans les musées depuis quelques années. La réalisation en était difficile : il fallait en effet concilier des exigences contradictoires. Le sujet, à première vue assez austère, devait être traité de manière attrayante et accessible à un vaste public tout en sauvegardant l'indispensable rigueur scientifique. D'autre part son ampleur ne permettait pas de le présenter intégralement. Aussi avons-nous choisi de limiter cette exposition à la naissance et l'épanouissement des premières écritures, nous réservant la possibilité de traiter par la suite les conséquences très riches de cette invention.

Les plus anciens témoignages écrits qui nous soient parvenus proviennent du Proche-Orient : deux pays, deux civilisations différentes, la Mésopotamie et l'Égypte, ont inventé l'écriture presque simultanément, il y a plus de 5 000 ans. Le parti de montrer dans un même espace la naissance et le mécanisme de leurs écritures, cunéiformes et hiéroglyphes, met en valeur leurs contrastes et leurs ressemblances. Compliquées, réservées aux scribes, élite de spécialistes soucieux de préserver leurs privilèges et la tradition, elles durent céder la place à un système plus simple, l'alphabet.

L'écriture fait revivre ces civilisations disparues. Elle nous informe sur leur vie quotidienne, leurs grandes inquiétudes, leur histoire, leur science... Leur littérature constitue le plus vieux patrimoine culturel dont a hérité la pensée occidentale. Héritage souvent méconnu, car l'Assyriologie et l'Égyptologie sont des disciplines récentes, nées au XIXe siècle avec le déchiffrement des écritures cunéiformes par H. Rawlinson et J. Oppert, et les travaux de J.-F. Champollion, génial « inventeur des hiéroglyphes » dont on commémore cette année le cent cinquantenaire de la disparition.

Alors que l'Égypte ancienne a toujours constitué une entité, l'Orient est une unité conventionnelle, groupant en réalité des civilisations différentes. Au cœur de ce vaste ensemble, la Mésopotamie sumérienne puis assyro-babylonienne reste notre référence majeure du fait que la plus ancienne écriture y fut élaborée et rayonna sur les régions environnantes. Pour éviter toute confusion, et de peur de rendre incompréhensible un système déjà très riche, nous avons choisi de centrer sur la Mésopotamie la partie consacrée à l'Orient dans l'exposition.

L'exposition a été réalisée principalement à partir des collections parisiennes, l'emprunt de certains documents importants conservés dans des musées étrangers s'étant révélé impossible. Un jeu de signalisation et de couleurs, argile et sable, symbolisent les paysages de Mésopotamie et d'Égypte et permettent au visiteur de reconnaître ce qui relève de l'une ou l'autre de ces deux contrées qui tour à tour s'opposent et se complètent, se séparent ou se rapprochent.

Béatrice André-Leicknam   Christiane Ziegler

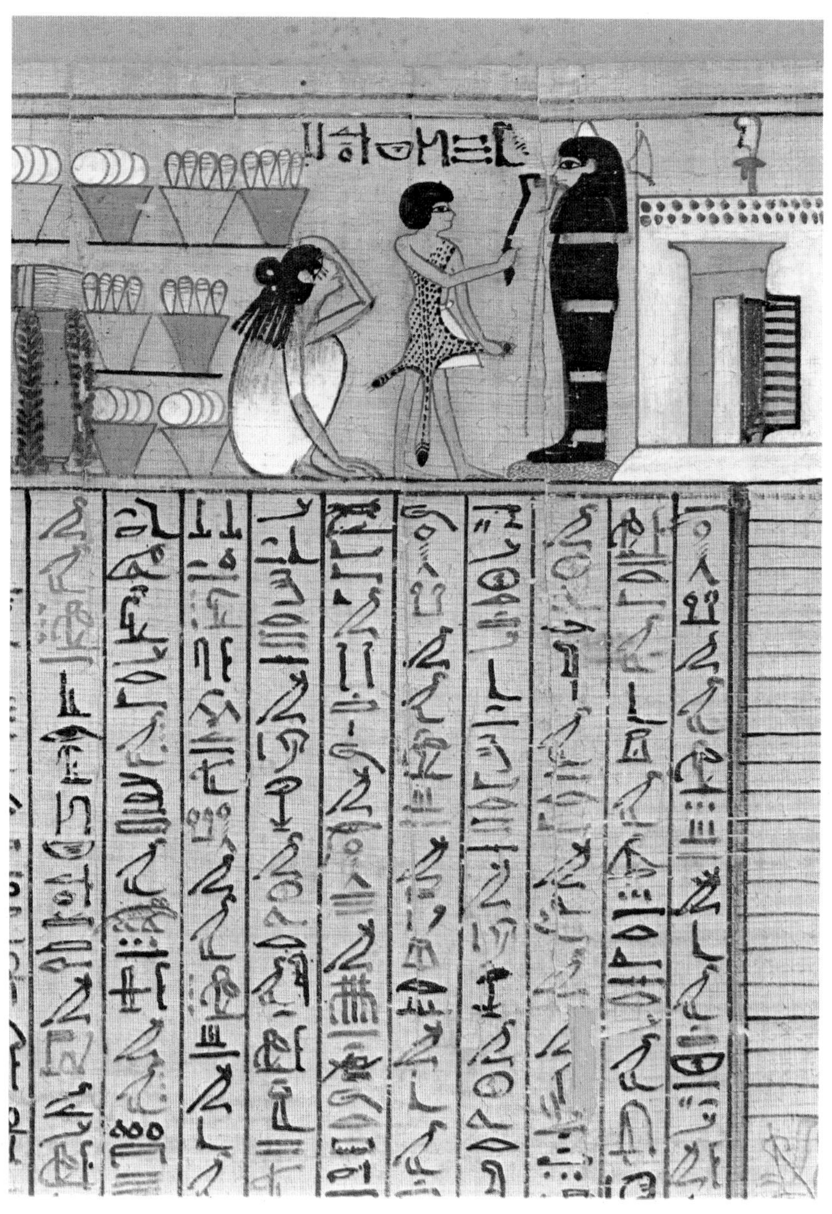

Livre des morts appartenant au scribe Nebqed.
cat. nº 244

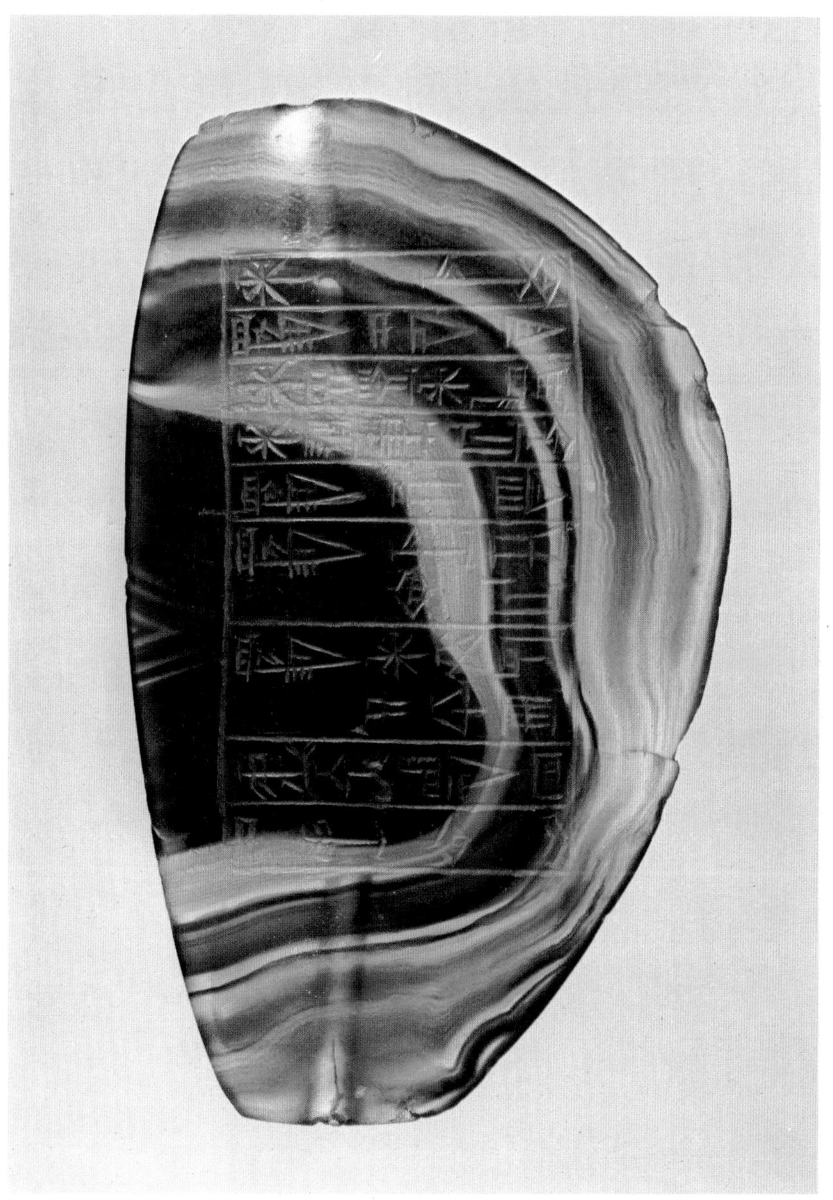

Perle d'agate vouée par Ibbi-Sin roi d'Ur.
Mésopotamie, époque de la renaissance sumérienne, vers 2000 av. J.-C.
cat. n° 47

Scribe.
cat. nº 285

Introduction historique

ΚΑΤÀ ΤÀΣ ΓΡΑΦÁΣ

L'invention de l'écriture a été souvent isolée de son contexte culturel et présentée comme un fait universel, dont les témoins plus ou moins élémentaires se rencontreraient de tout temps et un peu partout dans le monde. Cette vue des choses a suscité des exposés de type comparatiste impliquant partout un même processus, à partir de la pictographie, c'est-à-dire de l'image concrète, d'où l'on serait passé à l'abstraction. Au contraire, en organisant la présente exposition, nous avons eu le souci de travailler en historiens, soucieux de mettre en évidence l'originalité de chaque culture, et pour qui le développement dans le temps est une donnée essentielle. Nous nous sommes attachés, chacun dans sa discipline particulière, à montrer que l'écriture ne pouvait être dissociée de l'ensemble des créations humaines qui caractérisent la civilisation prise en son sens premier d'organisation supérieure de la société vivant dans des communautés urbaines. L'ampleur et la complexité de telles communautés ont seules pu assurer l'intensité des contacts et l'enrichissement intellectuel d'où naquit l'écriture. Il importait donc de montrer que celle-ci se distinguait foncièrement des signes, fussent-ils complexes, par l'intention de fixer non pas simplement la pensée, mais la parole elle-même, organisée selon les nuances du discours à travers les normes de chaque langue. Or l'historien constate qu'un tel souci ne s'est fait jour que très exceptionnellement, à l'issue d'un long processus d'élaboration, seulement dans les deux plus anciennes civilisations dignes de ce nom : celle de Sumer et celle d'Égypte. C'est donc aux civilisations de ces deux pays et à celles qui leur ont été directement associées que nous nous sommes attachés. La Basse-Mésopotamie, qui reçut le nom de Pays de Sumer, et l'Égypte étaient trop éloignées pour que leur développement ait pu se faire conjointement ; et pourtant, c'est lors d'un des rares « moments » où des contacts peuvent être constatés entre elles que nous voyons éclore leurs systèmes d'écriture cependant indépendants.

En fait, l'Asie Antérieure dont Sumer constitua longuement comme le cœur intellectuel, posséda au départ une nette avance. C'est entre les hautes terres de l'Iran et la Méditerranée que nous pouvons suivre le développement qui conduisit à la civilisation, tandis que l'Égypte s'attardait dans la préhistoire. Dès la fin du Xe millénaire av. J.-C., les chasseurs appelés Natoufiens, répandus de la Palestine à l'Euphrate, et leurs collègues des collines du Kurdistan, engagèrent le processus de production de leur subsistance en cessant d'être de simples prédateurs comme leurs ancêtres paléolithiques. Progressivement, dans les régions bien arrosées par les pluies, l'homme apprit à sélectionner les « mauvaises herbes » qu'étaient les graminées sauvages telles que l'engrain, et à parquer pour les chasser plus facilement les chèvres et les moutons, en attendant de les domestiquer. Au VIIIe millénaire dans le gros village de Jéricho au nord de la Mer Morte, comme à Ganj Dareh en Iran occidental, les agriculteurs devenus sédentaires commencèrent à découvrir la possibilité de durcir l'argile en la cuisant, tout en développant leur outillage d'os et de silex.

Au cours des derniers siècles du VIIe millénaire, les villageois groupés dans les agglomérations plus importantes, d'apparence urbaine, s'installèrent en Anatolie méridionale et y créèrent un art remarquable. Leurs cachets permettaient d'imprimer (nous ne savons sur quoi), donc de répéter à volonté des « signes » ou marques gravées en creux. Mais cette forme d'imprimerie élémentaire qui devait connaître de longs développements, ne pouvait déboucher directement sur l'écriture. La continuité semble avoir manqué aux communautés du Levant, peut-être par suite de changements de climat, alors que l'ensemble géographique constitué par les steppes traversées par le Tigre et le rebord

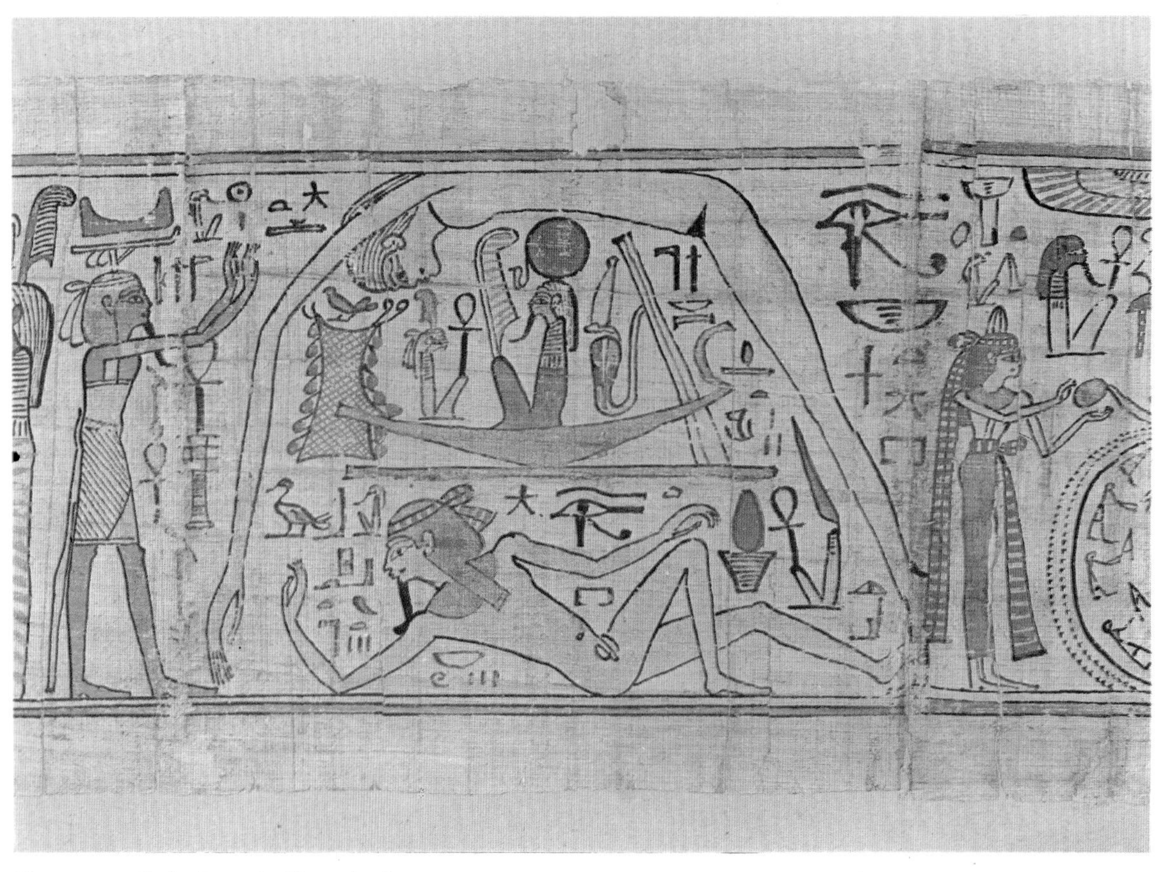

Papyrus mythologique de Nespakachouty.
cat. nº 245

montagneux de l'Iran allait constituer le berceau multiforme de la civilisation. Une étape décisive fut franchie vers le milieu du VIe millénaire, notamment à Tell es-Sawwan près de l'emplacement de la ville arabe de Samarra, quand fut conçue l'irrigation, capable d'assurer des récoltes importantes, et partant, de faire vivre des communautés plus nombreuses. On y créa en outre les normes d'une vraie architecture, qu'allaient adopter par la suite les fondateurs des villes proprement dites.

Vers 4000 av. J.-C., l'Égypte encore isolée entra à son tour dans le processus du développement agricole, tandis que les habitants du Sud mésopotamien, dépassant leurs voisins du Nord, se montrèrent progressivement prêts à prendre leur identité historique de Sumériens, en intégrant à leur communauté ceux de la plaine susienne qui avaient eux-mêmes un long acquis culturel. Dès lors, les métropoles des deux régions adjacentes jouèrent un rôle décisif : Uruk en Sumer et Suse au pied des monts Zagros, où furent organisés les premiers États dignes de ce nom, d'abord par une rupture avec la tradition préhistorique que symbolisait la poterie peinte, puis par l'élaboration d'une comptabilité devenue indispensable à la gestion d'une richesse énorme. Cette comptabilité amena comme naturellement la création du système d'écriture encore élémentaire, très partiellement pictographique, largement abstrait, qui était appelé à devenir cunéiforme et allait être adopté et adapté par la plupart des peuples de l'ancien Orient. Cette écriture est attestée à Uruk à la fin de l'époque de même nom, vers 3300 av. J.-C., alors que les voisins de même culture ne pratiquaient que la comptabilité numérale. Écriture et comptabilité furent mises en œuvre par une administration sacerdotale qui patronna un art résolument réaliste par opposition à la stylisation propre aux préhistoriques. La cité de type sumérien, microcosme gouverné par un couple divin, incarné lors des cérémonies du culte dans un couple royal, allait constituer désormais le cœur de chaque État. Les Sumériens, comme leurs voisins Susiens, lancèrent des colons-marchands jusqu'en Syrie du Nord et au cœur de l'Iran, et touchèrent même l'Égypte qui, en cette fin du IVe millénaire, en reçut peut-être un coup de fouet décisif. Dès lors en effet, elle allait brûler les étapes en rattrapant, voire en dépassant ses modèles orientaux. Elle ne tarda pas à se doter d'une institution monarchique originale, capable de lui imposer cette unité politique qui manqua si longuement aux Sumériens. Adoptant la technique de la construction architecturale longuement élaborée en Mésopotamie, l'Égypte créa enfin son écriture d'un seul coup, sans tâtonnements préliminaires, à une époque à peine plus récente que les Sumériens (vers 3100 av. J.-C.). Et ses rois semblent l'avoir immédiatement mise au service de ce qu'on peut appeler leur idéologie monarchique. Par suite, nous connaissons les noms des pharaons, leurs dynasties successives, alors que nous ne pouvons désigner que par leur fonction leurs collègues sumériens, les « rois-prêtres » dont plus tard on devait considérer l'un d'eux, Dumuzi d'Uruk, comme le type exemplaire.

Désormais, au long du IIIe millénaire, Égypte de l'Ancien Empire et pays de Sumer du temps des dynastie archaïques allaient se développer parallèlement, en s'ignorant pratiquement. Les Sumériens commencèrent par subir un recul momentané qui leur fit perdre Suse et ses colonies d'Iran central. Suse fut intégrée vers 3000 av. J.-C. à un État nouveau, dit proto-élamite, dont la capitale, Anshân, fut alors fondée dans le Fars actuel, non loin de Persépolis. L'écriture originale, véhicule de la langue proto-élamite, ni sumérienne, ni sémitique, ni à plus forte raison indo-européenne, et illisible pour nous, fut introduite au moins jusqu'au Séistan, au long des relais d'étapes des marchands qui durent atteindre l'Asie centrale. Mais cet « empire » ne dura pas, et finalement, Suse comme Anshân allait adopter l'écriture de Sumer. Cette dernière fut adoptée de façon décisive par les Sémites sédentarisés, issus du nomadisme bédouin, répandus dans tout le bassin du Tigre et de l'Euphrate, jusqu'en Syrie. Le milieu du IIIe millénaire apparaît ainsi

Statuette représentant le roi Hammurabi de Babylone en prière.
Mésopotamie, début du XVIIIe siècle av. J.-C.
cat. n° 170

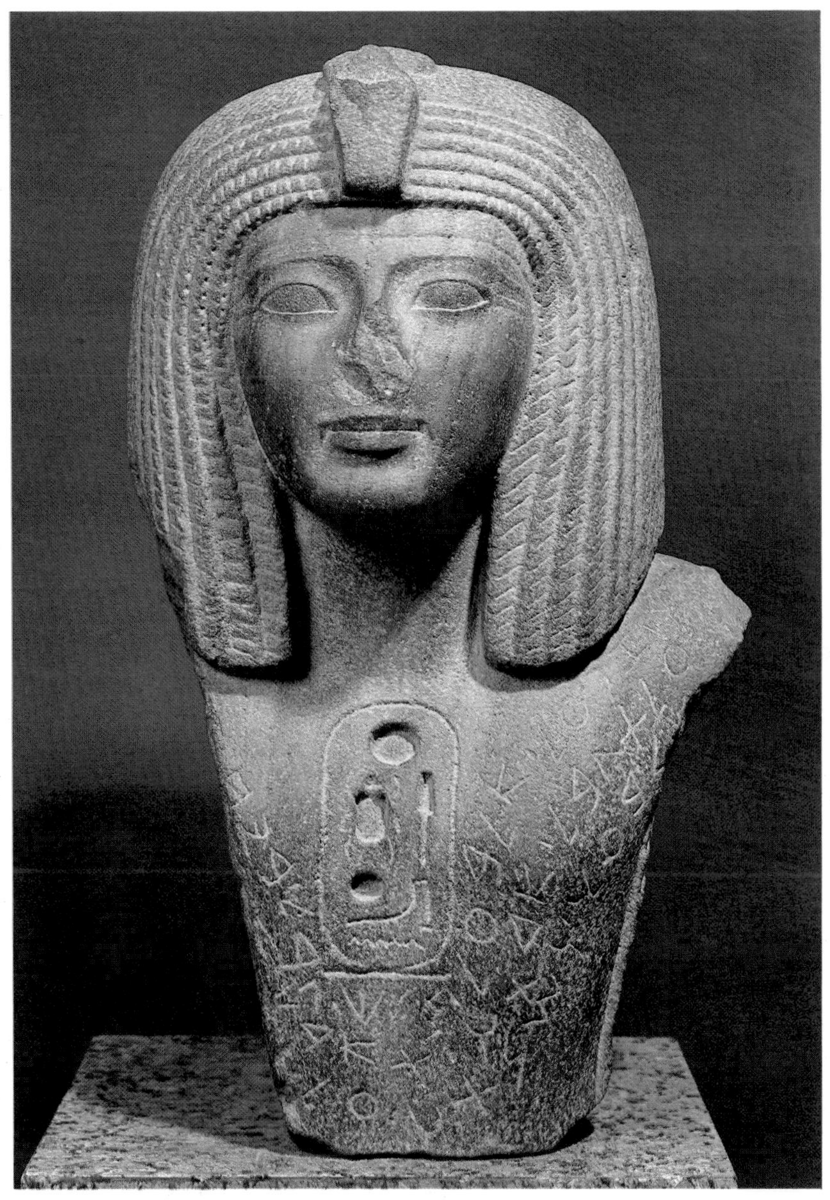

Statue vouée par un prince de Byblos pour la vie du pharaon Osorkon I.
Dédicace en phénicien ancien.
IXe siècle av. J.-C.
cat. n° 121

Bas-relief représentant le scribe Tarhunpiyas avec son écritoire.
Anatolie, VIIIe siècle av. J.-C.
cat. n° 276

comme une époque impressionnante par ses réalisations intellectuelles. Les grands rois de la IVᵉ dynastie égyptienne venaient d'édifier leurs pyramides colossales. Leurs successeurs de la Vᵉ dynastie couvraient les murs des chambres intérieures de leurs pyramides plus modestes, de textes qui constituent un ensemble exceptionnel de documents religieux. Et de leur côté les Sumériens avaient déjà élaboré un corpus littéraire, connu par les textes d'Abu Salabikh et comprenant des inventaires, des recueils de proverbes et des récits relatifs à leurs anciens rois, première attestation de ce qu'on peut appeler l'Épopée sumérienne. Un peu plus tard, les potentats qui organisèrent le puissant État de Lagash, dans le sud-est du pays de Sumer, inaugurèrent le genre historique, à la fois pour l'édification des générations futures et pour établir leur bon droit, dans leurs luttes pour l'hégémonie. Ainsi procéda Eannatum sur sa « Stèle des Vautours » ; son neveu Entemena (vers 2404-2375) fit de même, tout en faisant figure d'ancêtre des législateurs-réformateurs en « inventant » les grands mots de *liberté* et de *fraternité*. Simultanément, les rois d'Ur nouaient des relations cordiales et fructueuses avec ceux de Mari sur le moyen Euphrate, princes sémites qui utilisaient l'écriture sumérienne. Enfin, plus à l'ouest encore, les rois d'Ébla, au sud d'Alep, adaptaient cette dernière à leur langue qu'on peut définir comme proto-cananéenne et nouèrent des relations avec les pharaons de la VIᵉ dynastie égyptienne.

Alors que l'Égypte s'enfonçait dans une longue crise mettant en cause toute son organisation politique et sociale, le monde mésopotamien fut unifié pour la première fois par Sargon, fondateur sémite du premier « empire » dont Agadé fut la capitale (2334-2153 av. J.-C.). Ses prétentions étaient universelles, bien exprimées par le titre de « Roi des Quatre Régions (du monde) » que prit son petit-fils, le grand Narâm-Sîn. Réformateurs de l'écriture, les rois d'Agadé tentèrent d'organiser une administration centralisée pour briser le vieux particularisme de la cité de type sumérien. Nous savons qu'Enkheduanna, fille de Sargon, prêtresse-épouse du dieu Lune d'Ur, fut un auteur fécond et inspiré. Mais l'époque de la plus intense production littéraire allait venir ensuite, d'abord avec Gudea, prince indépendant de Lagash (vers 2141-2122 av. J.-C.), type nouveau du souverain lettré, qui profita de la chute de l'empire d'Agadé pour restaurer les temples de son État et composer des poèmes à l'occasion de leur dédicace. Puis le fondateur de la IIIᵉ dynastie d'Ur (2112-2004 av. J.-C.), Ur-Nammu, restaurateur d'un empire qui se voulait sumérien, fut aussi le promoteur d'une grande activité littéraire, à commencer par le premier en date des « codes » de lois. Il est remarquable qu'en cette fin du IIIᵉ millénaire, et en totale indépendance, l'Égypte qui s'était ressaisie ait connu aussi une littérature de Sagesse, reflétant davantage un certain pessimisme, inspiré par les temps troublés qui venaient de s'achever. La glorieuse XIIᵉ dynastie thébaine allait au contraire patronner une littérature plus optimiste, tout en restaurant pour deux siècles (vers 1991-1786) la puissance pharaonique.

Ce début du IIᵉ millénaire vit de grands bouleversements dans toute l'Asie occidentale. L'empire d'Ur s'effondra sous les coups des nomades amorites, venus de « l'Ouest » syrien, et qui fondèrent une série de royaumes dynamiques au sein desquels la langue sémitique dite akkadienne (du nom de l'empire de Sargon d'Akkad ou Agadé) acquit ses lettres de noblesse : elle devint la langue diplomatique, tandis que le sumérien restait la langue de référence des lettrés et du culte. Tout un patrimoine historique et littéraire fut fixé ou élaboré par les scribes, au sein des anciennes cités sumériennes, puis bientôt à Babylone, siège d'une dynastie de parvenus amorites (1894-1595 av. J.-C.) qui ne fit que raviver la flamme des plus anciennes traditions. De même sur le haut Tigre, la vieille cité d'Assur reçut une dynastie amorite qui lui donna une nouvelle identité historique. Elle envoya ses marchands jusqu'en Anatolie où ils durent rencontrer une mosaïque de peuples, autochtones et immigrants indo-européens qui allaient prendre le nom

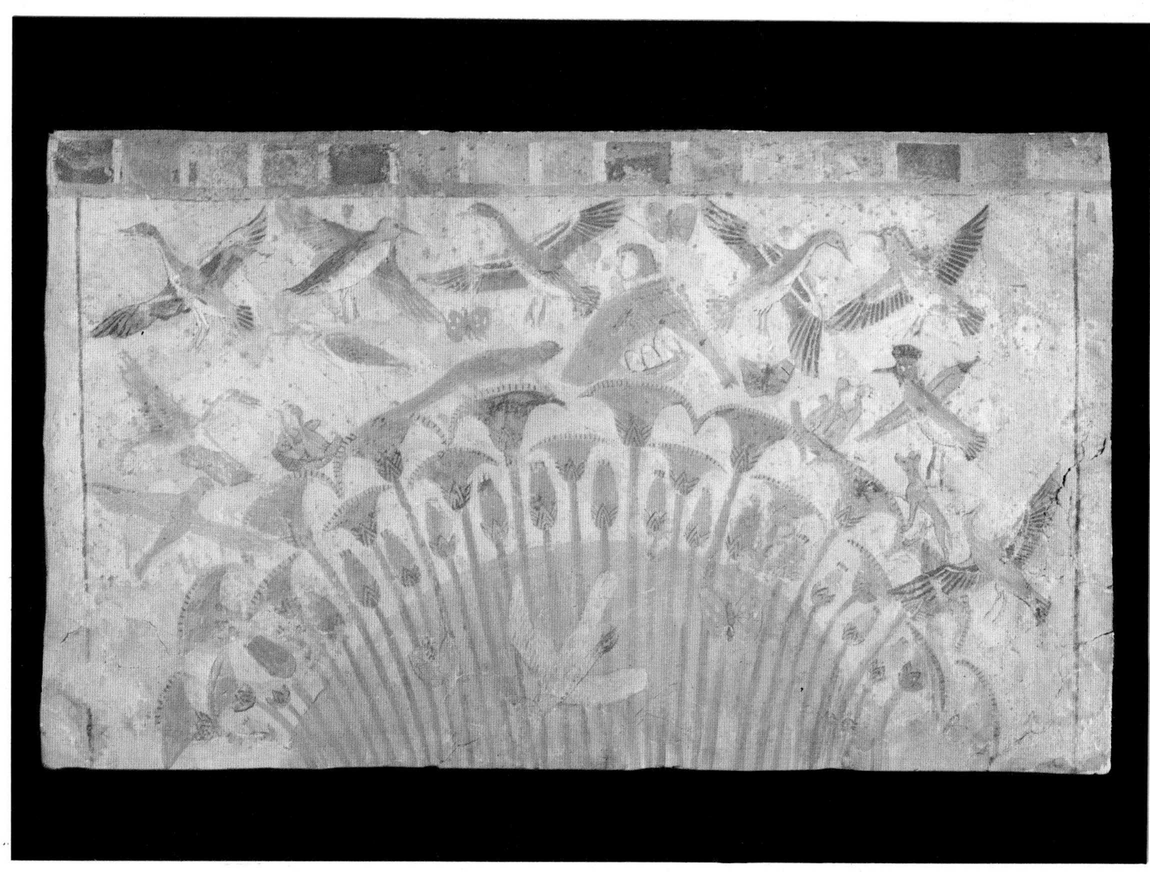

Fourré de papyrus. Tombe de Neferhetep.
cat. n° 301

de Hittites. Ces gens reçurent ainsi l'écriture qui allait leur permettre d'entrer dans l'histoire. Les Amorites enfin se sédentarisèrent en Syrie, y fondant à Mari, à Alep, à Ugarit, à Qatna..., des dynasties qui patronnèrent une brillante civilisation, pleine d'originalité en dépit d'emprunts multiples à ses aînées de Babylonie et d'Égypte, comme à celle qui venait d'éclore en Crète. Lorsque les « Pasteurs » Hyksôs, c'est-à-dire les Cananéens de Palestine et de Syrie, s'emparèrent, à la fin du XVIIIe siècle, de la terre des pharaons, ils subirent massivement l'influence de sa civilisation qui marqua la leur pour quelque deux millénaires.

L'expulsion des Hyksôs par Amosis en 1576 suivit de peu la destruction de la Ire dynastie de Babylone sous les coups des Hittites à l'aube du XVIe siècle, et inaugura une époque particulièrement brillante pour les pays du Levant, tandis que la Mésopotamie connaissait un long déclin. Et pourtant, un empire venait de naître, qui s'étendait des monts Zagros à la Méditerranée : les Mitanniens, d'origine indo-européenne, y encadraient les autochtones hurrites, répandus aussi en Anatolie dans l'empire que les Hittites avaient fondé précédemment. L'écriture cunéiforme, héritée des Sumériens, allait servir aux Hurrites comme aux Hittites à fixer leur langue, tandis qu'un autre peuple indo-européen, les Luvites, créait une écriture hiéroglyphique pour la leur. Les Égyptiens désireux d'une revanche s'emparèrent longuement de la Syrie, soumettant les potentas cananéens et se heurtant aux Mitanniens, pour finalement faire alliance avec eux, afin de faire face aux redoutables compétiteurs que devinrent au XIVe siècle les Hittites, une fois surmontée une longue crise intérieure. Cette époque de gloire militaire pour l'Égypte, d'expansion des peuples égéens qui apportaient leurs produits de luxe dans tout le Levant, fut aussi celle de la gestation d'une invention capitale au sein des peuples sémites soumis aux grands empires.

L'*alphabet* qui éliminait les centaines d'idéogrammes symboliques de mots complets ou de syllabes, et qui ne retenait que le minimum de sons simples, devait certainement beaucoup aux hiéroglyphes des Égyptiens que côtoyaient les nomades, notamment dans le Sinaï. Et pourtant, sa première expression fut cunéiforme, en utilisant l'argile comme support, dans le modeste et prospère royaume d'Ugarit situé en Syrie du Nord, en face de l'île de Chypre. Leur situation en ce carrefour des cultures obligeait les scribes d'Ugarit à connaître le sumérien, indispensable à tout lettré, à pratiquer l'akkadien des diplomates et dont les signes servaient à transcrire les langues des Hurrites et des Hittites. Ils ne pouvaient ignorer non plus les hiéroglyphes égyptiens, ni ceux des Luvites, utilisés par leurs suzerains hittites, ni l'écriture commune à Chypre et à la Crète, utilisée par les commerçants établis sur place en grand nombre. Mais pour mettre par écrit leur propre littérature, spécifiquement cananéenne, aussi bien que pour répondre aux besoins de la vie quotidienne, les gens d'Ugarit eurent recours sans doute dès la fin du XIVe siècle et tout au long du XIIIe à cet alphabet. Et il n'est pas indifférent de rappeler que selon toute vraisemblance, c'est à la même époque que les groupes hébreux cantonnés en Basse-Égypte retournèrent au désert pour leur Exode qui allait les amener à rejoindre les groupes apparentés qui nomadisaient dans le Sinaï, et ceux qui étaient restés en pays cananéen, en marge des royaumes vassaux de l'Égypte.

Cette époque de haute civilisation voyait en outre le réveil des Assyriens, qui ambitionnaient dès lors de supplanter la vieille Babylone et d'accéder à la Méditerranée, tandis que les Élamites à leur tour adaptaient l'écriture babylonienne à leur langue au cours de l'époque la plus prestigieuse de leur histoire.

Le XIIe siècle allait voir le début de grands bouleversements dans tout l'Orient méditerranéen, qui allaient se prolonger au cours d'une époque troublée d'où sortit un état de choses très nouveau. Dans des circonstances obscures, les civilisations de Crète et de Mycènes, comme le puissant empire hittite, en Anatolie, furent balayés, les États cananéens,

Ugarit en tête, disparurent, et les « Peuples de la Mer » ne furent arrêtés qu'aux portes de l'Égypte par le dernier des grands pharaons du nom de Ramsès. Profitant du déclin des grandes puissances, les nomades Araméens, comme autrefois les Amorites, se répandirent partout, ébranlant les royaumes d'Assur et de Babylone et fondant de nombreuses principautés. Finalement, nous trouvons au IXe siècle une Égypte très affaiblie et pourtant chargée de prestige auprès des parvenus d'Asie, un royaume babylonien très diminué, mais une Assyrie sortie durcie de l'épreuve et prête à partir à la conquête du monde oriental. Elle allait affronter tout particulièrement les belliqueuses tribus araméennes qui avaient refoulé sur la côte méditerranéenne les autochtones cananéens, et fondé nombre de royaumes prospères, enrichis par le commerce avec le monde asiatique. Au contraire, les gens de la côte se lancèrent sur la mer laissée libre par les marines égéennes et d'Égypte, et sous l'appellation de Phéniciens, ils colonisèrent jusqu'à la Méditerranée occidentale. Et bientôt, ils se heurtèrent aux Grecs sortis de leur âge obscur, et leur transmirent leur alphabet définitivement mis au point dès la fin du IIe millénaire. Les Phéniciens avaient aussi noué des liens d'amitié avec les rois d'Israël qui avaient adopté, comme leurs voisins Ammonites et Moabites de Transjordanie cette écriture si maniable, dont le support habituel, comme en Égypte, était le léger mais fragile papyrus. C'est pourquoi si peu de leurs écrits nous sont parvenus, tels ceux de Zakkur de Hamath et de Mesha de Moab, au IXe siècle, aux saisissants accents bibliques, ou ceux qui furent écrits sur un mur de Deir Allah en Transjordanie et qui évoquent, dès la fin du VIIIe siècle, la geste du prophète « Balaam fils de Beor, l'homme qui voyait les dieux ».

Du IXe au VIIe siècle, les Assyriens affrontèrent longuement ces peuples et leurs voisins, toujours mal soumis, dont ils utilisèrent l'écriture dérivée du phénicien. Mais ils restèrent fidèles à l'écriture cunéiforme, et le dernier de leurs grands rois, Assurbanipal (668-627 ?) eut l'intelligence de faire rassembler, comme mû par le pressentiment de la mort prochaine de son empire, l'essentiel du patrimoine littéraire de Babylone. Or cette dernière s'était ressaisie sous la dynastie araméenne des Chaldéens et s'allia aux Mèdes nouveaux venus en Iran pour détruire l'empire de Ninive, en 612 av. J.-C. Et de même que peu auparavant, il avait suffi qu'Assurbanipal détruisît Suse pour effacer jusqu'au souvenir de la civilisation élamite, le massacre ou la dispersion du clergé détenteur de la clé de la littérature cunéiforme entraîna l'anéantissement total de la civilisation assyrienne.

Les Chaldéens fondèrent un empire, colosse aux pieds d'argile auquel échappa l'Égypte, déjà restaurée dans son indépendance par Psammétique Ier (663-609 av. J.-C.) dont Saïs dans le Delta était la capitale. Cette époque vit les vieilles civilisations tenter un retour aux sources par une politique de prestige. Mais on est en droit de considérer qu'elles appartenaient désormais au passé, malgré des constructions spectaculaires. Les Mèdes, vrais vainqueurs des Assyriens, s'étaient emparés de l'ensemble montagnard dominant les plaines fertiles de l'Orient, quand ils furent supplantés par le grand Cyrus (559-530 av. J.-C.) qui allait faire des Perses le peuple-maître du monde oriental. Cyrus à son avènement était considéré comme le *roi d'Anshân,* c'est-à-dire d'Élam, et au fur et à mesure de ses conquêtes dont en 539, celle de Babylone allait être décisive, il eut l'intelligence de se faire proclamer le roi, c'est-à-dire l'Élu des dieux de chaque État, de chaque peuple soumis. Son fils Cambyse s'empara de l'Égypte, après quoi Darius (522-486) en dépit de son échec en Grèce, put se considérer comme le maître du monde, en assumant l'héritage de chaque peuple. C'est ce qu'illustra l'art impérial, délibérément syncrétiste, qu'il patronna, en même temps que les inscriptions de ses palais de Suse et de Persépolis, rédigées en trois langues : d'abord la sienne, le vieux perse, transcrite en un alphabet nouveau, cunéiforme, puis l'élamite et l'akkadien de Babylone. Mais sur sa statue de Suse, il y ajouta les hiéroglyphes d'Égypte, tandis que son administration utilisait l'araméen, la vraie *lingua franca* de l'époque. Les

Perses ne firent pas éclater le cadre désuet des cités États, hérité en somme des Sumériens, tout au moins en Mésopotamie. Ils adoptèrent localement ce cadre, avec son couple divin omnipotent et sa cour de dieux secondaires, mais quant à eux, ils furent les dévots d'Ahura Mazda, vrai maître, tolérant, de l'univers. Les Grands Rois des Perses ne furent certes pas tous des génies, mais il n'en est que plus remarquable que leur empire se soit maintenu si longtemps, dans ses limites asiatiques tout au moins, comme s'il avait répondu au besoin de paix des peuples soumis.

Ce fut Alexandre le Grand qui tourna la page, en faisant triompher l'hellénisme, avec sa pensée « moderne », son art, sa langue même. Déjà Hérodote avait étrangement ignoré, un siècle à peine après Nabuchodonosor, la réalité de la civilisation de Babylone, faute de s'intéresser à son écriture et à son message. A l'exception de Bérose, ses successeurs se comportèrent de même, alors que les scribes d'Uruk qui parfois se dotaient de noms grecs, composaient des noms sumériens pour leurs temples ! La tradition babylonienne s'éteignit ainsi, doucement. Celle de l'Égypte résista mieux, mais la clé de son écriture sacrée se perdit à son tour, en pleine époque romaine. Seuls les auteurs bibliques surent sauver leur héritage, à la fois historique et prophétique, qui allait survivre dans le Christianisme, « selon les Écritures ».

Pierre Amiet
Conservateur en chef
du Département des Antiquités Orientales
du Musée du Louvre.

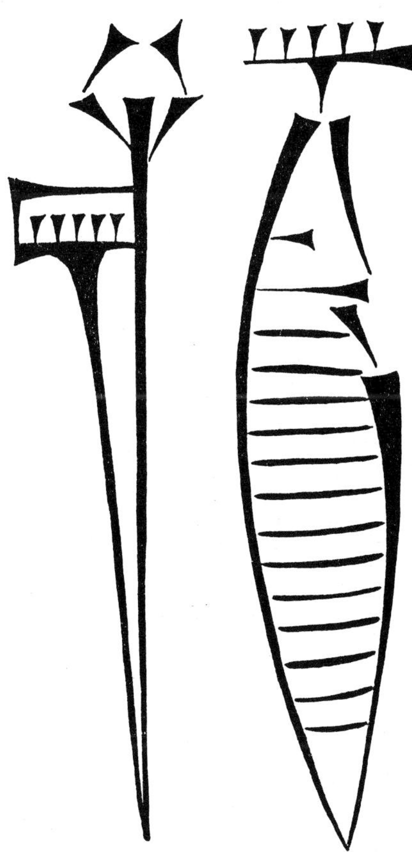

Écriture et Civilisation en Mésopotamie

Dans le monde qui nous entoure, où l'usage de l'écriture est universel, on trouve, en somme, « naturel » un tel usage, et nul ne se demande d'emblée comment et quand il aurait été inauguré. L'écriture nous apparaît comme un élément aussi indispensable à notre vie que le feu, l'outil et le langage, et il ne nous vient pas facilement à l'idée qu'elle ait jamais pu être absente de notre passé.
Pourtant, si l'on remonte un peu haut dans le temps et si l'on se transporte un peu loin dans l'espace, on ne met guère à s'aviser que le plus grand nombre des centaines de langues parlées entre les hommes n'ont jamais été écrites — même si, de nos jours, beaucoup d'entre elles ont subi, à la fin, une alphabétisation tout à fait allogène au développement culturel « interne » de ceux qui les parlent. L'écriture n'est donc pas « naturelle » : c'est un fait de civilisation, et c'est originairement le fait d'un nombre fort réduit de civilisations. Voilà pourquoi, en dépit du prodigieux disparate de leurs formes, toutes les écritures contemporaines se ramènent en fait à deux ou trois modèles, et peut-être encore moins : mise à part l'idéographie chinoise, seule de son espèce, les écritures syllabiques, de l'Inde et de ses alentours, remontent à la seule brâhmî, trois ou quatre siècles avant notre ère ; et toutes celles de type alphabétique, dans l'univers entier, sont dérivées, directement ou non, du premier alphabet, mis au point par les « Phéniciens », voici quelque trente-cinq siècles. Avant cet alphabet, les seules civilisations connues qui aient pratiqué l'écriture se sont peut-être inspirée, elles aussi, chacune à sa façon et en son temps — l'Égypte à partir du début du IIIe millénaire ; l'Inde (système indéchiffré archaïque), quatre ou cinq siècles plus tard ; la Chine entre – 2000 et – 1500 ; l'Asie Mineure (hiéroglyphes « hittites ») peu après – 1500 — du prototype mésopotamien. C'est en effet dans la partie inférieure de ce qui est aujourd'hui l'Iraq, entre Bagdad et Bassorâ, aux alentours de – 3000, qu'est apparu, pour la première fois au monde, un procédé calculé pour extérioriser et fixer tout ce que le langage peut exprimer de la pensée humaine. L'écriture est d'abord un fait de la civilisation mésopotamienne ancienne.
Elle y est profondément insérée, tout d'abord par ses motivations et par son matériel.
Le besoin même d'un pareil procédé est né de l'un des paramètres de cette civilisation. Fondée sur l'agriculture céréalière intensive et l'élevage en grand du menu bétail, le tout entre les mains d'un pouvoir centralisé, elle s'est rapidement empêtrée dans une économie tentaculaire, qui rendait inévitable le contrôle méticuleux des mouvements infinis, et infiniment compliqués, des biens produits et mis en circulation. C'est pour subvenir à cette tâche, en la facilitant et la garantissant par la mémorisation, que l'on a mis au point l'écriture : de fait, pendant plusieurs siècles après son « invention », elle n'a servi à presque rien d'autre.
D'autre part, au moment où elle est née, ses créateurs avaient depuis longtemps appris à exprimer et fixer des mouvements de leur vie intérieure, à tout le moins dans les productions de leurs arts plastiques : céramique peinte, sculpture, glyptique, notamment. Ils y avaient accumulé tout un répertoire de signes et de symboles. Et c'est apparemment de ces raccourcis qu'ils sont partis pour établir un *système* graphique : un choix ordonné et calculé de signes, destiné à objectiver et matérialiser, non plus seulement tel ou tel de leurs états d'âme, mais leur pensée comme telle, et *toute* leur pensée. Voilà pourquoi, dans leur répertoire plastique, ils ont fait un choix de croquis plus significatifs, à quoi ils ont jugé nécessaire d'en adjoindre d'autres, inusités dans l'art, en unifiant au maximum le tracé des uns et des autres, pour éviter toute équivoque dans le nouvel usage de ces dessins.

Finalité et appareil de l'écriture sont donc parfaitement intrinsèques à la civilisation mésopotamienne où cette écriture a vu le jour. Et cette naissance même : cette « invention », démontre et souligne du coup une certaine précellence de ses inventeurs. D'autres groupes culturels se sont, au cours des âges, trouvés dans des conditions analogues : à la fois assez civilisés, en proie aux embarras d'une économie tyrannique et complexe, et héritiers d'un plus ou moins vaste répertoire de signes et de symboles par lesquels ils pouvaient projeter et fixer leur vie intérieure, sans pour autant avoir éprouvé le besoin d'un progrès, et encore moins recherché, et trouvé, les moyens de se l'assurer, par la mise au point d'un système ingénieux, praticable et universel. L'écriture, produit de la civilisation mésopotamienne, en accuse donc, par sa réalisation même, un génie et un éclat particuliers.

On aurait pourtant tort de s'en tenir là, considérant, en somme, cette introduction de l'écriture, pour géniale qu'on la tienne, comme un simple accident de parcours, une commodité nouvellement acquise, une manière de gadget pour améliorer l'existence — alors qu'il s'agit bel et bien d'une innovation révolutionnaire. Passer de la tradition orale à la tradition écrite, ce n'était pas seulement changer le mode de la communication entre hommes, c'était transformer fondamentalement la propre qualité de ses messages, la façon de les voir et de les recevoir, la manière de penser. Tout message écrit devient par le fait même indépendant de celui qui l'émet : quiconque le lit, le tient désormais à sa disposition, non plus seulement le temps de l'entendre, mais autant qu'il veut, puisqu'il peut le relire et y méditer à son aise. Car ce message est désormais *fixé :* ce qui lui confère tout ensemble, outre la durée, une densité plus considérable. Plus de clarté aussi : ses éléments, les mots, sont clairement découpés ; leur ordre et leurs relations mutuelles sont permutables ; ils peuvent se prêter par là à des combinaisons nouvelles, à des trouvailles purement « mentales » et qui n'ont nul besoin d'investigations matérielles, de démarches autres que la seule réflexion. Les mots ont pris la place des choses : ils sont plus maniables ; mais ils sont aussi plus universels, plus dégagés de l'individualité et de la matérialité. Un nouveau type d'activité intellectuelle peut désormais se développer autour d'eux, fondée sur l'analyse, l'abstraction, le raisonnement, la déduction. En outre, expériences et progrès cumulatifs de quiconque réfléchit, à son tour, et couche par écrit ses trouvailles, peuvent être fixés, mis à la disposition de tous, transmis au loin, et la tradition, d'un côté, le savoir, de l'autre, peuvent ainsi tout à la fois se propager et progresser beaucoup plus vite et beaucoup plus sûrement. Cette révolution — dont ce n'est pas ici le lieu de détailler tous les effets — ne s'est pas achevée en un jour, et elle ne s'est faite d'abord qu'à l'avantage d'une certaine catégorie de sujets : celle des experts de l'écriture. Car le maniement de celle-ci, terriblement compliqué, avec ses centaines de signes presque tous polyvalents, nécessitait, pour s'y accommoder, des années d'apprentissage : écrire et lire était une véritable profession. Seuls des spécialistes pouvaient donc, et utiliser cette technique, et s'exposer plus immédiatement aux bouleversements qu'elle apportait à l'esprit et à ses progrès. Voilà pourquoi, en Mésopotamie, la lecture, la composition et la traduction littéraires, mais aussi la maîtrise du savoir non « manuel », la réflexion et l'avancement « intellectuel », ont toujours été, par l'écriture, l'apanage d'un corps constitué d'une catégorie sociale : la classe des « scribes » — des « lettrés ». Mais elles ont commencé très vite de s'y développer : dès le XXVIIe siècle, au plus tard, nous constatons à la fois l'existence d'une production littéraire et d'une tradition de « belles-lettres », et les premiers essais d'un véritable esprit « scientifique », adapté à la rationalité du cru. C'est même lui qui a donné à la mentalité des anciens Mésopotamiens, telle que nous la connaissons, ses caractéristiques principales : une extraordinaire curiosité de savoir ; de tout examiner et enregistrer ; d'analyser, classer, ordonner et comprendre l'univers tout entier ; une façon de ce qu'il faut bien appeler « rationalisme », surprenant et que l'on est forcé d'admirer pour peu que l'on prenne contact avec ce qu'il a produit, même si l'on n'oublie point sa distance par rapport au nôtre. L'écriture n'est pas seulement sortie de la civilisation mésopotamienne : elle lui a conféré sa marque propre, son ampleur, sa profondeur, son originalité et sa force.

Elle lui a octroyé aussi sa durée et sa notoriété. Sur près de trois mille ans d'usage, elle y a donné lieu à une production écrite gigantesque, dont une partie, probablement infime, mais à nos yeux considérable — le chiffre d'un demi-million de pièces n'est sans doute pas exagéré — a été exhumée, peu à peu, de cette vieille terre, depuis cent cinquante ans qu'on la bouleverse de fouilles ininterrompues. Si la répartition de ces documents dans le lieu et le temps est forcément commandée par le double hasard de leur conservation et de leur retrouvaille, en sorte qu'y voisinent des îlots serrés de dizaines de milliers de « papiers » regroupés en archives pour une seule ville et une courte période, avec d'énormes lacunes géographiques ou chronologiques, l'ensemble demeure impressionnant, et compose un dossier grandiose, sans rival pour des temps aussi reculés. Pour peu que, gardant conscience d'un aussi vertigineux éloignement, l'on accepte de contempler les choses d'un peu haut, cette documentation monumentale nous suffit largement pour pénétrer les principaux secteurs de l'archaïque, exemplaire et interminable civilisation des anciens Mésopotamiens.

Grâce à leurs écrits, nous connaissons donc leur Histoire « événementielle », comme on dit à présent : les noms et les séquences de leurs souverains et de leurs dynasties, avec la durée respective des règnes, et très souvent les péripéties de leurs vicissitudes ; l'alternance de leurs centres de pouvoir ; la mesure de leur puissance et de leur gloire, non seulement chez eux, mais sur le théâtre international : « depuis la Mer Inférieure jusqu'à la Mer Supérieure », pour parler comme eux — autrement dit du Golfe arabo-persique à la Méditerranée, de l'Iran et de l'Arabie orientale, à l'Asie Mineure, la Palestine et l'Égypte ; leurs luttes intestines, parfois dérisoires, et leurs guerres souvent impitoyables et portées maintes fois très loin...

Nous connaissons leur système politique : leur conception du pouvoir et les modalités de son exercice ; leur organisation de l'État et de la maison royale ; les noms et les offices de leurs fonctionnaires : des « grands commis » aux plus modestes estafettes ; leur conception de la justice et les principes selon lesquels elle s'exerçait : depuis les recueils de décisions juridiques que l'on appelle « Codes », jusqu'aux comptes rendus détaillés de procès, tantôt tragiques, tantôt pittoresques...

Nous connaissons leur stratification sociale et leur organisation économique : l'ampleur et les produits de leur agriculture céréalière et phénicicole,mais aussi légumière et arboricole ; l'importance de leur cheptel d'ovidés et de capridés, mais aussi de bovidés, d'équidés, de volailles, et d'autres animaux utiles, qu'ils savaient domestiquer, voire dresser ; nous avons des butins de leurs chasses et de leurs pêches ; nous nous faisons une idée de leur circulation infatigable par tout le Proche-Orient, et du commerce intensif qui, depuis la nuit des temps, les a poussés, aux quatre points cardinaux, à s'en aller se procurer les matériaux dont leur contrée d'argile, de roseaux et de bitume était dépourvue : le bois, la pierre, le métal. Le régime de leur distribution et de leur consommation des biens utiles nous est aussi connu, par une multitude de pièces comptables et admnistratives de toute sorte : états de stocks, relevés d'entrées et de sorties, comptabilité sourcilleuse, contrats multiformes, tarifs... Même certains secrets techniques de leur production nous sont révélés par des notes ou des recueils de recettes. Et quant à la circulation de la « monnaie » sous toutes ses formes, y compris la fiscalité, nous avons amplement de quoi nous en faire une idée, non moins que du régime de la propriété et de ses fluctuations.

Nous connaissons le monde surnaturel sous la mouvance duquel ils vivaient, convaincus d'en dépendre entièrement : nous savons les noms, les pouvoirs et la hiérarchie de leurs dieux et de leurs déesses, voire des autres êtres surnaturels auxquels ils se croyaient soumis ; nous avons une idée de leur « théologie », en sa forme à peu près exclusivement mythologique : du comportement et des « aventures » de leurs divinités ; des explications qu'ils s'étaient trouvées des origines et du sens de ce monde, d'eux-mêmes, de leur existence et de leur destin après la mort ; nous sommes au courant des rapports qu'ils avaient noués avec ces dieux, qu'ils devaient servir comme ils servaient leurs souverains, mais dont ils pensaient aussi pouvoir implorer et obtenir les faveurs : nous avons des rituels de leurs liturgies et de leurs fêtes, et le texte de nombre de leurs hymnes de louange et de leurs prières.

Quant à ce que l'on peut appeler leur vie intellectuelle, dont les promoteurs et bénéficiaires premiers, comme on l'a vu plus haut, se trouvaient être les « lettrés », ceux-ci nous ont laissé amplement de quoi la connaître. Nous n'avons pas seulement d'eux des exercices d'école, mais des manuels : des listes de signes, de mots, de synonymes ; des paradigmes ; des dictionnaires, parfois multilingues ; des gloses et des commentaires. Nous en avons aussi des encyclopédies « raisonnées », et des recueils plus proprement scientifiques : de jurisprudence, de mathématiques, et de cette curieuse « science » qui leur permettait, pensaient-ils, de conclure l'avenir à partir d'un certain nombre de phénomènes singuliers ; des calculs d'astronomie ; des traités médicaux de diagnostics et de pronostics ; des recueils de pharmacologie et de thérapeutique. Nous avons des florilèges de proverbes, de conseils « moraux », et de fables. Nous avons même toute une littérature, qui va de l'historiographie au roman ; du tournois littéraire au chant d'amour ; du dialogue « philosophique » au conte bouffon et satirique.

De quelque côté qu'on se tourne, en Mésopotamie ancienne, l'écriture est au centre même de la civilisation — comme, chez nous, elle est au centre de la nôtre.

Jean Bottéro
Directeur d'Études
à l'E.P.H.E., IVe Section

L'Égypte et la naissance de l'écriture

« ... de même que le langage est constamment pénétré d'émotion, l'écriture est inséparable de sentiments esthétiques et autres. »

Marcel Cohen

Il n'est pas surprenant de constater que nous devons au Proche-Orient, dont les civilisations nous ont légué un si riche héritage, encore un bien primordial : la lointaine origine des signes adoptés et aménagés par les Phéniciens puis par les Grecs, pour transcrire notre pensée. Leurs formes premières proviennent en partie de la vieille Égypte.

Assurément, entre le moment où, sur les rives du Nil, a été tracé le premier pictogramme représentant l'objet que l'on voulait évoquer — suivi de la fulgurante évolution de l'écriture hiéroglyphique, transcrivant *non plus* simplement *des idées mais des sons* — et les temps où sont apparues les notations graphiques proto-sinaïtiques (issues de certaines de ces images et délivrant seulement par « acrophonie » un son correspondant à une lettre dont nous trouvons l'ultime forme dans notre alphabet), il s'est écoulé un temps certain. Mais, on peut dire que le phénomène a connu une très rapide évolution car l'apparition de l'écriture en Égypte remonte à 5000 années environ. Or quarante siècles nous séparent alors, et seulement, de ces graphies utilisées en un alphabet provenant de signes égyptiens que prononçaient, en leur langue, les mineurs sémites travaillant au Sinaï pour Pharaon. Enfin, c'est en Nubie égyptienne, sur la gigantesque jambe du premier colosse Sud d'Abou Simbel, que nous est conservée la plus ancienne inscription lapidaire grecque connue, gravée par ordre de Potasimto, général de la légion étrangère à la solde du pharaon Psammétique II, à l'époque où il poursuivit les armées *kushites* du Soudanais Aspalta, vers la plaine de Napata, au VIe siècle avant notre ère.

Évolution rapide, s'il en fut, par comparaison avec le long cheminement de l'histoire humaine qui s'écoula entre le moment où l'*homo erectus,* dressé sur ses jambes arquées, devint l'*homo habilis,* encore proche de l'australopithèque, (dont les outils ont aussi récemment été retrouvés en Égypte,) et l'instant radieux qui fut contemporain du plus ancien des scribes des bords du Nil : cette aventure-là dura plus de trois millions cinq cent mille années.

Sitôt l'écriture constituée — l'essentielle trouvaille après la découverte plus lointaine du feu — l'époque historique et pharaonique naquit comme en une sorte de génération spontanée : le véritable miracle égyptien. On ne constate, en effet, quasiment pas les balbutiements du système hiéroglyphique. Voici qu'après quelques images et scènes peintes sur des poteries, des murailles (tombes d'Hiéraconpolis) ou sculptées sur des objets (palettes en schiste, manches de couteaux) les signes d'écriture apparaissent brusquement, encore empreints, c'est sûr, de l'archaïsme relevé dans toutes les autres manifestations de l'art du moment, qu'elles soient graphiques ou sculpturales. Mais à la pure forme optique de communication s'est déjà substitué un système acoustique très évolué.

De surcroît, n'a-t-on pas aussi retrouvé dans un tombeau de la première dynastie, à Saqqarah, des rouleaux de papyrus vierges ? Pourtant, rien encore n'a été repéré qui puisse attester des préliminaires nécessaires à la constitution de ces premiers supports élaborés de la pensée. A constater leur qualité, on ne peut imaginer qu'ils aient pu être contemporains du premier essai d'écriture, du premier tracé à l'encre de signes tendant à exprimer un désir, un besoin, un souvenir, suivant la pittoresque et si charmante description de Kipling dans ses « Just as Stories » (Histoires comme Ça) à propos du « Commencement de l'alphabet ».

Donc rien de la préhistoire de l'écriture égyptienne ne nous est encore connu ; les hiéroglyphes apparaissent sur les bords du Nil comme un

moyen d'expression, de même qu'ils ont surgi sur d'autres continents, mais peut-être moins spontanément.
Sans doute, ces images égyptiennes fidèlement proches de la réalité qui servaient à rendre des sons traduisant un langage à la grammaire si élaborée (déchiffré dès 1822 par le génial Champollion) ont-elles connu une fortune plus longue que partout ailleurs et plus exaltante. Elles étaient, en effet, considérées comme sacrées et empreintes d'une puissance magique réelle à ce point que dans les textes des pyramides les phonèmes écrits, par exemple, au moyen d'un serpent redoutable ou d'un crocodile, pouvaient être soit mutilés intentionnellement soit percés de flèches pour empêcher qu'elles ne nuisent. Ainsi les signes ont-ils été éternisés sur la pierre pour les dieux et les défunts (et décorèrent même leur mobilier d'outre-tombe) pendant des millénaires. Les siècles les ont marqués de leur empreinte et ont parfois modifié leurs formes ; enfin pendant la dernière phase de leur existence ces pictogrammes vénérables, désormais utilisés et compris des seuls prêtres, furent multipliés d'une façon considérable et enrichis de mille détails. La langue certes avait évolué, la syntaxe s'était légèrement transformée et les sons avaient perdu de leur force. Mais le principe était demeuré le même, *« comme aux temps des dieux »*. Les derniers textes en écriture sacrée tapissaient encore les murs des temples de Philæ lorsque Théodose les fit fermer au culte de la grande Isis.
Quant aux écritures onciales : hiératique (dès l'Ancien Empire), puis démotique (dès le VIIe siècle av. J.-C.), toutes deux utilisées pour les vivants dans les textes littéraires et les pièces juridiques et comptables, sur *papyri* surtout (d'où nous vient le mot papier = *pa-per-aâ*) ou *ostraca* (fragments de poterie ou écailles de calcaire), ou encore le bois, le cuir, les étoffes mêmes. Elles n'avaient pas seulement été le véhicule d'une langue parfaitement constituée aux graphies en perpétuelle évolution ; grâce à leur support léger, elles avaient aussi facilement traversé les frontières au-delà des marches orientales de l'Égypte, dans cette aire située entre Égypte et Mésopotamie et correspondant à la Syrie et à la Palestine. Là, entre le XXe et le XIVe siècle avant notre ère, fut véhiculé puis évolua le véritable système alphabétique surgi tout d'abord au Sinaï. Il ne faut cependant pas oublier que les Égyptiens avaient aussi, dès la formation de leur écriture, établi une première liste de 24 lettres simples (consonnes et semi-consonnes), complétant souvent leurs signes plurilitères, ou servant à écrire des mots grammaticaux et également utilisée comme système graphique pour tracer les mots et sons étrangers.
Enfin, bien que le démotique continuât, sous le gouvernement des Lagides, à être employé et à prévaloir en Égypte, une nouvelle écriture, dès le troisième siècle de notre ère, émergea et fit surgir, comme une dérivation des graphismes les plus lointains, l'écriture copte qui utilisa les 25 lettres de l'onciale grecque comprenant, enfin, les lettres-voyelles, à laquelle sept signes du démotique furent ajoutés pour exprimer les sons qui n'existaient pas dans le langage de l'Hellade. Il fallut attendre le IXe siècle de notre ère, lorsque les effets de l'invasion arabe se firent profondément sentir pour que la pratique courante des écrits coptes se limitât aux seules églises chrétiennes d'Égypte.
On imagine facilement l'apparition des premiers pictogrammes du début de certaines écritures dans le monde (d'autres ont connu à leur origine l'utilisation de cordes aux longueurs et aux nœuds multiples et différents ou bien encore l'usage de symboles de couleurs), lorsque l'on constate combien sont utiles et facilement compréhensibles — sans l'aide d'interprète — les idéogrammes internationaux, signalisations routières ou encore images peintes au pochoir sur les caisses affectées au transport des objets fragiles ou craignant humidité et chaleur. Mais quel pays mieux que l'Égypte a poussé l'amour des signes et a cru en leur force créatrice, jusqu'à les introduire dans le décor graphique ou plastique comme un complément et même parfois un additif ornemental ? Et quel autre pays a poussé l'amour des formes jusqu'à les utiliser comme

signes d'écriture si bien que parfois on ne sait si l'on se trouve devant une phrase hiéroglyphique agrandie, courant tout le long d'un registre décoratif, ou devant une frise miniature constituant simplement une ligne d'écriture !
Les lettrés des bords du Nil qui éditaient leurs livres-rouleaux dans le scriptorium des « Maisons de vie », ont su jouer avec bonheur de toutes les possibilités que leur procuraient les multiples pictogrammes, signes phonétiques et déterminatifs imagés. Ils ont parfois pratiqué l'usage de véritables mots-croisés, mais ils ont surtout excellé dans l'art du rébus. Ce système, vieux comme le monde, se retrouve non seulement à l'origine de l'écriture égyptienne, mais à la base des prononciations si élaborées des hiéroglyphes ptolémaïques et aussi à l'origine de la cryptographie, ou sorte de message caché hiéroglyphique. Pour ce dernier genre, toutes les ressources de leur imagination ont été mises en œuvre, afin de rendre plus difficile la perception de ces textes « scellés de sept sceaux », avant qu'ils ne soient déchiffrés pour la première fois en 1934 par un grand égyptologue, le Chanoine Étienne Drioton.
Qu'on ne soit pas étonné si les Égyptiens, « les plus religieux de tous les hommes », constatait encore Hérodote au Ve siècle avant notre ère, avaient placé littérature et sciences sous la férule de Thot-le-très-Grand (l'Hermès trismégiste des Grecs), la forme divine la plus intellectuelle, qui régnait sur la mesure, l'exacte révolution du système planétaire, le calendrier, le « Maître des écrits sacrés » qui avait « différencié toutes les langues ». Il patronnait les scribes et les intellectuels de l'époque sensibles au plus haut degré, aux enseignements sapientiaux — mais encore éloignés des spéculations philosophiques — ceux-là mêmes qui nous ont légué par leurs écrits et au-delà des siècles les plus beaux encouragements à l'acquisition de la culture :

« Les scribes savants,...
disait sous la XIXe dynastie ramesside l'auteur d'un papyrus trouvé dans les ruines du village de Deir el-Médineh, Haute Égypte,
« ils ont achevé leur vie,
tous leurs contemporains sont tombés dans l'oubli
ils ne se sont pas érigés des pyramides d'airain aux stèles de fer,
ils n'ont pas su donner d'héritiers nés de leur chair,
qui puissent proclamer leur nom,
mais ils ont laissé en guise d'héritiers,
les livres d'enseignement qu'ils avaient composés.
Ils ont confié à leurs œuvres
la mission d'être leurs prêtres funéraires,
et leurs tablettes à écrire sont devenues leur « fils chéri »,
leurs ouvrages sont leurs pyramides,
leur calame est leur rejeton,
et la pierre gravée est leur épouse.
Les puissants et les humbles sont devenus leurs enfants.
Car le scribe, c'est lui leur chef.
On leur avait construit des portes et des châteaux,
mais portes et châteaux sont anéantis.
Leurs « prêtres de double » ont disparu,
leurs stèles sont couvertes de poussière,
leurs tombes sont oubliées.
On proclame cependant leurs noms
à cause de l'excellence de leurs œuvres,
et le souvenir de (ces) auteurs est éternel.
Sois un scribe, et mets ceci dans ton cœur
pour que ton nom ait le même sort :
plus utile est un livre qu'une stèle gravée
ou qu'un mur solide.
Il tient lieu de temple et de pyramide,
pour que le nom soit proclamé.

... L'homme périt, son corps redevient poussière,
tous ses semblables retournent à la terre,
mais le livre fera que son souvenir soit transmis de bouche en bouche.
Mieux vaut un livre qu'une solide maison
ou bien qu'un temple dans l'Occident,
mieux qu'un château fort encore,
ou qu'une stèle dressée dans un sanctuaire.
... ils ont passé les savants prophètes
et leurs noms seraient oubliés si leurs écrits ne perpétuaient leur souvenir ».

(Extraits du Papyrus Chester Beatty IV, verso, Nouvel Empire).

Ch. Desroches-Noblecourt
Inspecteur Général honoraire des Musées

MER NOIRE
TIFLIS
ISTAMBUL
Troie
ANKARA
Yazilikaya
Bogazkoy
YOZGAT
Kamir-Blur
Altintépé
Yortan
Sardes
Éphèse
Kültépé
KAYSERI
Arslantépé
MALATIA
Toprakkale
VAN
TABRIZ
KONYA
Karahuyuk
Catalhüyük
MARASH
MARDIN
Urkish
ASSUR
Hasan
Karkemish
HARRAN
Khorsabad
Tépé Gaura
MERSIN
Taurus
Til Barsib
Arslan Tash
ALEP
Tell Halaf
Tell Brak
Ninive
ARBELES
Tell Taynat
Tell khuera
MOSSUL
MESKENE
(Emar)
Tell Mureybet
Tell al-Rimah
Nimrud
Tell Hassuna
Ras Shamra
(Ugarit)
LATTAQUIE
TELL MARDIKH
(Ebla)
Hama
DEIR EZ ZOR
Assur
KERKUK
Nuzi
CHYPRE
LARNACA
HOMS
Palmyre
Mari
Euphrate
Tigre
ABU KEMAL
Samara
Telles-Sawwan
BYBLOS
BEYROUTH
SIDON
DAMAS
BAGDAD
TYR
Tell Ramad
Mallaha
Hazor
MÉSOPOTAMIE
AKK
MER MÉDITERRANÉE
HAIFA
Mt Carmel
Meggido
AMMAM
ALEXANDRIE
JÉRUSALEM
BEERSHEBA
BASSE ÉGYPTE
Memphis
Nil
Sinaï
Akaba
MOYENNE ÉGYPTE
Tehneh
Karnak
MER ROUGE
HAUTE ÉGYPTE
Edfou
Eléphantine
Assouan
1re cataracte
Kouban
Aniba
Ouadi es-Séboua
Abou Simbel
Qasr Ibrim
Faras
Bouhen
Ouadi-Halfa
Mirgissa
2e cataracte
Semna
Koumna

rale du Proche Orient

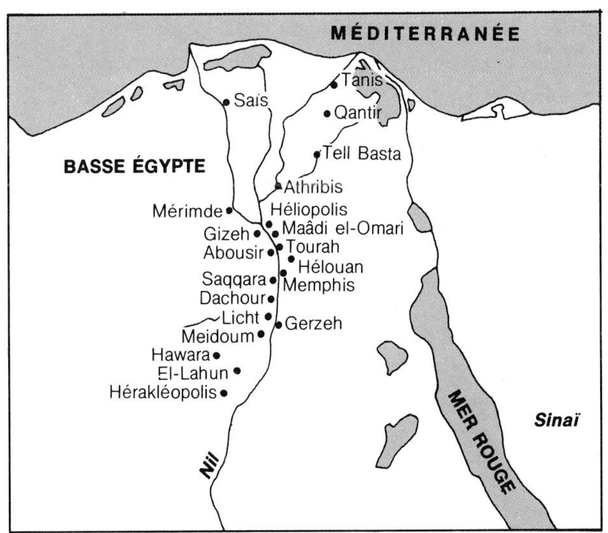

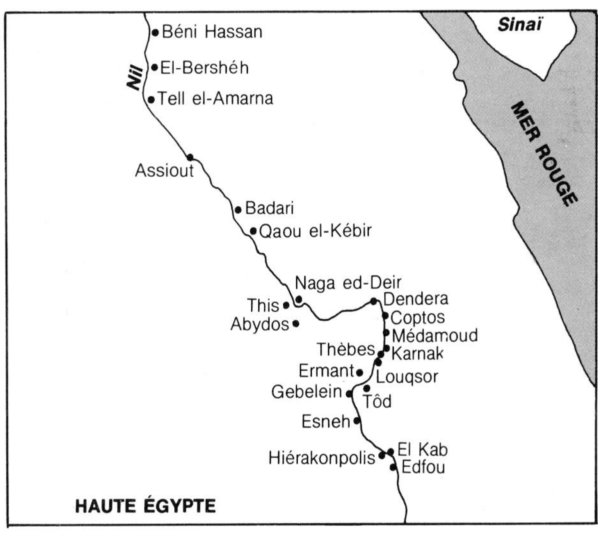

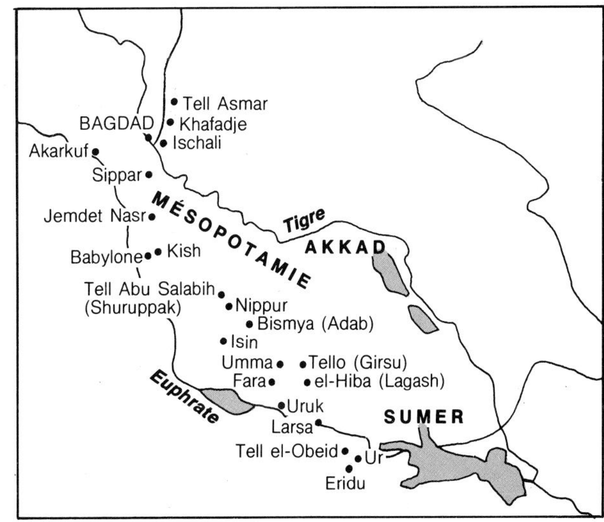

Tableau chronologique

Dates av. J.-C.	Égypte	Mésopotamie	Elam	Levant	Anatolie
9000		vers 10000-9000 : Paléolithique			
8000		vers 8000 : début du Néolithique		vers 8500-7000 : Mureybet vers 7500 : Jéricho « Pré-poterie-néolithique A »	
7000		vers 6300 : Qalaat Jarmo		vers 7000 : Jéricho Pré-poterie néo-lithique B	Tchatal Hüyük
6000		vers 6000 : adoption de la céramique vers 5700-5400 : Epoque d'Hassuna au Nord		vers 6000-4300 : déser-tion de la Palestine	
5000		vers 5500-5000 : Epoque de Samarra au Sud Epoque de Tell Halaf apogée vers 4500	sites de Susiane (Djaffa-rabad...)	Yarmoukien à Jéricho	Hacilar
4000	vers 4000-3500 : Nagada I (ou époque amra-tienne) vers 3500-3100 : Nagada II (ou époque gerzéenne) Ka Den Narmer vers 3100 : apparition de l'écriture	vers 4400-3700 : Epoque d'Obeid vers 3700-3000 : Epoque d'Uruk civilisation proto-urbaine vers 3300 : Uruk, niveau IV b apparition de l'écriture	fin V[e] millénaire : fondation de Suse céramique dite de Suse I Suse, époque proto-urbaine		
3000	vers 3100-2700 : Epoque Thinite Ire Dynastie : Aha-Ménes Djer vers 3100-2900 Le roi Serpent (Ouadji) Den Adjib Semerkhet Quâ	vers 3100-2900 : Epoque de Djemdet-Nasr civilisation proto-urbaine récente	3100-2800 : Suse, époque proto-élamite		

Dates av. J.-C.	Égypte	Mésopotamie	Elam	Levant	Anatolie
	IIe Dynastie : Peribsen vers 2900-2700 Khasekhemouy vers 2700-2200 : Ancien Empire	Epoque des Dynasties Archaïques I vers 2900-2750 II vers 2750-2600		Byblos : présence des Egyptiens temple de la « Dame de Byblos »	
	IIIe Dynastie : Djeser 2700-2650				
2500	IVe Dynastie : vers 2620-2500 : Snéfrou Chéops Didoufri Chéphren Mykérinus	III a vers 2600-2500 Mesalim			
	Ve Dynastie : vers 2500-2350 : Ouserkaf Neferirkaré Niouserré Djedkaré-Isesi Ounas	III b vers 2500-2330 Epoque des tombes royales d'Ur Lagash : Ur-Nanshe Eanatum Entemena Urukagina	vers 2400 : Dynastie d'Awan	Royaume d'Ebla en Syrie du Nord	
	VIe Dynastie : vers 2350-2200 : Pépi I Pépi II	vers 2330-2150 : Epoque d'Agade Sargon Rimush Manishtusu Naram-Sin Sharkalisharri	vers 2200 : Puzur-in-Shushinak	vers 2300 : destruction des villes de Palestine par les Amorites	Troie II vers 2200 : Tombes royales d'Alaça Hüyük
	Première Période Intermédiaire vers 2200-2060	Invasion des Guti : Anarchie			
	VIIe, VIIIe, IXe, Xe, début XIe Dynasties : Khéti vers 2100	vers 2150-2000 : Epoque néo-sumérienne Lagash : Ur-Bau Gudéa			
	vers 2060-1786 : Moyen-Empire Fin XIe Dynastie : vers 2060-1991 Nebhépetré-Montouhotep Séankhkaré-Montouhotep	Ur : IIIe Dynastie Ur-Nammu, fondateur Shulgi Amar-Sin Shu-Sin Ibbi-Sin Invasions Amorites	domination d'Ur Dynasties locales		Colonies assyriennes de Cappadoce : XXe-XVIIIe siècle apparition de l'écriture cunéiforme à Kültepe
	XIIe Dynastie : vers 1991-1786 Amenemhat I	Royaumes amorites rivaux : Isin, Larsa, Mari,		Tombes royales de Byblos, richesse des villes côtières	

Dates av. J.-C.	Égypte	Mésopotamie	Elam	Levant	Anatolie
	Sésostris I Amenemhat II Sésostris II Sésostris III Amenemhat III Deuxième Période Intermédiaire vers 1786-1555 XIIIe-XVIIe Dynasties Khendjer vers 1700 Apopis vers 1600	Eshnunna Isin : Lipit-Ishtar Mari : Iahdun-Lim Zimrilim Babylone : Ire Dynastie vers 1894-1595 Hammurabi 1792-1750 1595 : prise de Babylone par les Hittites			1650-1500 : Ancien Empire Hittit Mursili I prend Babylone
	1555-1080 : Nouvel Empire XVIIIe Dynastie : vers 1555-1305 Ahmosis Hatchepsout vers 1500 écriture alphabétique au Sinaï	XVe siècle : Empire mitanien au Nord Hurrites à Nuzi		Villes du Levant prises entre la domination des Egyptiens, Mitaniens et des Hittites	
	Thoutmosis III Aménophis II Thoutmosis IV Aménophis III Aménophis IV Toutankhamon Horemheb XIXe Dynastie : vers 1305-1196 Ramsès I Séthi I Ramsès II (bataille de Qadech) XXe Dynastie : vers 1196-1080 Ramsès III Ramsès IV à XI	Babylonie Kassite : XVIe-XIIe siècle Kadashman-Turgu (Kassite) Melishihu (Kassite) vers 1160 : conquête de la Babylonie par les Elamites	Epoque médio-élamite Untash-Napirisha	XIVe siècle : alphabet ugaritique à Ras Shamra Époque des Juges	1460-1180 : Nouvel Empire Hittit Suppiluliuma conquête de la Syrie Muwatalli (vers 1285, bataille de Qadech) Tudhaliya IV vers 1180 : chute de l'Empire hitti
1000	Invasions des Peuples de la mer Troisième Période Intermédiaire vers 1080-713 XXIe Dynastie : vers 1080-946 Psousennès	XIe-Xe siècle : invasions araméennes		Invasion des « Peuples de la mer » Destruction de nombreuses villes XIe siècle : alphabet phénicien	Epoque néo-hit
	XXIIe Dynastie : vers 946-720 Osorkon I	IXe-VIIe siècle : Epoque néo-assyrienne Assurdān II	Époque néo-élamite	Royaumes de Juda et d'Israël	

Dates av. J.-C.	Égypte	Mésopotamie	Elam	Levant	Anatolie
	Chechonq I Chechonq II Osorkon II	Assurnazirpal II Teglat-Pileser III Sargon II		vers 840 : Mesha, roi de Moab 722 : chute de Samarie	VIIIe siècle Royaume phrygien fin VIIIe s. : Midas à Gordion
	XIIIe-XXIVe Dynasties : vers 792-712				
	XXVe Dynastie (éthiopienne) vers 740-713 Piankhi				
	XXVIe Dynastie (saïte) vers 664-525 Psamétik I Nékao Psamétik II Apriès Amasis	Assurbanipal 612 : chute de Ninive et de l'empire assyrien VIe siècle : Epoque néo-babylonienne Nabuchodonosor II Nabonide	646 : destruction de Suse par Assurbanipal	587 : Destruction de Jérusalem-l'Exil	
	XXVIIe Dynastie (première domination perse)	539 : prise de Babylone par Cyrus 539-330 : époque perse-achéménide			
500	525-404 conquête de l'Egypte	Cyrus II Cambyse II Darius I Xerxès Artaxerxès I	Palais de Suse		
	XXVIIIe-XXIXe Dynasties 404-380 XXXe Dynastie : 380-342 Nectanebo I Nectanebo II	Artaxerxès II			
	Deuxième Domination Perse 342-332 Epoque Ptolémaïque 332-30	Artaxerxès III Darius III Codoman. 331 : prise de Babylone par Alexandre			

De la parole à l'écriture, de l'image à l'alphabet : évolution chronologique

Env. 35000 av. J.-C. : Corrélation entre l'apparition des images et du langage chez l'homo-sapiens (physiologiquement adapté à une telle gymnastique mentale).
Env. 30000 av. J.-C. : Peintures pariétales en Europe.
Entailles sur os les plus anciennes : moyens mnémotechniques pour fixer une information.
Vers 15000 av. J.-C. : Peintures des grottes de Lascaux et d'Altamira.
Vers 9000 av. J.-C. : Galets peints de la culture azilienne.
Vers 3300 av. J.-C. : Invention de l'écriture pictographique en Basse-Mésopotamie. (Uruk IV b)
Vers 3100 av. J.-C. : Début de l'écriture hiéroglyphique égyptienne.
Vers 2800-2600 av. J.-C. : L'écriture sumérienne devient cunéiforme.
Vers 2500 av. J.-C. : Le cunéiforme commence à se répandre dans tout le Proche-Orient.
Vers 2300 av. J.-C. : Les peuples de la vallée de l'Indus utilisent une écriture originale non déchiffrée.
Vers 1800 av. J.-C. : L'akkadien, devient la langue diplomatique internationale de tout le Proche-Orient.
Vers 1500 av. J.-C. : — Invention du système hiéroglyphique hittite.
— Écriture alphabétique au Sinaï.
— Écriture chinoise idéographique sur vases de bronze et os oraculaires.
— Écriture Minoenne dite « Linéaire B » en Crète.
Vers 1400 av. J.-C. : Les commerçants d'Ugarit utilisent un alphabet cunéiforme consonantique, sémitique.
Vers 1100 av. J.-C. : Premières inscriptions connues en alphabet linéaire phénicien.
Vers 900 av. J.-C. : Les Phéniciens répandent leur alphabet consonantique, précurseur de notre alphabet, à travers la Méditerranée.
Vers 800 av. J.-C. : Les Grecs inventent l'alphabet moderne avec voyelles.

Catalogue de l'exposition Ramsès II, 1976, p. 42.

plan de l'exposition

9. Atelier des enfants
8. La civilisation
7. La redécouverte
6. Le scribe et la vie intellectuelle
5. L'alphabet
4b. La diffusion
4. Les systèmes (suite)
4a. Les visuels
4. Les systèmes d'écriture
(cunéiforme et hiéroglyphique)
3. La naissance
2. Avant l'écriture
1. Entrée

I. Naissance de l'écriture

la naissance de l'écriture en Mésopotamie
la naissance de l'écriture en Égypte

La naissance de l'écriture en Sumer et en Élam

Dans l'aperçu très rapide que nous venons de donner du développement de la civilisation orientale, nous avons signalé que la naissance de l'écriture avait été liée aux besoins de la comptabilité, au sein de communautés d'agriculteurs et d'éleveurs de Mésopotamie et des confins iraniens. Dès le VIIe millénaire avant Jésus-Christ, les villageois découvrirent la possibilité de durcir l'argile en la cuisant. Ainsi naquit l'art du potier, qui allait connaître un essor caractéristique des cultures néolithiques élaborées, pendant plus de deux mille ans. Mais il importe d'observer que le splendide décor peint sur les vases, en dépit d'une stylisation qui peut faire ressembler les figures à des « signes », ne correspondait jamais à une écriture, c'est-à-dire à un procédé visant à fixer la parole elle-même, ni même un aide-mémoire du récit proprement dit d'un conteur. Or tandis que naissait l'art de la poterie, on s'avisa de façonner de petits objets d'argile : billes, cônes, cylindres, qui ont pu être considérés comme des jouets, voire des amulettes. Mais comme ils ont pu être groupés, nous devons admettre qu'ils répondaient plutôt à une intention déterminée. Il est permis de supposer, sans certitude mais avec vraisemblance, que ces objets avaient le même usage que les *cailloux* dont un peu partout dans le monde les hommes se sont servis pour compter, et qui ont donné son nom à notre *calcul.* Nous les appellerons donc de leur nom latin, des *calculi.*

Un tel emploi de l'argile n'était cependant pas décisif, et de fait, il ne déboucha pas directement sur un système proprement dit, dûment codifié. Il faut attendre l'éclosion des grandes agglomérations urbaines d'Uruk en Sumer et de Suse en Élam, dans le courant du IVe millénaire, pour voir au contraire un vrai système s'imposer dans des communautés qui avaient rompu avec la tradition préhistorique en élaborant un art qui reflétait une pensée radicalement nouvelle. L'imagier évoquait globalement des « scènes » qui pouvaient être narratives, mais n'en différaient pas moins fondamentalement du récit qu'un narrateur pouvait donner dans une langue spécifique. La démarche analytique du scribe allait passer par la comptabilité. De fait, on constate que le vieux procédé des *calculi* symboliques de nombres fut organisé de façon toute nouvelle.

Chaque opération comptable était l'objet d'un contrat, enregistré et fixé en groupant les *calculi* dans une enveloppe d'argile en forme de boule, dont on garantit la fermeture en y imprimant un sceau en forme de petit rouleau, le *sceau-cylindre.* Cet objet pouvait certes permettre d'identifier son propriétaire, mais son apposition était surtout, à cette époque, le signe de ce qu'un contrat avait été conclu. En outre, son décor évoquait un sujet de prédilection de l'élite nouvelle des gestionnaires : l'engrangement des récoltes tout spécialement. L'enveloppe ou « bulle » avec son contenu servait d'aide-mémoire autant que de garantie de la fidélité du messager chargé de la transmettre avec les denrées cédées ou reçues par contrat. Le destinataire n'avait plus qu'à briser la bulle-enveloppe pour vérifier le chiffre transmis simultanément de vive voix par l'indispensable messager. Il se trouve que nous possédons peut-être l'image de ce dernier, que les graveurs de sceaux ont représenté, penché sur l'épaule du magasinier au travail, pour le contrôler.

On s'avisa bientôt, idée toute simple et pourtant décisive, de porter à la surface des bulles-enveloppes, des encoches conventionnelles, correspondant aux *calculi* placés à l'intérieur : la notation graphique était née. Du coup, les bulles-enveloppes devenaient inutiles et on leur substitua progressivement de petits pains d'argile sur lesquels on porta de même les chiffres sous forme d'encoches, dont un courrier devait toujours préciser à quoi ils se rapportaient. Simultanément, on crut pouvoir améliorer le système archaïque des *calculi* en façonnant de tels objets, mais assez grands pour symboliser ce que l'on voulait comptabiliser : soit des ordres de grandeur abstraits, divisibles en fractions et symbolisés par des plaquettes triangulaires, soit des animaux symbolisés par des plaquettes en forme de têtes de bétail. Ces dernières portent parfois six points, correspondant à des séries de six animaux. De même, des mesures de capacité furent symbolisées par des modèles réduits de cruches sur lesquels on porta éventuellement six points reflétant selon toute vraisemblance l'adoption du système sexagésimal. On sait que ce dernier est caractéristique des mathématiques créées par les Sumériens et qui nous ont été transmises par l'intermédiaire des Babyloniens, puis des Grecs. Le procédé de compte utilisant les petits objets ainsi élaborés dut interférer avec celui des pains d'argile régularisés sous forme de *tablettes,* qui allaient le remplacer en devenant le support par excellence de l'écriture en Mésopotamie. L'un et l'autre système furent répandus en cette fin du IVe millénaire tout au long des routes jalonnées par des relais d'étapes et formant un immense réseau d'échanges. Les courriers, indispensables accompagnateurs, organisés par les premiers administrateurs dignes de ce nom, implantèrent ainsi leurs colonies jusqu'à Tépé Sialk, au centre du plateau iranien à l'est, et en Syrie du nord à l'ouest.

Cette comptabilité ne connaissait guère que les chiffres, que l'on s'avisa cependant de définir parfois par des signes abstraits, dont la valeur nous échappe. Ce fut alors que sonna l'heure d'Uruk, la métropole sumérienne gouvernée comme Suse par un roi-prêtre dont nous connaissons l'image. Ce potentat régnait sur un personnel groupé au sein d'un ensemble monumental, unique à cette époque, et qui était consacré au culte de la déesse Inanna, patronne de la ville. Et c'est là que s'imposa l'idée de déterminer les simples chiffres par des signes conventionnels, images simplifiées et donc pictogrammes d'une part, et signes abstraits, nettement plus nombreux, d'autre part. Cette toute première écriture n'était encore, elle aussi, qu'un aide-mémoire, car elle ne pouvait transcrire la langue proprement dite de ses créateurs. Son archaïsme nous empêche de la « lire » : elle n'en demeure pas moins la forme première de celle que nous savons avoir été sumérienne. Cela se passait aux alentours de 3 300 avant Jésus-Christ, au temps où la vaste communauté qui de ce fait mérite d'avoir Uruk pour référence, englobait non seulement les deux territoires de Sumer et de Susiane et leurs dépendances lointaines, mais rayonna jusqu'en Égypte prédynastique.

Par la suite, vers 3 000 avant J.-C., la communauté de Sumer et de Susiane se disloqua et les Sumériens développèrent leur civilisation en Mésopotamie, tandis que les Susiens s'intégraient à la communauté montagnarde que nous appelons *proto-élamite.* En même temps qu'un art original, ils élaborèrent une écriture exprimant certainement leur propre langue. Comme chez les Sumériens, certains signes étaient pictographiques. C'est ainsi que des vases vraisemblablement symboliques de mesures de capacités ont été dessinés, avec une stylisation géométrique propre aux scribes. Par la suite, chaque trait les composant tendit à s'effiler d'un côté, et donc à prendre l'aspect d'un clou : nous saisissons ainsi comment l'écriture sur argile tendit à devenir « cunéiforme ». La majorité des très nombreux signes étaient purement abstraits. Leurs groupements permettent de supposer qu'ils pouvaient être revêtus de valeurs phonétiques : ce n'étaient donc plus de simples idéogrammes symboliques d'une « idée » et des mots correspondants.

Ce système disparut en même temps que la communauté politique et culturelle proto-élamite, vers 2 700 ou 2 800 avant J.-C., de sorte que les Susiens retournèrent dans l'orbite mésopotamienne et adoptèrent l'écriture créée par les Sumériens. C'est cette dernière qui mérite toute l'attention, puisque nous pouvons la comprendre et en suivre l'évolution pendant plus de 3000 ans, après qu'elle eût été adoptée par les Babyloniens et les Assyriens.

Pierre Amiet

I - Avant l'écriture

Comme simple expression et représentation de la pensée humaine, l'écriture est née avec l'art, l'image semble avoir été partout à l'origine de l'écriture. Elle est expression de la pensée, mais non écriture.

Dès le VIe millénaire, se succèdent des cultures villageoises qui ont pour principale caractéristique la poterie peinte (cf. cat. n° 2), décorée de motifs d'ornementation peut-être religieux et certainement symboliques. La répétition systématique des principaux motifs de décoration a habitué les esprits, non seulement à exprimer un certain nombre de pensées, mais à les résumer en traits de plus en plus condensés et simples. Cette obligation de traduire, sur une petite surface, un nombre important d'idées par une juxtaposition de dessins, aboutit à un répertoire iconographique dont chaque motif est constant dans les traits qui le composent, et sans doute dans sa signification.

Il en est de même pour le répertoire de la glyptique né au même moment en Mésopotamie. Les sceaux-cylindres qui, à la fin du IVe millénaire av. J.-C. seront destinés à marquer les pièces de la comptabilité nouvellement créée, nous renseignent sur la vie économique, religieuse et sociale de l'époque (cf. cat. n° 4).

Mais il ne s'agit pas encore d'une véritable écriture : par exemple, le groupe : homme aux bras étendus + animaux, pouvait rappeler la domination de l'homme sur les animaux. C'est un thème fréquent à Suse et en Mésopotamie, d'où il fut sans doute importé en Égypte (cf. cat. n° 14). Mais c'est une idée, et non l'expression linguistique et précise d'une pensée, d'où une multiplication d'interprétations possibles.

S'agissait-il de montrer une scène de chasse, d'élevage, de lutte cosmique... ? Ce moyen d'expression primitif en dessins a une valeur d'évocation plutôt que de traduction de la pensée. Il ne fixe pas le langage parlé.

Mais :

Ce mode d'expression sur argile aura des conséquences fondamentales en Mésopotamie :

Dès cette époque, dans ce pays où il n'y a ni pierre, ni bois, la céramique et la glyptique, en tant que supports de la pensée humaine, supposent la découverte de l'argile comme matière d'expression commode ; matière qui restera d'une importance unique pendant toute l'histoire ultérieure du système cunéiforme dont l'écriture est tributaire de ce support d'argile.

Béatrice André Leicknam

Le signe et l'image évocatrice

1 « Calculi » de Qalaat Djarmo

Argile cuite.
Hauteur : entre 1,5 cm et 1 cm
Qalaat Djarmo, Kurdistan iraquien ; seconde moitié du VIIe millénaire

Louvre : DAO 31 et 32 - Dépôt du Musée de Bagdad (1980)
Bibliographie sommaire :
Robert Braidwood and Bruce Howe : Prehistoric Investigations in Iraqi Kurdistan - Chicago (1960), p. 44

Qalaat Djarmo est un site du Kurdistan iraquien, à l'est de Kerkuk, exploré par l'Institut Oriental de Chicago, sous la direction de Robert Braidwood, de 1948 à 1955. Il s'agit d'un village néolithique établi sur le rebord d'un ravin dominant un ruisseau, dans la seconde moitié du VIIe millénaire avant J.-C. Les petits objets de terre cuite : cylindres, billes et cônes, ont été trouvés groupés à côté d'autres témoins de l'activité humaine. Considérés initialement comme des « jouets », ils doivent, selon toute vraisemblance, avoir plutôt servi de jetons, pour compter, selon un procédé largement répandu à la même époque.

P. A.

2 Coupe peinte de Suse I

Terre cuite
Diamètre : 22,6 cm ; hauteur : 10,4 cm
Suse, fouilles Jacques de Morgan, vers 1906-1908

Louvre : Sb 3157
Bibliographie sommaire :
Edmond Pottier : Corpus Vasorum Antiquorum - Louvre, I Ca, planche 8 (21)
Pierre Amiet : Élam - Auvers-sur-Oise, 1966, fig. 15

Suse fut fondée vers la fin du Ve millénaire avant J.-C. dans la plaine située entre les rivières Kerkha et Diz, dans l'actuelle plaine du Khuzistan (Iran). Les villageois apparentés aux montagnards du plateau, d'où ils recevaient le cuivre, enterraient leurs morts dans un cimetière groupé sur un « massif funéraire » en briques, à côté d'une énorme terrasse haute de 10 m et longue d'au moins 80 m. Son édification implique une autorité capable d'organiser les travaux ; mais la civilisation ainsi révélée restait de tradition préhistorique. Les vases peints, trouvés dans les tombes mais utilisés aussi dans la vie courante, portent un décor dont la stylisation très poussée est le reflet d'une esthétique néolithique, rejetant le réalisme. Elle est sans rapport avec la démarche intellectuelle qui caractérise l'écriture. On reconnaît un homme debout entre des lances ou bêches dressées de part et d'autre d'une porte dont il doit être le gardien. Des oiseaux en forme de triangles ailés semblent poursuivre des animaux en forme de peignes, groupés autour d'une grande croix de Malte.

P. A.

L'enregistrement des données comptables en Sumer et en Élam

3 Bulle-enveloppe et « calculi » de Suse

Argile crue
Diamètre : 1,5 cm
Suse, fouilles Roland de Mecquenem
Début de la phase « récente » de l'époque d'Uruk : vers 3300 avant J.-C.

Louvre : Sb 1927
Bibliographie sommaire :
Pierre Amiet :
— Élam (1966), fig. 31
— Glyptique susienne - Mémoires de la Délégation archéologique en Iran, XLIII, 1972, p. 68-74-91 et nº 539

Le comptable chargé de fixer le contrat passé entre deux personnes, l'une livrant à l'autre un certain nombre d'objets, matérialisait ce nombre par de petits objets d'argile ou « calculi » : un grand cône percé, 3 disques et 3 petits cônes. Ces objets ne servaient plus simplement à compter, comme à Qalaat Djarmo : l'idée nouvelle, à l'époque d'Uruk, a été de les tenir groupés en un « document » : la bulle-enveloppe, scellée pour garantir l'authenticité de l'opération, c'est-à-dire de l'accord des contractants. Sur les bulles les plus récentes, telles que celle-ci, on a eu l'idée de porter à la surface déjà scellée, des signes en forme d'encoches, identiques aux calculi enfermés à l'intérieur. Cela évitait de briser l'enveloppe pour en connaître le contenu. Les fouilles récentes à l'Acropole de Suse (1976) ont livré des documents analogues, dans une maison du niveau 18, ce qui assure leur date relative, par rapport aux autres témoins de la civilisation dite d'Uruk. Dans ces documents, des calculi différents correspondent parfois à des chiffres-encoches semblables. C'est ainsi que les petits cônes de notre document semblent y tenir la place de petites billes, correspondant à des encoches circulaires. Cela tend à suggérer que les calculi pouvaient être spécifiques des denrées comptabilisées, dont les encoches donnaient le chiffre abstrait. De fait, d'autres bulles-enveloppes contiennent des calculi différents.

P. A.

4 Bulle-enveloppe avec sceau

Argile crue
Diamètre : 9 cm
Suse, fouilles R. de Mecquenem
Époque d'Uruk, vers 3300 avant J.-C.

Louvre : Sb 1979
Bibliographie :
P. Amiet : Glyptique susienne, 1972, p. 73s ; 101 ; nº 646

Les sceaux de forme désormais cylindrique, apposés sur les bulles et autres documents, portent un décor qui est une source d'information de premier ordre. En effet, les graveurs susiens de l'époque d'Uruk ont illustré avec prédilection les scènes de leur vie quotidienne, et notamment l'engrangement des récoltes dans des greniers ou des celliers. Et fréquemment, comme sur le sceau de cette bulle, ils ont représenté un personnage qui se penche familièrement sur l'épaule d'un ouvrier à l'ouvrage. Il ressemble aux « donneurs de conseils » qui apparaissent dans l'imagerie comparable que les Égyptiens ont développée dans les tombes de l'Ancien Empire, quelques siècles plus tard. On peut penser plus précisément à un personnage chargé de vérifier les opérations de comptabilité et d'accompagner les envois, afin de préciser de vive voix la nature des denrées comptabilisées. Cela était indispensable, puisque seuls les chiffres en étaient notés. De tels commissionnaires, sur qui reposait tout le système économique, sont les ancêtres des courriers chargés de porter les lettres écrites sur tablettes cunéiformes, lesquelles étaient leur aide-mémoire.

P. A.

5 Tablette numérale

Terre crue
Longueur : 7,3 cm ; largeur : 4,2 cm ; épaisseur : 2,7 cm
Suse, fouilles R. de Mecquenem
Époque d'Uruk, vers 3300 avant J.-C.

Louvre : Sb 1944 bis
Bibliographie sommaire :
Pierre Amiet : Glyptique Susienne, 1972, p. 69, 81, nº 673

L'idée de porter des chiffres à la surface des bulles-enveloppes devait amener à se passer de ces dernières, en les remplaçant par de petits pains ou « tablettes » portant l'empreinte d'un sceau et le chiffre des denrées comptabilisées. Ces premières tablettes, grossièrement modelées, ont été trouvées au même niveau que les bulles-enveloppes. Le sceau de celle que nous exposons porte l'image de tisserands à l'ouvrage de part et d'autre de leur métier et à côté d'un ourdissoir.

P. A.

6 Jetons de compte

Argile
Hauteur : entre 4,4 et 2,2 cm ; largeur : entre 3,7 et 1,4 cm
Suse, fouilles R. de Mecquenem
Époque d'Uruk : entre 3400 et 3000 environ avant J.-C.

Louvre : Sb 4977
Bibliographie sommaire :
Denise Schmandt-Besserat : « An archaic recording System in the Uruk-Jemdet-Nasr period », American Journal of archaeology, 83, 1979, p. 19-48

En même temps que l'on créait les premiers documents de comptabilité, on façonnait en terre cuite de très nombreux petits objets dont on pourrait douter qu'ils aient aussi servi à compter si certains d'entre eux ne portaient des chiffres. Ils apparaissent en somme comme des symboles, voire des pictogrammes à trois dimensions :
a) **Série de triangles** portant de 0 à 8 lignes, qui symbolisent soit des séries, soit plutôt des fractions, d'objets indéterminés.
b) **Jetons en forme de cruches :** la plupart ne portent pas d'indications numérales, mais il en est qui portent deux séries de 3 points. Ces jetons doivent être symboliques de mesures de capacité. Ils ont été mis à la place des calculi, dans des bulles-enveloppes de la même époque, trouvées dans la ville de type sumérien de Habuba Kabira, sur la rive occidentale de l'Euphrate, en Syrie du nord. Cela confirme que ces jetons servaient à compter, comme les calculi qui pouvaient donc symboliser non-seulement des nombres abstraits, mais aussi des capacités, voire les denrées comptabilisées.
c) **Jeton en forme de tête de bovin.** Les plaquettes de ce type sont de deux modules différents ; elles sont stylisées de façon à ressembler à l'idéogramme sumérien de la vache. Comme le calculus de la cruche, celle-ci porte 2 × 3 points, qui symbolisent donc une série ou « sizaine » de têtes de bétail. Ces chiffres indiquent une référence au système sexagésimal.
Les jetons ici rassemblés peuvent donc être considérés comme des calculi plus élaborés que ceux qui ont été habituellement placés dans les bulles-enveloppes. Beaucoup sont perforés, ce qui devait permettre de les enfiler sur un cordon afin de les tenir groupés. On les rencontre sur la plupart des grands sites de l'époque d'Uruk : au temple Eanna d'Uruk et à Tello, notamment.

P. A.

II - La naissance de l'écriture :

L'écriture picto-idéographique sumérienne

C'est à Uruk IV, vers 3300 av. J.-C., qu'apparaissent les premières tablettes d'argile — qui nous semblent être des pièces de comptabilité ou d'inventaire — sur lesquelles un chiffre, noté par une encoche, est suivi d'un nom de personne, d'animal ou de denrée : végétaux, objets utilitaires..., représentés par un dessin ou pictogramme.
La pictographie fut la première tentative systématique pour conserver le langage, mais uniquement dans le langage ce qui pouvait être rendu par des images se rapportant à des objets concrets et immédiatement dessinables, et non l'articulation de la phrase. Elle n'est donc pas entièrement déchiffrable, elle n'a qu'une valeur de mémorisation pour des individus déjà au courant de ce que les signes expriment. C'est pour cette raison que son rôle, de transmission d'informations autres qu'économiques, important dans une société à structure élaborée, ne nous est pas lisible pour ce premier stade parce que trop difficile à décrypter. Des messages sur supports périssables ont pu, en outre, ne pas nous parvenir.
Ces petites tablettes rectangulaires se présentent à nous comme des fiches isolées de leur fichier, dont il nous manquerait le titre. Ce n'est qu'à partir du moment où le signe écrit se référera non plus à un objet mais à un son qu'il deviendra possible à l'écriture d'exprimer la langue elle-même avec les relations des mots entre eux.
Dès la fin de l'époque « proto-urbaine », vers 3000 av. J.-C., le passage au phonétisme est élaboré. Malgré ce progrès, pendant plusieurs siècles, l'écriture ne notera que l'essentiel. Mais le procédé qui conduira à nous restituer par l'écrit tout le domaine des idées et de la pensée des anciens habitants de la Mésopotamie, est commencé. A Suse, plus à l'est, un système de comptabilité et une pictographie originale s'étaient développés parallèlement, mais ils n'eurent pas de suite. C'était le destin de la Mésopotamie du Sud, que ce système de dessins imparfaits et ne permettant pas de signifier grand-chose s'y développe en une véritable écriture d'une langue.

Béatrice André-Leicknam.

7 Tablette à écriture pictographique sumérienne

Calcaire
Longueur : 5 cm ; largeur : 4,2 cm ; épaisseur : 2,4 cm
Basse-Mésopotamie
Époque proto-urbaine - fin IVe millénaire

Louvre : AO 19936

Liste de noms propres et d'un propriétaire (?). Bordereau à surface divisée en cases par des traits, et portant au revers le résumé ou le titre. Il s'agirait peut-être d'un compte concernant un propriétaire de salariés (?) qui serait représenté par le symbole de sa main (peut-être dans le sens de la « mainmise » ?).

L'invention de l'écriture dans une société donnée, avec des caractéristiques qui lui sont propres, sont fonction de l'élaboration d'une symbolique sociale, résultat de la prise de conscience d'une unité communautaire. Nous, pouvons prendre comme exemple de symboles le signe = GAL, qui signifie : grand, et qui, associé aux époques suivantes au signe de l'homme : = LÚ, donnera l'idéogramme du roi : = LUGAL, c'est-à-dire l'homme grand, le roi étant un personnage plus grand que les autres dans la symbolique des anciens Mésopotamiens. Le mot grand est écrit par le signe GAL, figuration d'une sorte de chasse-mouches, emblème, ou sceptre, ou bâton de pasteur, ou coiffure royale, associé à l'image du roi, pasteur de son pays.

B. A.-L.

8 Tablette à écriture pictographique sumérienne

Pierre verte translucide
Longueur : 4,5 cm ; largeur : 4,5 cm ; épaisseur : 4,5 cm
Mésopotamie
Époque proto-urbaine (phase dite d'Uruk III, vers 3000 av. J.-C.)

Louvre : AO 8844
Bibliographie sommaire :
F. Thureau-Dangin : Revue d'Assyriologie XXIV, 1927, p. 23 ss
A. Falkenstein : Archaïsche Texte aus Uruk, Berlin, 1936, p. 67

L'inscription se compose de deux colonnes qui se poursuivent sur la face, la tranche et le revers. Elle comporte 21 signes différents. Les chiffres sont représentés par des cavités circulaires.

Les principaux pictogrammes sont :

Un quadrupède de profil : — le vase pointu à bec : — : la parcelle de terrain ou le champ, vue en projection plane (pour : champ avec rigoles d'irrigation et fossé), etc.

B. A.-L.

9 Tablette à écriture pictographique sumérienne

Argile
Longueur : 5 cm; largeur : 4,4 cm; épaisseur : 2,1 cm
Djemdet Nasr, Mésopotamie
Époque proto-urbaine (phase d'Uruk III, vers 3000 av. J.-C.)

Louvre : AO 8860
Bibliographie sommaire :
F. Thureau-Dangin : Revue d'Assyriologie XXIV, 1927, p. 28

Tablette de comptabilité sur laquelle les cavités centrales représentent les chiffres 1 (petit cône) et 10 (empreinte circulaire), entourés de pictogrammes comme l'épi de céréales ou la main. Tout le côté relationnel des signes manque, c'est-à-dire la relation précise des objets (épi) ou personnes (symbolisées par la main ?) représentés entre eux. Ce serait comme une fiche isolée de son fichier dont il nous manquerait le titre.
On peut pourtant imaginer, pour ces tablettes, une notation d'éléments ne relevant pas de l'écriture idéogrammatique, tels que des noms propres — que nous ne pouvons lire dans l'état actuel de notre connaissance de l'écriture de cette époque archaïque —, qui entraînerait dès cette époque une élaboration du phonétisme.

B. A.-L.

10 Tablette proto-élamite

Terre crue
13,3 cm × 8,1 cm
Suse, fouilles J. de Morgan
Époque proto-élamite : vers 3000-2800 avant J.-C.

Louvre : Sb 6310
Bibliographie sommaire :
V. Scheil : Textes de comptabilité proto-élamite. Mémoires..., XVII, 1923, nº 105
P. Amiet : Elam, Auvers-sur-Oise, 1966, fig. 50

On appelle *proto-élamite* la civilisation qui supplanta dans le monde iranien celle d'Uruk qui y disparut, peut-être du fait d'un effort excessif d'expansion lointaine. Tandis que la civilisation mésopotamienne se poursuivait, conforme à la tradition d'Uruk, à l'époque de Djemdet-Nasr la population du sud-ouest iranien, dans la province actuelle du Fars, prit pour la première fois une conscience historique en fondant sa capitale appelée Anshân, récemment découverte, en annexant la Susiane urbanisée déjà précédemment, en créant un art spécifique et une écriture, sur le modèle sumérien, destinée à exprimer sa langue, l'élamite. Cette écriture reste cependant indéchiffrée. Elle exprime les idées, soit par des signes simples ou idéogrammes, qui peuvent être pictographiques, soit par des groupes de signes vraisemblablement phonétiques.
Tous les textes connus sont des documents de comptabilité. Celui que nous exposons ici est un compte d'équidés : chevaux ou ânes sauvages, de trois espèces différentes, dont la tête a été finement dessinée. Au revers de la tablette sont les totaux des opérations écrites sur le côté face. Le système de numération utilisé est décimal, spécifiquement élamite. Le revers de la tablette porte en outre l'empreinte d'un sceau.

P. A.

11 Tablette proto-élamite géante

Terre crue
21 × 26,7 cm
Suse, fouilles J. de Morgan
Époque proto-élamite : 3000-2800 av. J.-C.

Louvre : Sb 2801
Bibliographie sommaire :
V. Scheil : Mémoires de la Délégation en Perse, VI, 1905, pl. 23-24
P. Amiet : Élam, 1966, fig. 56

Grand inventaire où sont répertoriées de très nombreuses denrées, selon un système à la fois décimal et sexagésimal hérité de l'époque d'Uruk, mais amélioré et complété par la notation des fractions. Ce système est différent de celui qui est utilisé sur la tablette aux équidés. Le sceau appliqué au revers est caractéristique du style proto-élamite, avec des figures au modelé sculptural. La scène évoque une fable mythologique : le triomphe alterné du lion et du taureau, peut-être symbolique de l'alternance qui règne dans l'ordre naturel. Dans le champ, un signe d'écriture en forme de triangle. Le P. Scheil a supposé qu'il symbolisait « une idée d'excellence, de ce qui est divin ou royal ». Cette hypothèse reste invérifiable.

P. A.

12 Bas-relief dit de la « figure aux plumes »

Calcaire
Hauteur : 18 cm ; largeur : 15 cm ; épaisseur : 4 cm
Tello, Basse-Mésopotamie
Époque des dynasties archaïques I, vers 2800 av. J.-C.

Louvre : AO 221
Bibliographie sommaire :
Sarzec et Heuzey : Découvertes en Chaldée, 1884-1912, Pl. I bis, fig. 1 et p. XXXIV
W. Orthmann : Der Alte Orient, Propylaën Kuntstgeschichte, 14, Berlin, 1975

C'est l'un des plus anciens bas-reliefs connus. Il représente un personnage qui pourrait être le roi-prêtre, chef politique et religieux, délégué du grand dieu local. Il gouvernait le temple de la divinité tutélaire qui jouait le rôle de centre administratif dans chaque cité-état. Paré de plumes ou de palmes, vêtu d'une longue jupe et debout, de profil, devant la porte d'un temple figuré par deux hampes, il se présente en adorant.
L'inscription, divisée en cases, envahit tout le champ laissé libre par l'image. Les signes gravés sont très archaïques ; on y observe des traits courbes rappelant le dessin des pictogrammes primitifs, comme par exemple le signe GI = [signe] dessin primitif du roseau.
Le nom du dieu Ningirsu : « le seigneur de Girsu » (cité de l'état de Lagash), grand dieu de Lagash, apparaît pour la première fois, ainsi que celui de son temple, l'E-Ninnu.

B. A.-L.

Pictogrammes sumériens : signes - images - symboles

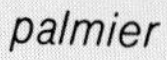

palmier *vase* *poisson* *oiseau* *cuisse*

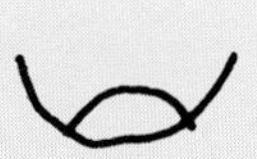

étoile *charrue* *montagne* *soleil levant (au-dessus de l'horizon)*

cochon *chien* *main* *verger* *jardin,*

Tablettes-fiches pictographiques

Tablette-fiche d'Uruk IV (vers 3300 av. J.-C.) pratiquement incompréhensible sortie de son panier marqué. La ligne inférieure, écrite de droite à gauche (?), est occupée par les signes des objets, personnages ou animaux, la ligne supérieure étant réservée aux chiffres.
D'après Falkenstein : Archaïsche Texte aus Uruk (1936), nº 77 : peut-être « 5 bateaux de fruits (?) pour le temple de la déesse Inanna » — le grand signe inférieur est « bateau » ; l'autre est celui de la déesse d'Uruk.

Sur une fiche de grand format, 75 × 50 mm au lieu de 50 × 30 mm pour les ordinaires, le scribe réunit les données de plusieurs fiches. On lira sur celle-ci, de droite à gauche, puis de haut en bas : « 122 boucs, 80 chèvres, 160..., 41 brebis. ... 60 béliers, 40... brebis ». Cet essai de traduction s'appuie sur le total inscrit au verso de cette même tablette.
D'après Falkenstein : Archaïsche texte aus Uruk (1936), nº 335.

B. A.-L.

Dessin B. R.

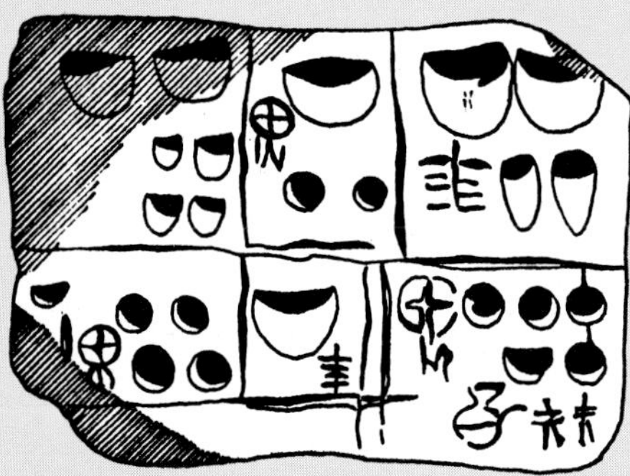

Compositions évocatrices :

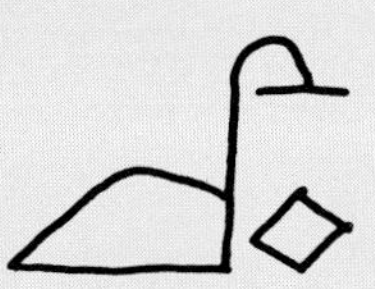

un œuf à côté d'un oiseau = idée d'enfanter

hachures sous un demi-cercle : obscurité tombant de la voûte du ciel
idée de nuit et de noir

deux traits parallèles : idée d'amitié

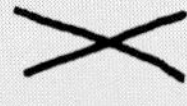

deux traits croisés : idée de différence et d'inimitié

La Mésopotamie et les contraintes du milieu naturel : une civilisation de l'argile

Le nom de Mésopotamie, ou « pays entre les fleuves », fut donné au IIe siècle av. J.-C. par l'historien grec Polybe, à l'ensemble des régions comprises entre l'Euphrate et le Tigre, limitées au nord par les chaînes du Taurus et de l'Anti-Taurus, au sud par le Golfe arabo-persique.
L'hydrographie et le relief donnent au pays une unité géographique. Les deux fleuves prennent leur source dans les montagnes d'Arménie, et se rejoignent, très au sud, dans le delta marécageux du Chatt-el-Arab, dont la configuration antique reste incertaine. Des montagnes limitent ce bassin que des affluents pénètrent, au nord-ouest, au nord, et à l'est. A l'ouest, une zone steppique, qui devient désertique dans le sud, forme une barrière difficile à franchir.
Un troisième facteur d'unité est la pauvreté en matières premières. La principale richesse, avec le soleil qui parfois aussi brûle et détruit, est l'argile partout présente et qui, alliée à l'eau domestiquée par l'irrigation, devient source de richesse agricole sous forme de limon fertile, et matériau de base de la vie quotidienne pour les constructions, la poterie, ou même comme support de l'écriture. Pas de pierre, si ce n'est dans les carrières d'albâtre gypseux du nord du pays, et pas de bois, si ce n'est le palmier, un médiocre bois d'œuvre. Le roseau, à multiples usages, ne suffit pas à remplacer les arbres. La seule ressource minérale est le bitume, utilisé comme mortier pour jointoyer les murs de briques crues séchées au soleil.
Le rayonnement extraordinaire de la Mésopotamie et de sa civilisation de l'argile repose sur la puissance d'invention de ses habitants, et l'obligation de demander très tôt à l'extérieur les éléments qui leur faisaient défaut. Si l'Égypte est un « don du Nil », la Mésopotamie est vraiment l'œuvre des hommes.

B. A.-L.

Dans la conception des anciens Mésopotamiens, l'homme, créé lui-même d'argile, était peu de chose en face de l'Univers et des dieux qui le régissaient. Après sa mort, il retournait à l'argile dans le royaume des morts.
Cette conception pessimiste de la vie et de l'au-delà était certainement inspirée par le paysage qu'ils avaient quotidiennement sous les yeux.

La « Ziqqurat » ou tour à Étages d'Ur. Fin IIIe millénaire av. J.-C. Faite de briques d'argile et redevenue argile, avec l'usure du temps.

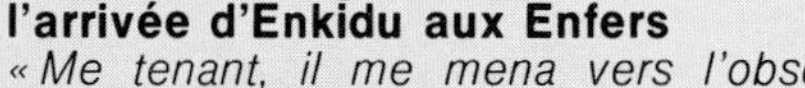

Épopée de Gilgamesh. 7e tablette : l'arrivée d'Enkidu aux Enfers

« Me tenant, il me mena vers l'obscure demeure, séjour d'Irkalla,
vers la demeure, dont l'entrée est sans issue,
vers le chemin dont le parcours est sans retour,
dans la demeure, dont les habitants sont privés de lumière,
où la poussière (nourrit) leur faim, et leur pain est d'argile ;
ils sont, comme les oiseaux, vêtus d'un vêtement de plumes,
et, sans voir la lumière, ils restent dans les ténèbres. »

Traduction R. Labat

Épopée de Gilgamesh. 11e tablette : le Déluge

« ...lorsqu'arriva le septième jour...
calme redevint la mer, et silencieux le vent mauvais, et le déluge cessa.
Je regardai le temps : (partout) c'était le silence,
et toutes les populations étaient redevenues argile. »

Traduction R. Labat

Le mythe d'Atrahasis : la création de l'Homme

« que l'on égorge un dieu...
Avec la chair et le sang de ce dieu,
que (la déesse) Nintu mélange de l'argile
afin que dieu même et l'homme
se trouvent mélangés ensemble dans l'argile... »

Traduction R. Labat

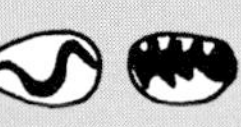

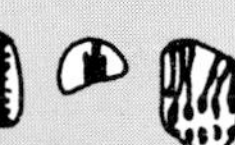

Avant l'Écriture, l'homme inventa le signe et la marque, permettant la transmission de messages et servant d' « aide-mémoire ».
Galets peints du Maz-d'Azil, Ariège (France)
Époque magdalénienne, vers 9000 av. J.-C.

Écriture idéographique moderne : liste des membres de la tribu des Sioux Oglala, établie par leur chef en 1883, à la demande du gouvernement américain. Les noms des Indiens sont exprimés par leurs animaux totems figurés au-dessus de leur tête.

Signes, marques et pictogrammes : un mode d'expression universel

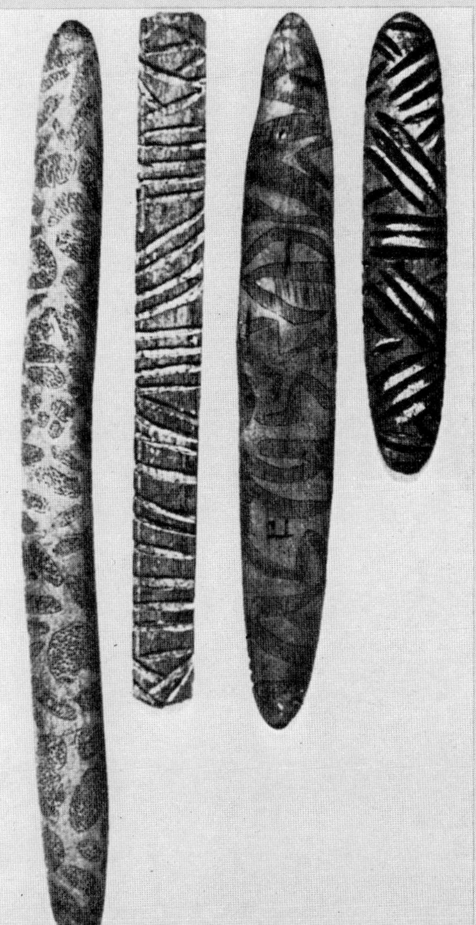

Ces morceaux de bois fabriqués par les Aborigènes d'Australie représentent l'une des plus anciennes méthodes d' « aide-mémoire » jamais inventée : le bâton à encoches. Ils sont en usage depuis les temps préhistoriques. Les dessins ou entailles exécutés sur leur surface sont des repères ou des indications numériques, nécessitant la participation d'un messager, pour expliquer le contenu manquant de l'information à celui qui est destiné à la recevoir.

B. A.-L.

La naissance de l'écriture en Égypte

Avant l'écriture

13 Vase à décor peint

Terre cuite
Hauteur = 19,8 cm
Civilisation de Nagada II (3500-3100 av. J.-C.)

Louvre : AE/AF 6851
Bibliographie :
L'Égypte avant les pyramides (1973), 40, nº 42

Vase tonnelet à petites oreilles sur un fond crème. L'artiste a tracé en brun foncé les éléments d'un paysage. Au centre, un grand bateau équipé d'une cinquantaine de rames. Il possède deux cabines dont l'une est surmontée d'une enseigne, emblème de tribu ou de divinité. La proue est décorée de branchages sous lesquels danse un petit personnage, les bras arrondis au-dessus de la tête. Au-dessus, comme flottant dans l'espace, un animal, sans doute un bouquetin, et un arbre complètent le décor. Le bas de cette petite scène est constitué de dessins géométriques, quadrillage et lignes ondulées qui évoquent peut-être l'eau. On n'y note aucun effort de composition qui aiderait le spectateur à interpréter la scène, et les mêmes motifs reviennent inlassablement sur les vases de cette époque.

C. Z.

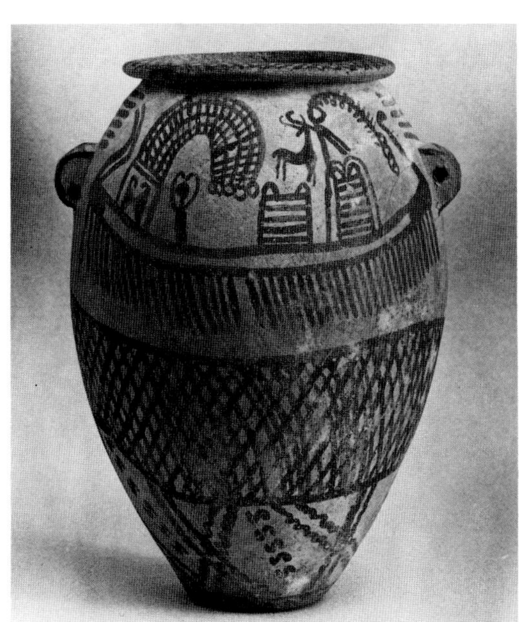

14 Le couteau du Djebel El Arak

Silex et ivoire d'éléphant
Hauteur : 25,5 cm
Achat (proviendrait du Djebel el Arak d'après le vendeur)
Civilisation de Nagada II (3500-3100 av. J.-C.)

Louvre : AE/E11517
Bibliographie :
P.M. V, 107 — Bénédite, Monuments Piot 22, 2-34 — L'Égypte avant les pyramides (1973), 23-24

Ce couteau à lame de silex, trouvé au Gebel el Arak en Haute-Égypte, est l'un des chefs- d'œuvre de la période prédynastique. Le travail très exceptionnel de la lame permet de le dater entre 3400 et 3300 av. J.-C. Sur le silex préalablement poli, l'artiste a enlevé de longues lamelles parallèles et sinueuses, selon une technique très raffinée qui n'a été utilisée que pendant peu de temps. La lame est enchâssée dans un manche en ivoire, haut de 9 cm et sculpté sur les deux faces. D'un côté, autour de la bossette qui permet l'accrochage de l'arme, on voit les éléments

'une partie de chasse : chiens domestiqués, lions et bouquetins. a scène est dominée par un personnage debout entre 2 lions ressés qui semble la copie de quelque sceau sumérien : le ème du génie domptant les fauves, la composition même de scène, la barbe et le costume du héros sont directement spirés du Proche-Orient.
'autre face porte le récit imagé d'un combat où s'affrontent deux roupes d'hommes ; les uns ont le crâne rasé alors que leurs dversaires portent les cheveux longs. On reconnaît également eux types de bateaux. Sur quatre registres superposés, les paules de face et le visage de profil selon des conventions onservées à l'époque pharaonique, ces guerriers dont aucun 'excède 2 cm de haut, nous font revivre les épisodes d'une ataille. Celle-ci semble s'achever au désavantage des personages au crâne rasé dont les cadavres jonchent le sol près des ateaux...
n a voulu voir en cet objet un des premiers chapitres de l'histoire gyptienne. Ainsi, tour à tour, le couteau du Djebel el Arak illustre our les égyptologues la victoire d'envahisseurs asiatiques sur s habitants de la vallée du Nil, la réunion de la Haute et de la asse-Égypte sous l'autorité des Égyptiens du Nord, les affrontements entre les Égyptiens et leurs voisins libyens ou nubiens...
ne telle diversité d'interprétation illustre bien l'infini progrès que s commentaires hiéroglyphiques apporteront à « l'histoire sans arole ».

C. Z.

La naissance de l'écriture

En Égypte, les plus vieux textes connus sont contemporains des trois ou quatre rois qui ont précédé la Ire dynastie (Narmer, Ka, le roi Scorpion et, peut-être, Sénedj). On ne connaît ni leur ordre de succession ni la durée de leurs règnes, mais il est difficile de leur accorder moins d'une cinquantaine d'années au total, donc de placer après 3150 av. J.-C. les plus anciens témoins de l'écriture aux bords du Nil. Les habitants de la Mésopotamie auraient donc une avance d'une bonne centaine d'années sur leurs concurrents, si la chronologie relative des deux régions est bien ce qu'elle est supposée être, s'il n'a pas existé en Égypte des textes antérieurs qui ne nous seraient pas parvenus, si... et si...
Quel que soit le nombre de ces « si », il est raisonnable d'admettre au moins provisoirement que les Égyptiens n'ont pas été les premiers et donc qu'ils ont copié. Nous butons alors sur une contradiction : l'étroitesse des rapports à cette époque avec la Mésopotamie rend impensable une invention indépendante, mais les différences radicales et dans la technique (support de l'écriture, outils de scribe, etc.) et dans la conception intellectuelle rendent impensable une invention dérivée.
Différent dans sa conception, le système égyptien l'est aussi dans son mode d'apparition. En Mésopotamie on peut suivre un développement presque régulier depuis une « pré-écriture » ou au moins une « pré-numération » jusqu'à une véritable écriture. En Égypte, le système hiéroglyphique nous saute brusquement au visage, presque sans préparation, non pas adulte peut-être, encore un peu balbutiant, désordonné, mais déjà muni de tous ses moyens théoriques.
Si l'on analyse en effet le plus ancien groupe de documents suffisamment nombreux pour donner un résultat un peu sûr : les textes de l'époque du roi Djer, 2e roi de la Ire dynastie, et notamment les quelques 70 stèles de particuliers trouvées autour de sa tombe (vers 3080-3040 av. J.-C.), on constate que :
1° la panoplie quasi complète des signes alphabétiques est déjà créée (au moins 21 sur 24), c'est-à-dire qu'à chaque consonne de la langue peut correspondre un signe ;
2° les autres catégories de signes sont déjà bien attestées (signes correspondant à deux ou trois consonnes, ou à un mot entier par convention de type rébus, signes pour un mot, déterminatifs ne se lisant pas mais classant le mot qu'ils terminent dans telle ou telle catégorie de sens) ;
3° la manière dont ces différents signes se combinent pour écrire des mots et les proportions dans lesquelles ils le font sont les mêmes que dans l'égyptien classique. Les règles de combinaisons sont simplement exploitées beaucoup plus librement sans les limitations, les habitudes d'orthographes qui peu à peu simplifient l'écriture et facilitent la lecture ;
4° le nombre de signes inconnus ensuite (ou plutôt assez bien dessinés pour être reconnus comme tels) est très faible. La liste des signes classiques semble donc déjà à peu près établie.
Si on examine ensuite les textes plus anciens, trop peu nombreux pour entraîner par eux-mêmes des conclusions, on ne perçoit aucun changement clair, rien qui soit en contradiction avec les constatations ci-dessus.
On est donc en droit d'en déduire que s'il y a eu en Égypte une évolution partant d'une écriture rudimentaire basée sur la représentation directe pour s'approcher d'un système de correspondance conventionnelle entre des signes et des sons (de

l'image à la lettre), cette évolution s'est produite si vite qu'elle ne nous est pas perceptible.
Avec ces éléments qui sont donc à peu près ceux dont disposeront leurs successeurs, nous saisissons mal ce que les scribes de la Ire dynastie étaient capables de faire parce que notre documentation est bien trop maigre. Nous n'avons guère que des mots isolés : noms de personnes, de produits, de bâtiments, de services administratifs, titres de fonctionnaires, presque aucun récit, aucune phrase avec liaison entre les mots, chevilles grammaticales. Il est certes possible que des textes très différents, écrits sur des matières plus périssables, aient existé, mais les quelques éléments narratifs que nous possédons (voir nº 20) et qui ont recours ou bien à des représentations genre bandes dessinées plus ou moins rehaussées de légendes, ou bien à de courtes phrases impersonnelles, invitent à penser que ce n'est que lentement que ces scribes ont osé tirer tout le profit des moyens qu'ils avaient mis au point et qui auraient été théoriquement dès le départ suffisants pour reproduire le langage.

Jean-Louis de Cénival

15 Stèle de Méséhet

Calcaire, reste de peinture rouge sur les signes
Hauteur : 33 ; largeur : 17 ; épaisseur : 3 cm
Trouvée à Abydos (près de la tombe de Djer ou celle de Den)
Vers 3000 av. J.-C. (Ire dynastie)

Louvre : AE/E 21706 ; ancienne coll. du Musée Guimet
Publiée par :
Amelineau, Les Nouvelles Fouilles d'Abydos, 1895-96, pl. 35, et Petrie, Royal Tombs, I, pl. 27 et 32

A Abydos, les tombes des rois étaient, à la Ire dynastie, entourées d'une ou plusieurs rangées de toutes petites tombes où étaient enterrés les hommes, les femmes et les chiens de leur entourage. Ces tombes étaient individualisées par des stèles irrégulières grossièrement sculptées au nom et titre des défunts. Ces textes rudimentaires mais relativement nombreux constituent la plus abondante source pour l'analyse de l'écriture égyptienne peu après sa naissance.
Celle-ci est un très bon exemple, car elle utilise presque tous les moyens déjà mis au point. Le personnage (une femme ?) doit s'appeler « Méséhet » (« la crocodile »). Le nom est écrit par un crocodile dont une des lectures possibles « m + s + h » est confirmée par l'alphabétique « h » et complétée par un « t » marque du féminin, et désignée comme d'un nom propre par le dessin d'un personnage. Comme il sera toujours de règle, les voyelles ne sont pas indiquées. Le titre de Méséhet est écrit par deux signes valant chacun pour un mot : les bras qui embrassent ou accueillent pour « s + kh + n » accueillir, celui qui accueille et l'ibis « 3 + KH » pour évoquer l'esprit 3kh des morts : celui ou celle qui accueille l'esprit (c'est ainsi que serait désigné le prêtre funéraire). Tous ces mots pourraient être écrits de la même manière en égyptien classique.

16 Stèle de Merneith

Calcaire.
Hauteur : 34 ; largeur : 19 cm
Trouvée à Abydos (fouilles Amelineau)
Vers 3000 av. J.-C. (Ire dynastie)

Louvre : AE/E 21715 ; ancienne coll. du Musée Guimet
Publiée par :
Amelineau, Les Nouvelles Fouilles d'Abydos, pl. 37, et Petrie, Royal Tombs, I, pl. 32, 14

Comme la précédente, cette stèle donnait le titre (prêtre funéraire) et le nom (l'emblème de la déesse pour Neith et la houe « mr » pour mr ou mrt aimée : Merneith, l'aimée de la déesse Neith) d'une des femmes enterrées dans les tombes privées du cimetière d'Abydos.

J.-L. C.

17 Fragment de vase au nom du roi Ka

Terre cuite ; inscription à l'encre noire
Hauteur : 23,4 cm
Trouvé à Abydos (fouilles Amelineau)
Vers 3150-3100 av. J.-C.

Louvre : AE/E 29885 ; ancienne collection du Musée Guimet
Publiée par :
Amelineau, Les Nouvelles Fouilles d'Abydos, 1895-96, pl. 39

Dans la tombe de ce roi ont été trouvés de nombreux vases d'un type courant à la fin de la préhistoire (hauts récipients cylindriques probablement destinés à contenir des huiles ou onguents) avec des inscriptions très semblables. Elles donnent d'une part le nom du souverain inscrit comme il est normal alors (voir la stèle du roi Serpent n° 19) dans une enceinte surmontée du dieu Faucon Horus, d'autre part le contenu du vase. Malgré leur brièveté, leur monotonie et les difficultés de traduction, ces textes nous sont particulièrement précieux parce qu'ils forment le plus ancien groupe à peu près daté que nous possédions. Ils ont l'air de mettre déjà en jeu les éléments de base du système hiéroglyphique classique, avec notamment ses signes alphabétiques (ici un « n »), et montrent en outre qu'une écriture semi-cursive à l'encre s'était déjà formée.

J.-L. C.

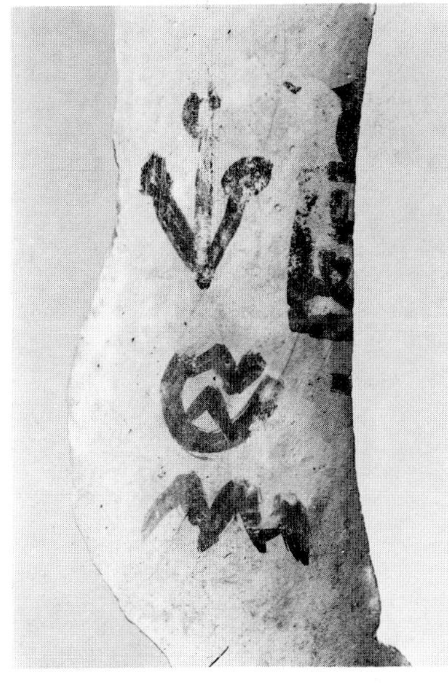

18 La palette au taureau

Schiste
Hauteur : 26,5 ; largeur : 14,5 cm
Vers 3150 av. J.-C.

Louvre : AE/E 11255
Publiée par :
Bénédite, Monuments Piot, X, p. 107 et s.

Ce n'est qu'un fragment du haut d'une grande palette à fard votive qui devait nous conter une victoire.
En haut, le roi, taureau vainqueur, écrase l'adversaire. Sur une face, les dieux qui l'ont assisté (représentant sans doute les habitants des provinces où ces dieux sont seigneurs), dressés sur des pavois munis de mains, tiennent ligotés les vaincus. Sur l'autre, sont figurées en plan les forteresses conquises (?). A l'intérieur de ces forteresses sont probablement inscrits leurs noms.
La palette n'est pas datée avec précision mais elle doit être de peu antérieure à la Ire dynastie, et compter donc parmi les plus anciens documents écrits.

J.-L. C.

19 La stèle du Roi-Serpent

Calcaire
Hauteur actuelle : 1,43 m; hauteur ancienne : 2,50 m; largeur : 65 cm
Trouvée dans la tombe du roi à Abydos (fouilles Amelineau)
Vers 3050-3000 av. J.-C.

Louvre : AE/E 11007; ancienne collection Amelineau
Publiée par :
Amelineau, Les Nouvelles Fouilles d'Abydos, 1895-96, p. 42, 133 et pl. 42

Les tombes royales d'Abydos étaient individualisées par une ou deux grandes stèles d'une qualité technique très supérieure à celle des petites stèles de particuliers (nº 15 et 16). Aucune cependant n'approche celle du Roi-Serpent. Ce n'est pourtant qu'un simple texte : le nom du roi, dont nous avons maints exemplaires plus ou moins maladroits. Mais le caractère de l'écriture égyptienne fait que ce peut aussi bien être la représentation monumentale sculptée d'un faucon et celle d'un serpent reliées par l'enceinte royale en une majestueuse composition (ou mise en page). Cet échange continuel entre signification et monumentalité sera poursuivi tout au long de l'histoire égyptienne (comparer le montant de porte de Ramsès II, postérieur de près de 2 000 ans et qui combine presque les mêmes éléments (nº 89). Le faucon, c'est la matérialisation du dieu Horus dont le roi est la forme terrestre. Le serpent, c'est le signe alphabétique « dj » ou le nom féminin « djet » : le cobra, ou peut-être quelque dérivé (comme Ouadji). Par prudence on parle généralement du roi « serpent ». L'enceinte ou le plan partiellement rabattu du palais abrite, comme le cartouche plus tard, le nom royal et ne se lit pas. L'inscription se ramène donc à : « l'Horus Djet ? ».

J.-L. C.

20 Tablette au nom du roi Den

Bois ; inscription à l'encre noire et rouge
Hauteur : 6,35 ; largeur : 7,6 ; épaisseur : 0,65 cm
Vers 3000 av. J.-C.
Trouvée à Abydos (fouilles Amelineau)

Louvre : AE/E 25268 ; ancienne coll. Amelineau
Publiée par :
Amelineau, Les Nouvelles Fouilles d'Abydos, 1897-98, pl. 37

Dans plusieurs tombes de cette époque ont été trouvées de petites plaquettes d'ivoire ou de bois, percées en un coin, et portant des noms propres et des noms de produit (d'huile par ex.). On les considère en général comme des étiquettes de vases. Certaines sont plus grandes et mentionnent en outre des événements plus ou moins historiques, des titres de fonctionnaires, des services administratifs, des chiffres, etc. Elles doivent concerner des séries de récipients et s'appliquer donc plutôt à des magasins de tombes entiers.

Malgré son état la tablette de Den en est un des meilleurs exemples. Des photos prises en lumière spéciale par le laboratoire du Louvre font bien ressortir l'encre pâlie sur le bois noirci. Pour l'analyse de l'écriture et de son évolution, ces plaquettes sont de loin les documents les plus développés que nous possédions. Particulièrement riche d'enseignements est ici le contraste entre les deux parties que sépare un trait vertical.

A gauche nous avons un texte purement « écrit » qui nous donne le nom du roi (l'Horus Den), le nom du haut fonctionnaire supervisant l'ensemble des livraisons royales dans tout le pays (le chancelier du roi de Basse-Égypte Hémaka), le service fabriquant les récipients (l'atelier du palais), le titre du fabricant, le nom du produit (une huile), le type de récipients et leur nombre.

La moitié droite est conçue différemment : 4 registres horizontaux sont introduits par un grand signe des années en accolade, et sont consacrés au récit des événements jugés saillants qui caractérisent l'année. Il s'agit donc de la datation des produits. D'un registre à l'autre le mode d'expression varie. Au 1er registre nous assistons à deux épisodes d'une cérémonie au cours de laquelle étaient renouvelés les rites de couronnement (le roi couronné est assis sur son trône ; le roi court entre des bornes sans doute pour évoquer la prise de possession du pays). Il s'agit donc non d'un texte mais d'une représentation par épisodes comme une bande dessinée. Au 4e registre (et peut-être au 3e) le mode est le même mais les dessins sont rehaussés de légendes (ou bulles) : devant le roi qui chasse l'hippopotame est écrit : le roi de Haute et Basse-Égypte Khasty (autre nom du roi Den).

Au second, par contre, nous avons presque un texte, mais qui dans la mesure où nous le comprenons, semble fait de petites phrases courtes et impersonnelles (quelque chose comme : ouvrir — ou inaugurer — la porte de la forteresse... frapper la peuplade... apporter une statue ? du dieu maître de...).

Tout se passe donc comme si pour les comptes, les énumérations brefs pour les mots isolés le système d'écriture était bien maîtrisé mais comme si les scribes n'osaient guère se lancer dans des récits complexes et qu'ils se rabattaient alors sur des types d'évocation par le dessin dont les règles avaient déjà été bien établies à la fin de la préhistoire pour les grandes palettes décorées ou les manches de couteau en ivoire (comme le couteau du Gebel El Arak n° 14), ou bien simplifiaient leurs phrases.

J.-L. C.

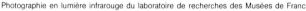

Photographie en lumière infrarouge du laboratoire de recherches des Musées de France

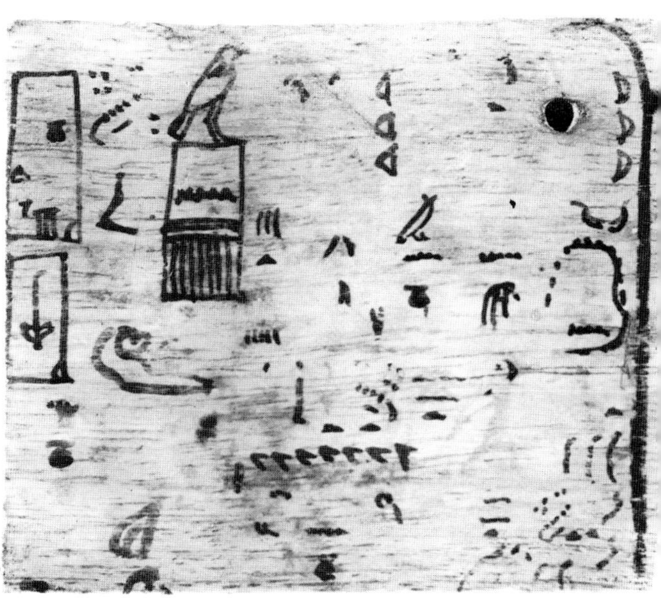

21 Grande jarre à vin

Terre cuite avec marque incisée
Hauteur : 67,5 cm ; diamètre : 21,8
Trouvée à Abydos (fouilles Amelineau)
Ire dynastie, vers 3000 av. J.-C.

Louvre : AE/E 28031 ; ancienne collection du Musée Guimet
Publiée par :
Amelineau, Les Nouvelles Fouilles d'Abydos, pl. 16

Dans les plus grandes tombes de l'époque thinite, aussi bien à Abydos qu'à Saqqara ou Héllouan, des magasins étaient réservés au stockage du vin que le mort emportait avec lui dans l'au-delà. Des dizaines, voire des centaines de grandes jarres y étaient accumulées. Sur leurs bouchons d'argile, des empreintes de sceaux indiquaient leur origine. En outre des indications étaient souvent portées sur la jarre elle-même, incisée assez grossièrement et profondément avant cuisson. Ce sont souvent de petits textes en hiéroglyphes (voir nº 23) mais parfois des dessins qui ne semblent pas donner de sens. Certains sont des signes hiéroglyphiques connus mais qui ne se combinent pas en mots ou phrases, d'autres, soit figuratifs (un taureau, un poisson par exemple) soit plus ou moins géométriques (triangle, carré, rond, croix, etc.), ne sont pas normalement utilisés dans l'écriture. Ces marques ont été différemment interprétées. Elles ne doivent pas être des marques de potiers puis qu'on les retrouve, gravées alors bien sûr après cuisson, sur des vases importés de Palestine ou de Syrie. Elles ne correspondent pas non plus à la destination puisqu'on retrouve les mêmes marques dans des tombes parfois fort éloignées. Ce motif vaguement en forme de fourche qui figure ici est par exemple attesté dans de nombreuses tombes. On le retrouve même sur des vases du Nouvel Empire, postérieurs de près de 2 000 ans. L'habitude de « marquer » les pots n'est en effet pas propre à l'époque thinite. Elle lui est sans doute antérieure (des dessins sur des vases préhistoriques peuvent être ainsi interprétés) et continue bien après.

J.-L. C.

22 Bouchon de jarre au sceau du roi Adjib

Limon cru
Hauteur : 37 cm ; diamètre : 22 cm
Trouvé à Abydos (fouilles Amelineau)
Vers 2950 av. J.-C. (Ire dynastie)

Louvre : AE/E 29889 ; ancienne coll. du Musée Guimet.
Les empreintes de sceau sont conformes à : Kaplony, Die Inschriften der aegyptischen Frühzeit, n° 278 et 300 A

Les grandes jarres à vin (comme le n° 21) étaient bouchées par une soucoupe posée à l'envers sur l'ouverture, souvent attachée par un lien de papyrus et surmontée d'un haut bouchon conique de limon sur lequel étaient roulés des sceaux tubulaires donnant le nom du roi régnant et l'origine de la livraison. Les mêmes empreintes se retrouvent sur de multiples bouchons provenant de diverses régions. Elles constituent notre meilleure source de connaissance de l'administration.
Ce bouchon a été marqué, suivant une coutume fréquente, par deux sceaux. Le premier roulé de bas en haut puis de haut en bas sur la pente opposée nous donne le nom du domaine qui a dû produire le vin et le titre du fonctionnaire chargé de la livraison (le *« responsable des magasins »*). Le second, roulé une seule fois, donne titre et nom du responsable de la production (l'administrateur du domaine *« Horsebakhet »* appelé Sab), et le titre de responsable des magasins.

J.-L. C.

23 Fragment de jarre au nom du roi Semerkhet

Terre cuite avec texte incisé
Hauteur : 14,5 ; largeur : 14,5 cm
Vers 2950-2900 av. J.-C.
Trouvé à Abydos (fouilles Amelineau)

Louvre : AE/E 28039 ; ancienne coll. du Musée Guimet

Ce doit être un fragment d'une grande jarre à vin semblable au n° 21. Le nom du roi y est incisé très grossièrement à l'intérieur de l'enceinte surmontée du faucon Horus (voir n° 19). Le tout est placé dans le plan d'une forteresse ou d'un domaine et doit indiquer le nom du domaine d'où provient le vase *(« le domaine de l'Horus Semerkhet »)*. A droite demeurent des traces d'un autre texte ou d'une marque.

J.-L. C.

24 Vase décoré d'un scorpion

erre cuite
auteur : 21,8 cm
ers 3150-3100 av. J.-C.
rouvé à Abydos (fouilles Amelineau)

ouvre : AE/E 21881 ; ancienne coll. du Musée Guimet
ubliée par :
melineau, Les Nouvelles Fouilles d'Abydos, 1895-96, pl. 13

melineau ne précise pas dans quelle tombe il a trouvé ce vase, nais son type le rattache clairement à la période précédant la e dynastie. Comme il est décoré (à l'encre noire) d'un scorpion, est évidemment tentant de supposer que c'est le nom du roi scorpion qui est ici écrit. Mais il peut s'agir d'un simple décor u, mieux, d'une de ces marques dont la raison d'être n'est pas ien établie.

J.-L. C.

25 Bol de Ptahpéhen

Marbre crème et rose
Diamètre : 16,3 ; hauteur : 8,7 cm
Trouvé à Abydos (fouilles Amelineau)
IIe dynastie (règne de Peribsen ?), vers 2750 av. J.-C.

Louvre : AE/E 11016 ; ancienne collection Amelineau
Publiée par :
Amelineau, Les Nouvelles Fouilles d'Abydos, 1897-98, pl. 50

Les précieux vases de pierre qui constituaient la vaisselle de luxe du mort étaient souvent inscrits au nom de leur propriétaire ou de leur donateur. Celui-ci a probablement été trouvé dans la tombe du roi Peribsen et comme il est marqué (à l'extérieur en hiéroglyphes gravés soigneusement, à l'intérieur en écriture semi-cursive à l'encre) au nom du :
« Chef des sculpteurs et fabricant de vases Ptahpéhen »
ce Ptahpéhen a de bonnes chances d'être en même temps le donateur et l'auteur. L'inscription serait en quelque sorte pour nous une signature. De nombreux autres vases au nom de ce Ptahpéhen nous sont connus.

J.-L. C.

26 Sceau-cylindre

Serpentine
Diamètre : 1,9 ; hauteur : 1,9 cm ; trou axial de 4 mm
Ire ou IIe dynastie (3100-2700 av. J.-C.)

Louvre : AE/N 4933
Les sceaux de ce type ont été étudiés par Bissing : Der Tote vor dem Opfertisch

Le principe du sceau-cylindre fut certainement introduit du Proche-Orient où il est nettement plus ancien. On a d'ailleurs trouvé dans des tombes de la fin de la préhistoire plusieurs de ces sceaux « made in Mésopotamie ». On les roulait sur l'argile pour obtenir l'empreinte. Certains étaient des sceaux officiels de service ou de fonctionnaire et n'étaient donc pas emportés dans les tombes (où l'on trouve seulement leur empreinte sur les bouchons des vases, voir n° 22). D'autres étaient privés et ont été retrouvés en assez grand nombre. Ils peuvent être inscrits au nom et au titre du propriétaire ou porter quelque sentence plus ou moins incompréhensible. Beaucoup comme celui-ci (une petite centaine) montrent un personnage assis sur un tabouret, le signe de la déesse Neith et quelques signes hiéroglyphiques. Aucune interprétation certaine n'en a été donnée. Il pourrait s'agir d'un souhait de demeurer auprès de la déesse et d'en recevoir les bienfaits.

J.-L. C.

27 Statue de Sépa

Calcaire avec des restes de peinture (cheveux noirs, yeux fardés de vert). Nez restauré
Hauteur : 1,69 m
Vers la fin de la IIe ou IIIe dynastie, vers 2700 av. J.-C.

Louvre : AE/A 37 ; ancienne collection Mimaut

A plus d'un titre les deux statues de Sépa et celle de son épouse Nésa (seule une des statues de Sépa est exposée ici) peuvent être prises comme exemples types de la transition entre l'époque thinite et l'ère des pyramides. Elles sont les premiers représentants de la statuaire monumentale de l'Ancien Empire par leur taille (pour l'époque thinite on ne possède aucune statue de pierre d'un format analogue) tout en gardant l'aspect compact des plus anciens essais en cette matière. Les textes qui les identifient ont, et dans leur paléographie (la forme des signes), et dans la mise en page, le même parfum de transition. Les caractères sont encore un peu entassés, les séparations entre colonnes ou lignes non clairement soulignées. Mais à côté de la plupart des inscriptions thinites le progrès est net. Le contenu du texte n'apporte aucun élément nouveau : le nom (Sépa) et une liste de titres (grand de dizaines de Haute-Égypte, prêtre du dieu bélier Kherty ; préposé aux affaires royales, bâton du taureau blanc, etc.).

J. L. C

II. Les systèmes d'écriture

les écritures cunéiformes
les écritures égyptiennes

Le système cunéiforme :

A - Écritures et langues de Mésopotamie

B - L'extension du « monde cunéiforme »

L'histoire de l'écriture cunéiforme est liée à celle de la Mésopotamie. Elle y naquit vers 3300 av. J.-C. pour n'y disparaître qu'aux alentours de l'ère chrétienne, après avoir rayonné dans tout le monde alors connu, et écrit, outre le Sumérien puis l'Akkadien de la région « mère », des langues de familles et de structures très différentes : sémitiques, indo-européennes ou langues isolées.
Son nom lui a été donné au début du XVIIIe siècle par les premiers découvreurs des inscriptions de Persépolis, qui trouvèrent que ses éléments étaient composés de clous ou de coins (du latin *cuneus*).
Bien que cet aspect constitue le stade final de son évolution, et non son commencement, la tradition applique le terme de « cunéiforme » à l'ensemble de ce système graphique, le plus important qui ait été écrit dans tout le Proche-Orient Antique.

A - Le système cunéiforme en Mésopotamie : graphisme, fonctionnement et évolution

Dès le début du IIIe millénaire av. J.-C., l'usage de l'écriture se généralisa progressivement. Deux sortes de phénomènes se produisirent : les uns modifièrent la graphie des signes qui évolua, les autres affectèrent sa valeur significative elle-même. Le système cunéiforme qui s'élabore alors servit principalement à noter les deux langues parlées en Mésopotamie : le Sumérien, puis l'Akkadien.

1 - Le graphisme : origine et évolution des signes

L'écriture cunéiforme ne représente pas le point de départ, mais l'aboutissement de l'évolution des signes. Lors du premier stade pictographique, le graphisme (qui se souvient, sans doute, d'un support de pierre incisé à l'aide d'un outil pointu) est linéaire, formé de droites et de courbes selon les objets représentés. L'écriture est verticale, les objets étant esquissés tels qu'ils se présentent à la vue (ainsi : [signe] = le poisson). Le dessin peut être en partie schématique (par exemple, on représente la tête de l'animal pour l'animal lui-même : [signe] = le bœuf), ou symbolique ([signe] = la femme, représentée par la simplification du sexe féminin).

Mais l'écriture pictographique s'est déformée rapidement, les signes se stylisant et perdant toute ressemblance avec l'objet dessiné primitivement. Ce phénomène eut pour cause le support employé, l'argile fraîche, qui permettait des impressions en trois dimensions, mais rendait difficile la reproduction de courbes. Celles-ci furent remplacées par des droites imprimées et non plus tracées au moyen d'un calame de roseau, à bout formant désormais une arête, dont l'amorce produisait une incision en forme de coin. L'élément de base de cette graphie cunéiforme restera le clou, soit horizontal [signe], soit oblique [signe], soit vertical [signe], soit simple tête de clou [signe], dont les différents agencements forment un signe ([signe] = DINGIR, signe sumérien du dieu).

D'autre part, à l'époque de Fara-Shuruppak (vers 2600 av. J.-C.), et peut-être même avant, le sens de lecture se modifie, les signes effectuant un quart de tour vers la gauche, selon l'évolution normale d'une écriture cursive (exemple : [signe] = l'âne, donne : [signe]). Cette graphie horizontale se lut alors en ligne, de gauche à droite. Dans les inscriptions sur pierre, qui ne présentaient pas les mêmes difficultés, une lecture verticale et de droite à gauche subsistera jusqu'au millénaire suivant, le code d'Hammurabi (vers 1760 av. J.-C.) en étant encore un exemple (Cf. Cat. n° 139). Une dissociation se crée entre l'écriture officielle, sur pierre ou sur métal (supports rares et coûteux, importés et employés uniquement pour commémorer un événement unique et important), — et qui se veut décorative, contrairement aux tablettes où l'esthétique est fonction du graphisme propre à la « main » de chaque scribe — et l'écriture cursive sur argile qui évolue rapidement.

Par la suite, chez les Akkadiens, la graphie se diversifie en écritures assyrienne et babylonienne, selon une division dialectale Nord-Sud de la langue ; et elle se modifie selon les régions et les époques. Le souci de simplification restera la règle majeure. L'évolution tendit à restreindre le nombre de clous composant chaque signe, à spécifier la forme générale de sa silhouette dans un schéma stable, le signe assyrien, rigide, éliminant au maximum les traits obliques, le signe babylonien, demeurant plus souple, plus proche de la ligne générale du signe ancien.

(exemple : [signe] → [signe] → [signe])
chemins qui se croisent — babylonien — assyrien

L'évolution du graphisme fut également liée à la symbolique transportée par les signes. En effet, le mouvement de rotation des tracés apparut dès que l'on eut dépassé le stade des signes-choses (pictogrammes), pour atteindre celui des signes-mots (logogrammes ou idéogrammes), ou celui du signe-son (phonogramme). Renversés,les signes devenaient moins expressifs, et par là, prêts pour une systématisation.

Béatrice André-Leicknam

a) La formation de la graphie cunéiforme sur argile :
Le support privilégié qui est l'argile est lié à l'existence même du système cunéiforme, comme il est le matériau propre à la civilisation mésopotamienne ; cuit ou séché au soleil, il est une garantie de la conservation des documents. A toute époque, on y écrit les textes de la pratique la plus courante, comme les textes religieux les plus précieux. Il est surtout celui qui se prête le mieux à la graphie cursive et sur lequel on peut suivre le mieux l'évolution des signes.

28 Tablette en écriture pictographique

Argile
Hauteur : 4,6 cm ; largeur : 4,1 cm ; épaisseur : 2,1 cm
Provient de Djemdet Nasr au Nord-Est de Kish, en Mésopotamie
Époque proto-urbaine (phase dite d'Uruk III, vers 3000 av. J.-C.)

Louvre : AO 8856
Bibliographie sommaire :
F. Thureau-Dangin : Revue d'Assyriologie XXIV, 1927, p. 27

Il s'agit probablement d'un bordereau de comptabilité, divisé en colonnes sur la face, avec le résumé comptable au revers. Les cavités centrales représentent les chiffres 1 (petit cône) et 10, (empreintes circulaires).
— Des dessins ou pictogrammes représentent les objets, comme :  = l'épi.
— Le dessin peut être en partie schématique :  = la tête de l'animal pour l'animal lui-même ;
— ou symbolique :  = la femme, représentée par la schématisation du sexe féminin.
L'écriture est linéaire, formée de droites ou de courbes, selon les objets représentés ; elle est verticale, les objets étant esquissés tels qu'ils se présentent à la vue.

B. A.-L.

29 Tablette sumérienne archaïque : acte de vente d'un esclave mâle et d'une maison de la ville de Shuruppak

Argile cuite
Longueur : 8 cm ; largeur : 8 cm ; épaisseur : 2 cm
Mésopotamie
Époque des dynasties archaïques, vers 2600 av. J.-C.

Louvre : AO 3765
Bibliographie sommaire :
D. O. Edzard : Sumerische Rechtsurkunde des III Jahrtausends... München, 1968 - p. 116, nº 62

A Shuruppak, très vieille ville « d'avant le déluge », une école de scribes rédigea ses documents d'une manière encore rudimentaire. Le scribe ne note souvent que la racine du mot, laissant au lecteur le soin de suppléer les éléments manquants. D'où la difficulté pour les lecteurs modernes d'interpréter certains textes. Nous avons de cette époque, des textes administratifs, contrats, listes de mots, un premier épanouissement de la littérature sumérienne.
Nous avons ici l'acte de vente d'une maison et d'un esclave mâle. Le scribe a noté la surface qui équivaut à 54 m^2, puis il a énuméré les six témoins garants du contrat.
Le mot témoin est un bon exemple de la langue et de l'écriture des sumériens de cette époque. Il s'écrit par trois signes :

 1 - LÚ : « homme », dont on reconnaît la silhouette.

 2 - KI : « terre », représentée comme une parcelle en forme de losange.

 3 - INIM : « parole » : cette notion abstraite a été exprimée par l'image de la tête aux formes déjà géométriques, avec sa barbe qui attire l'attention sur la bouche et les paroles qui en sortent.
Les signes pictographiques commencent à être schématisés, chaque ligne prenant l'aspect d'un clou : l'écriture devient « cunéiforme » ; le sens de lecture a changé.

B. A.-L.

30 Tablette économique concernant des ânes de charrue à atteler

Argile cuite
Longueur : 7,3 cm ; largeur : 7,3 cm ; épaisseur : 2,4 cm
Tello, Basse-Mésopotamie
Époque des dynasties archaïques III datée de l'an 4 d'Enentarzi, prince de Lagash (2364-2359 av. J.-C.)

Louvre : AO 13300
Bibliographie sommaire :
Allotte de la Fuÿe : Documents Présargoniques, Paris (1908), pl. XXX

Apport d'ânes d'attelage à divers personnages dont un cultivateur, un forgeron, un corroyeur...
La tablette, à écriture désormais pleinement cunéiforme, est toujours divisée en colonnes, chaque phrase étant emprisonnée dans une case. La première face se lit de gauche à droite, mais, sur le revers, la première colonne est celle de droite et le lecteur va vers la gauche. Une colonne blanche sépare le total ou résumé qui forme le titre. La date est donnée d'après les années de règne du roi. Ce principe de disposition d'un texte se continuera jusqu'après l'empire d'Ur III, à l'époque de la renaissance sumérienne, à la fin du IIIe millénaire av. J.-C. Les tablettes de cette époque ont toutes cette forme carrée aux angles arrondis.
Le signe de l'âne : , avec des oreilles en arrière, sa longue tête et son cou, est encore très reconnaissable, de même le signe du dieu : , le symbole de l'étoile. Le signe KUŠ = la peau tannée : , est ici employé dans un nom propre avec son sens phonétique de SU (Monsieur A-SU-SU).

B. A.-L.

31 Tablette sumérienne administrative distribution de rations d'orge à des prisonniers de guerre

Argile
Longueur : 17,5 cm ; largeur : 13,5 cm ; épaisseur : 3 cm
Mésopotamie
Époque de la renaissance sumérienne. Datée de l'an 5, deuxième mois, d'Amar-Sin, troisième roi de la IIIe dynastie d'Ur (env. 2040 av. J.-C.)

Louvre : AO 6039
Bibliographie sommaire :
H. de Genouillac : TCL V, (1922) pl. XXVII-XXVIII
I. J. Gelb : Journal of Near Eastern Studies 32, 1973 p. 74

Le texte nomme 167 femmes dont 121 vivantes et 46 décédées, plus 28 enfants dont 23 sont morts, plus 2 femmes âgées. Ces prisonniers seront utilisés comme esclaves dans les temples et ateliers des rois d'Ur.
A l'époque de la « renaissance sumérienne » des rois d'Ur, après un intermède akkadien, le Sumérien, langue des princes, redevint celle de l'administration. Nous possédons pour cette époque une documentation écrite considérable, concernant tous les domaines touchés par la réorganisation du pays, notamment les vastes

archives administratives et économiques des palais et des temples, dont ce document fait partie.
Le graphisme cunéiforme a évolué : le tracé pictographique n'est plus perceptible sauf dans certains signes, tel le signe du dieu : ✱ . Pour noter des opérations plus nombreuses, les tablettes s'agrandissent. Elles restent divisées en colonnes. Leur forme et le tracé des signes évoluera jusqu'à la disparition de l'écriture cunéiforme aux environs de notre ère, mais le principe même du signe — clou ou coin — ne changera plus.

B. A.-L.

b) Schéma de l'évolution d'un signe :
L'idéogramme du roi — LUGAL (sumérien) = *Šarru* (akkadien) : Dans le symbolisme des anciens sumériens, le roi est un être plus grand que les autres. L'écriture sumérienne exprimera ce concept par la juxtaposition du signe grand : = GAL (peut-être l'emblème royal du chasse-mouche ou sceptre ou couronne ?) et du signe de l'homme :
Ces signes vont évoluer au cours du temps et pendant trois millénaires, après avoir subi, comme les autres, une rotation de 90°.
Nous avons choisi de présenter des exemples de ces signes gravés sur support dur, plutôt que sur argile, parce qu'ils sont souvent écrits de façon plus lisible. Mais la pierre ou le métal ne présentaient pas les mêmes difficultés que l'argile pour le poinçon du lapicide, aussi l'écriture restera-t-elle toujours plus conservatrice. La disposition ancienne des êtres et des objets dessinés primitivement dans leur position naturelle se prolongea longtemps.
Mais sous peine de devenir rapidement incompréhensible, l'écriture ne pouvait que se plier progressivement aux formes nouvelles de la graphie cursive.
(Cf. partie documentaire).

B. A.-L.

32 Brique de fondation du temple de Girsu au temps d'Ur Nanshe, roi de Lagash (2494-2465 av. J.-C.)

Terre cuite
Longueur : 35 cm ; largeur : 20 cm ; épaisseur : 7 cm
Provient de Lagash (actuelle ville de Tello), en Basse-Mésopotamie
Époque des dynasties archaïques III

Louvre : AO 350
Bibliographie sommaire :
E. Sollberger et J. R. Kupper : Inscriptions Royales Sumériennes et Akkadiennes, 1971, p. 44

Inscription en sumérien : « *Ur ^{d}Nanshe, le roi de Lagash, le fils de Gunidu, a bâti la maison de Girsu* ».
La graphie et la disposition du texte sont d'un archaïsme extrême. La graphie est linéaire, incisée au moyen d'un stylet pointu. Les différents signes et groupes de mots sont placés pêle-mêle. Ainsi, le nom du roi Ur ^{d}Nanshe (« celui de la déesse Nanshe ») est écrit Nanshe ^{d}Ur.
Le signe du roi est encore très pictographique avec le dessin de l'œil de l'homme.

B. A.-L.

33 Vase de pierre au nom de Naram-Sin (2254-2218 av. J.-C.)

Calcaire
Hauteur : 17 cm ; diamètre : 10 cm
Mésopotamie
Époque de Naram-Sin, quatrième roi de la dynastie d'Agadé

Louvre : AO 74
Bibliographie sommaire :
A. Parrot : Tello, 1948, p. 134-135

Inscription en akkadien : *« (le dieu) Naram-Sin, roi des quatre régions ».*
Le signe du roi est encore naturaliste, le dos du personnage est formé par une ligne courbe, ce que l'on ne retrouvera plus ensuite :

Le roi porte ici la titulature des rois d'Agadé, les « Quatre Régions » symbolisant les quatre points cardinaux, c'est-à-dire la totalité du monde alors connu. Son nom est précédé de l'idéogramme réservé aux dieux. Ce procédé, qui sera repris systématiquement par les souverains de la IIIe dynastie d'Ur à l'époque suivante, apparaît ici pour la première fois. La célèbre stèle de victoire de Naram-Sin le montre également avec une tiare à cornes, emblème des dieux.

B. A.-L.

34 Poids en pierre dédié par Shu-Sin

Diorite
Longueur : 19,8 cm ; diamètre : 9,3 cm
Mésopotamie
Époque de la renaissance sumérienne : Shu-Sin (2037-2029 av. J.-C.), quatrième roi de la troisième dynastie d'Ur

Louvre : AO 246
Bibliographie sommaire :
E. Sollberger, J. R. Kupper : Inscriptions Royales Sumériennes et Akkadiennes, 1971 - p. 155

Inscription en sumérien :
« Cinq mines, certifiées. (le dieu) Shu-Sin, roi fort, roi d'Ur, roi des quatre régions. »
L'écriture sur pierre est devenue cunéiforme, et l'idéogramme naturaliste primitif représentant le roi est méconnaissable :

B. A.-L.

35 Plaque de fondation au nom du roi Hammurabi de Babylone

Calcaire
Longueur : 28 cm ; largeur : 8,7 cm ; épaisseur : 2,3 cm
Mésopotamie
Époque de Hammurabi (1792-1750 av. J.-C.) — Première dynastie de Babylone

Louvre : N III 3489
Bibliographie sommaire :
L. W. King : The Letters and Inscriptions of Hammurabi..., II, 1900, n° 95, p. 185 ss
E. Sollberger, J. R. Kupper : Inscriptions Royales Sumériennes et Akkadiennes, 1971, p. 216-217

Extrait de traduction (akkadien) :
« Moi, Hammurabi, le roi fort, le roi de Babylone, le roi qui se fait obéir des quatre régions, l'instrument des victoires du (dieu) Marduk, le pasteur qui contente son cœur, lorsque (les dieux) Anum et Enlil m'eurent donné à gouverner le pays de Sumer et d'Akkad (et) qu'ils m'en eurent remis les rênes dans les mains, je creusai le canal (dit) "Hammurabi est la richesse du peuple, qui apporte l'eau de la fertilité au pays de Sumer et d'Akkad"... »
Ce canal donne son nom à la 33e année du règne de ce roi, l'un des plus célèbres de la Mésopotamie ancienne, à cause de son « Code de lois ». La graphie de cette plaque atteint la perfection de celle du code.

Le texte appartient au genre stéréotypé des inscriptions royales dites « de fondation » commémorant la construction d'un bâtiment, civil ou religieux, ou d'un ouvrage important, par exemple un canal, comme c'est le cas ici.
Signe du roi :

B. A.-L.

36 Plaque de fondation de Sargon II d'Assyrie

Cuivre
Hauteur : 19 cm ; largeur : 12 cm ; épaisseur : 0,5 cm
Khorsabad (anciennement Dûr-Sharrukîn), Assyrie : Mésopotamie du Nord
Époque néo-assyrienne : règne de Sargon II (721-705 av. J.-C.)

Louvre : AO 21370
Bibliographie sommaire :
V. Place : Ninive et l'Assyrie, I, 1867, p. 62-63
D. D. Luckenbill : Ancient Records of Assyria and Babylonia, II (1927), p. 56

Cette tablette a été trouvée dans une caisse, enfouie dans les fondations de la ville de Khorsabad, l'ancienne capitale construite par Sargon d'Assyrie, avec d'autres tablettes en or et en argent (cat. n°s 178 et 179).
L'inscription assyrienne, stéréotypée, reproduit le texte inscrit sur les autres tablettes. Il énumère les titres du roi, la construction

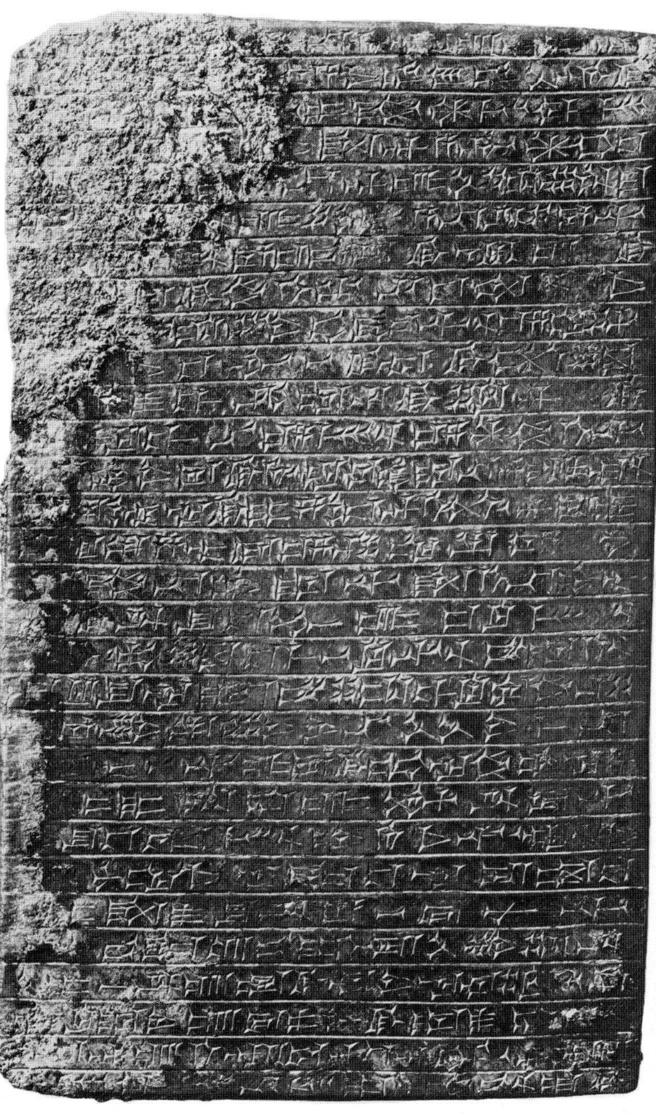

de la ville de Dûr-Sharrukîn (« forteresse de Sargon »), du palais, des temples, les matériaux employés pour ces constructions et leur décoration...
Le signe du roi *šarru,* écrit par l'idéogramme sumérien LUGAL, se présente dans son évolution dernière et simplifiée :
La silhouette primitive est méconnaissable.

B. A.-L.

c) Graphisme et orientation sur supports précieux :
La pauvreté en matières premières contraignit très tôt les habitants de la Mésopotamie (dès le IVe millénaire av. J.-C.) à développer leur commerce avec les contrées étrangères pour obtenir du bois, des pierres dures ou rares et du cuivre, venant des montagnes alentour ou des régions lointaines. Cette rareté des matériaux les plus nécessaires conduisit à ne les utiliser que pour des inscriptions rares, précieuses, et destinées à durer éternellement. Elles sont dues aux souverains eux-mêmes ou sont vouées pour eux. Celles que l'on appelle « Inscriptions de fondation » sont enfouies dans les murs des bâtiments qu'elles commémorent (cf. cat. p. 225). Nous présentons ici, à titre d'exemples de l'adaptation de l'écriture cunéiforme à des supports variés, des inscriptions de commémoration ou « votives » figurant sur des stèles ou sur des objets, soit offerts aux dieux par le roi, soit consacrés pour sa vie par des particuliers. Ils sont d'une étonnante diversité.
Ce sont des statues, statuettes d'animaux, vases de pierre ou de métal, armes ou têtes de masses d'armes, des sceaux, perles, amulettes ou coquillages... destinés à protéger leur propriétaire et à maintenir sa présence constante devant son dieu. Les textes qui y sont gravés nous permettent d'évaluer les possibilités de la graphie cunéiforme adaptée à chaque matériau, tantôt envahissant l'objet, tantôt confinée sur le socle ou même sur le revers, souvent monumentale et toujours soignée car elle donne à son support son sens et sa valeur. La graphie cunéiforme ne joue jamais sur la couleur puisque les signes gravés ou imprimés ne sont pas peints, mais elle joue sur la beauté de la pierre — qu'il s'agisse de diorite dure, de calcaire tendre, des reflets de la cornaline, de la turquoise — ou du métal d'or, d'argent ou de cuivre. Elle est elle-même sculpture. En effet, la graphie sur support dur, exécutée par un lapicide, et non par le scribe — qui devait tracer les signes au préalable, peut-être avec un morceau de craie —, aurait pu rester linéaire et de ce fait être plus facile à graver que les têtes de clous ; mais l'écriture cunéiforme représentait le moyen d'expression de la civilisation mésopotamienne, et son symbolisme, dérivé des picto-idéogrammes primitifs, ne pouvait être altéré, de même que la beauté des signes et leur rendu parfait étaient faits pour plaire aux divinités auxquelles, la plupart du temps, l'inscription était dédiée. Le monument inscrit représentait aussi, devant le dieu, le souverain ou le personnage important qui l'avait fait exécuter.
Les textes des objets votifs comportent un schéma type : le nom de la divinité à laquelle l'objet est voué, le nom du donateur si c'est le roi, ou le nom du roi pour lequel il est voué s'il s'agit d'un tiers (souvent sa titulature et sa filiation), et le verbe qui exprime l'offrande. Le nom de l'objet n'est pas toujours mentionné puisqu'il est lui-même représenté. Quelquefois, suivent des formules de malédiction contre qui le détruira, ou exceptionnellement le récit d'un événement.
Ces inscriptions, gravées au moyen d'un poinçon, et ne se prêtant pas à une évolution aussi rapide que l'écriture cursive sur argile, gardent un caractère archaïque jusqu'à une date avancée, vers le milieu du IIe millénaire av. J.-C., se lisant en colonnes de haut en bas et de droite à gauche, notamment en ce qui concerne la statuaire (cf. cat. n°s 37 à 39), alors que la graphie sur argile se lisait en lignes et de gauche à droite depuis près de mille ans. Sur les documents archaïques, les sculptures en bas-reliefs principalement, on a l'impression d'un remplissage systématique de l'espace laissé libre par l'image ou même envahissant celle-ci.
Les inscriptions postérieures sont insérées dans des colonnes et des lignes tracées par le lapicide avant qu'il ne commence à graver son texte.

B. A.-L.

Grande sculpture et statuaire

37 Stèle en forme d'obélisque à quatre faces

Diorite
Hauteur : 140 cm ; largeur : 60 cm ; épaisseur : 60 cm
Suse (Iran) où elle a été emportée en butin au XIIe siècle avant J.-C.
Époque d'Agadé ; règne de Manishtusu (vers 2270 av. J.-C.)

Louvre : Sb 20
Bibliographie sommaire :
V. Scheil : Mémoires de la Délégation en Perse, II (1900), p. 6-39
E. Cassin : Symboles de cession immobilière dans l'ancien droit mésopotamien, L'année sociologique (1952), p. 107-161

Cette pyramide comporte 1 519 cases d'écriture d'une grande élégance décorative. La monarchie d'Agadé suscita l'éclosion d'un art monumental sculpté dans la dure diorite que les souverains faisaient venir de très loin. Manishtusu rapporte qu'il fit traverser « la mer inférieure », c'est-à-dire le golfe Arabo-Persique, à des bateaux, et qu'après avoir vaincu trente-deux rois, « il tira des montagnes d'au-delà de la mer des pierres noires ». Cela démontre l'importance du monument dont le seul décor est sa graphie, très belle ; les caractères gravés dans la pierre et envahissant tout l'espace sont eux-mêmes sculpture. Pour la première fois, l'écriture jusqu'alors fantaisiste s'uniformise selon l'idéal de l'art officiel.
Le texte rapporte sur ses quatre faces de très importants achats de terre effectués par ce roi dans la région de Kish : il constitua quatre grands domaines qu'il partagea en lots pour les donner à ses officiers sur lesquels reposait la stabilité du royaume, et dont il s'assurait ainsi la fidélité. Sur chacune des faces, les achats concernant chacun des quatre districts sont résumés.
De cette époque date le développement de la propriété individuelle qui s'affirme à l'époque suivante. C'est un document important de l'histoire du droit.

B. A.-L.

38 Statue de Satam, petit-fils du roi d'Uruk, Lugal-Kisal-Si

Calcaire
Hauteur : 27 cm ; largeur : 15 cm ; épaisseur : 8,7 cm
Mésopotamie ; proviendrait d'Uruk
Époque des dynasties archaïques III (vers 2400-2350 av. J.-C.)

Louvre : AO 5681
Bibliographie sommaire :
E. Sollberger, J. R. Kupper : Inscriptions Royales Sumériennes et Akkadiennes, Paris, 1971, p. 86

La statuaire de cette phase récente des dynasties archaïques est caractérisée par un souci de réalisme souriant. Des statuettes d'orants, joignant les mains ou tenant un gobelet, perpétuaient devant leur dieu une prière ou un banquet rituel. Elles étaient vouées dans les temples.
Inscription en sumérien, dans le dos du personnage :
« Satam, le fils de Lu-Bara-Si, fils de Lugal-Kisal-Si, roi d'Uruk, le bien-aimé de Girim-Si, le prince d'Uruk » (traduction Sollberger-Kupper).
La graphie, disposée en colonnes verticales qui se lisent de haut en bas et de droite à gauche, est très archaïque. Cette habitude d'écrire au dos des monuments semble très caractéristique de la période sumérienne archaïque et de ses adorants aux grands yeux incrustés de bitume, de coquille et de lapis-lazuli comme devait les avoir celui-ci, fixant la divinité pour l'éternité. L'un des plus beaux exemples en est Ebih-il, « L'intendant », trouvé dans le temple d'Ishtar à Mari et maintenant au Musée du Louvre.

B. A.-L.

39 Statue de Gudéa, prince de Lagash, dite « Gudéa au vase jaillissant »

Calcite
Hauteur : 61 cm; largeur : 25,6 cm
Tello, Basse-Mésopotamie
Époque de la renaissance sumérienne (vers 2150 av. J.-C.)

Louvre : AO 22126
Bibliographie sommaire :
V. Scheil : Revue d'Assyriologie, 1930, p. 161
A. Parrot : Revue du Louvre, 1967, p. 89

Ce prince de Lagash inaugure la période de la renaissance sumérienne après l'intermède des Sémites de l'empire d'Agadé. Prince lettré et ami des arts, la statuaire de son époque reflète un idéal de piété calme et confiante.

Nous connaissons de ce prince dix-neuf statues dont la plupart portent une inscription en sumérien se terminant en général par le nom, en forme de souhait, donné à la statue, considérée comme douée de vie et représentante du prince devant son dieu pour l'éternité.

Le prince, vêtu d'un manteau frangé très sobre et coiffé d'un bonnet de laine ou de fourrure, coiffure « royale » de cette époque, tient le vase d'où jaillissent les flots poissonneux, attributs du dieu de l'abîme, et du dieu Ningirsu, divinité tutélaire de l'état de Lagash depuis les temps les plus anciens. Le socle est orné de vases semblables.

L'inscription principale, gravée en cases et en colonnes, se lisant verticalement sur le devant du manteau, est une dédicace à la déesse de l'eau vivifiante, Geshtinanna :

« A la déesse Geshtinanna... épouse de (du dieu) Ningishzida, à sa dame, Gudéa, prince de Lagash, son temple de Girsu a construit, sa (propre) statue il fit, qu'il nomma "Geshtinnana confère la vie", et il l'introduisit dans le temple de la déesse. »

Un cartouche, gravé sur l'épaule droite du prince, donne son nom et sa titulature ainsi que les faits marquants de cette période de son règne :

« Gudéa, prince de Lagash, qui a construit le temple de Ningishzida et le temple de Geshtinnana. »

D'autres statues de Gudéa portent une inscription qui est un véritable texte littéraire envahissant toutes les parties du vêtement et même le dos du personnage (cf. cat. n° 168).

B. A.-L.

40 Statue du roi d'Assyrie, Assurdân II (933-912 av. J.-C.)

Bronze
Hauteur : 30 cm ; poids : 2 kg
Proviendrait de la région du lac d'Urmia en Turquie (ancien royaume d'Urartu), où elle avait été probablement emportée en butin

Louvre : AO 2489
Bibliographie sommaire :
A. K. Grayson : Assyrian Royal Inscriptions, I, 1972, p. 142
A. Spycket : Le statuaire du Proche-Orient, 1981, p. 372

Nous possédons peu de statues de l'époque assyrienne. Celle-ci, décapitée et privée de ses bras, en forme de colonne cylindrique aplatie, est celle d'un homme en longue tunique à manches courtes, portant un glaive au côté. Outre ses mutilations volontaires, trois trous carrés ont probablement autrefois servi à fixer des armes et attributs rapportés, en bronze ou en matériau précieux.

L'inscription de 12 lignes, délimitées dans un cartouche rectangulaire et séparées par des traits incisés horizontaux, se lit de gauche à droite dans le même sens que les tablettes d'argile.

Il s'agit d'un monument votif qu'un scribe de la déesse Ishtar d'Arbèles, ville du nord de l'Assyrie, dédia pour la vie d'Assurdân « son roi ».

Comme celles de Gudéa, la statue porte un nom qui est un acte d'adoration : *« O (déesse) Ishtar, vers toi mon oreille (est tournée) ! »*

Ce qui prouve qu'elle provient probablement du temple de la déesse dans la ville d'Arbèles d'où elle aurait été emportée.

B. A.-L.

Objets votifs

41 Masse d'armes de Mesalim, roi de Kish

Calcaire
Hauteur : 19 cm ; diamètre : 16 cm
Époque des dynasties archaïques (vers 2550 av. J.-C.)
Provient de Tello, en Basse-Mésopotamie

Louvre : AO 2349
Bibliographie sommaire :
Sarzec et Heuzey : Revue d'Assyriologie, IV, 1894, p. 109 à 111
Sollberger, Kupper : Inscriptions Royales Sumériennes et Akkadiennes, 1971, p. 40

L'arme, qui n'a jamais été utilisée comme l'indiquent son poids et l'inscription de caractère votif, porte sur le dessus, l'aigle à tête de lion surnommé Imdugud, personnification du nuage d'orage et emblème du grand dieu de Lagash, Ningirsu. Il agrippe dans ses serres des lions cabrés qui se mordent l'arrière-train en une frise continue, selon un schéma caractéristique de cette période. L'incrustation de pierres de couleur de leurs yeux a disparu.
Les lions portent une inscription sumérienne, épousant la forme et l'espace de leur corps. Les signes, disposés verticalement, sont très archaïques et pictographiques. Par exemple, le signe du roi où la silhouette de l'homme debout est très reconnaissable, ainsi que le symbole de la ville de Kish : , qui évoque une tête d'âne renversée.
Inscription : *« Mesalim, roi de Kish, bâtisseur du temple de (du dieu) Ningirsu, y a apporté (cette masse) pour Ningirsu, Lugal-shaengur (étant) prince de Lagash. »*
(Traduction Sollberger-Kupper.)
Le roi de Kish a donc consacré cette arme dans le temple d'une ville de son État, peut-être en remerciement d'un succès guerrier.

B. A.-L.

42 Bas-relief votif de Dudu, prêtre de Ningirsu au temps d'Entéména, prince de Lagash (vers 2404-2375 av. J.-C.)

Pierre bitumineuse
Hauteur : 25 cm ; largeur : 22 cm ; épaisseur : 8 cm
Provient de Tello, en Basse-Mésopotamie
Époque des dynasties archaïques III

Louvre : AO 2354
Bibliographie sommaire :
Sarzec, Heuzey : Découvertes en Chaldée, p. 204
Parrot : Tello, 1948, p. 87

La plaque, perforée en son centre, est divisée en quatre registres inégaux. A droite, un personnage debout, vêtu du « Kaunakēs », jupe faite d'une toison de mouton, caractéristique de l'époque sumérienne archaïque, porte son nom inscrit à côté de lui : il s'agit de Dudu, écrit par le signe du pied Du = , répété deux fois et tout à fait pictographique. Il était grand prêtre du dieu Ningirsu dont le symbole, emblème de Lagash, l'aigle léontocéphale agrippant deux lions, comme sur la masse d'armes de Mesalim, est gravé à sa gauche. Plus bas, nous voyons la figuration d'un veau couché, et à la partie inférieure, une tresse. Le sens de l'image peut se lire comme une suite de rébus ou d'idéogrammes : un dédicant voue un objet à sa divinité, représentée par son symbole, avec peut-être une représentation des offrandes sacrificielles : holocauste de l'animal et libation d'eau courante ?
L'inscription dédicatoire, cantonnée dans les espaces laissés libres par l'image dans la partie supérieure, envahit le corps de l'animal, ne trouvant plus d'espace libre où s'exprimer.

B. A.-L.

43 Vase d'argent d'Entéména, prince de Lagash (2404-2375 av. J.-C.)

Argent et plomb sur pied de cuivre
Hauteur : 35 cm ; diamètre : 18 cm
Provient de Tello en Basse-Mésopotamie
Époque des dynasties archaïques III

Louvre : AO 2674
Bibliographie sommaire :
L. Heuzey : Catalogue des Antiquités Chaldéennes, 1902, p. 172
E. Sollberger, J. R. Kupper : Inscriptions Royales Sumériennes et Akkadiennes, 1971, p. 69

Vase d'argent d'Entéména, prince de Lagash, sur socle en cuivre à quatre pieds en forme de griffes de lion. Décor gravé de quatre aigles à tête de lion liant alternativement deux lions et deux bouquetins. Au-dessus, frise de sept génisses couchées.
La dédicace, en sumérien, gravée en colonnes sur le col, se lisant de haut et bas et de droite à gauche, indique que le vase appartenait au service de table de Ningirsu, dieu de Lagash, et mentionne à nouveau le prêtre Dudu, ce qui indique l'emprise du haut clergé sur l'État.
« *Pour Ningirsu, le champion d'Enlil* (l'un des trois grands dieux de Sumer) : *Entéména, le prince de Lagash, l'élu du cœur de (la déesse) Nanshe, le grand vicaire de Ningirsu, le fils d'Enanatum, prince de Lagash, pour Ningirsu, son maître qui l'aime, a façonné un vase d'argent purifié dans lequel Ningirsu (puisse) manger du (beurre ?) (et), pour sa vie, l'a porté à Ningirsu de l'E-Ninnu* (temple de ce dieu à Lagash).
En ce temps-là, Dudu était prêtre de Ningirsu. »
(Traduction Sollberger-Kupper.)

B. A.-L.

44 Plaque en forme de barbe vouée par une reine d'Umma au dieu Shara, pour sa vie

Or
Hauteur : 8,5 cm ; largeur : 6,7 cm ; épaisseur : 0,2 cm
Umma (Mésopotamie)
Époque des dynasties archaïques III : règne de Gishakidu, roi d'Umma (vers 2370 av. J.-C.)

Louvre : AO 19225
Bibliographie sommaire :
F. Thureau-Dangin : Revue d'Assyriologie XXXIV (1937), p. 176 ss.
Sollberger, Kupper : Inscriptions Royales Sumériennes et Akkadiennes (Paris, 1971), p. 83

Traduction (texte en sumérien) Sollberger-Kupper :
« *Pour (le dieu) Shara, le roi de l'E-mah* (son temple) : *lorsque Bara-Irnum, l'épouse de Gishakidu, roi d'Umma, la fille d'Ur-Lumma, roi d'Umma, la petite-fille d'En-a-Kala, roi d'Umma, la bru d'Ila, roi d'Umma, eut magnifié (le dieu) Shara et eut construit pour lui un trône sacré, pour sa vie elle offrit (cette barbe) au (dieu) Shara de l'E-mah.* »
La tablette est échancrée dans sa partie supérieure et percée de cinq trous, ce qui permettait de la fixer sur une statue ou un support.

B. A.-L.

45 Coquillage inscrit fragmentaire

Murex ramosus Linné
Longueur : 11 cm; largeur : 11 cm
Trouvé en Mésopotamie, mais importé de la Mer Rouge ou du Golfe arabo-persique
Époque d'Agadé, règne de Rimush (2278-2270 av. J.-C.)

Louvre : AO 21404
Bibliographie sommaire :
J.-M. Aynard : Syria XLIII, 1966, p. 21 ss.

Le coquillage est inscrit au nom de « *Rimush, roi de Kish* », ville d'origine de la dynastie d'Agadé, dans une graphie très élégante, propre à cette époque, et enfermée dans un cartouche. Ceci permet de supposer que cet objet de luxe et unique, parvenu en Mésopotamie grâce à l'importance du grand commerce que l'on connaît par d'autres textes plus longs, écrits à la gloire des souverains, appartenait au roi.

B. A.-L.

46 Sceau-cylindre d'un gouverneur de la ville sainte de Nippur, voué au dieu Nushku (le dieu du feu) pour la vie de Shulgi divinisé, « roi d'Ur, roi de Sumer et d'Akkad » (les deux régions sud et nord de la Mésopotamie)

Agate blanche
Hauteur : 3,4 cm; diamètre : 1,2 cm
Mésopotamie
Époque de la renaissance sumérienne : règne de Shulgi, deuxième roi de la IIIe dynastie d'Ur (2094-2047 av. J.-C.)

Louvre : AO 22312
Bibliographie sommaire :
Sollberger, Kupper : Inscriptions Royales Sumériennes et Akkadiennes (Paris, 1971), p. 145
P. Amiet : Bas-reliefs imaginaires de l'Ancien Orient (Paris, 1973), nº 284, p. 99

Les sceaux-cylindres sont des cachets en forme de cylindres, dont le décor gravé s'imprime dans l'argile fraîche quand on déroule le sceau à la surface de la tablette pour sceller un document et en garantir l'authenticité.
Cette forme de glyptique apparaît dès l'époque proto-urbaine en Mésopotamie. Souvent, l'inscription donne le nom de son propriétaire et sa fonction. Celui-ci est un objet votif.
La scène représente une libation du roi à un dieu debout, en présence d'une déesse protectrice mineure.
L'inscription est en sumérien.

B. A.-L.

47 Perle vouée au dieu-lune par le roi d'Ur divinisé, Ibbi-Sîn, pour sa vie

Agate
Hauteur : 2,6 cm ; largeur : 4 cm
Mésopotamie
Époque de la renaissance sumérienne : règne d'Ibbi-Sîn, dernier roi de la IIIe dynastie d'Ur (2028-2004 av. J.-C.)

Louvre : AO 27622
Bibliographie sommaire :
Sollberger, Kupper : Inscriptions Royales Sumériennes et Akkadiennes (Paris, 1971), p. 159

Le texte, en sumérien, donne la titulature complète des rois d'Ur :
« Au (dieu) Nanna, son maître, Ibbi-Sîn, le dieu de son pays, le roi fort, le roi d'Ur, le roi des quatre régions, a, pour sa vie, voué (cette perle). »
(Traduction Sollberger-Kupper.)
Les deux entités de Sumer et d'Akkad correspondent à une division géographique Sud-Nord de la Mésopotamie jusqu'au niveau où le Tigre et l'Euphrate se rapprochent. Le titre de « roi des quatre régions », porté pour la première fois par Naram-Sin d'Agadé, représente l'extension de l'Empire vers les quatre points cardinaux, c'est-à-dire tout le monde alors connu.
La divinisation des souverains n'apparaît, en Mésopotamie, qu'aux époques de Naram-Sin d'Agadé, de la IIIe dynastie d'Ur, (à partir de Shulgi et d'Isin-Larsa (c'est-à-dire à la fin du IIIe et au début du IIe millénaire av. J.-C.).

B. A.-L.

48 Chien voué pour la vie de Sumu-Ilum, roi de Larsa et conquérant d'Ur, vers 1900 av. J.-C.

Stéatite
Hauteur : 8,3 cm ; longueur : 11,7 cm ; épaisseur : 5,6 cm
Mésopotamie
Vers 1900 av. J.-C.

Louvre : AO 4349
Bibliographie sommaire :
Cros : Nouvelles Fouilles de Tello, 1910, p. 157
E. Sollberger, J. R. Kupper : Inscriptions Royales Sumériennes et Akkadiennes, 1971, p. 187
J.-M. Durand : RA 71, 1977, p. 32

L'animal, couché, tête de face, est voué *« pour la vie de Sumu-Ilum, le roi d'Ur »* par un prêtre « extatique » à la déesse Ninisinna *« la déesse qui prête l'oreille aux prières »*. Il était destiné à être déposé dans un temple devant la statue de la déesse afin de perpétuer l'offrande que l'on plaçait dans le godet encastré dans son dos.
Le texte sumérien est gravé en partie sur le flanc, en partie sur la croupe de l'animal, en lecture verticale : le bord supérieur est légèrement entamé par l'ouverture, pratiquée après pour l'incrustation du petit vase.

B. A.-L.

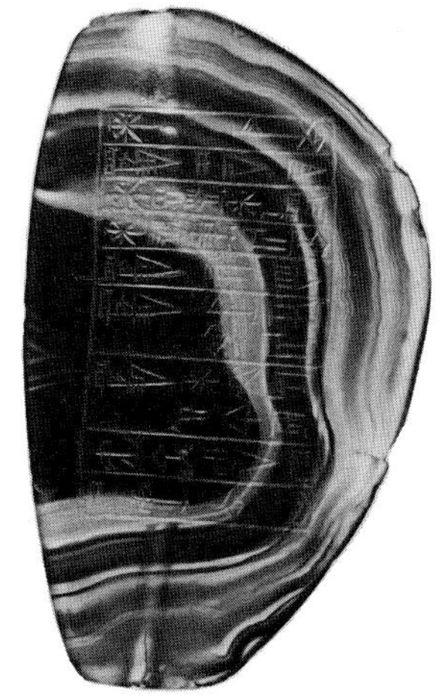

49 Sceau-cylindre avec une prière au dieu-lune

Calcédoine
Hauteur : 3,7 cm ; diamètre : 1,5 cm
Mésopotamie
Époque kassite, XVe siècle av. J.-C.

Louvre : AO 22333
Bibliographie sommaire :
M. de Clercq : Catalogue méthodique et raisonné : Antiquités Assyriennes, cylindres orientaux, 1920, no 260

Les cylindres de l'époque kassite portent très souvent un sujet réduit à un seul personnage gravé en relief plat, à côté d'une longue inscription qui est une prière sumérienne.
Celui-ci représente un prêtre debout, à longue barbe, la main levée dans l'attitude de la prière. L'inscription est une prière au dieu Nanna-Sin (le dieu-lune), qualifié de *« scribe du ciel »*.

B. A.-L.

50 Amulette en forme de tête de veau

Turquoise
Longueur : 3,2 cm ; largeur : 2,9 cm
Mésopotamie
Époque kassite — Datée du règne de Kadashman-Turgu (1297-1280 av. J.-C.)

Louvre : AO 4633

L'inscription, au nom du roi, est gravée au-dessous de la tête, sur le plat.

B. A.-L.

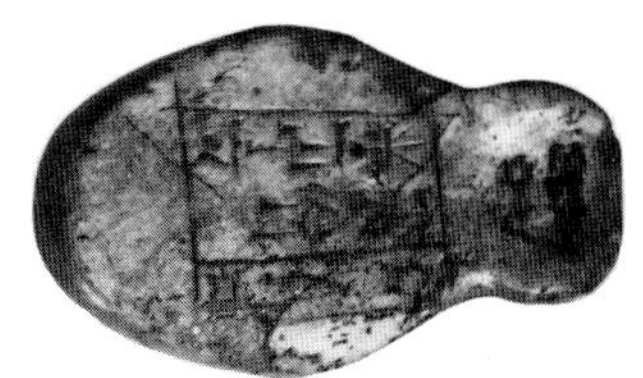

51 « Œil votif »

Agate à deux couches, brune et blanche.
Diamètre : 4,2 cm ; épaisseur : 1,5 cm
Mésopotamie
Époque de Nabuchodonosor I, roi de Babylone (1124-1103 av. J.-C.)

Louvre : AO 7706
Bibliographie sommaire :
Catalogue Exposition « De Sumer à Babylone », 1979, no 244
Delaporte : Catalogue des cylindres orientaux du Musée du Louvre (C.C.L.), II, Paris, 1923, no A 827

Légende circulaire de Nabuchodonosor, en graphie archaïsante, comme prirent l'habitude de le faire les souverains à la fin du IIe et au Ier millénaire, pour leurs inscriptions votives ou de fondation.
« A Marduk (le grand dieu de Babylone), *son seigneur, Nabuchodonosor, roi de Babylone, pour sa vie, a voué (ceci). »*
A partir de l'époque kassite, en Babylonie, les rois prirent l'habitude de vouer aux dieux ces imitations d'yeux en pierres semi-précieuses. La coutume s'inscrit dans la tradition des objets votifs, existant depuis l'époque des Dynasties Archaïques.

B. A.-L.

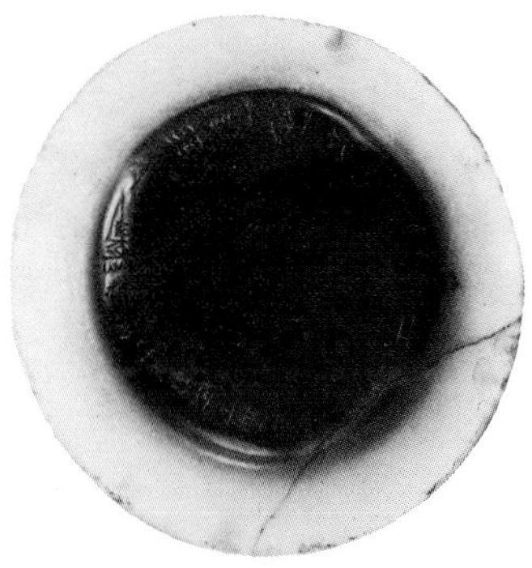

d) Graphies et dispositions particulières de l'écriture :
Les scribes mésopotamiens se sont parfois amusés à des jeux graphiques. Les jeux d'écriture savants, réalisés à partir des valeurs multiples des signes, et affectant la signification du texte, ressortent du domaine de la science (cf. chap. sur le scribe) mais le tracé des signes et leur disposition particulière sur un monument ont donné lieu à plusieurs essais, tels que des tracés en écriture microscopique, ou des inscriptions « aide-mémoire », placées volontairement devant des noms de dieux trop compliqués pour être retenus oralement.
Mais surtout, à toutes époques, l'écriture peut devenir narrative, pour servir à expliquer une scène figurée, soit sur le même monument, soit sur un autre relief ou objet qui lui est associé, et qui raconte, en images, le même événement commémoré (cf. cat. n°s 54 et 55).
Contrairement à ce qui se passe en Égypte, l'écriture couvre rarement les murs extérieurs des palais et des temples, qui ne sont pas construits en pierre, mais en briques d'argile. Mais dans le nord du pays, où les carrières d'albâtre gypseux sont abondantes, les monarques néo-assyriens firent sculpter leurs Annales sur les murs de leurs palais, sur des bas-reliefs qui exaltaient leur gloire de princes dévots et de bâtisseurs, commémorant leurs exploits guerriers et cynégétiques, racontés dans les inscriptions. Le roi Assurbanipal (668-627 av. J.-C.), dans son palais de Ninive, prit même soin de faire inscrire des cartouches ou cartels au milieu des reliefs le représentant à la chasse ou à la guerre, pour permettre une lecture directe de la scène selon le principe de nos bandes dessinées modernes. (Cf. partie documentaire, le bas-relief de la campagne d'Élam, et dans l'exposition la réinterprétation de la scène en bande dessinée, exécutée par Daniel Billon).

B. A.-L.

52 Tablette littéraire sumérienne en écriture microscopique

Argile
Hauteur : 2,4 cm ; largeur : 2 cm ; épaisseur : 0,3 cm
Provient de Tello, en Basse-Mésopotamie
Début du IIe millénaire av. J.-C.

Louvre : AO 336
Bibliographie sommaire :
S. N. Kramer : « Expédition », vol. 1, 1959, pp. 2 et 3

Les fouilleurs ont trouvé ce fragment de tablette en 31 fragments. Il ne nous reste plus que 30 lignes de texte écrit sur deux colonnes microscopiques. Ce sont les plus petits caractères cunéiformes connus. Il est probable que, dans son état original, le document, unique, par sa facture et par sa longueur, contenait plusieurs milliers de lignes.
Le scribe a préalablement écrit ce texte en fixant à travers une paire de roseaux creux, tenus dans une main, le minuscule point de la tablette où il imprimait ses signes avec un calame tenu de l'autre main, pour restreindre son champ de vision.
Le texte appartient à un genre appelé les lamentations liturgiques, précuseur des lamentations bibliques. Celui-ci appartient au cycle de la déesse sumérienne de l'amour Inanna, célébrée sous le nom de « reine du ciel ». La déesse se lamente sur la destruction de ses temples dans le pays de Sumer, elle raconte ses joies et ses souffrances, chantant ses fiançailles, puis pleurant la disparition de son époux, le beau berger Dumuzi dont la Bible fera Tammuz.

B. A.-L.

53 Kudurru avec inscriptions de noms divins

Diorite
Hauteur : 31 cm ; largeur : 21 cm ; épaisseur : 15 cm
Suse (Iran du Sud-Ouest)
Fin du IIe millénaire av. J.-C.

Louvre : Sb 31
Bibliographie sommaire :
V. Scheil : Mémoires de la Délégation en Perse, X, 1908, p. 95 et pl. XIII-2
U. Seidl : Baghdader Mitteilungen, 4, 1968, n° 50, p. 35

Le Kudurru est une stèle, une charte accordant une propriété à un personnage important. C'est un genre juridique, littéraire et artistique propre aux Kassites.
Le texte de la donation a été martelé, mais un côté porte les figurations des dieux garants de l'acte. L'intérêt de ce document provient surtout du fait que le scribe, pour expliquer aux lecteurs éventuels du document les noms divins, ou pour se les remémorer, les a gravés à côté des figures et de leurs symboles : Au registre médian, Gula, déesse de la médecine avec la légende qui l'identifie. Devant elle, son chien et le foudre, symbole d'Adad, dieu de l'orage avec sa légende ; le scorpion avec son nom : *« (le dieu) Ishara » ;* la lampe de Nushku, le dieu du feu, et l'oiseau sous lequel on lit *« (le dieu) Papsukal »*.

B. A.-L.

54 Prisme F des expéditions militaires du roi d'Assyrie Assurbanipal

Argile cuite avec noyau de terre grossière recouvert d'une couche d'argile fine. Un évidement médian a pu permettre au scribe d'écrire plus commodément, en faisant tourner le prisme sur un axe
Hauteur : 33 cm ; largeur (chaque face) : 8 cm
Ninive (actuellement Kujundjik) ; époque néo-assyrienne, règne d'Assurbanipal (668-627 av. J.-C.)

Louvre : AO 19939
Bibliographie sommaire :
J.-M. Aynard : Le prisme du Louvre AO 19939, Bibl. de l'EPHE, Sciences historiques et philologiques (Paris, 1957)
M. Cogan : Journal of cuneiform studies, XXIX, 2 (1977), p. 97 ss.

Nous possédons un grand nombre de documents écrits du règne d'Assurbanipal, roi d'Assyrie : le hasard nous a livré les richesses de la bibliothèque et des archives du palais de Ninive. Mais l'art d'écrire était en honneur à la cour, puisque le roi lui-même se vante de connaître « la science du dieu Nabû », dieu des scribes. Plusieurs prismes portant des textes historiques racontant les campagnes militaires de ce roi ont été retrouvés. Il ne s'agit pas d'annales, les faits n'étant pas relatés année par année comme dans les récits de Sargon II gravés sur les murs du palais de Khorsabad, mais par campagnes, celles dirigées contre un même ennemi l'étant à la suite les unes des autres et successivement.
Le prisme devait être un monument de fondation, comme le font penser les endroits de l'inscription effacés lors de l'enfouissement dans les murs de l'édifice où il était consacré. Inaccessible aux mortels, il n'était donc lisible que par les dieux pour illustrer la piété et la gloire du roi pour lequel la guerre était un devoir imposé par le dieu dynastique Assur.
Chaque prisme, selon sa rédaction dans le temps, insiste sur les faits qui viennent de se passer, par rapport aux récits précédents. Celui-ci insiste sur le sac de Suse et est en grande partie consacré aux campagnes élamites.
— La première colonne comporte un prologue donnant la titulature et la filiation du roi, vantant ses mérites et ses qualités et rappelant sa première campagne contre l'Égypte, puis sa deuxième campagne contre le roi de Tyr.
— La deuxième colonne est consacrée à la troisième campagne contre les Mannéens et la quatrième campagne contre l'Élam.
— La troisième colonne raconte la fin de la quatrième campagne et la cinquième campagne d'Élam.
— La quatrième et la cinquième colonnes décrivent le sac de Suse en septembre-octobre 646 av. J.-C.
— La sixième colonne relate la restauration de *Bît-Rîdûti,* le palais de la capitale de Ninive :
« Dans les réjouissances et la joie, je le restaurai depuis son fondement jusqu'à son faîte. Je rendis son emplacement plus grand et sa construction plus magnifique qu'au temps des rois mes pères... »
Suivent des bénédictions pour qui renouvellera cette œuvre dans les temps futurs et des malédictions contre qui le détruira.
Le texte est daté de l'éponymat de Nabû-Shar-Ahhe-Sû, gouverneur de Samarie. (Cf. extraits du texte dans la partie documentaire :
— la quatrième campagne contre l'Élam.
— le sac de Suse.)

B. A.-L.

55 Bas-relief représentant un campement de guerre

Albâtre
Hauteur : 41 cm; largeur : 77 cm
Ninive (Assyrie), Palais d'Assurbanipal
Époque néo-assyrienne, règne d'Assurbanipal (668-627 av. J.-C.)

Louvre : AO 19913
Bibliographie sommaire :
V. Place : Ninive et l'Assyrie, III, Paris (1867), pl. 64, nos 1 à 4
Barnett : Sculptures from the North Palace of Assurbanipal at Ninive, London (1976), p. 60 et pl. LXIX

Illustration par l'image du texte du prisme F des Annales d'Assurbanipal (cf. cat. n° 54) relatant la campagne d'Élam en 646 av. J.-C.
La scène représente des prisonniers élamites déportés, campant, cuisinant et mangeant au cours d'une halte dans leur voyage vers l'Assyrie.
Comme tous les grands rois assyriens l'avaient fait avant lui, Assurbanipal fit sculpter sur des reliefs ou orthostates, couvrant entièrement la partie inférieure des murs de son palais de Ninive, ses exploits militaires et de chasse. Ces bas-reliefs illustrent exactement le texte des annales, et souvent, les représentations sont accompagnées d'inscriptions faisant des commentaires sur la scène, sous forme d'encadrés ou de « bulles » dans le champ (cf. partie documentaire).
L'art assyrien atteint son apogée sous ce roi, dont les reliefs présentent souvent un caractère anecdotique.

Sous le roi Tukulti Ninurta I (1244-1208 av. J.-C.), les souverains assyriens inaugurèrent une politique systématique de déportation des habitants des villes détruites par leur armée, suivie d'un remplacement des princes locaux par des représentants du pouvoir assyrien.
Sous Assurbanipal, l'empire, à l'apogée de sa puissance militaire, puisqu'il avait même conquis une partie de l'Égypte, était en fait miné de l'intérieur. La destruction de l'Élam et de Suse, sa capitale, fut le dernier coup d'éclat d'un empire prêt à disparaître, tant cette politique de déportations massives avait entraîné une dégradation interne à cause des troubles provoqués en Assyrie par les déportés.
Texte du prisme F en relation avec cette scène (après la destruction de Suse) :
« Les filles des rois, les femmes des rois, jusqu'à la famille ancienne et nouvelle des rois d'Élam, les préfets, les maires de ces villages autant que j'en pus prendre, les chefs des archers, les officiers, les conducteurs de chars, les cavaliers,... tous les spécialistes sans exception, les habitants mâles (et) femelles, petits et (grands), les chevaux, les mulets, les ânes, le gros et le petit bétail, qui étaient plus nombreux que des sauterelles, je ramenai comme butin au pays d'(Assur). »

B. A.-L.

Le système cunéiforme : langues et grammaire

L'écriture du Sumérien

Au début du IIIe millénaire, la diffusion de l'écriture entraîna des améliorations dans la notation du langage parlé, le Sumérien, dont la filiation linguistique demeure obscure et isolée. Il s'agit d'une langue de caractère agglutinant, largement monosyllabique — par exemple : ŠU = main, RU = donner, GIŠ = bois... —, ce qui suppose un grand nombre d'homophones (plusieurs objets ou concepts se prononçant de la même façon, ainsi le son DU, écrit de 16 façons différentes numérotées de 1 à 16), fonctionnant par l'addition d'affixes (préfixes, infixes et suffixes), éléments invariables, aux mots de base figés, pour exprimer les rapports grammaticaux.
L'écriture sumérienne est fondamentalement idéographique ; mais la pauvreté du système primitif entraîna des arrangements permettant d'augmenter ses possibilités : par l'élaboration de signes composés, formés par l'imbrication de deux signes distincts (par exemple : KA = la bouche, figurée par le signe de la tête dont la partie concernée était soulignée :

dérivé de entraîna : la bouche + le pain = →

= KA + NINDA = KÚ = manger) ; ou par le jeu de la polyphonie des signes, le même idéogramme étant pris, non plus simplement dans son sens premier, mais comme symbole d'objets ou d'actions voisines (le même signe notait la bouche (KA), le nez (KIR), la parole (INIM), la dent (ZU), mais aussi l'idée de parler, de crier...) laissant au lecteur le soin de choisir entre ces sens divers.
Cette difficulté de lecture entraîna l'apparition de déterminatifs de classification, placés en début ou en fin de mot et ne se lisant probablement pas, ayant pour objet de préciser à quelle catégorie appartenait le concept exprimé : dieu, homme, femme, astre, oiseau...
Enfin, la nécessité de noter les éléments relationnels du langage, conduisit au syllabisme, réalisé en vidant les idéogrammes de leur sens pour n'en conserver que le son. Des variantes de sons furent notées par un signe arbitraire, selon le système de nos rébus modernes (ainsi, GI (N) = être stable, écrit par le signe du roseau, GI : → ; ou bien le signe de la femme vêtue : femme + vêtement, qui marque l'épouse et se lit DAM, et le signe du « quai de la rivière » qui se dit QAR, pourraient noter DAM-QAR, nom du marchand ambulant) ; le signe d'écriture prit, de ce fait, une valeur universelle. Par l'élimination d'un grand nombre de signes qui avaient la même valeur phonétique, le répertoire passa de plus de 1 000 à l'époque primitive à environ 300 vers 2400 av. J.-C. Mais l'écriture sumérienne resta en grande partie composée d'idéogrammes, les signes phonétiques syllabiques étant réservés surtout à la notation des noms propres et des outils grammaticaux.
A l'époque dite « néo-sumérienne » (entre 2150 et 2000 av. J.-C.), la langue se transforma et s'épura après un intermède akkadien. Certains textes, rédigés aux fins d'enseignement ou par des scribes étrangers, furent écrits de manière phonographique, mais ils restèrent des exceptions. On cessa ensuite de la parler, mais elle resta la langue de culture religieuse et savante jusqu'aux Séleucides (312-64 av. J.-C.).

B. A.-L.

Lecture d'un document sumérien :

56 Brique circulaire d'un monument de Gudéa

Argile cuite. Diamètre : 23,6 cm
Provient de Tello (Ancien État de Lagash) en Basse-Mésopotamie
Époque de la renaissance sumérienne : Gudéa, prince de Lagash, vers 2150 av. J.-C.

Louvre : AO 26671
Bibliographie sommaire :
F. Thureau-Dangin : Inscriptions de Sumer et d'Akkad, Paris, 1905, p. 198 ss

^{dingir} NIN-GIR-SU	*à Ningirsu* (le dieu de Lagash)
UR-SAG KALAG-GA	*guerrier puissant* (« seigneur de Girsu »)
^{dingir} EN-LIL-LÁ	*d'Enlil* (l'un des trois grands dieux de Sumer)
LUGAL A-NI	*son roi*
GÙ-DÉ-A	*Gudéa* (« l'appelé »)
EN$_5$-SI	*prince*
LAGAŠ ki-KE$_4$	*de Lagash*
É-NINNU AN-ZU	*l'E-Ninnu (surnommé) Anzu*
mušen BABBAR-RA-NI	*brillant* (du nom de l'oiseau à tête de lion, emblème de Ningirsu)
MU-NA-DÙ	*il construisit*

Les textes sumériens ne comprennent pas de ponctuation, mais les mots ou les phrases sont emprisonnés dans des lignes (ou cases pour l'époque archaïque).

— L'écriture est en grande partie composée de signes-mots ou *idéogrammes* (exemple : LUGAL = roi, BABBAR = brillant ou blanc, KALAG = puissant).

— Les *signes phonétiques,* syllabiques étant surtout réservés à la notation des noms propres et des outils grammaticaux (exemple : a-ni : adjectif possessif = son, Ke$_4$ forme du génitif...).

— Des signes *déterminatifs,* idéogrammatiques, placés en début ou en fin de mot et ne se lisant pas, existent pour préciser à quelle catégorie générale appartient le concept exprimé : par exemple, DINGIR pour les dieux, MUŠEN pour les oiseaux, KI pour les villes et les contrées... Ceci a pour origine le fait que, souvent, un même idéogramme peut noter plusieurs sens selon ce que l'on appelle la polyphonie des signes.

— Le sumérien, langue agglutinante, comporte des verbes à racine figée : exemple : le verbe DÙ = faire (signe de la cheville en bois). DÙ est un infinitif ou un participe.

• Pour le conjuguer, il faut préfixer au verbe diverses bases qui n'ont pas d'autre rôle et n'ont pas de sens en elles-mêmes.
Exemple : MU-DÙ = il fit, il a été fait.

• Le verbe peut exprimer des compléments circonstanciels en incluant, entre le verbe et la racine, toute une série d'infixes.
Ainsi : - MU - NA - DÙ = il fit pour lui

- MU - NA - NI - DU = il y fit pour lui

— Dans ce dernier cas, DU est écrit du$_1$ et non du$_3$ (ou dù). En effet, dans cette langue largement monosyllabique, il existait un grand nombre d'homophones et donc plusieurs façons d'écrire le même son qui pouvait alors être noté par un signe arbitraire. C'est le principe du rébus + = chapeau ou : + = arbre vert, le mot vert pouvant être dessiné ou écrit : verre , ver , vers , vair... etc...

B. A.-L.

L'emprunt du système par les akkadiens

C'est surtout par le parti qu'en tirèrent d'autres peuples pour l'adapter à leur langue, que l'écriture cunéiforme évolua.
A l'époque de sa mise au point et de ses premiers développements dans le Sud, les Sumériens se trouvaient en majorité numérique, et leur culture était incontestée. Mais, plus au Nord, une population sémitique existait depuis longtemps. Vers 2330 av. J.-C., Sargon fonde le premier empire mésopotamien et sa capitale d'Agadé. Les scribes d'Agadé utilisèrent les signes de l'écriture sumérienne pour transcrire leur langue sémitique de type oriental, à racine trilitère : trois consonnes en ordre fixe définissant le sens général du mot et servant de support aux éléments vocaliques. Pour ce faire, des idéogrammes sumériens, vidés de leur sens, furent réduits à une graphie phonétique et syllabique. Cela entraîna dans un premier temps un allégement du système, par la possibilité de choisir un seul signe parmi les homophones et d'abandonner les autres.
Mais le système resta pourtant en grande partie idéographique : des signes-mots furent pris tels quels avec leurs valeurs, et lus tout simplement en akkadien : par exemple, le même signe désignant le ciel AN, et le dieu DINGIR en sumérien fut prononcé *šamu* et *ilu* par les akkadiens.
Pour faciliter le déchiffrage, apparaissent des idéogrammes déterminatifs de lecture, systématisation d'une coutume employée par les Sumériens, et des compléments phonétiques syllabiques indiquant la dernière syllabe d'un mot, permettant de vérifier que l'on a lu correctement.
Il s'agit aussi de noter certains sons inconnus des sumériens tels que les emphatiques : ainsi le son *qa* fut transcrit par le signe GA, selon un procédé consistant à modifier le son sumérien. Certaines modifications allaient encore s'ajouter au cours des deux millénaires suivants, dans la notation de l'Akkadien que l'on appelle désormais assyro-babylonien, suivant une séparation régionale Nord-Sud de la langue. L'écriture, simplifiée au maximum à l'époque paléo-babylonienne, vers le XVIIIe siècle av. J.-C., se compliqua ensuite, tandis que le système cunéiforme régressa en s'alourdissant, puisque d'environ 100 signes, le nombre passa à plusieurs centaines à l'époque néo-assyrienne, au VIIe siècle av. J.-C. L'écriture idéogrammatique sumérienne réapparut (exemple : le nom du roi écrit LUGAL en sumérien, au lieu de l'akkadien syllabique *ša - ar - ru*). Ce n'est pas étonnant, car la culture mésopotamienne resta bilingue jusqu'à son terme, et l'existence d'une même écriture y contribua très certainement. En effet, du fait de son origine picto-idéographique, l'écriture cunéiforme représentait le moyen d'expression des symboles d'une société, beaucoup plus qu'un simple moyen matériel de fixer un langage. C'est peut-être pour cette raison que, lorsqu'au début de son dernier millénaire d'existence le système cunéiforme se replia sur lui-même dans la région « mère » de Mésopotamie, les scribes entreprirent de le compliquer encore pour sauvegarder la tradition. Non contents de copier et de recopier les textes anciens, ils multiplièrent les signes, valeurs phonétiques et homophones, ainsi que les jeux graphiques différents pour chaque genre de textes et en conséquence pour chaque catégorie de scribes spécialisés chacun selon une hiérarchie immuable.
Contrairement à ce que l'on aurait pu attendre d'une évolution normale, le système cunéiforme akkadien se figea et même s'alourdit au lieu de se simplifier, ne dépassant jamais le stade d'un syllabisme mêlé d'idéogrammes. L'écriture en était d'un maniement difficile et donc réservée à une caste de spécialistes tenant à garder sa culture mais aussi ses privilèges, et donc hostile à toute simplification qui la rendrait accessible à tous. C'est dans cette écriture compliquée, que d'innombrables documents furent écrits durant 3000 ans, non seulement en langues sumérienne et akkadienne — de l'Élam (au Sud-Ouest de l'Iran) jusqu'en Asie Mineure, en passant par la Mésopotamie, la Syrie, la Palestine et l'Égypte —, mais aussi en bien d'autres langues de structures et de familles différentes.

Lecture d'un document akkadien :

57 Brique de fondation de la construction du temple de Shamash, dieu-soleil et de la justice, par Iahdun-Lim, roi de Mari (1825-1810 av. J.-C.)

Argile cuite
Longueur : 40 cm ; largeur : 40 cm
Mari (actuelle Tell Hariri, Syrie, sur le Moyen-Euphrate)
Époque paléo-babylonienne

Louvre : AO 21815
Bibliographie sommaire :
G. Dossin : Syria XXXII (1955) — p. 4 ss
Sollberger, Kupper : Inscriptions Royales Sumériennes et Akkadiennes (Paris 1971), p. 245-249

Le texte célèbre les hauts faits guerriers et religieux du roi. Il débute par un hymne *« à Shamash, le roi du ciel et de la terre, le juge des dieux et des hommes, qui a l'équité en partage et à qui la vérité a été donnée en présent, le pasteur des Têtes Noires* (nom que se donnaient à eux-mêmes les anciens Mésopotamiens), *le dieu resplendissant, le juge des êtres vivants, qui agrée la supplication, qui écoute les prières, qui accueille la*

lamentation, qui donne une vie heureuse pour toujours à ceux qui le vénèrent, lui qui est le seigneur de Mari... » (Traduction Sollberger-Kupper.)
Lecture commentée de deux lignes du texte :

Transcription :
Col. I. 31 : *šarrum* (= LUGAL) *ma-ma-an wa-ši-ib Ma-ri* (Ki)
II. 1 : *ti-a-am-ta-am la ik-šu-du*
Lecture :
Col. I. 31 : *šarrum mamman wâšib Mari*
II. 1 : *ti'amtam la ikšudu*
Traduction :
Col. I. 31 : roi/aucun/habitant/Mari
II. 1 : la mer/n'/avait atteint
ou
Aucun roi habitant Mari
n'avait (encore) atteint la mer.

On peut remarquer :
— Une systématisation de l'écriture phonétique et syllabique, avec cependant l'emploi simultané d'idéogrammes : le roi *(šarrum)* écrit par l'idéogramme sumérien (LUGAL).
— L'emploi de déterminatifs de lecture pour préciser à quelle catégorie appartient le concept exprimé, placé en fin de mot et ne se lisant pas : Ki, déterminatif des noms de ville ou de pays, pour préciser qu'il s'agit de la ville de Mari.
— Le mot : trois consonnes en ordre fixe définissent son sens général. Exemple : *KŠD :* idée d'atteindre *Kasădum* = atteindre (infinitif) *ikšudu* = il avait atteint (prétérit, ou « accompli ») = *i,* préformante de la 3ᵉ personne du singulier + *KSuD* = racine + *û :* désinence du subjonctif (annoncé à la phrase précédente : *(« On sait que) Depuis les jours lointains où le roi avait construit la ville de Mari, aucun roi... »)*
— La phrase : il n'y a pas de ponctuation.
— Il n'y a aucune séparation entre les mots, mais la fin de la ligne correspond toujours à la fin d'un mot.
— Les noms se déclinent :
Il y a trois cas au singulier :
— nominatif : cas sujet = *šarrum* (désinence - u (m)),
— accusatif : cas objet = *ti'amtam* (désinence - a (m)),
— génitif : non représenté ici (désinence - i (m)) = cas complément de nom ou d'une préposition.

B. A. L.

Brique de fondation de Yahdun-Lim roi de Mari (XVIIIᵉ siècle avant J.-C.)

Légende :
Chaque filet correspond ligne par ligne à chaque mot ou groupe de mots du texte en Akkadien, transcription, lecture et traduction.

mots akkadiens en écriture idéographique

noms et adjectifs en écriture syllabique

verbes en écriture syllabique

mots et particules grammaticales (conjonctions, prépositions, suffixes, pronoms...)

idéogrammes sumériens

déterminatifs de lecture et complément phonétique.

Transcription :
a-lam Ma-ri $^{(ki)}$ *ilum [= AN] ib-nu-ú*
Šarrum [= LUGAL] ma-ma-an wa-ši-ib Ma-ri $^{(ki)}$
ti-a-am-ta-am la ik-šu-du
Šadî [= KUR] erinnim [= GIŠ. ERIN] ù taskarinnim [= GIŠ. KU
Šadî [= KUR $^{(i)}$*] ra-bu-tim la ik-šu-du*

Lecture :
alam Mari ilum ibnû[1]
Sharrum mamman wâshib Mari
ti'amtam la ikshudu
Shadî erinnim ù taskarinnim
Shadî rabûtim la ikshudu

Traduction :
[(du fait que) depuis les jours lointains]
[où] le dieu avait construit la ville de Mari
aucun roi habitant Mari
n'avait atteint la mer,
les montagnes de cèdre et de buis
les grandes montagnes, il n'avait pas atteint

B. A.-L.

1. Le u se prononce ou.

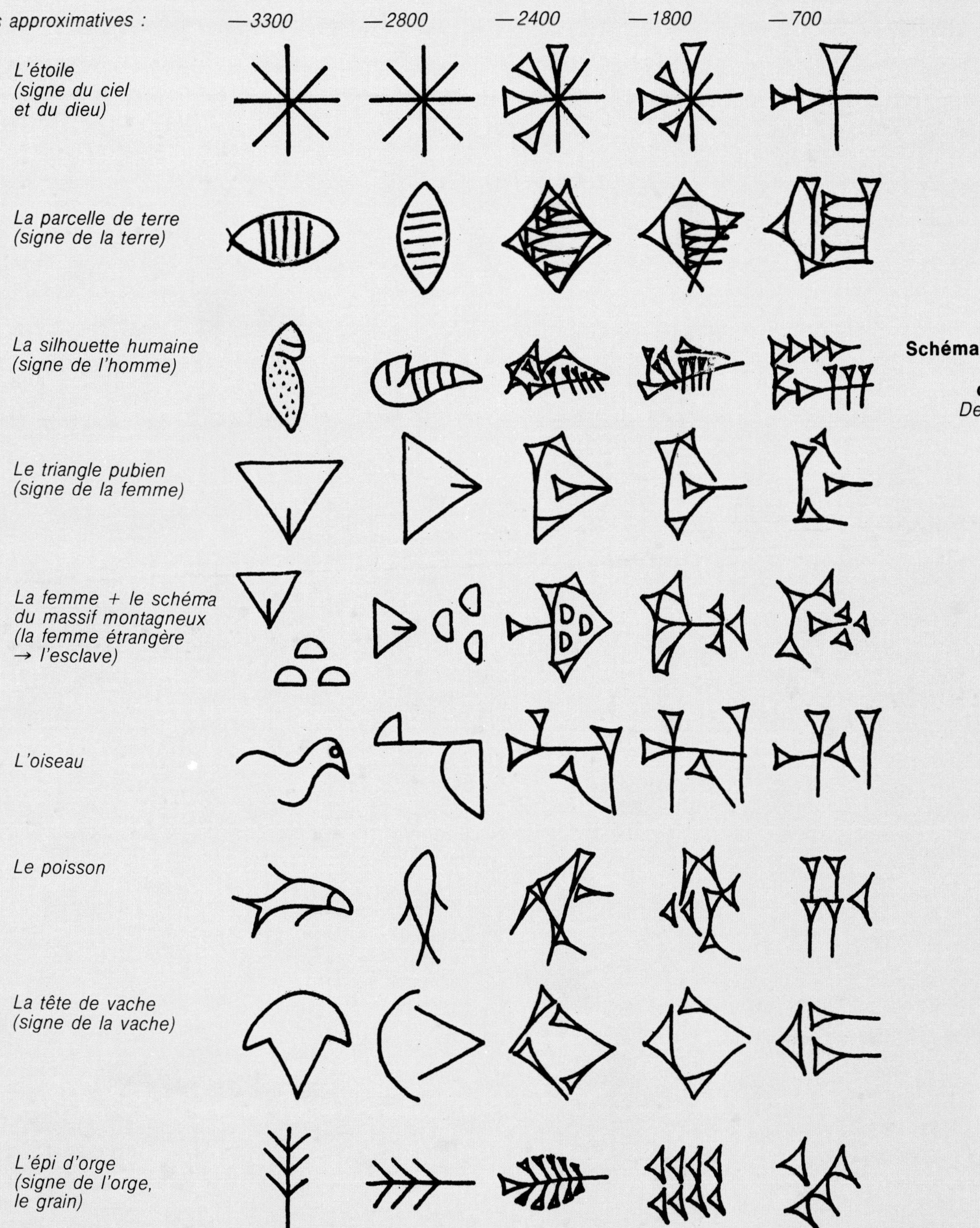

Schéma d'évolution des signes cunéiformes
Dessins : B. R.

Schéma de l'évolution d'un signe.
L'idéogramme du roi Lugal (Sumérien) ;
Šarru (akkadien)

Époque des dynasties Archaïques III : Ur-Nanshe de Lagash
vers 2500 av. J.-C.
(Cf. Cat. nº 32.)

Époque d'Agadé : Naram-Sîn : vers 2250 av. J.-C.
(Cf. Cat. nº 33.)

Époque de la renaissance sumérienne, règne de Shu-Sîn : vers 2035 av. J.-C.
(Cf. Cat. nº 34)

Époque Paléo-babylonienne, règne de Hammurabi de Babylone : vers 1760 av. J.-C. (Cf. Cat. nº 35.)

Époque néo-assyrienne, règne de Sargon II d'Assyrie : vers 720 av. J.-C.
(Cf. Cat. nº 36.)

Forme classique néo-assyrienne : VIIe siècle av. J.-C. Dessin B. R.

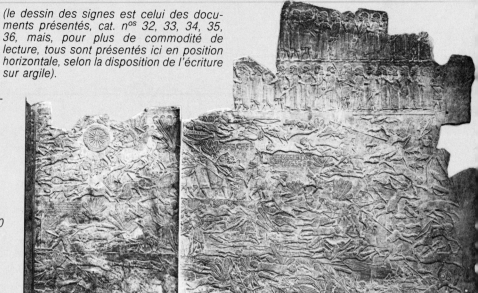

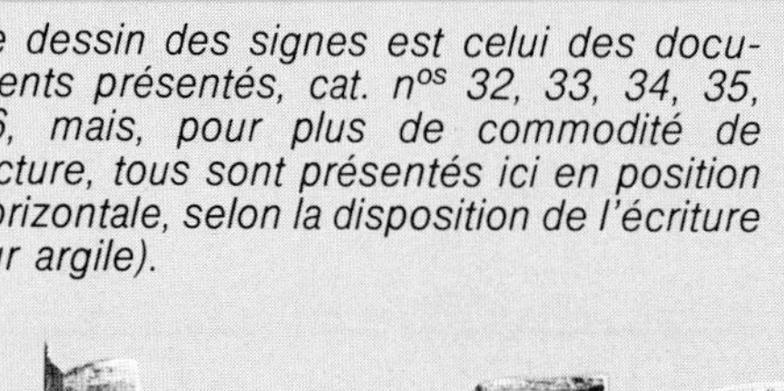

(le dessin des signes est celui des documents présentés, cat. nos 32, 33, 34, 35, 36, mais, pour plus de commodité de lecture, tous sont présentés ici en position horizontale, selon la disposition de l'écriture sur argile).

Bas-relief d'Albâtre
Env. 2 m de large.
Londres, British Museum.

Ninive : Palais S.O. du roi Sennachérib : le combat du roi d'Assyrie Assurbanipal (668-627 av. J.-C.), sur le fleuve Ulaï, mené contre Te'umman, le roi d'Élam.

Dessin original : A. Layard : « Monuments of Niniveh (1853) pl. 45 et 46

Écriture Narrative Accompagnant l'Image

Le combat du roi d'Assyrie Assurbanipal (668-627 av. J.-C.) sur le fleuve Ulaï, mené contre Te'umman, le roi de l'Élam

Ninive, palais Sud-Ouest du roi Sennachérib
Albâtre H : 2 m

Londres, British Museum

Cette grande composition représente la bataille contre les Élamites, sous le commandement de leur roi Te'umman, près de Til Tuba sur le fleuve Ulaï. La bataille, dont les différents stades sont commentés par des inscriptions, bat son plein. Le fleuve Ulaï qui coule à droite, se remplit des cadavres des Élamites tués et de chevaux. L'épisode médian indique comment Te'umman, transpercé par une flèche, est agenouillé sur le sol. Une inscription explique l'événement :

« Te'umman dans son abattement dit à son fils : tire avec l'arc. »

A côté, à droite, une légende plus longue est gravée :

« Te'umman, le roi d'Élam, qui a été blessé dans un combat formidable et Tamritu, son fils aîné, qui avait saisi sa main, fuirent pour sauver leur vie et se cachèrent dans un fourré. Avec l'aide d'Assur et d'Ishtar je les ai tués et leur ai coupé la tête. »

Cette inscription semble avoir trait à plusieurs épisodes de la relation imagée, très détaillée montrant la mêlée inextricable du combat. Elle figure au-dessus du groupe représentant la fin des deux Élamites ; un soldat assyrien assomme le fils de Te'umman avec une massue pendant qu'un autre coupe la tête du roi ; ce dernier est emmené, un peu plus bas, vers la gauche, pour être transporté en Assyrie, sur un char, en guise de « message de joie ». Le relief de gauche relate, entre autres, la fuite de Te'umman et de son fils ainsi que la chute du roi atteint d'une flèche et qui tombe de son char. Audessous, un prince élamite, vêtu différemment, s'est affaissé. Une inscription éclaire également cette phase du combat :

« Urtaku, le gendre de Te'umman, qui fut cependant blessé par une flèche mais n'avait pas fini de vivre. Il appela un Assyrien, pour sa propre décollation, en ces termes : "Viens, coupe-moi la tête, porte-la au roi, ton maître et deviens célèbre." »

Assurbanipal, prisme historique F. Colonne II

Extrait de la quatrième campagne militaire contre l'Élam. Récit illustrant la scène de bataille de la rivière Ulaï.
(D'après traduction de J.-M. Aynard)

« Dans ma quatrième campagne, vers l'Élam
je fis route directement
sur l'ordre... (des grands dieux d'Assyrie)...
comme (se lève) la ruée d'une tempête furieuse
je submergeai l'Élam dans son ensemble.
je tranchai la tête de Teumman, son roi arrogant qui avait comploté contre moi ;
je tuai un nombre incalculable de ses guerriers d'élite ;
(ayant) pris vivants ses combattants
je jonchai de leurs cadavres, comme de ronces et d'épines, les campagnes de Suse
(et) je fis couler leur sang vers le fleuve Ulaï, dont je teignis les eaux comme de pourpre... »

B - L'Extension du « Monde cunéiforme » : la diffusion des écritures cunéiformes au Proche-Orient

La légende sumérienne attribue au roi d'Uruk, Enmerkar, l'invention de l'écriture, et cela pour pouvoir correspondre avec le seigneur d'Aratta, une des métropoles iraniennes de l'époque. Comme toutes les belles histoires, cette dernière comporte une part de vérité, au moins à un niveau symbolique, en ce qu'elle unit dans le même récit, les deux « lieux » de découverte de l'écriture, dans le Proche-Orient.
Nous savons peu de choses de la diffusion de l'écriture cunéiforme à ses débuts, et pour l'heure, la prudence s'impose. S'il s'agit d'un phénomène caractéristique de l'Irak du Sud, on en trouve très vite dans la région du moyen Euphrate. D'autre part, dès que les textes nous sont raisonnablement intelligibles, force nous est de constater que la pratique de l'écriture est commune à tout Sumer, avec l'usage, non seulement des mêmes *signes,* mais aussi des mêmes œuvres littéraires, et ce qui est de loin le plus important, des mêmes *manuels* pour l'apprentissage de l'écriture. Tout cela indique donc que, quels qu'aient été les particularismes locaux à Sumer, il faut postuler l'existence d'un centre unique de référence, lequel a fort bien pu être, déjà, la métropole religieuse de Nippur, résidence du roi des dieux, Enlil.
On ne sait point exactement pour quelle raison cette écriture s'est diffusée au Proche-Orient. Le Cunéiforme, en effet, n'a pas été pris comme un modèle, permettant l'éclosion de systèmes locaux, reflétant les diverses cultures du monde d'alors. Rien ne prouve que sa diffusion ait été le fait de grands empires qui auraient unifié le Proche-Orient. D'un autre côté, parler d'un *dynamisme* interne n'engage à rien. Il semble que, paradoxalement, c'est son *imperfection* même qui l'a fait être empruntée telle quelle. Elle est en effet à ses débuts, indissociable de la langue qu'elle note : le sumérien est une langue agglutinante où des éléments grammaticaux se préfixent ou se suffixent à une racine monosyllabique. On utilise donc des *signes-idées* (idéogrammes) et des syllabes phonétiques. D'autre part la caractéristique de ce système, à toute époque, est que l'énoncé peut être noté par *abréviation,* le strict minimum étant naturellement représenté par l'emploi de l'idéogramme pur et simple. Tout cela vient de ce que les scribes forment un monde clos et fermé sur lui-même. Un système aussi peu universel, entraînait donc automatiquement l'emprunt simultané d'une convention graphique et d'une structure linguistique. On en a une preuve manifeste avec les documents du milieu du IIIe millénaire retrouvés récemment à Ebla, métropole syrienne où se parlait une langue sémitique, d'un génie tout autre que celui du sumérien. On y trouve des expressions sumériennes figées pour noter des tournures sémitiques ou des idéogrammes pour des mots sémitiques. L'écriture se sert cependant aussi beaucoup des signes-syllabes du système sumérien pour noter phonétiquement tout ce qui n'est pas réductible au système primitif de notation, comme les noms propres, etc.
C'est dans la systématisation de l'emploi des syllabes phonétiques pour noter de façon plus précise la chaîne parlée que consista l'évolution du cunéiforme. Cet emploi entraîna la notation de plus en plus précise du sumérien. Il est vraisemblable que le développement du phonétisme est dû à des utilisateurs du système non sumérophones, tout particulièrement, l'importante population sémite de la Mésopotamie qui avec l'avènement de la dynastie d'Agadé (2350 av.), accède à la prééminence politique. L'évolution fut très lente jusqu'à la brusque floraison de la documentation écrite, concomitante au dernier empire sumérien que l'on nomme la « troisième dynastie d'Ur » (2100-2000 av.).
La dynastie d'Agadé vit l'extension du domaine de l'écrit pour des raisons militaires. Nous possédons, en effet, à cette époque les archives de plusieurs garnisons agadéennes réparties dans tout le Proche-Orient. Paradoxalement, l'époque qui suivit, dite de la troisième dynastie d'Ur dont nous possédons des dizaines de milliers de documents, n'est attestée que par un petit nombre de sites, presque tous situés au cœur même de l'empire néo sumérien, dans l'Irak du Sud. Au début du deuxième millénaire par contre, rares sont les sites qui n'ont pas fourni de documents cunéiformes. On peut parler de hasard des fouilles. Un fait est cependant certain : la période qui voit l'avènement des dynasties amorites, aux XIX-XVIIIe siècles avant notre ère, a été sous le signe de la diffusion de l'écrit. Il est vraisemblable que la ruine du grand empire centralisé, à très forte concentration de scribes dans les bureaux impériaux — à l'époque, fonctionnaire se dit *scribe* — a dû laisser sans emploi une masse considérable de gens aptes à écrire qui se sont mis à la fois à la disposition des gens privés et certainement aussi des cours extérieures. Quelles que soient les corrections que la documentation ultérieure nous permettra d'accomplir, nous pouvons dès maintenant penser que la notion d'archive privée est surtout un fait du IIe millénaire, tout comme l'écriture administrative dans les domaines périphériques, comme la Syrie, a dû être très limitée pour tout ce qui concerne le IIIe millénaire, postérieurement à la destruction de l'empire d'Ebla.
Il faut faire deux constatations très importantes : la première est de pur fait : il est difficile de distinguer dans les très riches archives administratives de Mari (XVIIIe av.), une différence de graphie entre une lettre qui vient d'Alep ou de Carkémish qui sont tout à l'Ouest, ou de Larsa et de Babylone qui sont à l'Est et les documents rédigés par les scribes mariotes. Tous les documents, à quelques traces près, emploient d'ailleurs la même langue qui est le babylonien classique, celui que l'on nomme d'après sa manifestation la plus parfaite, le Code de lois d'Hammurabi de Babylone. Là encore, l'extension d'une écriture s'est accompagnée de l'adoption d'un langage. C'est en même temps le triomphe du phonétisme qui règne même dans les textes sumériens de l'époque.
La deuxième constatation est corrolaire de celle qui découvre cette unité de culture. Si l'on mesure l'écart entre Ebla et l'âge de Mari, on se rend compte que la *koiné* syrienne du début du IIe millénaire suppose que sauf en certains points, l'habitude d'écrire s'est perdue pendant plusieurs siècles et que le cunéiforme a été réintroduit dans ces régions. La Mésopotamie du Sud a donc été non seulement l'endroit où est apparue l'écriture, mais celui où elle a été préservée. D'autres preuves existent de ce caractère précaire, parce que limité à une partie de la population, de cette grande invention ; au début du XIXe siècle avant notre ère, les marchands assyriens qui commercent en Cappadoce, amènent l'écriture cunéiforme en au moins trois endroits de l'Anatolie. Après la destruction de leur centre commercial de Kanesh (Kayseri), l'écriture disparaît jusqu'après la fondation de l'empire hittite, où l'on voit, en deux seuls points pour l'heure, à partir du XVe siècle, réapparaître à partir de la Syrie du Nord, l'habitude de rédiger des documents. On peut cependant considérer qu'à partir du deuxième millé-

naire, l'écriture est devenue un fait irréversible de civilisation. Après 1500 avant notre ère, l'écriture est universellement employée. La multiplicité des « occasions » d'écrire est telle qu'il faut admettre, quoique nous ne puissions rien dire de très précis à ce propos, qu'elle est devenue le propre de beaucoup de simples particuliers, encore plus qu'aux XIXe-XVIIIe siècles avant notre ère. Les possibilités du phonétisme sont devenues totales. Là encore, l'extension du système se fait au profit de la langue propre aux tablettes cunéiformes. A tel point que même l'Égypte, quoique dotée d'un système particulier — et combien prestigieux ! — d'écriture, utilise cunéiforme et akkadien pour sa correspondance diplomatique.
Cependant, la souplesse d'emploi du cunéiforme lui permet désormais de rompre avec l'akkadien proprement dit : on utilise toujours un double aspect d'écriture : idéogramme et syllabogramme. Les premiers sont devenus en fait des *habitudes* d'écriture pour certains mots particuliers (termes de *roi, dieu, noms* de dieux, *or, argent,* etc.) et peuvent aussi être considérés comme des graphies rapides (un seul signe au lieu de plusieurs). Les seconds permettent de noter les autres langues du Proche-Orient : on voit apparaître des textes en Hittite, Luvite, Hatti, Hurrite, Élamite, Cananéen...
Enfin, il est important de noter qu'à cette époque, le dernier pas vers une compréhension plus large de l'écriture est franchi, lorsque l'on voit apparaître, en Anatolie et dans les régions de l'Ouest du Proche-Orient, d'autres façons purement locales, d'écrire. C'est ce dernier fait, quelles qu'en soient les motivations précises, qui montre à quel point « écrire » est désormais devenu un *fait universel,* et non plus *l'emprunt* à une technique locale. Que ce soit chez les Hittites ou chez les Sémites de l'Ouest, l'écriture se caractérise par le fait qu'elle n'est pas prisonnière d'une tradition plus que millénaire, et elle tend avec plus ou moins de bonheur vers le phonétisme intégral qui caractérise l'*alphabet* grec. Étant à la fois locaux et plus simples, de tels systèmes devaient à plus ou moins brève échéance surclasser l'écriture cunéiforme. Par contre, au moment même de son extension maximum, entre les XVe et XIIe siècles avant notre ère, on constate dans la région même où est né le cunéiforme, une tendance nette à une *régression,* le système s'alourdissant et se compliquant. Il est en effet aux mains de scribes de plus en plus savants, agençant des traditions de plus en plus complexes. C'est le moment où l'on voit se développer une floraison d'idéogrammes pour noter les textes sémitiques savants. La fin du IIe millénaire vit de grandes invasions, le bouleversement de tous les ordres établis. Quand les documents réapparaissent, après plusieurs siècles d'attestations sporadiques, tout a changé. De nouvelles ethnies, comme les araméens omniprésents, sont là. Le cunéiforme est alors redevenu un fait uniquement « central » : il ne concerne plus que le royaume d'Assyrie au Nord, et de Babylone, au Sud. Dans toute la région Ouest, ou Nord, d'autres modes d'écriture locaux se sont instaurés. Le cunéiforme a perdu son *universalité.* Même les conquêtes militaires des grands empires à prétentions universalistes qui sont le fait du Ier millénaire : assyrien, babylonien, perse, grec, parthe, n'entraînent plus son extension dans le monde. La langue notée par le cunéiforme est d'ailleurs de plus en plus différente de celle qui est réellement parlée. A un support argileux, mal commode et fragile, on préfère de plus en plus, celui du papyrus. L'araméen et ses papyri commencent à prendre désormais la relève. Écrire en cunéiforme ne sera plus dès lors que le fait de milieux traditionalistes qui vont en s'amenuisant. Les dernières tablettes émanent du monde des temples : elles traitent de leur administration ou des textes sacrés que l'on y emploie. Les derniers documents viennent d'Uruk, la ville même où fouilles et tradition font apparaître les signes de la première écriture.

Jean-Marie Durand

Les exemples d'écritures présentées dans cette partie ne sont qu'un choix restreint permettant de montrer, outre le rayonnement et la diffusion du sumérien et de l'akkadien, quelques-unes des principales langues notées en tout ou en partie par le système cunéiforme, enfin les autres systèmes d'écriture employés concurremment dans certaines régions du Proche-Orient :

IIIe millénaire

Dès le IIIe millénaire et la mise au point du système, la recherche de matières premières à l'extérieur et les guerres de conquête permirent l'extension de l'écriture cunéiforme et de la langue sumérienne puis akkadienne, souvent coexistant avec la langue locale, en Iran à Suse et en Syrie à Mari et Ebla.

B. A.-L.

Est

58 Table à inscription bilingue en vieil-Élamite et en Akkadien, ornée d'une tête de lion

Calcaire
Hauteur : 18 cm ; longueur : 86,5 cm ; largeur : 69 cm
Suse (Iran du Sud-Ouest), Acropole
Époque de Puzur-in-Shushinak (vers 2200 av. J.-C.)

Louvre : Sb 17
Bibliographie sommaire :
V. Scheil : Mémoires de la Délégation en Perse, VI (1905), pl. II et p. 8
V. Hinz : Iranica Antiqua II, 1962, p. 10
Sollberger, Kupper : Inscriptions Royales Sumériennes et Akkadiennes, Paris, 1971, p. 124-125
P. Amiet : L'Art d'Agadé au Musée du Louvre, Paris, 1976, p. 42 et 131, fig. 61.

Traduction de la version akkadienne, d'après Sollberger et Kupper :
1. *« A In-Shushinak (le dieu), son maître, Puzur-In-Shushinak,*

prince de Suse, vice-roi du pays d'Élam, fils de Simpsi-Ishuk, a voué un clou (de fondation) en cuivre et en cèdre. »
2. « *Celui qui écartera cette inscription, qu'In-Shushinak, Inanna, Narundi (et) Nergal arrachent sa racine et (lui) enlèvent sa descendance !...* » (trois lignes incompréhensibles).
In-Shushinak est le grand dieu de Suse, Narundi est l'équivalente susienne de la sumérienne Inanna, déesse de l'amour (cf. statue cat. n° 162) ; Nergal, dieu des enfers, est un dieu mésopotamien. Puzur-In-Shushinak vécut à la fin du règne de Naram-Sîn d'Agadé et de ses successeurs. Il s'émancipa de la tutelle d'Agadé et les nombreux monuments qu'il voua, portent, à côté de leur inscription en akkadien, une seconde inscription en caractères indigènes. L'élaboration de cette écriture, pour transcrire la langue élamite, pourrait avoir été dictée par un souci de nationalisme culturel, mais, la découverte d'une graphie semblable sur des monuments du désert de Lut peuvent faire penser qu'il s'agit d'un système répandu aussi plus loin, en Iran oriental. (Cf. partie documentaire : les écritures élamites.)

B. A.-L.

Nord-Ouest : Turquie

59 Dépôt de fondation au lion d'Urkish

Bronze et calcaire
Lion : Hauteur : 12,2 cm × largeur : 8,5 cm
Tablette : Longueur : 8,5 cm × largeur : 5,6 cm
Proviendrait d'Amuda, à la frontière turco-syrienne
Époque d'Agadé (vers 2330-2150 av. J.-C.)

Louvre : AO 19937 et AO 19938
Bibliographie sommaire :
A. Parrot et J. Nougayrol : Revue d'Assyriologie XLII (1948), p. 1-20
P. Amiet : L'Art d'Agadé au Musée du Louvre (Paris, 1976), p. 42 ss. et 132, fig. 64

Le dépôt de fondation de Tisari (ou Tishatal), roi hurrite d'Urkish, peut être attribué d'après la graphie de la tablette, au début de l'époque d'Agadé. La figurine-clou, destinée à fixer le bâtiment, a l'aspect d'un protome de lion qui pose ses pattes antérieures sur une plaque couvrant une tablette de pierre.
Inscription de la tablette en écriture cunéiforme et langue hurrite : « *Tisari (Tishatal), roi d'Urkish, le temple (du dieu) Pirigal a bâti. Que le temple de cette divinité... soit protégé... qui (le) détruirait, que... (les dieux)... dix-mille (fois), dix-mille (fois) (le) maudissent !* »

B. A.-L.

IIe millénaire :

Mais c'est au IIe millénaire que se situe l'incroyable rayonnement, à travers le monde civilisé d'alors, de la culture suméro-akkadienne, de sa langue et de l'écriture qui les véhiculaient. L'akkadien devient la langue diplomatique internationale, et, au XVIIIe siècle av. J.-C., les rois de Mari, sur le Moyen-Euphrate, correspondent avec Babylone, mais aussi avec le roi d'Assyrie, en un babylonien presque parfait.
Cette expansion continue au cours des siècles suivants : le système sert à noter des langues aussi différentes que le hurrite sans doute d'origine caucasienne, l'élamite, le hittite indo-européen, l'ugaritique ouest-sémitique — chacune nécessitant une adaptation particulière du système à une grammaire et à un phonétisme nouveaux —, tandis que l'akkadien reste plus que jamais la langue de chancellerie. On en retrouve des textes — de même que certains écrits sumériens, langue alors morte et savante — jusque dans l'empire hittite, et en Égypte, dans les archives d'El-Amarna, la capitale du pharaon hérétique Aménophis IV-Akhnaton. Il est utilisé pour les contacts extérieurs, et la langue indigène sert aux besoins locaux. Les traités internationaux sont bilingues. L'un des premiers alphabets sémitiques consonantiques connus est en cunéiforme. Il apparaît au XIVe siècle av. J.-C. à Ugarit, sur la côte syrienne, pour noter la langue locale. Cette graphie à nombre de signes restreint et simplifiés n'aura pourtant aucune suite ni aucun impact évolutif sur le vieux système mésopotamien.
Il est probable que la grande extension parallèle de la langue akkadienne et de son système cunéiforme est liée au rayonnement de la culture mésopotamienne qu'elle représentait. Les peuples qui adoptèrent l'écriture cunéiforme le firent sans doute parce qu'ils n'en avaient pas d'autre, parce que celle-ci était universellement reconnue et donc d'un accès pratique.

B. A.-L.

Est

60 Hache votive élamite

Argent et électrum
Hauteur : 5,9 cm ; longueur : 12,5 cm
Tchoga-Zanbil, près de Suse (Iran), ancienne capitale du roi Untash-Napirisha
Milieu du XIIIe siècle av. J.-C.

Louvre : Sb 3973
Bibliographie sommaire :
R. Ghirshman : Mémoires de la Délégation en Perse, XXXIX, 1966, pl. LIII
P. Amiet : Élam, Auvers-sur-Oise, 1966, p. 358 et fig. 263

Hache à douille ornée d'une figurine de sanglier. La lame, crachée par la gueule d'un lion, porte une inscription médio-élamite : « *Moi Untash-Napirisha* ». Elle provient du sanctuaire du temple de la déesse Kiririsha.
(Cf. partie documentaire : les écritures élamites.)

B. A.-L.

Nord-Ouest : Turquie

61 Tablette : lettre cappadocienne

Argile
Enveloppe : Longueur : 6,3 cm ; largeur : 6,5 cm. Tablette : Longueur : 5 cm ; largeur : 5,3 cm
Anatolie ; Époque des Colonies assyriennes marchandes (XIXe-XVIIIe siècle av. J.-C.)

Louvre : AO 8308 a et b
Bibliographie sommaire :
Lewy : Textes cunéiformes du Louvre, XXI, 1937, nº 219, pl. CLXXVIII-CLXXIX
P. Garelli : Les Assyriens en Cappadoce, Paris, 1963, p. 389

Contrat de reconnaissance de dettes avec un intérêt de 12 sicles de cuivre. Au début du IIe millénaire avant J.-C., dans chaque ville importante de Cappadoce, s'étaient installées des colonies marchandes qui s'administraient elles-mêmes. Leurs lettres, leur comptabilité, leurs documents légaux écrits en vieil assyrien ont été découverts à Kanish et Boğazkoÿ en Anatolie. Aucune lettre n'a été trouvée à Assur même jusqu'à présent, ce qui est étonnant, car les marchands faisaient des transactions pour le roi d'Assur, dont la capitale était le centre de cette organisation commerciale. Certaines affaires étrangères au commerce sont parfois abordées, nous fournissant d'intéressants renseignements sur l'histoire et la culture anatoliennes contemporaines.

B. A.-L.

62 Tablette « de Yozgat »

Argile
Hauteur : 15 cm ; longueur : 9,5 cm ; épaisseur : 3 cm
Acquise par Sayce à Yozgat, près de Boğazkoÿ ; XIVe siècle av. J.-C.

Louvre : AO 4703
Bibliographie sommaire :
E. Laroche : Revue hittite et asianique, 77, 1963, p. 82-87
O. R. Gurney : The Hittites, 2nd revised edition, 1961, p. 187-188

Sont conservées 40 lignes de la colonne I (recto), 49 lignes de la colonne IV (verso), c'est-à-dire environ le quart de la tablette originale.
Écriture classique, langue hittite archaïsante : copie d'un modèle ancien. Le colophone indique que la tablette contenait deux textes : les rituels d'évocation pour le dieu solaire et pour le dieu de la végétation Telibinu.
Col. I : récit mythologique sur le thème du dieu perdu (ici le soleil) et de la détresse qui en résulte.
Col. IV : traitement magique d'un dieu disparu (ici Telibinu) ; longue liste d'ingrédients utilisés par le « seigneur du dieu » et par la sorcière (la « vieille ») au cours de leur opération. (Cf. partie documentaire : écriture hittite cunéiforme.)

E. L.

63 Sceau-bague à hiéroglyphes hittites

Bronze
Diamètre : 2,5 cm ; longueur : 2,6 cm
Nord-Ouest-Syrie

Louvre : AO 22771
Bibliographie sommaire :
E. Masson : Syria, LII (1975), p. 223, nº 12

Lecture : dans le champ : « *A-ba Femme Santé* »
Le contour rassemble des symboles bénéfiques et des ornements de remplissage. (Cf. partie documentaire : l'écriture hittite hiéroglyphique.)

E. L.

Ouest : Syrie

64 Lettre de Yatar-Ami, roi de Carkémich (sur le Haut-Euphrate) au roi de Mari Zimri-Lim

Argile
Hauteur : 5,2 cm ; longueur : 4,4 cm
Mari (Moyen-Euphrate) ; époque du roi Zimri-Lim. Première moitié du XVIIIe s. av. J.-C.

Bibliographie sommaire :
A. Parrot : Mari, capitale fabuleuse, Paris, 1974
A. Parrot et G. Dossin : Archives Royales de Mari, vol. I à XX, Paris, 1950-1979
G. Dossin : Un cas d'ordalie par le dieu Fleuve dans : Studia et Documenta ad Juris Orientis Antiqui Pertinenta, vol. II, Leyde, 1939, p. 112-118

Les fouilles conduites par André Parrot à partir de 1933 sur le Tell Hariri (sur l'Euphrate, près de la frontière syro-irakienne) ont permis de retrouver le site de l'ancienne ville de Mari, capitale d'un royaume axé sur les plaines fertiles du Moyen-Euphrate et de ses affluents, le Balih et le Habur. Dès le début du IIIe millénaire, Mari apparaît comme un poste avancé de la civilisation suméro-akkadienne. Conquise par les souverains de la dynastie d'Agadé vers 2300 av. J.-C., puis par les rois d'Ur, elle retrouve ensuite son indépendance avec l'arrivée de nouvelles tribus sémitiques, les Amorites, refluant vers le bassin de l'Euphrate. De ces nouveaux arrivants est issue la « dynastie des Lim » (nom d'un des grands dieux amorites), puis celle que fonde dans la même région le puissant conquérant Shamshi-Adad Ier : il réussit à constituer vers 1800 av. J.-C. un vaste, mais éphémère empire englobant l'Assyrie et Mari. Après sa mort, la dynastie des Lim se réinstalle à Mari en la personne de Zimri-Lim, qui, durant quelque vingt années, réussit à contenir les ambitions de ses rivaux avant de succomber sous les coups du grand Hammurabi de Babylone. Mari, dès lors, s'ensevelit sous les sables...
Son palais, joyau de l'architecture mésopotamienne — il s'étendait sur plus de deux hectares — a livré une grande partie de ses archives (plus de 20 000 tablettes) : d'une part, une masse de pièces comptables, d'autre part, plusieurs milliers de lettres échangées entre le roi, ses hauts fonctionnaires et des souverains étrangers, le tout offrant une information unique et extraordinai-

rement vivante sur les aspects les plus variés de la culture de l'ancienne Mésopotamie.
Ici, c'est le jeune roi de Carkémich Yatar-Ami qui s'adresse à Zimri-Lim. Comme toutes les lettres de Mari, son message, enfermé dans une enveloppe scellée, a été porté par un courrier spécial jusqu'à son destinataire, qui, ne sachant lui-même pas lire, s'en est fait donner lecture par un scribe.
Yatar-Ami informe son correspondant que deux individus ont été dénoncés comme des agents au service d'un autre souverain, Bunuma-Addu, voisin des deux rois et probablement leur ennemi commun. Voulant s'assurer que leur dénonciateur a dit vrai, Yatar-Ami a recours à la procédure de l'ordalie par le Fleuve, celui-ci agissant comme une divinité justicière. « *Je te les envoie,* écrit le roi en substance, *pour que tu les fasses conduire au Fleuve* (l'Euphrate) (où on les plongera). *S'ils en ressortent sains et saufs* (c'est donc qu'ils sont innocents), *je brûlerai vif leur accusateur. Si au contraire, le Fleuve les engloutit, leurs biens seront donnés à l'accusateur.* »
Cette procédure est décrite précisément — à propos d'un autre chef d'accusation — dans le Code de Hammurabi, qui a été rédigé à la même époque et dont l'article 2 est ainsi libellé :
« *Si quelqu'un a imputé à un homme des pratiques de sorcellerie, mais n'a pu l'en convaincre, celui à qui les pratiques de sorcellerie ont été imputées ira au Fleuve ; il plongera dans le Fleuve. Si le Fleuve l'engloutit, son accusateur emportera ses biens. S'il en sort sain et sauf et a donc été innocenté par le Fleuve, celui qui lui avait imputé les pratiques de sorcellerie sera mis à mort ; celui qui a plongé dans le Fleuve emportera les biens de son accusateur.* »
(Traduction Maurice Birot.)

M. B.

65 Lettre avec empreinte de sceau du roi hittite au roi d'Ugarit

Argile cuite
Hauteur : 10 cm ; largeur : 7,8 cm ; épaisseur : 4,4 cm
Proviendrait probablement de Ras-Shamra (ancienne Ugarit sur la côte syrienne)
1250-1220 av. J.-C.

Louvre : AO 21091
Bibliographie sommaire :
J. Nougayrol : Palais Royal d'Ugarit, VI (1970), p. 129-130 et pl. 56
D. Beyer : Catalogue Exposition UNESCO « Huit millénaires de civilisation anatolienne », n° 16 (Paris, 1981)

Lettre du roi hittite Tudhaliya IV au roi d'Ugarit relative aux chevaux dont se servent les messagers hittites se rendant en Égypte en traversant le territoire d'Ugarit. Le roi d'Ugarit est chargé d'appliquer les décisions du roi hittite.
Le texte est rédigé en akkadien, langue diplomatique internationale du Proche-Orient au milieu du IIe millénaire.
Le document porte l'empreinte du sceau royal de Tudhaliya IV : au centre, l'édicule royal sous le disque solaire ailé et le nom du roi en hiéroglyphes hittites. Autour, bordure concentrique de deux lignes à caractères cunéiformes donnant la titulature du souverain.

B. A.-L.

66 Tablette en cunéiforme alphabétique ugaritique : « la naissance des dieux gracieux et beaux »

Argile cuite
Hauteur : 19,5 cm ; largeur : 12,5 cm ; épaisseur : 3 cm
Ras-Shamra (ancienne Ugarit), Syrie, XIIIe siècle av. J.-C.

Louvre : AO 17189
Bibliographie sommaire :
Ch. Virolleaud : Syria, XIV (1933), p. 128-151
A. Herdner : Corpus des tablettes alphabétiques de Ras-Shamra (1963), 23
A. Caquot et M. Sznycer : Textes ougaritiques, I (Paris, 1974), p. 355 ss.

A partir de 1929, les fouilles par M. C. Schaeffer du palais d'Ugarit ont livré des dépôts d'archives considérables en plusieurs écritures et dans des langues diverses, ce qui témoigne de la richesse de la civilisation de cette ville, carrefour commercial entre l'Égée, l'Égypte, la Crète, Chypre, l'Anatolie et la Mésopotamie.
Outre l'ugaritique alphabétique, dialecte cananéen proche du phénicien, on employait le babylonien, le hittite, le hurrite, l'égyptien.
Les textes diplomatiques et économiques sont très nombreux ; mais on trouve aussi de très nombreux textes littéraires importants, des dictionnaires de diverses langues permettant de penser à des écoles de scribes, et des lettres privées (cf. cat. n° 119). Cinq systèmes d'écriture ont été employés : le cunéiforme assyrien et assyro-babylonien ; le cunéiforme alphabétique, l'écriture linéaire cypro-minoenne, les hiéroglyphes égyptiens et les hiéroglyphes hittites, qui ont servi à transcrire huit langues différentes : le sumérien, l'akkadien, l'ugaritique, le cypro-minoen, le hittite, le hurrite, l'égyptien et le hittite hiéroglyphique.
Les poèmes mythologiques et les autres textes de caractère religieux sont les plus importants de la littérature ugaritique.
Le texte qui raconte la naissance des dieux se compose de deux ensembles : des formules hymniques et le récit comportant plusieurs épisodes.
Invocation « aux dieux gracieux » puis au règne de Mōt (la mort)... le récit mythique est celui du mariage sacré du grand dieu El avec deux femmes dont il naît deux divinités astrales : *Shahar* et *Shalim,* l'étoile du matin et l'étoile du soir. Après un nouveau « mariage », El engendre les « dieux gracieux » que l'on appelle les « enfants de la mer », les dieux voraces qui ne peuvent se rassasier que lorsque le « gardien de la culture » leur donne à boire et à manger les produits du sol. Les interprétations de ce texte sont multiples. Il s'agirait, semble-t-il (d'après A. Caquot et M. Sznycer), d'un mythe d'origine de la civilisation et de l'agriculture pour montrer comment les penseurs d'Ugarit concevaient le passage de la nature à la culture.
Traduction A. Caquot et M. Sznycer (extrait) :

« J'invoque les dieux gracieux... et les beaux enfants princiers... qui établissent une cité état... Mangez des mets du bord de la mer. Paix au roi, paix à la reine, aux officiants et aux gardes... »
« ... Sept années, huit périodes s'accomplissent jusqu'à ce que les dieux gracieux aillent aux champs. Ils parcourent les confins de la steppe, ils rencontrent un gardien de culture : "Gardien, gardien, ouvre ! S'il y a de la nourriture, donne-nous à manger. S'il y a du vin, donne-nous à boire." »

B. A.-L.

Sud-Ouest : Égypte

67 Lettre de Rib-Addi, prince de Byblos, au roi d'Égypte

Argile cuite
Longueur : 12,5 cm ; largeur : 7,5 cm
Tell el-Amarna (Égypte), capitale du pharaon Aménophis IV-Akhnaton (1364-1347 av. J.-C.)

Louvre : AO 7093
Bibliographie sommaire :
F. Thureau-Dangin : Revue d'Assyriologie, XIX (1922), p. 91 ss.
S. A. B. Mercer : The Tell el-Amarna Tablets, I (Toronto, 1939)
J. Starcky : Catalogue de l'Exposition « Le Liban et le Livre », UNESCO (janvier 1982), nº 2, p. 28-29

Les archives diplomatiques d'Aménophis III et d'Aménophis IV découvertes à el-Amarna nous apportent de nombreuses informations sur la situation internationale du XIVe siècle, et notamment sur les conflits des princes de la côte syro-palestinienne dont le pharaon d'Égypte était alors le suzerain.
Ce document, rédigé en akkadien mêlé de formules cananéennes, langue ancêtre du phénicien parlée par les princes de la côte, illustre l'extension de la langue babylonienne et de sa graphie cunéiforme. Il s'agit de l'une des soixante-cinq lettres retrouvées de Rib-Addi au pharaon. Ce dernier, préoccupé par sa dévotion au dieu solaire Aton, négligeait les affaires d'Asie où les roitelets amorites entraient en conflits. Les demandes réitérées du prince de Byblos à Akhnaton pour qu'il envoie des troupes, restaient sans effet.
La lettre débute par la formule stéréotypée :
« Rib-Addi, au roi mon seigneur : sous les pieds de mon seigneur, sept et sept fois je me suis jeté. » Si le pharaon n'envoie pas de troupes *« nous sommes morts et la ville de Gubla (Byblos) est prise. Aujourd'hui (comme) hier et avant-hier, elle est dans l'angoisse ».* Ses ennemis écrivent au roi *« la mort (la peste) est dans le pays »,* mais leurs propos sont mensongers. *« Que le roi mon seigneur n'écoute pas les paroles des autres. Il n'y a pas de peste dans le pays : l'état sanitaire y est meilleur qu'auparavant. »* Il essaie ensuite de flatter le roi : *« vois, le jour où tu te mettras en route, tout le pays se ralliera au roi mon seigneur. Qui peut résister aux soldats du roi ? »*
Mais nous savons, par d'autres lettres, que celle-ci comme les autres resta sans effet. Rib-Addi dut s'exiler à Beyrouth, abandonné de tous, et périt de mort violente.

B. A.-L.

Ier millénaire : Le déclin et la disparition

Au cours du Ier millénaire, l'équilibre politique est rompu. L'écriture cunéiforme et l'akkadien se replient en Mésopotamie pour disparaître progressivement. Le système cunéiforme servit pourtant à noter l'urartéen, langue d'origine caucasienne, l'élamite récent, connu surtout par les inscriptions trilingues des rois achéménides et qui ne se rattache à aucune langue connue, le vieux-perse, langue officielle de la dynastie perse, presque uniquement écrite sur pierre, dont les grandes inscriptions rupestres permirent les premiers déchiffrements, enfin, sporadiquement, l'araméen.
Mais, après la pénétration des Araméens par vagues successives dès la fin du IIe millénaire, la commodité de leur écriture alphabétique a dû contribuer à l'expansion de leur langue et à l'élimination de l'akkadien et de sa graphie complexe. Pourtant l'akkadien, ayant adopté l'écriture sumérienne, possédait un système de notation de voyelles, car en sumérien, les voyelles ont une valeur sémantique. Le système aurait donc eu des possibilités de trouver un vrai alphabet notant les voyelles, beaucoup plus sûr que le système consonantique de type phénicien. Les scribes n'ont pas su, ou n'ont pas voulu isoler ces voyelles et inventer un système d'écriture plus simple.
Le cunéiforme fut donc abandonné peu à peu. Comme ni le cuir, ni le parchemin ne se conservent en Mésopotamie, nous ne saurons jamais s'il y eut des essais pour le transcrire sur papyrus, comme il y eut des tentatives pour écrire en araméen et en grec sur des tablettes d'argile. Déjà, sous les derniers rois assyriens, l'araméen apparaissait à côté de l'akkadien, puisque certaines tablettes cunéiformes présentaient sur la tranche une nomenclature écrite à l'encre en araméen. C'est l'araméen également que la chancellerie perse emploiera pour ses relations avec l'Ouest.
Mais, si l'akkadien a dû cesser d'être parlé dès le Ve siècle av. J.-C., il continua à être écrit, et le sumérien aussi, jusqu'à l'ère chrétienne, dans les milieux religieux et savants qui en gardèrent la tradition. Le dernier texte cunéiforme date de 75 apr. J.-C., en pleine époque parthe, et, par un étonnant retour aux origines, il provient du centre intellectuel d'Uruk, où, plus de 3000 ans avant, l'écriture était née... !

B. A.-L.

Est

68 Bas-relief aux guerriers

Bronze
Hauteur : 82 cm ; largeur : 105 cm
Suse (Iran), Acropole
Époque néo-élamite. Début du Ier millénaire av. J.-C.

Louvre : Sb 133
Bibliographie sommaire :
J. de Morgan : Mémoires de la délégation en Perse, I (1900), p. 163 et pl. XIII
V. Scheil : Mémoires de la Délégation en Perse XI (1909), p. 86
P. Amiet : Élam, Auvers-sur-Oise (1966), p. 404, fig. 305

Le bas-relief fragmentaire comportait au moins trois registres : sous des personnages dont il ne reste presque rien, défilent des guerriers vêtus d'un pagne court, tenant un arc et brandissant une harpê.
Sur le fond, et occupant tout l'espace laissé libre par l'image, une inscription cunéiforme en langue néo-élamite mentionne des offrandes faites par un roi dont le nom manque.
Le registre inférieur, gravé au trait et d'inspiration très différente, figure des oiseaux près d'arbres feuillus.
La date de ce relief est contestée. On hésite à l'attribuer au XIIe siècle av. J.-C. ou à l'époque néo-élamite. L'inscription parlerait en faveur de la date la plus récente.
(Cf. partie documentaire : les écritures élamites.)

B. A.-L.

69 Situle à fond conique

Bronze
Hauteur : 11,1 cm ; diamètre : 5,5 cm
Luristan (Iran)
Époque néo-babylonienne (VIe siècle av. J.-C.)

Louvre : AO 25000
Bibliographie sommaire :
P. Amiet : Les Antiquités du Luristan, Paris, 1976, n° 79, p. 51

L'inscription écrite en babylonien (akkadien) mentionne qu'elle appartenait à *« Shamash-Kîn-aḫi, fils de Shamash-Naṣir, officier du roi ».*
(Traduction W. G. Lambert.)
Il s'agit très certainement d'un officier de Babylone en garnison dans cette région. Le décor représente une jeune femme assise devant une table garnie ; derrière elle, un domestique agite une palme et un musicien barbu joue d'un instrument qui ressemble à un luth.

B. A.-L.

70 Tablette : charte de fondation du palais de Darius Ier à Suse

Argile cuite
Hauteur : 26,5 cm ; largeur : 22,5 cm ; épaisseur : 2,5 cm
Suse
Époque achéménide de Darius Ier, vers 515 av. J.-C.

Louvre : Sb 2789
Bibliographie sommaire :
V. Scheil : Mémoires de la Délégation en Perse, XXI (1929), p. 3 ss. et XXIV, p. 105 ss.

Les rois achéménides avaient l'habitude d'enfouir sous les seuils des portes de leurs palais des tablettes en métal ou en terre cuite, selon la tradition usitée en Mésopotamie depuis l'époque des dynasties archaïques, pour relater les faits marquants de la construction et invoquer la protection des dieux. Elles étaient souvent trilingues : en vieux-perse, élamite et babylonien, les trois langues officielles de l'empire.
Celle-ci est écrite en vieux perse cunéiforme pseudo-alphabétique et fut découverte sous un seuil de porte de l'Apadana (salle à colonnes flanquée de portiques) de Suse. C'est cette écriture qui permit les premiers déchiffrements du cunéiforme (cf. chapitre Déchiffrement).
Le texte rapporte que pour construire le palais de Suse, les importants travaux de terrassement furent effectués par des Babyloniens ; puis le bois de cèdre du Liban fut apporté par les Assyriens, en passant par la Babylonie ; un autre bois fut apporté du Gandara (Inde) ; l'or, de Sardes et de Bactriane ; la pierre des colonnes fut extraite d'Abiradu en Élam. Les tailleurs de pierre étaient des Ioniens ; les orfèvres, des Mèdes et des Égyptiens.
Le roi fit donc appel à toutes les provinces de son empire pour construire sa résidence.

B. A.-L.

ord-Ouest

71 Inscription hittite hiéroglyphique de Restan

asalte
auteur : 40 ; largeur : 61,5 cm
yrie du Nord ; milieu du IXe siècle av. J.-C.

ouvre : AO 4539
bliographie sommaire ;
Gelb : Hittite Hieroglyphic Monuments, 1939, pl. LXVII, nº 47 et p. 37

uplicat de l'inscription d'Apamée = Qal'at el Mudiq, découverte n 1937, conservée à Alep, publiée par B. Hrozný dans *Syria,* X (1939), p. 134-135. « Apamée » permet de restaurer la lacune éparant les deux moitiés de « Restan ».
ecture boustrophédon : le texte commence (ligne 1) à droite t finit (ligne 2) à droite.

Transcription et traduction. (Emmanuel Laroche) :
(1) MOI-*mi Ur-hi-li-na Par-tá-s* [FILS *na-*] *mu-wa-za-s*
E-ma-tu-wa-ni PAYS ROI *'-wa*
(2) za-n VILLE-*mi-ni-in* moi BÂTIR-*mi-ha*
za-p (a-wa) STÈLE *wa-ni-za dba-ha-la-ti-ya* JAMBE *-nú-há-á*

« Je suis Urhilina, fils de Barta, roi du pays de Hamath (Hama) — C'est moi qui ai bâti cette ville-ci et qui ai érigé ces stèles à la déesse Ba'alat. »
Écriture tardive, langue louvite. Le document est probablement contemporain du roi assyrien Salmanasar III, milieu du IXe siècle av. J.-C.
(Cf. partie documentaire : les Inscriptions hittites hiéroglyphiques.)
E. L.

Mésopotamie : La fin du cunéiforme

72 Tablette : contrat en akkadien avec épigraphe araméen à l'encre

Argile
Hauteur : 8,6 cm; largeur : 9,2 cm; épaisseur : 2,9 cm
Uruk, Basse-Mésopotamie
Époque séleucide (331-64 av. J.-C.). Daté de l'an 161 des Séleucides

Louvre : AO 7037
Bibliographie sommaire :
G. Contenau : Textes cunéiformes du Louvre, XIII (1929), n° 246
M. Rutten : Contrats de l'époque séleucide, Babyloniaca, XV (1935), p. 182 ss.
F. Vattioni : Epigrafia aramaica, Augustinianum 10 (1970), p. 493-532

Le texte, en babylonien, est un contrat de vente d'un terrain en échange d'un « bénéfice ». Ce terrain est situé près de la « grande porte de (la déesse) Ishtar » à Uruk. Il est vendu pour dix sicles d'argent payables en statères de Demetrius. Suit la liste des témoins de la transaction.
Sous les dominations perse puis hellénistique des successeurs d'Alexandre le Grand, les Séleucides, la culture traditionnelle se survit, l'akkadien continue à être écrit à Uruk et à Babylone, bien qu'il dut cesser d'être parlé dès le Ve siècle av. J.-C. Il y eut des tentatives pour écrire en araméen et en grec sur des tablettes d'argile, à l'encre ou au calame en gravant les signes comme pour le cunéiforme (cf. cat. n°s 74, 75).
Plusieurs dizaines de tablettes portant un épigraphe araméen écrit à l'encre sont connues depuis le VIIe siècle av. J.-C. Leur contenu résume en général ce qui est écrit en cunéiforme sur la tablette.

B. A.-L.

73 Tablette : incantation en araméen cunéiform avec voyelles

Argile cuite
Hauteur : 9,3 cm; largeur : 7 cm; épaisseur : 2,1 cm
Uruk (Basse-Mésopotamie). Époque séleucide (331-64 av. J.-C.)

Louvre : AO 6489
Bibliographie sommaire :
F. Thureau-Dangin : Textes cunéiformes du Louvre, VI (1922), n° 58, pl. CV
B. Landsberger : Archiv fur Orientforschung, XII (1938), p. 247-257
A. Dupont-Sommer : Revue d'Assyriologie, XXXIX (1944), p. 35 ss.

Texte araméen, le plus ancien témoin de la vocalisation d l'araméen, les textes bibliques n'écrivant les points-voyelles qu vers le VIe siècle de notre ère. C'est aussi le seul texte magiqu araméen connu en dehors des inscriptions des bols en dialect mandéen de date plus récente.
Il s'agit de deux incantations séparées l'une de l'autre par un barre horizontale comme il est d'usage dans les tablette akkadiennes, l'une pour conjurer les sortilèges d'un ennem l'autre pour apaiser la colère d'un ennemi.
La formulation rythmée et poétique de ces formules destinée à être récitées par l'incantateur sont très semblables au incantations akkadiennes et bibliques.
Il ne peut cependant pas s'agir d'une simple traduction d formules akkadiennes. A. Dupont-Sommer pense qu'un prêtr incantateur d'Uruk aurait pu vouloir copier certaines recette magiques de ses collègues araméens mais que leur efficaci dépendant de la récitation dans leur langue d'origine, il eut à le retranscrire pour lui en araméen mais dans son écriture akka dienne.
La langue archaïque se rattache au rameau dit araméen « oriental »

B. A.-L

74 Tablette en araméen linéaire sur argile

rgile cuite
auteur : 6,5 cm ; largeur : 4,2 cm ; épaisseur : 1,6 cm
ssyrie (Mésopotamie du Nord) ; 635 av. J.-C.

ouvre : AO 25341
ibliographie :
Bordreuil : Une tablette araméenne inédite de 635 av. J.-C. ; Semitica, XXIII
973), p. 95-102

e texte s'inscrit dans une catégorie d'inscriptions araméennes ur argile datant du VIIe siècle av. J.-C., écrites dans une écriture e chancellerie, conservatrice et archaïsante.
e texte relate une « affaire » (?) portée à l'arbitrage du gouverneur u district et concernant une querelle de bornage.
e texte présente une importante proportion de mots d'origine kkadienne dans son vocabulaire ce qui confirme « l'akkadisation u vocabulaire dans les régions de langue araméenne dominées ar l'Assyrie » (P. Bordreuil).
)n peut penser que l'araméen joua, en Mésopotamie tout au oins, et par rapport à l'akkadien, le rôle que ce dernier avait ué par rapport au sumérien.
e recto comporte trois empreintes d'un même cachet : un isque ailé surmonté du croissant.

B. A.-L.

75 Tablette avec inscription grecque sur argile

Argile
Largeur : 6,1 ; longeur : 8,5 ; épaisseur : 2,3 cm
Suse (Iran). Époque parthe (Ier siècle av.-Ier siècle apr. J.-C.)

Louvre : Sb 3675
Bibliographie :
F. Cumont : Mémoires archéologiques de Perse, XX (1928), p. 97 et pl. IV

Instructions données pour faire rentrer des impôts ou des cotisations.
Il s'agit d'un des rares exemples d'essai d'écriture grecque sur argile, support inadapté à la graphie linéaire cursive.

B. A.-L.

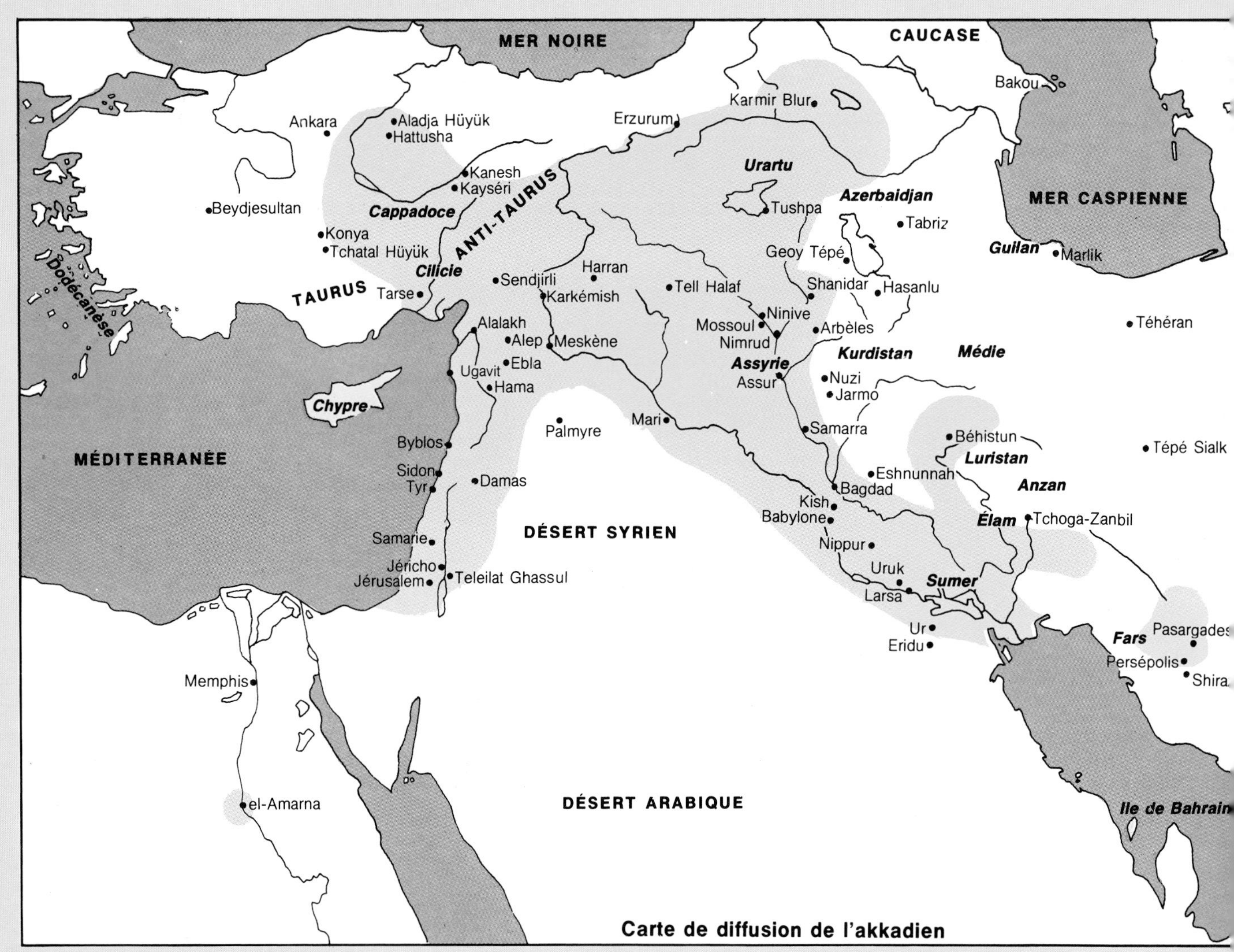

Carte de diffusion de l'akkadien

Langues parlées notées par le système cunéiforme

— En même temps que l'écriture, se diffusèrent les langues parlées en Mésopotamie, ainsi que leur littérature en sumérien, puis akkadien (assyro-babylonien).

— Le système cunéiforme d'origine sumérienne a ainsi noté, au cours des siècles, des langues de structures et d'articulations différentes : le sumérien, l'akkadien (avec sa division Nord-Sud : assyrien et babylonien), l'éblaïte (IIIe millénaire, Syrie), l'élamite (Iran du S.-O., IIe-Ier millénaire), le Hurrite (périphérie N.-O., N. et N.-E. de la Mésopotamie, surtout IIe millénaire), le hatti (Anatolie, IIe millénaire), l'urartéen (Arménie, Ier millénaire).
Et plus sporadiquement : le louvite et le palaïte (dialectes indo-européens de Turquie au IIe millénaire), le hittite indo-européen (milieu IIe millénaire, en Anatolie), l'amorite (attestée par les noms propres de Mari (début IIe millénaire), le cananéen (lettres de Palestine, IIe millénaire), l'araméen (dans toute la Mésopotamie au Ier millénaire).
Un peu différemment : l'alphabet cunéiforme ugaritique (Syrie, XIVe-XIIIe siècles) le vieux perse, alphabet-syllabaire (Iran d Sud-Ouest, époque achéménide).
Il s'agit donc d'une documentation divers et considérable.

Les écritures élamites

A l'est de la Mésopotamie, dans l'ancie Élam, l'écriture connut une curieuse évolu tion, du moins pour nous qui n'en saisis sons que des épisodes séparés par des périodes dont l'histoire nous échappe. Tantôt Suse et sa région furent fortement akkadisées, les influences mésopotamiennes s'y faisant sentir aussi bien dans les événements politiques que dans les faits culturels ; tantôt un renouveau national redonnait au pays sa pleine indépendance.

L'écriture illustre le mélange d'influences babyloniennes et de génie propre qui caractérise la civilisation élamite ainsi que les pulsations successives qui animèrent l'évolution de ce pays.

Au début du IIIe millénaire, à peu près à l'époque où l'écriture apparaissait à Sumer, les Élamites créèrent leur propre système graphique, le « proto-élamite ».

Les inscriptions du dernier roi d'Awan, Puzur-Inshushinak (vers 2240) témoignent d'un autre stade de cette écriture proprement élamite, sans que l'on puisse dire si elle découle d'une évolution du proto-élamite. Notant la même langue, elle est, pour sa part, sans doute plutôt syllabique : c'est « l'écriture linéaire » qui aurait compté 65 à 70 signes. Elle connut une large extension géographique puisque l'on a retrouvé des témoignages jusque sur le Haut Plateau à Tepe Sialk (près de Kāshan), à Tepe Yahyā (à 200 km de Kermān) et à Malyan.

Mais, phénomène extraordinaire, cette écriture disparut complètement avec la fin de la dynastie d'Awan.

Elle fut remplacée par le cunéiforme dont les fouilles de Suse ont d'ailleurs montré qu'il avait été utilisé en Élam dès une époque ancienne, concurremment avec le système élamite. Mais, à l'exception de la tablette dire de Naram-Sin (cf. cat. n° 135), tous les documents en cunéiforme y furent rédigés, jusqu'au début du XIIIe siècle, en sumérien, puis en akkadien, et non en langue élamite. Ce n'est qu'avec la dynastie de Humbanumena et de son fils Untash-Napirisha qu'une renaissance nationale s'accompagna de la volonté des souverains d'écrire dans leur langue vernaculaire.

Il s'agissait alors pour les Élamites d'adapter une écriture étrangère à leurs structures linguistiques et phonétiques.

Le cunéiforme d'Élam connut des transformations, des altérations et des développements qui lui sont propres : l'emploi des idéogrammes y fut extrêmement limité (il en créa cependant deux qui lui sont spécifiques : devant les noms de villes et de pays ;  après les idéogrammes), ainsi que la polyphonie des signes et la polygraphie des valeurs syllabiques : un même signe eut rarement plus d'une seule lecture phonétique, une syllabe étant toujours notée par le même signe. Le dessin des signes suivit sa propre évolution : le cunéiforme des inscriptions achéménides diffère notablement du néo-babylonien et demande au lecteur moderne un apprentissage particulier.

Il n'existait pas en Élam la volonté qui fut pratiquement constante en Mésopotamie de garder à l'écriture son extrême flexibilité et sa grande richesse capable d'embrasser toutes les réalités et toutes les relations existantes. Cette évolution du cunéiforme en Élam vers une simplification et une économie des moyens conduit à son emploi en vieux-perse, écriture mi-syllabique, mi-alphabétique.

Florence Malbran

Diffusion géographique : de l'akkadien le « monde cunéiforme »

— Mésopotamie : avec diffusion Nord-Sud : Sumer-Akkad, puis Assyrie-Babylonie.

— Régions périphériques : Syrie, Plateau Anatolien, Arménie, Iran du Sud-Ouest.

— Autres pays où l'on a trouvé des inscriptions cunéiformes : Chypre, Palestine, Bahrain, Koweit, Égypte.

B. A.-L.

Le cunéiforme hittite

L'écriture a été empruntée, vers le XVIe siècle av. J.-C., par les Hittites à un foyer culturel syrien, peut-être Alep, où se pratiquait une variété occidentale de cunéiforme babylonien. Elle a été utilisée jusqu'à la fin du XIIIe siècle par l'école de scribes établie à Hattusa = Boğazköy par les rois hittites d'Asie Mineure.

Dans son principe, cette écriture est identique à celle de l'époque dite « amarnienne ». Les Hittites lui ont fait subir, au cours du temps, quelques modifications de détail très superficielles. Avec le syllabaire commun, ils ont adopté un grand nombre de signes idéographiques de la tradition mésopotamienne (sumérogrammes) ; ils en ont parfois changé la valeur, ils en ont inventé de nouveaux.

Le cunéiforme hittite est une écriture officielle ; les scribes s'en sont servis pour rédiger des textes dans toutes les langues de l'Empire : le hittite et ses dialectes, le hatti préhistorique, le hourrite et l'akkadien de Syrie et de Mésopotamie.

La tradition scripturaire que les Hittites ont prolongée en Asie Mineure n'était pas faite pour les langues indigènes, langues d'origine indo-européenne. Le syllabaire hittite est mal adapté à la phonétique. On *comprend* très bien la langue ; on la *prononce* très imparfaitement.

Emmanuel Laroche

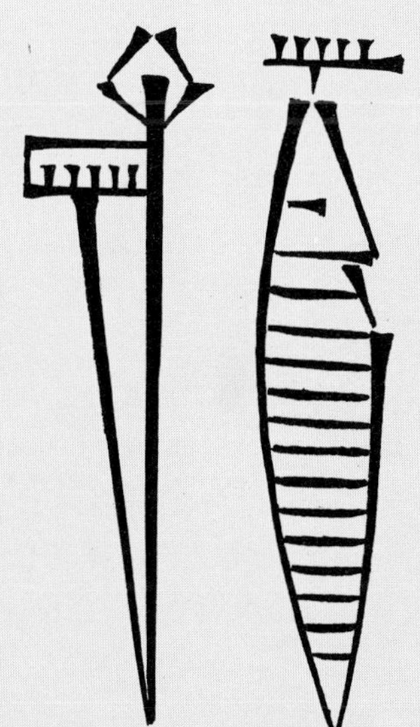

Titulature royale :
LUGAL KIŠI = « roi de Kish », titulature des rois d'Agadé (vers 2330-2200 av. J.-C.), et plus tard *Šar Kiššati* = « roi de la totalité », c'est-à-dire : « roi du Monde ».

Écriture hittite hiéroglyphique

Écriture indigène développée en Asie Mineure hittite à partir du XVe siècle av. J.-C. Elle est fondée sur des pictogrammes représentant des profils d'animaux, des parties du corps humain, des objets de la vie quotidienne, et de nombreux symboles religieux. Son usage s'est répandu au temps de l'Empire (XIVe et XIIIe siècles) jusqu'en Syrie du Nord où elle a survécu à l'État anatolien durant les premiers siècles du Ier millénaire.
Chaque signe a deux formes symétriques qui alternent avec les lignes successives de l'inscription (boustrophédon). Le répertoire comporte un syllabaire à multiples homophones (*ta*₁, ta₂, *ta*₃, etc. ; *na*₁, *na*₂, *na*₃, etc.), et un grand nombre d'idéogrammes, de lecture encore souvent énigmatique, et d'origine incertaine : un rectangle « maison » et une tête de « cheval » sont clairs en eux-mêmes, mais on ignore ce que représente le POING « enfant ». Les signes syllabiques sont en général tirés par acrophonie d'un radical exprimant la notion représentée : la main tendue vaut *pi*, du verbe *piya-* « donner », l'étoile vaut *lu* de *luk-* « luire, lumière », la flèche démonstrative vaut *za* ou *zi*, de *za-* « ce », etc.
Les documents comprennent des reliefs rupestres, des blocs et orthostates sculptés, des stèles commémoratives, des graffiti sur objets d'usage banal, une riche collection de sceaux personnels, cylindres, bagues et cachets.
Entre les hiéroglyphes impériaux d'Anatolie centrale et les néo-hiéroglyphes de Cilicie et de Syrie, l'écriture s'est simplifiée en se « phonétisant ».
Le déchiffrement de l'écriture et de la langue est lent et incomplet. Les textes sont rédigés dans l'un des dialectes en usage, le louvite — parent du hittite — répandu dans le sud et le sud-est de l'Asie Mineure. Des bilingues sont venues de divers côtés accélérer ou confirmer les essais de traduction antérieurs. Des sceaux bigraphes provenant de sites syriens (Ras Shamra, Meskene) améliorent sous nos yeux le tableau du syllabaire. Les progrès, ici comme ailleurs, se gagnent en partant du connu (les cunéiformes) pour en déduire l'inconnu (les hiéroglyphes) contemporain. L'un des traits originaux de la civilisation hittite est la pratique d'une double écriture, l'une ornementale à des fins religieuses (hiéroglyphes) et l'autre scolaire à des fins administratives (cunéiformes).

Emmanuel Laroche

Hiéroglyphes hittites

Idéogrammes composés

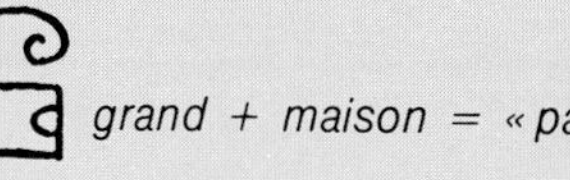
grand + maison = « palais »

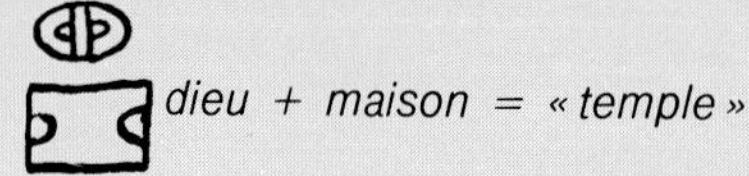
dieu + maison = « temple »

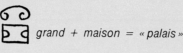

« grand roi »

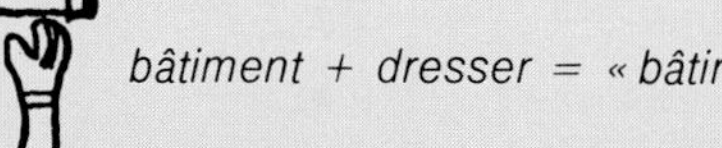
bâtiment + dresser = « bâtir »

Idéogrammes simples

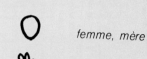

moi, je — *ciel*

dieu — *roi*

soleil — *homme*

femme, mère

lune

terre — *cheval*

B. A.-L.

Écriture de noms de lieux et de souverains

Babylone

[Signes de l'époque de Hammurabi (1792-1750 av. J.-C.) (cf. cat. n° 35, ligne 3.]

KÁ- DINGIR-RA KI = *bâbili (Ki)* = (La ville de) « La porte du dieu » (idéogrammes sumériens) (akkadien)

— C'est la forme grecque *Babylon* qui est passée en français.
— La « Tour de Babel » de la Bible provient d'un jeu d'étymologie :
Cf. Genèse 11,9 : « C'est pourquoi il l'appela Babel, car c'est là que Dieu mélangea *(Balal)* le parler de toute la terre » (de *balālu* = mélanger).

Le pays de Sumer

[Signes de l'époque de la renaissance sumérienne, vers 2100 av. J.-C.]

KI - EN - GI = « le pays maître (du) roseau » (idéogrammes sumériens)

Gudéa

[Prince de Lagash, époque de la renaissance sumérienne, vers 2150 av. J.-C.]

GÙ - DÉ - A =
« L'Appelé » (sumérien)

Hammurabi

[Roi de Babylone (1792-1750 av. J.-C.)]
[Signes de l'époque de Hammurabi.]

Ha - am - mu ra - bi = « (le dieu) Hammu est grand. »
(akkadien)

Assurbanipal

[Roi d'Assyrie (668-627 av. J.-C.).
[Signes de l'époque néo-assyrienne.]

AN - ŠÁR DÙ A

= *Aššur-banî-aplî* = « (le dieu) Aššur a procréé le fils (héritier) »
(idéogrammes sumériens)
(akkadien)

L'alphabet-syllabaire vieux-perse

Cette écriture n'est attestée que pour la période de la dynastie achéménide (VIe-IVe siècle av. J.-C.). On ne la connaît que sur pierre (inscriptions rupestres) et sur quelques sceaux et tablettes d'argile cuite et de métal (argent et or). Il devait s'agir d'une écriture monumentale et officielle de la famille royale.
Le système est phonographique (36 signes) + 4 idéogrammes déterminatifs de noms propres (roi, dieu, pays, province).
L'écriture cunéiforme du vieux perse montre un état intermédiaire entre l'alphabet consonantique sémitique et l'alphabet grec complété par des voyelles indépendantes, ce qui l'apparente à des systèmes syllabiques comme ceux qui sont issus de l'akkadien. Les mots sont séparés par des signes ; il n'y a pas d'autre ponctuation.
La lecture se fait de gauche à droite.

signes	valeurs	signes	valeurs
𐎠	*a*	𐎵	*n(u)*
𐎲	*b(a)*	𐎱	*p(a)*
𐎨	*č(a)*	𐎼	*r(a)*
𐎭	*d(a)*	𐎽	*r(u)*
𐎮	*d(i)*	𐎿	*s(a)*
𐎯	*d(u)*	𐏁	*š(a)*
𐎳	*f(a)*	𐎫	*t(a)*
𐎥	*g(a)*	𐎬	*t(u)*
𐎦	*g(u)*	𐎰	*ṯ(a)*
𐏃	*h(a)*	𐎢	*u*
𐎧	*ḫ(a)*	𐎺	*v(a)*
𐎡	*i*	𐎻	*v(i)*
𐎩	*j(a)*	𐎹	*y(a)*
𐎪	*j(i)*	𐏀	*z(a)*
𐎣	*k(a)*	𐏂	*tr(a)*
𐎤	*k(u)*	𐏋	*ḫšāyaṯiya, « roi »*
𐎾	*l(a)*	𐏌 / 𐏍	*dahyu, « pays »*
𐎶	*m(a)*		
𐎷	*m(i)*	𐏈	*Auramazdā, Ormuzd*
𐎸	*m(u)*	𐏏	*bumi, « terre »*
𐎴	*n(a)*	𐏐, 𐏐	*séparation de mots*

B. A.-L.

les écritures égyptiennes

Les écritures égyptiennes

Caractères généraux du système hiéroglyphique

« C'est un système complexe, une écriture tout à la fois figurative, symbolique et phonétique, dans un même texte, une même phrase, je dirais presque dans le même mot. »
Champollion, Grammaire.

Le système hiéroglyphique est utilisé en Égypte de la fin du IVe millénaire avant J.-C. jusqu'à la fin du IVe siècle de notre ère : les dernières inscriptions connues sont en effet celles de l'île de Philae qui datent du 24 août 394 après J.-C. Son originalité et sa rare longévité ont impressionné les esprits dès l'Antiquité. Ce sont les Grecs qui ont baptisé les signes qui le constituent du mot *hiéroglyphes,* « images sacrées », terme que nous avons conservé.
De nos jours encore, alors que les hiéroglyphes peuvent être déchiffrés aussi aisément que la plupart des écritures anciennes, ils contribuent pour beaucoup à créer le mythe d'une civilisation mystérieuse, où, des dieux jusqu'à l'écriture, tout nous est étranger, incompréhensible. En effet les hiéroglyphes sont partout dans l'Égypte ancienne : scribes et sculpteurs ont couvert d'inscriptions les murs des temples ou des tombeaux, les statues, les objets funéraires et ceux qui paraissent profanes... Leur attrait s'explique en grande partie par les signes qui les constituent.
Les monuments pharaoniques offrent aux yeux des spectateurs un grouillement fascinant de personnages, d'animaux et d'objets étranges qui appartiennent autant au domaine de l'art qu'à celui de l'épigraphie. À la différence d'autres peuples antiques moins conservateurs, les Égyptiens ont gardé tout au long de leur civilisation une écriture indissociablement liée à leur art.
Mais dès les origines, les Égyptiens utilisèrent en même temps une écriture simplifiée (voir p. 154).

Les hiéroglyphes et leur disposition

Les textes sont composés de phrases groupant des mots qui sont écrits au moyen de signes-images. On n'utilise ni ponctuation ni majuscule au début des phrases, et les mots ne sont pas séparés les uns des autres par un espace. Tout ceci ne facilite pas la lecture! On trouve cette écriture « en image » sur les supports les plus variés (pierre, bois, papyrus, cuir, métal...) mais elle est destinée avant tout aux objets et aux monuments de caractère religieux, voués à l'éternité.
Le Moyen Égyptien, langue classique parlée au début du IIe millénaire avant J.-C., ne comprend pas moins de 700 signes; plus tard, l'écriture ptolémaïque, employée sous la domination gréco-romaine, utilise plus de 5 000 hiéroglyphes différents. Les signes représentent avec une fidélité extraordinaire les êtres et les objets les plus variés : animaux et parties d'animaux, arbres, plantes, hommes, outils, bâtiments... Tous ceux-ci sont figurés selon les conventions du dessin égyptien qui conserve les traits les plus caractéristiques. En général, êtres et choses sont vus de profil, mais le scarabée et le visage humain sont par exemple dessinés de face car plus aisés à identifier sous cet angle. Si les premières inscriptions sont désordonnées, on a très vite compris l'intérêt de grouper les signes en lignes ou en colonnes verticales souvent encadrées de traits. Les hiéroglyphes ont alors reçu des proportions qui ne correspondent pas à la réalité, mais sont fixées une fois pour toutes afin de rendre la lecture plus facile. Ainsi le pain a la hauteur d'un homme debout. Les signes ne sont pas alignés à la suite les uns des autres comme dans nos écritures modernes, en prenant bien soin de séparer les mots. Pour composer un mot le scribe égyptien disposait ses hiéroglyphes en fonction de la beauté de l'ensemble, les signes étant placés de façon à remplir une suite de carrés fictifs (cadrats). Certains signes comme l'homme assis couvrent la surface d'un carré; d'autres occupent la moitié de cet espace en longueur ou en largeur : le pain, le rouleau de papyrus... Enfin beaucoup ne remplissent que le quart d'un cadrat. Étant avant tout guidé par le souci d'éviter les vides disgracieux, il peut arriver que le scribe, dans un but esthétique, place un signe devant celui qu'il devait normalement suivre. C'est ce qu'on appelle une *métathèse graphique* (du grec *métathèse* « déplacer ») :

la déesse Bastet pour

pour

prospérité pour

Ceci est particulièrement fréquent devant les signes représentant des oiseaux. De même certains mots exprimant des notions importantes comme « roi » ou « dieu » sont placés devant les mots qui en réalité étaient prononcés avant eux. On nomme ce phénomène *antéposition honorifique.* Par exemple : « scribe royal », « serviteur du dieu » (prêtre).

C'est grâce à l'orientation de certains signes qu'on peut connaître le sens de la lecture. En effet, les textes en hiéroglyphes peuvent s'écrire dans plusieurs directions. Destinés avant tout à figurer sur les monuments, ils s'adaptent à leur forme et à leur décor; ils peuvent ainsi se dérouler en bandes se lisant de droite à gauche ou bien de gauche à droite, comme descendre en colonnes orientées dans les deux sens.
Cependant quand la surface à remplir ne comporte pas de scène figurée ou que le scribe ne joue pas sur les effets de symétrie, l'écriture hiéroglyphique s'écrit de droite à gauche. Elle imite en cela les textes cursifs : ceux-ci à l'origine semblent avoir été disposés en colonnes verticales alignées de droite à gauche, pour adopter à partir du Moyen Empire le système des lignes horizontales, se lisant de droite à gauche. Cette direction a d'ailleurs été conservée dans la plupart des écritures sémitiques, par exemple l'arabe ou l'hébreu moderne. Elle paraît correspondre au geste le plus facile, celui d'un droitier dont la main trace d'abord des signes sur la partie la plus proche d'un document pour ensuite s'éloigner progressivement.
Pour se retrouver dans le labyrinthe des textes hiéroglyphiques, il existe un moyen simple : le lecteur doit repérer les signes animés (hommes, bêtes...) se suivant dans un passage. Ils sont tous tournés dans la même direction. Il suffit d'aller à leur rencontre car ils indiquent le sens de la lecture.

Christiane Ziegler

76 Stèle de Dédia, chef des dessinateurs d'Amon

Granit gris
Hauteur : 80 cm; largeur : 48,5 cm
Règne de Séthi Ier (vers 1300 av. J.-C.)

Louvre : AE/C.50
Bibliographie :
Kitchen, KRI, I (7 et 8), 1975, p. 327-329
D.A. Lowle, Oriens Antiquus 15 (1976), p. 91-106

Cette stèle, monument votif sculpté pour un chef des dessinateurs nommé Dédia, illustre les possibilités que donnent au scribe les différentes orientations de l'écriture égyptienne. Le côté face est orné d'une sculpture en haut-relief représentant le dieu des morts, Osiris, entouré de son épouse Isis et de leur fils Horus à tête de faucon. C'est Osiris qui forme l'axe autour duquel s'orientent symétriquement les inscriptions. Au-dessus de sa tête un groupe de signes est commun à deux formules d'offrandes symétriquement opposées dont il forme le premier mot; ces formules se déroulent en suivant le pourtour du monument. Les deux colonnes d'hiéroglyphes placées au centre se lisent verticalement et sont également symétriques; elles donnent le nom et le titre de Dédia ainsi que de sa femme Iouy. Leurs signes sont orientés dans le même sens que l'image qui les représente agenouillés, les bras chargés d'offrandes destinées aux dieux.
Au revers du monument l'axe de symétrie est formé par l'emblème d'Abydos, ville sainte d'Osiris. C'est une enseigne composée d'un reliquaire fiché sur un mât et surmonté de 2 plumes. Il est sculpté en haut de la stèle, au centre. Au-dessus de lui commencent deux formules d'offrande disposées de la même façon que celles gravées sur l'autre côté. De part et d'autre de l'enseigne, on peut reconnaître les figures alignées de dieux et de déesses qui se font face : Isis et Nephtys, Maât et Hathor, Thot et Anubis. Puis viennent quatre lignes horizontales, orientées de droite à gauche, dans lesquelles Dédia adresse un appel aux vivants qui passeront près de la stèle. Au centre, une colonne verticale vient rompre le rythme des inscriptions : *« faire le rite de l'encensement... » ;* elle est complétée par l'image de Dédia

et de son épouse, maniant l'encensoir et le vase d'eau purificatrice. De part et d'autre de cette colonne, sur des lignes horizontales, sont écrits les noms des bénéficiaires de ce rite : ce sont les générations successives d'ancêtres, les hommes à gauche, les femmes à droite. Tout à fait en bas, six colonnes verticales, réparties de chaque côté des personnages figurés, donnent les noms et titres de proches parents.

Pour aboutir à ce résultat complexe, le scribe-sculpteur a joué de toutes les possibilités offertes par l'écriture hiéroglyphique. Elle lui a permis d'associer étroitement les textes et les représentations figurées qui les complètent, de mettre au premier plan le dieu Osiris à qui est dédié la stèle et de composer un ensemble harmonieux merveilleusement adapté à la forme du monument.

C. Z.

Les principes de l'écriture hiéroglyphique

Devant ces personnages sagement alignés, ces oiseaux qui vous regardent énigmatiquement, ces objets mystérieux, la stupéfaction et l'admiration font bien vite place à la curiosité : quelle est donc la signification de ces images? Elles sont beaucoup trop nombreuses pour représenter les lettres d'un alphabet. Mais chacune d'entre elles ne peut prétendre exprimer une idée car en ce cas, il y en aurait trop peu. C'est qu'en réalité, leur fonction est triple.

Les différentes valeurs des signes :

A – SIGNES = IDÉES

Les signes hiéroglyphiques peuvent servir à écrire le nom de l'objet ou de l'action qu'ils représentent : ils expriment alors une idée, on les appelle *idéogrammes* pour cette raison. Par exemple (un plan de maison) est utilisé pour écrire « maison », (un homme une coupe à la main) pour « boire », (un taureau) pour « taureau »,... En raffinant cette méthode, on arrive à noter des mots plus abstraits par l'image de leur résultat ou de leur moyen : par exemple (voile gonflée) pour exprimer « le vent », (une oreille de vache) pour « entendre », (vase versant de l'eau) pour « libation »...

Notre civilisation moderne a de plus en plus tendance à utiliser les idéogrammes. Ils correspondent aux sons d'un mot dans une langue donnée mais sont internationaux pour leur signification. La signalisation des routes (attention école, chaussée glissante...) et celle des lieux publics (téléphone, escalator...) ainsi que les signes conventionnels des guides touristiques en sont les exemples les plus significatifs.

Mais beaucoup de notions abstraites telles que les sentiments, les relations professionnelles ou familiales sont impossibles à rendre au moyen des idéogrammes. Il en est de même pour des mots qui précisent le sens d'un nom, par exemple les démonstratifs (ce, cette) ou pour des éléments grammaticaux comme les prépositions (dans, sur, avec,...). A plus forte raison les noms propres et les très grands nombres ne pouvaient s'exprimer de cette façon.

B – SIGNES = SONS

Pour y remédier, l'Égyptien emploie des signes qui représentent uniquement un son, sans se soucier de leur forme. C'est ce qu'on nomme les *phonogrammes*. Utilisant le principe du rébus, ils notent un son par l'image d'une chose qui se prononce à peu près de la même façon. Ainsi l'image d'une bouche que l'on prononce « er » servira à écrire la consonne r, le visage « hr » notera le son *her*... L'écriture hiéroglyphique comprend toute une série de signes-sons qui expriment des *consonnes*. En effet comme les langues sémitiques anciennes ou l'hébreu et l'arabe moderne, l'Égyptien ne notait pas les voyelles, il n'écrivait qu'une sorte de squelette du mot formé par les consonnes. C'est comme si nous utilisions le groupe SCRB pour écrire les mots « scribe » ou « scarabée ». En fait, il nous arrive d'employer ce système, dans les petites annonces par exemple...

Le problème de la prononciation véritable de l'ancien Égyptien est encore très discuté. Les égyptologues ont l'habitude de « transcrire » les mots écrits en hiéroglyphes, c'est-à-dire de rendre chaque signe par les consonnes qui lui correspondent.

Pour faciliter la lecture, on intercale mentalement entre les consonnes des voyelles qui sont purement conventionnelles. Par exemple le mot « maison » s'écrit se transcrit *pr* se prononce PeR. de même :

	« entendre »	Sḏm......	SeDJeM
	« libation »	kbḥ......	KeBeH
	« beau »	nfr......	NeFeR

Certains phonogrammes notent plusieurs consonnes successives, on distingue :

les trilitères (3 consonnes) par ex nfr, ḥtp

les bilitères (2 consonnes) par ex ms, ḏd

Mais dès l'époque des pyramides, il existait une vingtaine de signes « alphabétiques » dont la combinaison aurait été suffisante pour tout écrire. (p. 119)

L'alphabet hiéroglyphique

signe	transcription	objet représenté	son approximatif	signe	transcription	objet représenté	son approximatif
	3	vautour	aleph hébreu		h	cour de maison	h
		roseau fleuri			ḥ	écheveau de lin tressé	h emphatique
	y	double roseau fleuri	y		ḫ	placenta (?)	Kh
		double trait oblique			ẖ	ventre et queue d'un mamifère	peut-être ch comme dans l'allemand ich
		avant-bras	ᶜayin hébreu		(z)	verrou	s
		petite caille			(ś)	étoffe pliée	s
	w	abréviation hiératique du signe	ou		š	bassin d'eau	ch
					ḳ	pente sablonneuse	q
	b	pied	b		k	corbeille à anse	k
	p	siège	p		g	support de jarre	g
	f	vipère à cornes	f		t	galette de pain	t
	m	chouette	m			pilon	
		côte de gazelle (?)			ṯ	corde pour entraver les animaux	tch
		filet d'eau			d	main	d
	n	couronne rouge	n		ḏ	serpent	dj
	r	bouche	r				

Bien que nous ne connaissions pas toujours l'origine de ces signes « alphabétiques » certains dérivent clairement de mots dont ils n'ont conservé que la première articulation. Par exemple (ventre et queue de mammifère) = ẖ viendrait du mot ẖt « corps » ; (pente sablonneuse) = ḳ viendrait du mot k33 « colline » ; (pied) = b viendrait de bw, « place où repose le pied »

Ces signes alphabétiques sont souvent placés derrière des signes complexes pour en faciliter la lecture :

= ḤTP +T + P se lit He Te P

Leur utilisation est plus fréquente à l'ancien Empire, ou sur certains monuments archaïsants comme la stèle de Naucratis, ou encore pour écrire le nom des pharaons grecs et romains (Alexandre, Cléopâtre, César...) ; mais jamais les Égyptiens n'exploitèrent à fond cette possibilité de simplification de l'écriture.

C – SIGNES = DÉTERMINATIFS

En Égyptien comme en Français, il existe des homonymes, c'est-à-dire des mots se prononçant de la même façon tout en ayant des significations différentes. L'Égyptien n'écrivant que les consonnes, les ambiguités étaient plus nombreuses. Aussi le sens des mots est-il souvent précisé par un signe indiquant la catégorie à laquelle ils appartiennent ou la matière avec laquelle ils sont faits.

homme assis, détermine les occupations masculines, les noms propres...

femme assise

enfant, la main à la bouche

dieu, roi

nez, détermine les mots exprimant la joie, la respiration...

plante

soleil, détermine les actions du soleil, les mots en rapport avec le temps

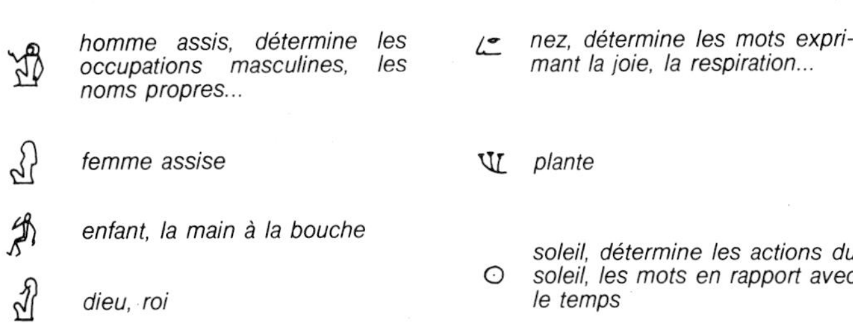

Ces signes, qui sont au nombre d'une centaine, sont placés à la fin du mot et ne se prononcent pas. On les appelle déterminatifs. Ils déterminent la signification du mot et sont aussi très utiles pour repérer la fin de celui-ci.

Prenons par exemple le mot à deux consonnes *mn;* se prononçant à peu près Me N et s'écrivant à l'aide du phonogramme = mn, qui représente un jeu de dames, complété par le signe alphabétique = n, figurant un filet d'eau. Ce mot peut servir à écrire le nom de choses très diverses et le déterminatif qu'on lui ajoute sera d'un grand secours pour en trouver la signification.

déterminatif : un vase se traduit «cruche»

déterminatif : une étoffe, se traduit «tissu»

déterminatif : un papyrus roulé, se traduit «Untel»

déterminatif : l'oiseau du mal, se traduit «être malade»

déterminatif : pilon sur un mortier, se traduit «être stable»

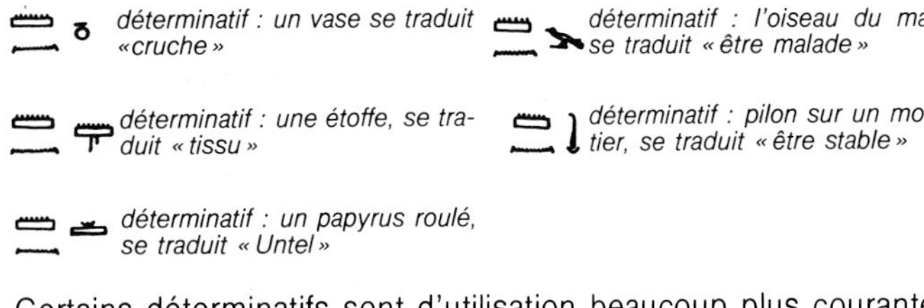

Certains déterminatifs sont d'utilisation beaucoup plus courante que d'autres. On peut également ranger dans la catégorie des déterminatifs ce que les égyptologues appellent le *cartouche.* C'est un signe ovale, représentant une boucle de corde nouée à une extrémité et qui renferme le nom des rois.

Chéops Ramsès Ptolemée **Le mot et la phrase**

A – LES MOTS :

Phonogrammes, idéogrammes et déterminatifs ne sont pas forcément utilisés dans un même mot. La combinaison entre signes-idées et les signes-sons est irrégulière et variable. Le schéma le plus fréquent est : signes-sons + déterminatif, par exemple :

3 + *t* + p + déterminatif de l'homme portant un fardeau. Le mot se lisait approximativement ATeP : signifie «charger»

ỉ + 3 + w + déterminatif du vieillard appuyé sur une canne IAOU «être vieux»

pr + r + déterminatif des jambes marchant PeR «sortir».

Tous ces mots présentent les éléments de nos charades.

Comparer avec :

— mon 1° est un félin
— mon 2° est décoratif
— mon tout est un couvrechef

chat + pot + déterminatif de la coiffure : *chapeau*

Mais certains mots très courants sont écrits uniquement avec des signes alphabétiques, par exemple :

p + t + ḥ	ḥ + n + ᶜ	m	n +t + t	ỉ +m
«Ptah» (un dieu)	«avec»	«dans»	«que»	«ici»

D'autres mots sont seulement écrits avec un signe-idée accompagné d'un petit trait qui marque sa valeur descriptive.

Par exemple :

tp	ḥr	pr	r	rᶜ	ḫprr
«tête»	«visage»	«maison»	«bouche»	«soleil»	«scarabée»

De plus, le même signe peut avoir des fonctions différentes selon son contexte, et être utilisé tour à tour comme signe-idée, signe-son et déterminatif. Un œil de face peut par exemple avoir les fonctions suivantes :

1° signe-idée ỉrt «l'œil»

2° signe-son ỉr «faire»

3° déterminatif d'un mot en rapport avec la vue

dgỉ «voir»

Comme on peut le constater l'écriture hiéroglyphique se caractérise par sa souplesse. De plus les usages varient avec le type d'inscription, l'érudition du scribe, la place dont il dispose... Naturellement, l'évolution de la langue joue un rôle important et l'écriture peut rester encombrée de «fossiles» ou au contraire traduire des changements dans la prononciation. Des signes tombent dans l'oubli, d'autres sont modifiés, alors que des représentations jusque-là inconnues font leur apparition. Au nouvel Empire, par exemple :

= char = cheval

En revanche la structure grammaticale est stricte.

3 – UN PEU DE GRAMMAIRE :
-es mots égyptiens, alignés sans aucun espace pour les séparer, forment des phrases.
l n'y a ni majuscule ni signe de ponctuation permettant de repérer le début des phrases. On y a identifié des verbes des noms communs et des noms propres, des adjectifs, des adverbes, des pronoms... Les plus inhabituels pour nous sont es pronoms suffixes : employés avec un verbe, ils jouent le rôle de nos pronoms personnels.

sd̲m.i j'entends (masculin)
sd̲m.i j'entends (féminin)

sd̲m.k tu entends (masculin)

sd̲m.*t* tu entends (féminin)

sd̲m.f il entend

sd̲m.s elle entend

sd̲m.n nous entendons

sd̲m.*t*n vous entendez

sd̲m.sn ils entendent

Jtilisés avec un nom, ils tiennent la place de nos adjectifs possessifs :
pr.i ma maison
pr.k ta maison
pr.f sa maison...
Tout comme dans notre langue, le mot peut avoir deux genres : masculin ou féminin. Le mot féminin se reconnait au signe t qui le termine

sn	snt	ḥm	ḥmt	nṯr	ntrt
frère	sœur	serviteur	servante	dieu	déese

Le pluriel s'exprime par la terminaison w (ou). En général il se reconnait à 3 petits traits placés à la fin du mot.

ntr	ntrw	ᶜnh	ᶜnhw
dieu	les dieux	vivant	les vivants

Théoriquement, l'adjectif s'accorde en genre et en nombre avec le nom qu'il qualifie ; il est placé derrière le nom.

Hr wr	st wrt	sḫmw wrw
Horus le grand	la grande place	les grandes puissances

En égyptien classique les articles (un, une, des, le, la, les) ne s'écrivent pas. Les mots ne possèdent pas de déclinaison comme en latin ou en allemand.
Dans la phrase chaque mot a une place déterminée par la fonction qu'il remplit. Il existe des phrases sans verbe, par exemple :

sujet + adverbe
Rᶜ Im
le dieu soleil (est) là

sujet + nom
mᶜ kt.k mᶜ kt Rᶜ
ta protection (est) la protection (du) dieu soleil

sujet + adjectif
nfr-wy tḫn pn
Superbe, cet obélisque !

La phrase avec verbe (phrase verbale) est construite selon un ordre rigoureux : on écrit d'abord le verbe, puis le sujet, ensuite le complément d'objet direct, le complément d'attribution, enfin le complément circonstanciel.

wbn Rᶜ, mot à mot : *se lève/soleil,* à traduire :
le soleil de lève

se lève/soleil/de/horizon
wbn Rᶜ m 3ḫt
le soleil se lève à l'horizon

fait/j'ai/monuments/nombreux/pour/dieux/tous/dans/pays/ce
J'ai fait de nombreux monuments pour tous les dieux dans ce pays
En dehors des figures de style, il y a très peu d'exceptions à cet ordre. On peut rapprocher du français celle qui consiste à donner la priorité au pronom sur le nom quelle que soit sa fonction grammaticale. Comparer :

donne/Amon/vie force santé/à/scribe/Ramosé
« Qu'Amon donne vie, force, santé au scribe Ramose »

donne/à lui/Amon/vie force santé
« Qu'Amon lui donne vie, force, santé »
L'Égyptien connait également les suites de phrases dépendant les unes des autres, subordonnées et relatives.

se réjouissent/gens tous/voient/ils/pyramide/cette
« Tous les gens se réjouissent quand ils voient cette pyramide »
Toutes ces notions sont volontairement simplifiées ; elles ne prétendent absolument pas donner un résumé de la grammaire égyptienne qui est riche et complexe, mais aideront à comprendre l'écriture hiéroglyphique.

C. Z.

Signes-idées et signes-sons

77 Fragment mentionnant un chancelier nommé Ouahibre-Ounnefer

Schiste vert
Hauteur : 9,7 cm ; largeur : 13,5 cm
XXVIe dynastie (VIIe av. J.-C.)
Serapeum de Memphis

Louvre : AE/N520
Bibliographie :
Pierret : Cat S. H. p. 5
Vercoutter : Serapeum (1962) p. 28
Les animaux dans l'Égypte ancienne, (Lyon 1977) p. 105

Ce fragment de schiste, probablement découpé dans une statue, porte un texte hiéroglyphique gravé en trois colonnes. Il se lit de la droite vers la gauche, en allant à la rencontre des personnages animés, ici une chouette, un lièvre et une vipère à cornes. L'inscription combine les trois types de signes possibles : signes-idées, signes-son et déterminatif. Elle se traduit : « le chancelier » (préposé au sceau) OUAHIBRE-OUNNEFER. Comme beaucoup de noms propres égyptiens celui-ci est fait d'une phrase « le roi Ouahibré (mot à mot : stable est le cœur du dieu soleil) est un être parfait ». En général on ne les traduit pas.

C. Z.

	Signes	Transcription			Traduction	Type de Signes
Première colonne		*m*			*le préposé*	*2 signes-son alphabétiques*
		r	*mr*			
		ḫtm			*au sceau*	*Signe-idée : bague-sceau avec lien*
Deuxième colonne		*rʿ*		*soleil*	*nom*	*Signe-idée : soleil*
		w3ḥ		*stable*	*propre*	*Signe-son*
		ỉb		*cœur*	*royal*	*Signe-idée : cœur déterminatif du nom royal*
		—		—	*OUAHIBRÉ OUNNEFER*	*w3h-ỉb-rʿ, ici utilisé dans la composition d'un nom propre*
Troisième colonne		*wn*	*wn*	*être*	*= nom*	*Signe-son*
		n				*Signe-son alphabétique*
		nfr			*propre*	*complétant le précédent Signe-son*
		f	*nfr*	*parfait*		*2 Signes-son alphabétiques complétant le précédent*
		r				

Signes déterminatifs

78 Fragment d'inscription funéraire mentionnant une dame nommée Takhout

Calcaire fin
Hauteur : 28,5 cm ; largeur : 35 cm
XXVe-XXVIe dynastie (vers VIIIe-VIe av. J.-C.)

Louvre : AE/AF 9459

Les quelques signes gravés sur ce fragment permettent d'identifier le type de texte auquel appartient l'inscription : il s'agit d'un appel aux vivants qui passeront près de la tombe. Un nom propre a été miraculeusement préservé, celui d'une dame nommée Takhout, peut-être la propriétaire du monument. Le texte est écrit en colonnes verticales se lisant de droite à gauche, en allant à la rencontre des signes animés : jambes, oiseau, femme assise. L'inscription combine signes-idées, signes-sons et déterminatifs avec une forte proportion de ces derniers. Le haut et le bas des colonnes ont disparu ce qui exclut toute traduction suivie :

1. « (O les prêtres... qui entreront) dans cette tombe »...
2. « ... (la maîtresse de) maison Takhout »...

C. Z.

	Signes	Transcription		Traduction	Type de Signes
Première colonne		—		—	*déterminatif d'un verbe de mouvement*
		s	*sn*	*ils*	*2 signes-son alphabétiques*
		n			
		r		*dans*	*Signe-son alphabétique*
		ỉ	*ỉs*	*tombe*	*Signe-son alphabétique*
		ỉs			*complément du suivant*
		s			Signe-son
					Signe-son alphabétique, complément du précédent
		—		—	déterminatif d'un bâtiment (ici la tombe)
		p	*pn*	*cette*	*2 Signes-son alphabétiques*
		n			
Deuxième colonne		*pr*		*maison*	*Signe-idée = maison*
		t			*Signe-son alphabétique*
		3		*TAKHOUT*	*Signe-son alphabétique*
		ḫ			*Signe-son alphabétique*
		y		*(nom propre)*	*Signe-son alphabétique*
		w3 ou w			*Signe-son*
		ti ou t			*Signe-son*
		—		—	*déterminatif d'un personnage féminin (ici nom propre)*

Le cartouche royal

79 Fragment de statue portant les différents noms du roi Nectanebo Ier

Basalte
Hauteur : 23,1 cm; largeur : 15,1
Règne de Nectanebo Ier (380-362 av. J.-C.)

Louvre : AE/E 10783
Bibliographie :
Bothmer ESLEP (Brooklyn 1960) p. 92 et 95

Nous avons coutume de désigner les pharaons en utilisant le nom que nous ont transmis les Grecs : Aménophis, Thoutmosis, Ramsès, Nectanebo... Mais à partir du Moyen Empire les rois d'Égypte ne possédaient pas moins de cinq « grands noms » formant ce qu'on appelle la titulature royale. Dans certains cas, elle constitue un véritable programme politique. Le fragment de statue ici présenté porte la titulature complète de Nectanebo Ier qui régna de 380 à 362 avant J.-C. et réorganisa le pays après une période troublée. Elle est disposée en cinq colonnes verticales, se lisant de droite à gauche.

1. *le nom d'Horus,* désignant le roi comme l'incarnation terrestre de l'antique dieu-faucon, protecteur de la royauté. Celui-ci est perché sur la représentation d'un édifice (rectangle et façade) à l'intérieur duquel est inscrit le nom royal.

Ḥr
nom d'Horus
tm3-ᶜ
« au bras énergique »

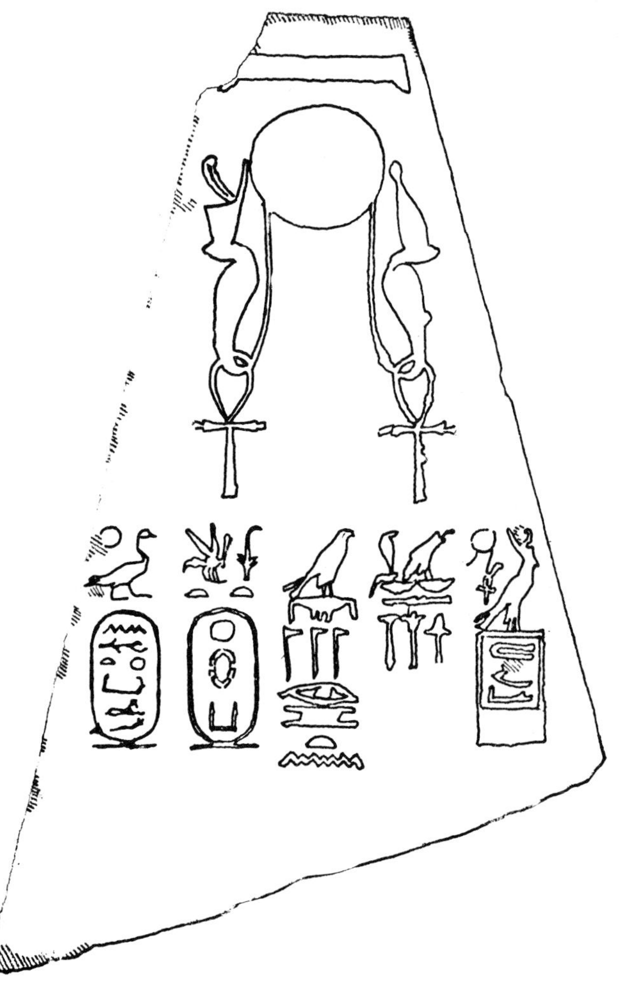

2. ***le nom des deux maîtresses,*** symbolisant l'union de la Haute et de la Basse Égypte en la personne de la déesse vautour Nekhbet, patronne des régions méridionales, et de la déesse Ouadjet, protectrice du delta. Les deux animaux divins sont placés sur deux corbeilles, signe-son se lisant *nb* et signifiant « maîtresse ».

nbty
nom des deux maîtresses
Smnḫ t3wy
« celui qui réorganise les deux pays »

3. le nom d'Horus d'or, à la signification encore discutée s'écrit à l'aide du dieu faucon Horus perché sur le signe-idée de l'or (un collier).

Ḥr nbw
nom d'Horus d'or
Ir mrt ntrw
« celui qui fait ce qu'aiment les dieux »

4. le prénom est le nom qui suit le titre « roi de Haute et Basse Égypte », écrit au moyen des symboles de ces deux contrées, le roseau et l'abeille.

nsw-bit
le roi de Haute et Basse Égypte
(ḫpr-k3-rᶜ)
« l'âme du soleil est en devenir ? »

5. le nom est introduit par l'épithète « fils du soleil ». Il joue le rôle de notre nom de famille ; en général il était porté par le roi avant son accession au trône. C'est cet élément de la titulature royale qui nous a été transmis par les Grecs, obligeant les égyptologues à ajouter des numéros pour distinguer les souverains portant le même nom : de Ramsès Ier à Ramsès XI par exemple !

s3-rᶜ
le fils du soleil
(Nḫt-nb-f)
Nectanébo

Les deux derniers noms sont inscrits à l'intérieur d'une cartouche. C'est un signe ovale, représentant une boucle de corde, nouée à une extrémité. Il ne se lit pas et peut être classé parmi les déterminatifs.

80 Stèle au nom de Méry

Calcaire peint
Hauteur : 95 cm ; largeur : 57,5 cm
Abydos (Moyenne-Égypte)
Règne de Sésostris Ier (vers 1950 av. J.-C.)

Louvre : AE/C3
Bibliographie :
P. Vernus, RdE 25 (1973), p. 217-234

Ce monument votif provenant d'Abydos, ville sainte du dieu Osiris, porte une longue inscription surmontant deux registres

illustrés. Le plus important représente par deux fois le propriétaire de la stèle, un nommé Méry qui exerçait la fonction de « scelleur adjoint ». Il est figuré debout au centre, offrant des oiseaux à son père et sa mère. Nous le retrouvons dans la partie gauche de la scène, assis sur une chaise et entouré de membres de sa famille.
Le texte commence en haut de la stèle, dans la partie cintrée, et se poursuit en lignes horizontales se lisant de droite à gauche.

Les sept premières lignes sont autobiographiques et racontent le récit des travaux de Méry : le roi l'avait chargé de diriger la construction d'un important monument funéraire à Abydos. Le reste de l'inscription consiste en prières.
Les 5 dernières lignes ont une structure grammaticale relativement simple qui permet de comprendre l'organisation des mots à l'intérieur des phrases et la succession de celles-ci.

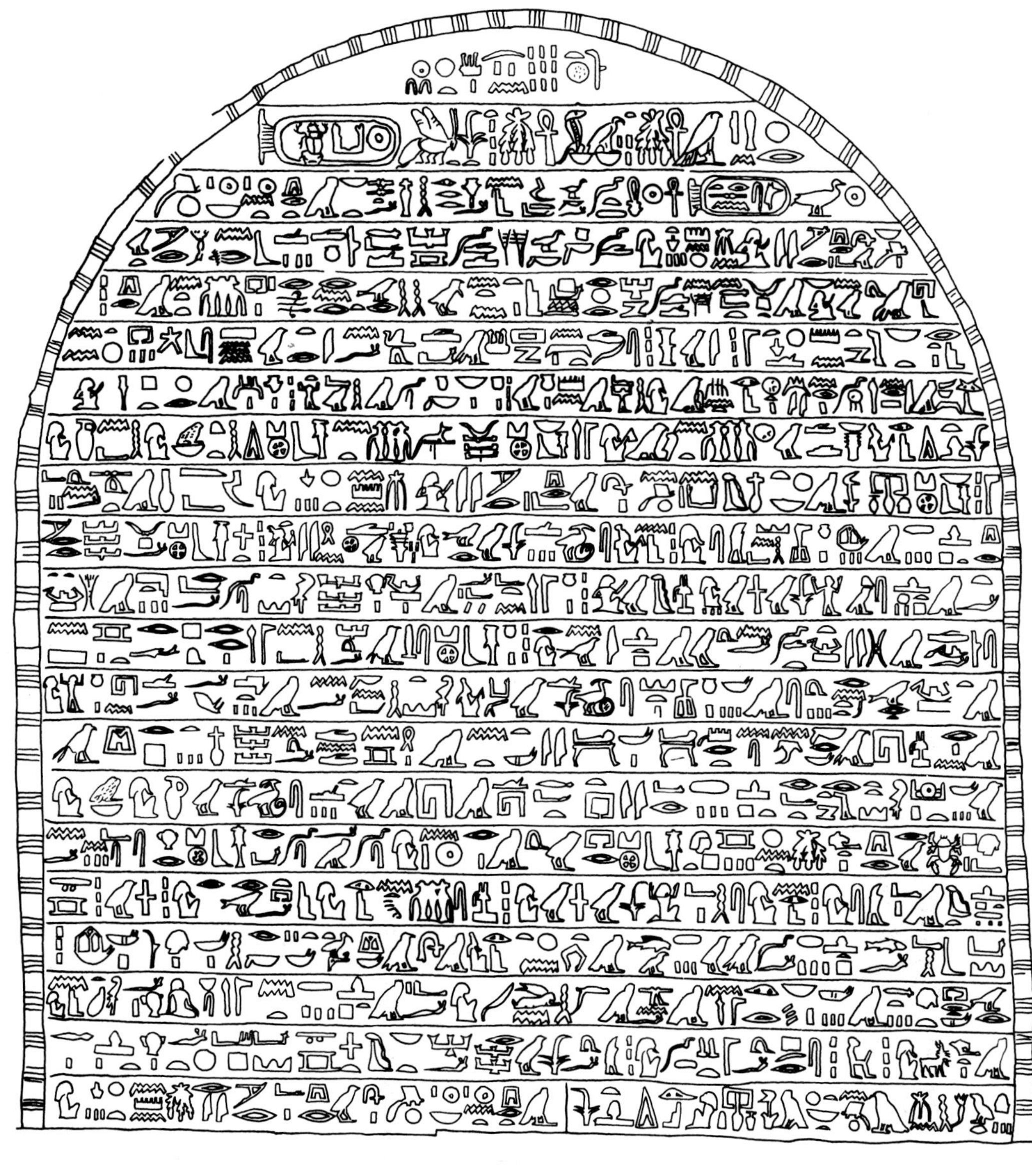

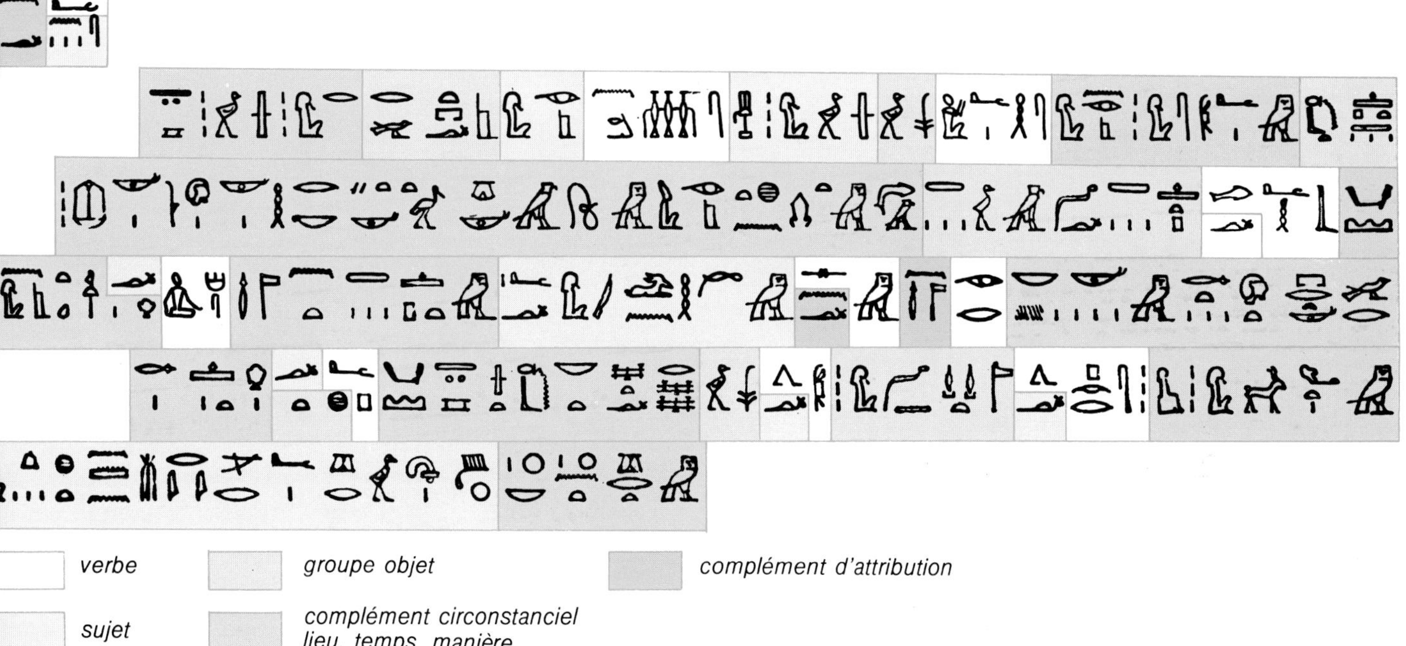

Traduction littérale des dernières lignes

6. donnent ils à lui
7. offrandes pures de main suivants d'Osiris acclament lui ceux qui sont dans T3-Wr fassent prévaloir Osiris position sa sur ceux qui sont dans T3
8. Ḏsr regorge il d'offrandes de provisions Ḫ3m-ḫt à Osiris pendant W3g fête Thot fête rkḥ fête début de l'an fête fêtes
9. importantes sortie fête première grandes fêtes toutes qui sont célébrées pour dieu grand offre à lui Mḫwn bras son avec offrandes du dieu grand s'asseye il à droite d'Osiris
10. devant nobles vénérables qu'atteigne il du dieu tribunal suive il le sur chemins ses tous purs qui sont dans T3-Ḏsr reçoive il offrandes sur table d'offrande grande
11. au cours de jour chaque
qu'ils lui donnent
7.— des offrandes pures de la main des suivants d'Osiris; que l'acclament ceux qui sont dans T3-wr; qu'Osiris fasse prévaloir sa (celle de Mry) position sur celle des grands qui sont dans T3-
8. ḏsr; qu'il regorge d'offrandes et de provisions consistant en ce dont on fait l'offrande, ḫ3m-ḫt à Osiris pendant la fête de Thot, la fête de Rkḥ, la fête du début de l'année, les fêtes
9. importantes, la fête de la Première Sortie (et celle) de la grande (Sortie), c'est-à-dire toutes les fêtes qu'on célèbre pour le dieu grand, que Mḫwn lui fasse offrande, son bras chargé d'offrandes; qu'il s'asseye à la droite d'Osiris.
10. devant les nobles et les vénérables; qu'il atteigne le tribunal divin; qu'il le (Osiris) suive sur tous les chemins purs qui sont dans T3-ḏsr; qu'il reçoive les offrandes sur la grande table d'offrandes
11. au cours de chaque jour

Traduction de l'inscription principale

1. « L'an 9, le deuxième mois de l'inondation, le vingtième jour,
2. sous la Majeté de l'Horus[c] nḫ-mswt, les Deux maîtresses[c] nḫ-mswt, le roi du sud et du nord Ḫpr-k3-R[c],
3. le fils de Ré, Sésostris, vivant comme Ré éternellement. Son serviteur véritable, digne de son affection, qui fait tout ce qu'il (= le roi) loue au cours de chaque jour, l'im3ḫw
4. possesseur de la dignité d'im3ḫ, le scelleur adjoint, Mry, né de Mnḫwt, qui dit : « je suis un serviteur obéissant, grand de caractère, doux d'amour.
5. Si grande était mon obéissance que mon maître m'envoya en mission afin de rédiger pour lui la construction d'une place d'éternité, plus grande de renom que R3-st3w, supérieure en dispositions
6. à toute autre place, district parfait des dieux. Ses murs, ils déchiraient le ciel, le lac qui avait été creusé, il égalait le fleuve, les portes, qui transperçaient
7. le firmament, étaient en pierre blanche de Toura; Osiris-Ḫnty-imntyw se réjouissait des monuments de mon maître. Moi-même, j'étais dans la joie, mon cœur étant dilaté à cause de ce dont j'avais dirigé la construction.
8. L'offrande que donne le roi à Osiris maître de Busiris, à Ḫnty-imntyw, le dieu grand, maître d'Abydos, à Ophois qui préside à Abydos, que donne (le roi) à Hequet et Khnoum
9. les dieux maîtres d'Abydos; une sortie à la voix consistant en milliers de toutes choses bonnes et pures au ka de l'im3hw, scelleur adjoint Mry, né de Mnḫwt juste de voix. Qu'on lui tende les bras
10. chargés d'offrandes pendant les fêtes de la nécropole avec les suivants d'Osiris; que le glorifient les grands de Busiris et

les courtisans qui se trouvent dans Abydos; qu'il ouvre les chemins qu'il dé-
11. sire, en paix, en paix; que l'exaltent ceux qui sont dans T3-wr, les prêtres-w^{c}b du dieu grand; qu'on lui donne les deux bras dans la barque, sur les chemins de l'Occident; qu'il tienne la barre dans la barque-msktt,
12. qu'il navigue dans la barque-m^{c}ndt; qu'il lui soit dit « viens en paix » par les grands d'Abydos; qu'il voyage avec le dieu grand jusqu'à R3-pkr et avec
13. la grande nšmt à l'occasion de sa course pendant la fête de la nécropole; que le glorifie le taureau de l'Occident après qu'il a saisi ses rames; qu'il entende les louanges
14. dans la bouche de T3-wr, pendant la fête H3kr, la nuit de dormir, pendant la dormition d'Horus-sn; qu'il foule les beaux chemins jusqu'aux débouchés
15. de l'horizon occidental, jusqu'au district Rdit-ḥtpt le portique grand de renommée; que le glorifient Khnoum et Heqet,
16. les ancêtres venus à l'existence autrefois (sur) la msḫnt sur laquelle se trouve Abydos, sortis de la bouche de Ré lui-même, lors de l'élévation d'Abydos sur elle (= la msḫnt») qu'ils lui donnent
17. des offrandes pures de la main des suivants d'Osiris; que l'acclament ceux qui sont dans T3-wr; qu'Osiris fasse prévaloir sa (celle de Mry) position sur celle des grands qui sont dans T3-
18. ḏsr; qu'il regorge d'offrandes et de provisions consistant en ce dont on fait l'offrande ẖ3m-ḫt à Osiris pendant la fête de Thot, la fête de Rkḥ, la fête du début de l'année, les fêtes
19. importantes, la fête de la Première Sortie (et celle) de la grande (Sortie), c'est-à-dire toutes les fêtes qu'on célèbre pour le dieu grand, que Mḫwn lui fasse offrande, son bras chargé d'offrandes; qu'il s'asseye à la droite d'Osiris
20. devant les nobles et les vénérables; qu'il atteigne le tribunal divin; qu'il le (Osiris) suive sur tous les chemins purs qui sont dans T3-ḏsr; qu'il reçoive les offrandes sur la grande table d'offrandes
21. au cours de chaque jour; le possesseur de la dignité d'im3ḫ, le scelleur adjoint Mry né de Mnḫwt.
L'offrande que donne le roi à Osiris, une sortie à la voix consistant en mille choses de toute sorte pour l'im3ḫ-Ḥr né de Ḫnwt (?). »
(Traduction P. Vernus.)

Les jeux d'écriture

L'écriture égyptienne est bien évidemment un code transposan graphiquement la substance phonique du langage. Toutefois, ell ne s'épuise pas totalement dans cette transposition, car, si ell est signifiant graphique d'un signifié linguistique, elle demeur pourvue d'un registre d'expressivité autonome. L'utilisation d ce registre donne lieu à des pratiques que les égyptologue appellent fort inexactement « cryptographie », ou, avec un pe plus de pertinence, « jeux d'écriture », encore que la connotatio ludique du terme soit bien trop restrictive, comme on le verr *infra*. Ces jeux procèdent de l'exploitation de certaines propriété de l'écriture égyptienne, propriétés qu'on peut classer sous troi chefs : vertu iconique, plasticité formelle, ouverture du systèm des signes.

Vertu iconique

Les signes de l'écriture hiéroglyphique sont des représentation d'êtres animés ou inanimés et d'objets, pour la plupart immédia tement identifiables, malgré les conventions du dessin égyptier Le passage de la représentation, ou de l'image au signe, se fa par un calibrage conventionnel qui affecte à chaque signe u espace codifié, équivalent à un quart, un demi, ou un cadra unité de division de la surface inscrite, cet espace codifié n reflétant plus les proportions relatives des êtres ou objet représentés par les signes; ainsi, le signe de la girafe occup le même espace codifié que celui du scarabée! Cependant, l signe demeure toujours potentiellement image, et cette potentia lité peut être exploitée par les « jeux d'écriture ». Par exempl lorsqu'une inscription sert de légende à une représentation d'u personnage, cette représentation fonctionne en même temp comme signe d'écriture, en tant que « déterminatif » (cf. p. 122 du nom propre du personnage, lequel déterminatif n'est alor pas écrit. L'inverse est possible, un des signes d'une inscriptio étant affecté de proportions démesurées par rapport aux autre signes, parce qu'il fonctionne en même temps comme image ainsi, dans l'inscription ci-dessous, qui dit qu'un acte d'adoratio à Khenty-Imentyou (un dieu funéraire) est accompli « par l sculpteur *Sa-Rê* », le déterminatif du nom propre *Sa-Rê* es démesurément agrandi pour faire en même temps office d'imag représentant le personnage en posture d'adoration.

Plasticité formelle

Fondamentalement, l'écriture égyptienne va de droite à gauch en ligne horizontale, ou en colonne verticale. Mais elle pe s'adapter souplement à ses supports, et aller de gauche à droit en ligne horizontale ou en colonne verticale. Le sens de la lectur régit l'orientation des signes, plus précisément des signe dissymétriques qui doivent faire face au point de départ de lecture, sauf dans le cas particulier de l'écriture rétrograde o les signes, ou les groupements discrets de signes, lui tourne le dos. La combinaison de séquence d'inscriptions orientée différemment produit des effets qui relèvent des « jeux d'écriture » mais s'insèrent le plus souvent dans l'économie générale d monument sur lequel elles figurent; ainsi, la hiérarchie architect nique du temple égyptien caractérisée par la prédominance d naos où est enfermée la statue divine, peut expliquer l'inversio 'un inscription dans une scène distante de plusieurs dizaines, oire centaines de mètres. Outre les séquences d'inscription, orientation différente d'un signe parmi les autres permet le « jeu 'écriture » ; par exemple, dans un papyrus décrivant un drame acré, l'affrontement de signes, écrivant le nom de deux divinités, t orientés en sens inverse, suffit à exprimer, en dehors du nguistique, que l'une de ces divinités parle à l'autre ; ainsi, dans exemple suivant, l'affrontement entre le signe du faucon, ignifiant Horus, et orienté comme l'inscription subséquente, et signe de l'ibis, signifiant Thot, orienté en sens inverse, équivaut raphiquement à *ḏd n,* et l'ensemble se traduira : « Horus dit à hot », Horus étant l'auteur de l'action de « dire » puisqu'il (son ignifiant graphique) s'accorde avec l'inscription exprimant ce qui st dit.

n dehors de l'orientation proprement dite, le déplacement de ertains signes par rapport aux autres constitue occasionnellement n jeu d'écriture. Par exemple, le nom propre *Horemouia (Ḥr-m-wỉ3),* au lieu de s'écrire avec un signe pour *Ḥr* (*Hor* = Horus), n signe pour la préposition *m (em),* signifiant « dans », et un gne pour *wỉ3 (ouia),* signifiant « la barque », pour le sens « Horus st dans la barque », peut s'écrire par simple position du signe *r* (*Hor*= Horus) au-dessus du signe *wỉ3* (*ouia* = « la barque ») t du signe *m ;* le simple fait d'assigner au signe *Ḥr* un espace 'un demi-cadrat horizontal, alors qu'il occupe habituellement un adrat entier, et de le placer dans l'espace occupé par le signe e la barque, permet de rendre la notion de « dans », l'utilisation u signe pour cette notion étant redondante, mais demeurant ourtant nécessaire sur le plan linguistique.

uverture du système des signes

ntrinsèquement, le système hiéroglyphique tolère de nombreuses variations orthographiques, parce que c'est un système nixte, combinant trois catégories de signes, idéogrammes, honogrammes et déterminatifs, et que cette combinaison peut 'opérer de diverses manières (cf. p. 118). Il y a plus ; les ossibilités orthographiques sont multipliées par l'extension des aleurs des signes, que ces signes soient des idéogrammes, es phonogrammes ou des déterminants. Cette extension peut e fonder sur l'analogie morphologique, sur l'analogie phonétique t sur l'analogie sémantique, et aussi sur la création de nouveaux ignes.

) Analogie morphologique
n signe peut accaparer la valeur d'un autre signe parce qu'il i ressemble plus ou moins, que cette ressemblance soit urement aléatoire — ainsi la cruche de vin valant *p,* en raison e sa ressemblance avec le signe représentant le cœur dans la

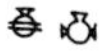

onvention égyptienne (*ỉp,* d'où *b* et *p,* cf. *infra*) —, ou que ette ressemblance tienne à ce que les notions représentées ont apparentées, — ainsi le veau sur le pavois pour écrire le

om de la province d'Athribis, *Kemour,* au lieu du bœuf sur le avois. Inversement, on peut donner au même signe, lorsqu'il est répété, des formes différentes (dissimilation graphique), par simple goût de la variation, ou pour apporter un supplément d'information hors du linguistique ; par exemple, le pluriel du mot *khenty (ẖnty),* « statue », peut être indiqué par la triple occurrence du déterminatif, mais, ce déterminatif étant chaque fois différent, le premier représentant une statue du roi assis, le deuxième une statue du roi debout, le troisième, une statue « osiriaque ».

2) Analogie phonétique
Au cours des temps, la langue évoluant, certains phonèmes se réduisent ou s'amuissent, tels *ỉ, y, w, 3, ᶜ,* d'autres se neutralisent partiellement ou totalement, ainsi, *ḏ/d/ṯ/t, m/n, b/p, b/m, z/s, ẖ/š, ḫ/š, ẖ/h/ḥ, ḥ/h,* etc., Il s'ensuit que les signes contenant ces phonèmes peuvent multiplier leur valeur, comme idéogramme ou comme phonogramme, puisqu'ils peuvent écrire des mots ou des schèmes consonantiques différents, à l'origine, de leur emploi premier, mais désormais homophones en raison des amuissements ou des neutralisations. Ainsi, le chacal vaut, à l'origine, *z3b,* mais, du fait de l'amuissement du *3* central, et des neutralisations *s/z,* d'une part, *b/p,* d'autre part, il pourra écrire les phonogrammes *sb* et *sp.*

3) Analogie sémantique
Un signe représentant une notion peut être étendu par métaphore, par antonomase ou par métonymie, aux notions apparentées. Ainsi, le cynocéphale, animal de Thot, dieu de la sagesse et de l'écriture, signifie évidemment Thot, mais peut signifier aussi les mots exprimant des notions tenues pour caractéristiques du dieu ; il fonctionnera donc comme idéogramme pour *ḏd,* « dire », *rḫ,* « savoir », *ỉp,* « compter », *sš,* « scribe, écrire », *ỉḳr,* « excellent », etc. Qui plus est, il peut aussi servir de pur phonogramme,

représentant la structure consonantique de ces notions, mais non le sens !

4) Création de nouveaux signes
Bien que le répertoire des signes utilisés dans les documents de la pratique demeure assez stable pour chaque époque considérée, dans les textes sacralisés, la possibilité est toujours ouverte d'inventer un signe nouveau, ou de combiner plusieurs signes existants en un signe composite, en utilisant éventuellement le principe du rébus ; ainsi, pour écrire *ỉmn,* « cacher », « Amon » fut créé un signe représentant le signe *n,* une ligne brisée, à l'intérieur d'un ovale ; la valeur procède d'un rébus, le signe pouvant être décrit comme « ce à l'intérieur de quoi se trouve *n* », en égyptien *ỉmy* (nisbé à sens passif) + *n* = *ỉmn,* après chute de la consonne faible *y* de *ỉmy* (voir supra).

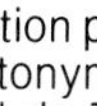

L'exploitation de cette ressource aboutit à une telle extension que le répertoire passe de 700 signes environ à l'époque dynastique, à plus de 3000, au moins, pendant la période gréco-romaine.
Tous les processus décrits se déroulent sur deux plans. D'une part, l'évolution historique qui par sa dynamique interne étend progressivement les possibilités du système. D'autre part, l'action ponctuelle d'un scribe qui, pour se livrer au jeu d'écriture,

développe les potentialités des hiéroglyphes. Point de saut qualitatif entre l'activité consciente de celui-ci, et la force aveugle de celle-là, mais une dialectique qui accroît le nombre des signes, le nombre des valeurs pour chaque signe — ainsi, la mèche de cheveu peut se lire, entre autres, *wš (r), w(3) š, ʿḥʿ, nm, nbḏ,*

km, ḥry-tp, ḫf, ḫnskt! —, le nombre de signes pour chaque valeur, — ainsi, *nfr,* « bon » peut s'écrire avec les signes suivants :

Ainsi, S. Sauneron a relevé plus de 84 signes différents pouvant valoir comme phonogramme unilitère *n* dans le temple d'Esna ! En conséquence, en tant que code transposant le linguistique, l'écriture égyptienne possède un très riche arsenal de signifiants graphiques ; cette richesse, combinée aux ressources tirées de sa vertu iconique et de sa plasticité formelle facilite les jeux d'écriture, et explique la variété des enjeux de ces jeux.

Enjeux des jeux d'écriture

Tous les jeux d'écriture n'obéissent pas, loin s'en faut, à la même finalité ; leurs enjeux diffèrent.
Certains ne répondent incontestablement qu'à un désir de distraction. Ainsi, il est arrivé au tabellion qui rédigeait un fort rébarbatif contrat de copropriété relatif à une vache, d'insinuer la fantaisie dans l'aridité du droit privé en recourant à quelques graphies volontairement ambiguës et non sans esprit. De même, les passages écrits en utilisant des valeurs inhabituelles de signes au milieu d'une inscription fort conventionnelle relèvent d'une recherche de l'insolite, avec l'arrière-pensée d'attirer l'attention du lecteur blasé par la teneur banale des inscriptions, et de montrer la science de celui qui les a écrites ou pour qui elles ont été écrites. Ces jeux peuvent ne porter que sur un ou deux mots, ou, au contraire, occuper une part importante ou la plus grande part des inscriptions. Ils apparaissent sporadiquement sur les monuments des hauts personnages du Moyen Empire, plus fréquemment sur ceux du Nouvel Empire, entre autres sur les statues du prince Khâemouast, si célèbre pour sa science qu'il devint, à la fin de la civilisation pharaonique, le héros d'un cycle d'histoires de magiciens, où la connaissance des secrets de l'écriture joue un rôle essentiel.
D'autres jeux graphiques visent à organiser certains signes d'une inscription en un ensemble pictural, indépendant du sens, et ne valant que pour lui-même. Ainsi, un scribe du Moyen Empire a eu l'idée d'une graphie picturale de mots, mille fois répétés sur les documents analogues, *ḏf (3)w,* « provisions » ; ce mot s'écrit en général comme un pluriel « archaïque », c'est-à-dire que la pluralité est indiquée par la triple itération de ses constituants, en l'occurrence, le cobra pour *ḏ,* la vipère à cornes pour *f ;* notre scribe a raffiné ; d'une part il a introduit dans le dessin du cobra une variation exceptionnelle en lui donnant un corps allongé, qui ne se distingue de celui de la vipère que par l'absence de cornes ; d'autre part, il a groupé les six signes (trois vipères, trois cobras) en chiasme : deux cobras au-dessus et au-dessous d'une vipère, puis deux vipères au-dessus et au-dessous d'un cobra, obtenant ainsi un effet pictural saisissant. Des jeux graphiques analogues donnent à une inscription l'allure d'un tableau, en multipliant les signes homologues, par exemple, une série de personnages ne se distinguant que par quelques détails qui en différencient la valeur.

Plus élaborés les jeux d'écriture dont l'enjeu est l'expressio purement graphique du sens véhiculé par les signes en tant qu signifiants de signifiés linguistiques. Par exemple, dans l'autobic graphie de Haroua (XXVIe dynastie), *dw3 rʿ,* « adorer Rê », écr dans les parallèles avec le signe de l'étoile, phonogramme pou *dw3,* l'homme les bras levés, déterminatif de l'idée d'adoratior le disque solaire, idéogramme pour Rê, muni du trait qui l spécifie comme tel, et le déterminatif de la divinité, est exceptior nellement écrit avec le dieu assis, hiéracocéphale, et coiffé d disque solaire, autre idéogramme de Rê, orienté inversement l'inscription, et faisant face au signe de l'homme les bras levés en principe simple déterminatif, mais qui prend ici la valeu d'idéogramme en raison de l'image d'ensemble produite pa l'inversion de l'idéogramme de Rê auquel il paraît faire face comme l'orant face à la divinité ; dans un tel jeu, l'ordre de signifiants graphiques ne correspond pas à celui des signifié linguistiques auxquels ils renvoient ; autrement dit, l'écriture utilis un espace de signification spécifique.

Dans un quatrième type de « jeu », l'écriture ajoute au signifi linguistique qu'elle véhicule un supplément d'information, u approfondissement, une manière d'exégèse ; l'enjeu devier idéologique. Soit, par exemple, le jeu sur le nom propre *Rêhote (rʿ-ḥtp(.w),* signifiant « Rê est satisfait », et qui consiste à écrir la seconde partie *ḥtp,* non pas avec l'idéogramme *ḥtp* (une tabl d'offrandes), comme habituellement, mais avec la touffe d papyrus, phonétiquement *ḥ* (< de *ḥ(3),* après amuissement d *3*), et le signe de la tête, accompagné du trait phonétiquemer *tp ;* les deux signes combinés écrivent la suite consonantiqu *ḥ+t+p ;* toutefois, il ne s'agit pas d'une simple graphie phoné tique ; en effet, les trois signes peuvent en même temps signifie « derrière moi », la touffe de papyrus signifiant « derrière » ave le déterminatif du signe de la tête, et le trait vertical représentar le suffixe *ỉ,* « moi » ; autrement dit, par ce jeu, la graphie véhicul d'une part l'énoncé linguistique, « Rê est satisfait », mais, d'autr part, suggère, dans le registre spécifique de l'écriture,un autr sens, « Rê est derrière moi », c'est-à-dire, « me protège », dan la conception égyptienne. Autre exemple : le nom de *Montouem hat (Mnṯw-m-ḥ(3t),* le célèbre quatrième prophète d'Amon de fin de la XXVe dynastie, s'écrit, occasionnellement, à l'aide d'u « jeu » qui consiste à placer sur les genoux de l'idéogramme d dieu Montou le signe de la voile gonflée, idéogramme pour le notions de souffle et de vent ; en l'occurrence, ce signe va pour *mḥ (yt),* tiré de *mḥ(yt),* « vent du nord », et transpos graphiquement *m-ḥ(3t),* « en avant », deuxième partie du no propre. Mais cette graphie ne se réduit pas à une pure transpositio du linguistique ; l'image ainsi obtenue suggère, sur un registr exclusivement graphique, et indépendant du langage, un sen complémentaire : le dieu Montou dispose du souffle, puisqu en tient le symbole sur ces genoux ; le souffle en général jou un rôle essentiel dans l'anthropologie religieuse des ancien égyptiens.

Ce type de jeux d'écriture, où l'enjeu n'est rien de moin qu'idéologique, finit par devenir constitutif de l'activité philosc phico-religieuse. En effet, les égyptiens croyant, comme beau coup d'autres peuples, que le son et l'image sont consubtantiellement liés à l'être qu'ils désignent, l'exploration des potentialités de l'écriture, est un procédé permettant l'investigation des essences, et non une vaine acrobatie de lettré. Grâce à son registre d'expression spécifique, l'écriture devient à la fois transposition graphique d'un signifié linguistique, et exégèse ou approfondissement de ce signifié. Métalangage idéologique du langage idéologique qu'elle véhicule, tout en disant ce langage, elle dit sur ce qu'il dit. De là procède la fascination des Grecs et de l'antiquité devant la science religieuse des anciens égyptiens.

Pascal Vernus

81 La statue de Setaou

Calcaire :
Hauteur : 27 cm
XVIIIe dynastie, très probablement Aménophis II (vers 1439-1413 av. J.C.)

Louvre : AE/N 4196
Bibliographie :
E. Drioton, ASAE 38, 1938, 243-5, pl. XXXII.
B. Bruyère. MertSeger à Deir el Médineh, p. 188-190, fig. 99
J. Vandier, Manuel d'Archéologie III, p. 674, p. CLVI, 1
E. Graefe, GM 38, 1980, 46

La statue appartient au directeur de l'ergastulum d'Amon Setaou. les inscriptions se traduisent ainsi :
Socle

« L'offrande que donne le roi à Amon- Rê ; puisse-t-il donner une bonne vie, la durée sur terre, la joie dans son temple, quotidiennement, pour le *ka* du directeur de l'ergastulum d'Amon, Setaou, juste de voix.
« L'offrande que donne le roi à Nekhebet, la blanche de Nekhen ; qu'elle donne de recevoir les pains d'offrandes dans son temple, à chaque début d'année qui se produit, pour le *ka* du favorisé de son dieu, le directeur de l'ergastulum d'Amon, Setaou, juste de voix. » Pilier dorsal
« L'offrande que donne le roi à Nekhebet, la blanche de Nekhen, la maîtresse du ciel, la dame des dieux ; qu'elle donne un bon souvenir auprès des hommes, la stabilité dans le temple d'Amon, quotidiennement, pour le *ka* du directeur de l'ergastulum d'Amon, Setaou, juste de voix ».

La statue représente Setaou, agenouillé, tenant entre ses bras un cobra géant, dont la tête est coiffée du disque solaire entre les cornes de vache, et qui est soutenu par deux bras levés, à la manière du signe *ka,* posés sur une corbeille, à la manière du signe *nb.* Drioton, s'appuyant sur l'analogie avec des statues de *Senemout,* le favori d'Hatshepsout, avait cru découvrir dans cette représentation un « cryptogramme » d'un des noms de la reine, *Maât—ka-Rê.* Graefe a fait justice de cette hypothèse échevelée, en montrant que la statue était postérieure au règne d'Hatshepsout, et que Maât, représentée par le cobra dans l'interprétation de Drioton, n'était jamais évoquée dans les inscriptions de ce genre de statue. En fait, il n'y a nullement « cryptogramme », mais un jeu d'écriture, fondé sur l'affinité iconique des hiéroglyphes (cf. *supra,* p.130). Les signes *nb(t),* « maîtresse », et *k3(w),* « nourriture », respectivement la corbeille et les bras levés, sont intégrés à la sculpture pour écrire *nb(t) k3(w),* « maîtresse de nourriture », épithète bienvenue de Nekhebet et d'autres déesses comme Ermouthis. Voilà qui illustre bien, en dehors des thèses « cryptographiques » qui encombrent l'égyptologie, la perméabilité de la frontière qui sépare le signe de la représentation en deux ou en trois dimensions.

P. V.

82 Les graphies du nom d'Amon-Rê dans u papyrus funéraire

Papyrus ;
Longueur totale : 147 cm ; hauteur : 21,2 cm
1er-IIe ap. J.C.

Louvre : AE/N 3122
Bibliographie :
Dévéria, Catalogue des manuscrits, V, 8

Ce papyrus est l'un des nombreux papyri funéraires, provenar de la nécropole thébaine, et datant du Ier ou du IIe siècle d notre ère. Écrit en hiératique et en hiéroglyphe, il comporte sep formules surmontées de vignettes rudimentaires : « se transforme en scarabée », « se transformer en faucon », « se transformer e serpent », « se transformer en phénix », « la libation », « les yeu et les oreilles (= jouir de ses capacités corporelles) », « donne ce qui est bien vu (= les offrandes alimentaires) ». Le papyru est au nom de la joueuse de sistre d'Amon-Rê Esoeris, fille d Ta-kherdet-Khonsou *(T3-ẖrdt-Ḫnsw),* « La-fille-de- Chonsou ». est présenté ici parce qu'il illustre les variations orthographique calculées si fréquentes dans l'écriture égyptienne. En effet, l nom Amon-Rê est écrit sous cinq graphies différentes :

1 et 1a :

graphie classique ; Amon est écrit phonétiquement, phon gramme pour *ỉ* + phonogramme pour *mn* avec phonogramm redondant *n ;* Rê est écrit avec l'idéogramme du disque solai à uréus, spécifié comme tel par le trait ; dans la variante 1a, le noms sont suivis du déterminatif de l'être divin.

2 :

Amon et Rê sont écrits avec deux idéogrammes.

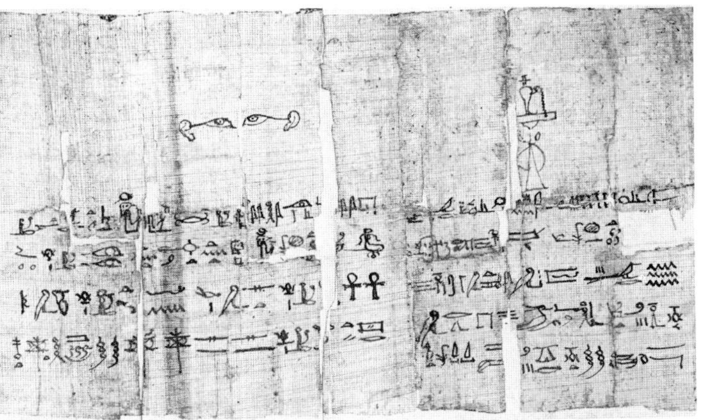

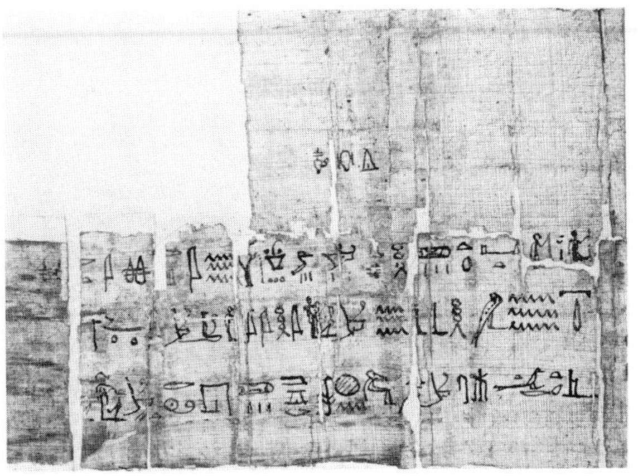

3 :

Amon est écrit avec le phonogramme *ỉmn,* création récente par rébus (cf. *supra,* p.131) ; Rê est écrit avec un idéogramme, précédé de deux phonogrammes redondants pour *r* et ^{c}, explicitant sa lecture.

4 :

Amon est écrit avec l'idéogramme du disque solaire dans la barque, par extension sémantique (cf. *supra,* p.131) ; Rê est écrit comme dans la graphie 3, si ce n'est que le phonogramme redondant *r* est écrit avec le lion (originellement *rw,* devenu *r* par chute de la consonne faible *w*).

5 :

phonogramme ỉ + phonogramme m (originellement *m*) + phonogramme *n* = *ỉmn ;* Rê est écrit avec l'idéogramme du disque solaire, mais cet idéogramme est volontairement assimilé par analogie morphologique (*supra,* p.131) au phonogramme *n* précédent avec lequel il fait couple. Le dernier signe est le déterminatif de la divinité.

Ces variations, loin de procéder de la pure fantaisie, visent à saisir l'essence de la divinité à travers ses multiples apparences. Ainsi, la graphie 5, tout en transposant les éléments phonétiques du nom Amon-Rê, établit une connotation purement graphique ; en effet, ici pour *mn* + *r*^{c}, évoque aussi la graphie usuelle de *m33,* « voir ». C'est suggérer qu'Amon-Rê, en tant que dieu solaire, voit et juge les actions humaines (cf. P. Vernus, *Athribis,* p. 206 m). De même, la graphie 4 évoque le périple du dieu solaire dans la barque.

P. V.

Hiéroglyphes et art

Aucune autre écriture que l'écriture hiéroglyphique n'a établi des rapports aussi étroits avec l'art. A la différence des signes sumériens ou chinois, les hiéroglyphes ont toujours conservé leur valeur d'image, même quand ils n'expriment que des sons. Soumis aux procédés généraux du dessin égyptien et à sa perspective particulière, les signes ne se distinguent des représentations figurées que par leur taille réduite. Ils peuvent constituer en eux-mêmes de véritables œuvres d'art. La stèle du Roi-Serpent (cat. n° 19) nous donne un exemple éblouissant de la technique de l'artisan qui a amoureusement ciselé les écailles du cobra servant à écrire le nom royal, les détails de son palais, le tout disposé avec une harmonie savante. Les murs des tombeaux et des temples, les stèles, les sarcophages nous offrent des milliers de textes où les hiéroglyphes, souvent rehaussés de couleurs délicates, parfois incrustés de pâtes colorées ou de métal précieux, rivalisent avec les chefs-d'œuvre de plus grande dimension. On y trouve pêle-mêle tous les éléments de la création : chevreaux caracolant, jeunes femmes agenouillées respirant un lotus, oiseaux au plumage bigarré, oisillons piaillant dans leur nid, yeux énigmatiques ourlés d'une bande de fard, vanneries finement tressées...

Reflet des traditions, les hiéroglyphes continuent à reproduire des formes ayant disparu depuis des millénaires : ainsi le signe servant à écrire le mot «scribe» présente jusqu'à la fin de l'époque pharaonique une écritoire dont la forme était déjà abandonnée à l'époque des pyramides! Au même titre que les statues et les reliefs, les signes hiéroglyphiques avaient pour les Égyptiens une valeur magique. Ce sont des images conçues comme vivantes, et qui à ce titre peuvent se révéler dangereuses. Aussi sur les parois des tombes et des sarcophages, le scribe prend-il parfois la précaution de rendre inoffensifs les hiéroglyphes qui pourraient nuire au mort : l'artiste mutile ou larde de couteaux les signes évoquant des animaux féroces, des hommes armés... Parfois il remplace ces signes inquiétants par d'autres, plus neutres.

La disposition même des hiéroglyphes vise à satisfaire le plaisir des yeux. Nous avons vu que le scribe n'hésitait pas à déplacer certains signes pour obtenir des groupements harmonieux ou éviter des blancs. Pour la même raison, il lui arrive d'aplatir ou d'élargir un signe, de le mettre dans une position incompatible avec la réalité. Pour éviter la monotonie engendrée par la répétition des 3 signes identiques qui servaient à noter le pluriel, le scribe peut individualiser chacun des signes : il dessinera 3 vases de forme différente par exemple (dissimilation graphique). L'emploi de la couleur peut également être modifié pour des raisons esthétiques : un scarabée bleu placé entre deux scarabées noirs introduit une certaine variété agréable à l'œil.

La beauté des signes, le soin avec lequel on les disposait font de l'écriture hiéroglyphique une écriture ornementale, qui embellit les monuments et les objets auxquels elle s'applique. Les diverses orientations possibles permettaient de jouer avec des effets de symétrie et d'alternance très décoratifs. Bien que ce ne fut pas leur but principal, les Égyptiens ne s'en sont pas privés.

C'est dans leurs relations avec les représentations figurées des reliefs et des peintures et aussi avec les statues que les rapports entre les hiéroglyphes et l'art sont les plus étroits. Parfois la statue elle-même se fait écriture comme dans le groupe représentant Ramsès II et le dieu Houroun : l'enfant-roi, le roseau qu'il tient dans la main et le disque solaire sont des hiéroglyphes en trois dimensions permettant d'écrire le nom royal.

Les piliers héraldiques de Karnak, sculptés en forme de bouquet de lys et de papyrus, sont en fait deux hiéroglyphes gigantesques inscrivant au cœur du sanctuaire les noms de la Haute et de la Basse-Égypte. Plus généralement les hiéroglyphes sont le complément de la statue : ils servent à lui donner son nom, à identifier le personnage qu'elle représente. Il se pourrait même qu'à l'Ancien Empire la statue soit un signe-image en trois dimensions, nettement séparé des signes-sons hiéroglyphiques qui servent à écrire le nom et qui, à cette époque, sont confinés au socle.

Par la suite, les statues égyptiennes sont colonisées par l'écriture, les hiéroglyphes envahissant progressivement les vêtements et la chair même des personnages, s'étalant sur le pilier dorsal pour triompher sur les statues guérisseuses de la Basse Époque où chaque centimètre carré est peuplé de signes (cat. n° 88). Des formes nouvelles apparaissent, plus aptes à mettre l'écriture en valeur : statues-cubes, statues présentant des stèles ou des tabernacles...

Les hiéroglyphes accompagnant les reliefs et les peintures font ressortir de façon encore plus nette l'interpénétration de l'art et de l'écriture égyptienne. Vu de l'extérieur l'ensemble se présente comme une bande dessinée avec des images et des commentaires s'y rapportant : légendes, «bulles». Il n'en est rien. La grande différence est que l'écriture elle-même est faite de petites images, et que la grande image, au moins aux origines, est conçue comme un complément des hiéroglyphes, de la même façon qu'un signe déterminatif complète un mot égyptien. Si cette notion s'estompe par la suite, durant toute la période pharaonique on utilisera les diverses orientations de l'écriture pour mettre en évidence le lien entre le texte et la figure qui s'y rapporte. Cela est sensible par exemple dans les scènes où deux personnages dialoguent face à face : leur nom et les paroles qu'ils prononcent sont symétriquement opposés, chaque inscription étant orientée dans le même sens que le personnage.

Ce sont ces relations étroites entre l'art et l'écriture qui constituent la grande originalité des hiéroglyphes.

C. Z.

Écriture et architecture

83 Hiéroglyphes monumentaux

Diorite
Hauteur : 97 cm ; largeur : 109 cm
Abydos (Collection Salt)
Sans doute règne de Ramsès II (vers 1250 av. J.-C.)

Louvre : AE/B15

Le Musée du Louvre possède plusieurs blocs de diorite sculptés provenant d'un temple élevé sans doute par Ramsès II. Ils semblent appartenir à une porte dont ils constituaient les montants. La dimension et la profondeur des hiéroglyphes qui les ornent sont parfaitement adaptés à un monument de grande taille, fait pour être vu de loin. Le bloc ici présenté porte le début du nom d'Horus de Ramsès II, « *taureau puissant* », qui était inscrit dans un cadre rectangulaire (cat. n° 79). Seul le signe-idée évoquant le taureau est conservé. Le nom est surmonté par l'image du faucon Horus, coiffé de la double couronne de Haute et Basse-Égypte. Au-dessus de lui plane un disque solaire d'où émerge un cobra protecteur. L'inscription qui se déroulait verticalement est limitée de chaque côté par deux tiges bourgeonnantes évoquant les millions d'années.

C. Z.

84 Inscription polychrome au nom du roi Séthi Ier

Grès peint
Hauteur maximum : 142,5 cm ; largeur maximum : 115 cm
Éléphantine (fouilles Clermont Ganneau, 1908-1909)
Règne de Séthi Ier (vers 1300 av. J.-C.)

Louvre : AE/B61
Bibliographie :
Inédit. Sur Éléphantine consulter : P. M., V, p. 224
Kaiser, MDAIK 1970, p. 87-139 ; 1971, p. 181-201 ; 1974, p. 39-84 ; 1976, p. 67-112 ; 1977, p. 62-100
Un siècle de fouilles françaises (Paris, 1981, p. 229-230)

Cernée par les rochers sombres de la première cataracte, l'île d'Éléphantine était le lieu saint du dieu bélier Khnoum. Celui-ci, croyait-on, retenait prisonnière la crue annuelle du Nil dont dépendait la richesse de l'Égypte. En ce site très important les Égyptiens élevèrent des sanctuaires qui se succédèrent à partir de l'époque prédynastique.

Ce bloc provient d'un temple bâti par les rois du Nouvel Empire en l'honneur de la déesse Satis, compagne de Khnoum. Le monument fut démantelé par la suite et ses murs furent réemployés dans les fondations où les fouilleurs français les découvrirent. Tout récemment les archéologues allemands et suisses sont venus à bout de ce gigantesque puzzle : aujourd'hui le temple originel est reconstruit. Le fragment présenté porte un texte hiéroglyphique encadré par l'image de deux dieux de Thèbes, Amon et son épouse Mout. Il est surmonté par l'image d'un ciel étoilé sculpté sous une frise végétale. Les deux divinités sont figurées à l'intérieur de petites chapelles dont le toit bombé repose sur de légères colonnettes. Les inscriptions se lisent de droite à gauche ; à droite subsiste une partie d'un discours adressé au roi par Amon, reconnaissable à sa toque surmontée de deux plumes : « *(paroles dites par Amon... son fils véritable Men-Maât- Rê, le fils du soleil, Séthi-Mery-en-Ptah, qui a créé tout ce qui est utile à celui qui l'a engendré* ». Au milieu du bloc commencent les paroles dites par la déesse Mout, figurée à l'extrême gauche : « *Paroles dites par Mout la grande, la maîtresse du ciel qui réside dans Ichérou, la maîtresse du ciel, la souveraine des dieux... (son fils) véritable Men-Maât-Ré (qui a fait) ce qui est parfait...* » Le texte sculpté en creux est rehaussé de couleurs identiques à celles des personnages : bleu, vert clair, rouge et jaune. La couleur dominante est le bleu, utilisé pour les cartouches royaux et les lignes séparant les colonnes de texte. Certaines teintes sont en rapport avec l'objet représenté par le signe hiéroglyphique : filet d'eau et ciel bleus, lion et poussin jaunes, roseau vert, cœur et bouche rouges... D'autres n'ont qu'une valeur décorative : pain bleu, moineau vert... En utilisant plusieurs couleurs pour un seul hiéroglyphe, le peintre a traité les oiseaux et la petite déesse Maât comme des représentations figurées.

C. Z

85 Inscription monochrome

Grès peint
Hauteur : 66 cm ; largeur : 95 cm
Éléphantine (fouilles Clermont Ganneau, 1908-1909)
Règne de Thoutmosis III (vers 1500 av. J.-C.)

Louvre : AE/B67
Bibliographie :
Inédit. Sur Éléphantine cf. nº 84
Pour une scène analogue : Lacau, Chevrier, Bonhème, Gitton
Une chapelle d'Hachepsout à Karnak (Le Caire, 1977)
§ 549-556 et § 587-592, pl. 19

Ce relief provenant également d'Éléphantine représente trois divinités assises et tenant deux emblèmes : le signe de vie et le sceptre ouas. Leur nom était inscrit au niveau de leur visage, sculpté dans un autre bloc. Cette série se poursuivait probablement sur plusieurs registres et les inscriptions gravées sous les pieds des personnages appartiennent à d'autres représentations aujourd'hui disparues. Des reliefs analogues montrent qu'il s'agit de l'assemblée des dieux locaux accordant leur protection au roi. Dans la colonne de gauche la divinité offre *« toute vie, toute stabilité, toute santé ».* Dans la colonne de droite elle fait allusion à la souveraineté du pharaon sur la Haute et Basse-Égypte, exprimée par sa double couronne : *« ... les deux maîtresses, elles sont réunies sur ton front ».*
Ici, hiéroglyphes et personnages sont rehaussés de couleur jaune, évoquant l'or. Ce métal inaltérable était symbole d'éternité et constituait la chair des dieux. Parfois c'est une feuille d'or pur qui est plaquée sur les reliefs, comme par exemple sur le visage de la déesse Satis, provenant du même temple (Louvre, B 69).

C. Z.

Écriture et statuaire

86 Groupe de Djéhoutynéfer et son épouse Benemeb : inscription sur les vêtements des personnages

Grès autrefois peint
Hauteur : 72,7 cm ; largeur : 42 cm
Milieu de la XVIIIe dynastie (vers 1450 av. J.-C.)

Louvre : AE/A55
Bibliographie :
Pierret : Recueil d'inscriptions inédites du Musée du Louvre (Paris, 1878), II, p. 48
Vandier : Manuel, III, p. 443 et 507
Helck : Materialen, I (32)

Djéhoutynéfer et Benemeb sont assis côte à côte sur un siège à haut dossier. L'homme est drapé dans un grand manteau, la main posée sur la poitrine en signe de déférence. Son épouse, parée d'une lourde perruque, enlace tendrement la taille de son mari.

Un texte hiéroglyphique est disposé en colonnes verticales plaquées sur le devant du vêtement des personnages. Il se fond discrètement à l'ensemble mais son emplacement le rend très lisible. Il contient deux petites prières ainsi que les noms et titres des propriétaires de la statue :

— *« L'offrande que donne le roi à Osiris, maître de l'infini ; qu'il donne toutes les choses bonnes et pures pour l'âme du scribe comptable des troupeaux et des volailles (d'Amon) Djehoutynefer surnommé Séchou. »*

— *« L'offrande que donne le roi à (Amon ; qu'il donne) toutes les choses bonnes et pures pour l'âme de la maîtresse de maison Benemeb. »*

Certains mots ont été volontairement martelés après coup, de façon à les effacer. Ce sont les mentions du dieu thébain Amon dont le nom fut proscrit sous le règne d'Aménophis IV (vers 1350 avant J.-C.). La pratique du martelage, courante chez les Égyptiens, implique des notions magiques qui font du texte écrit une réalité vivante.

C. Z.

87 Statue-cube du grand intendant Maânakhtef : textes sur trois faces de la statue

Granit noir
Hauteur : 49 cm ; largeur : 22 cm
Temple de Médamoud (Haute-Égypte)
Règne d'Aménophis II (vers 1430 av. J.-C.)

Louvre : AE/E 12926
Bibliographie :
Bisson de la Roque et Drioton : FIFAO IV (Le Caire, 1926-1927), t. I, p. 108-109 ; t. II, p. 49-51
Un siècle de fouilles françaises en Égypte (Paris, 1981), p. 222-223

Drapé dans un manteau d'où seules émergent les mains, Maânakhtef est assis sur ses talons, dans une attitude encore courante dans tout l'Orient. Contrastant avec la forme stylisée du corps, le visage finement sculpté est caractéristique du milieu de la XVIIIe dynastie : yeux en amande soulignés d'une bande de fard, sourcils arqués... Ce type d'objet nommé « statue-cube » apparaît en Égypte dès le Moyen Empire (vers 2000-1800 avant J.-C.). Il est destiné à être placé dans les sanctuaires et non dans les tombes. Les statues-cubes semblent représenter leur propriétaire sous l'aspect d'un être sanctifié (ḥsy), un élu du dieu. Leur forme massive les met à l'abri des injures du temps et offre de larges surfaces où l'écriture trouve aisément place. Ici les inscriptions sont disposées sur trois faces de la statue.
Celle qui est placée à l'avant, sur la partie la plus visible, offre la particularité de présenter 9 colonnes de textes verticaux se lisant de droite à gauche, interrompues en leur milieu par deux lignes horizontales se lisant dans le même sens. Ces dernières devraient être répétées neuf fois et, pour gagner de l'espace, le scribe les a mises en facteur commun, en accolade si l'on peut dire. Une traduction respectant la position respective des textes donne une idée de ce procédé assez courant en Égypte :

1. *Offrande que le roi donne à Amon Seigneur des trônes des deux terres*
2. *Offrande que le roi donne à Amon Ré...*
3. *Offrande que le roi donne à Harakhtès*
4. *Offrande que le roi donne à Atoum...*
5. *Offrande que le roi donne à Mout...*
6. *Offrande que le roi donne à Montou...*
7. *Offrande que le roi donne à Osiris...*
8. *Offrande que le roi donne à Anubis...*
9. *Offrande que le roi donne à l'ame du roi Aménophis II*

10. *(qu'ils donnent) des offrandes funéraires en pain, bière, boucherie, volaille, lingerie, lait, parfums, oblations, tous les légumes, toutes les choses bonnes et pures, respirer l'effluve*
11. *de la myrrhe et l'encens, boire de l'eau à la rive pour l'âme du*

12. *Grand intendant du roi Maânakhtef*
13. *Chef du double grenier... Maânakhtef*
14. *Chef des champs... Maânakhtef*
15. *Chef des cuirs d'Amon Maânakhtef*
16. *Chef du temple de Montou... Maânakhtef*
17. *Chef du bétail... Maânakhtef*
18. *Chef des paysans Maânakhtef*
19. *Chef de toutes les chanteuses... Maânakhtef*
20. *Intendant de tous les palais... Maânakhtef*

Les textes inscrits sur deux des côtés de la statue sont disposés en colonnes se lisant en partant de l'avant du personnage. Visiblement, cette orientation a été choisie pour que le début de chaque inscription accroche l'attention d'un lecteur faisant face à la statue. Elles consistent toutes deux en invocations religieuses, celle du côté gauche étant un passage du Livre des Morts.
Sur l'épaule droite de Maânakhtef est gravé le cartouche de son souverain, Aménophis II. Cette inscription permet de dater précisément la statue.

C. Z.

88 Statue de Neshor : inscription principale sur le pilier dorsal

Basalte
Hauteur : 103 cm ; largeur : 37,5 cm
Trouvé en Italie, près de Rome, sur la voie Flaminienne, puis sans doute collection Albani
Règne d'Apriès (vers 589-570 av. J.-C.)

Louvre : AE/A 90
Le visage et les mains du personnage sont restaurés ainsi que les trois dieux
Bibliographie sommaire :
Kircher : Obelisci Aegyptiaci Interpretarum, pl. 137
Posener : Les douanes de la Méditerranée, Cahiers de la Société asiatique, 1192, 1196, 1214
Otto : Die Biographischen Inschriften, p. 162-164

Neshor, surnommé, Psamétik - Menekh - ib, est figuré agenouillé présentant devant lui les statues des trois dieux de la première cataracte du Nil : le bélier Khnoum entouré des déesses Satis et Anoukis. Au XVIIIe siècle, quand la statue fut découverte non loin de Rome, on fit procéder à des restaurations maladroites qui donnent aux personnages une allure comique.
L'inscription principale est gravée sur le pilier dorsal, selon un usage fréquent à la Basse Époque. Les hiéroglyphes sur lesquels se penchèrent Kircher puis Champollion sont disposés en 7 colonnes verticales dont les signes, très serrés, sont orientés de droite à gauche ; elles retracent la vie de Neshor. Ce fonctionnaire très important, d'ailleurs connu par d'autres documents, exerçait dans le milieu du VIe siècle avant J.-C. la fonction de *« préposé à la porte des pays étrangers méridionaux »*. Neshor énumère les nombreux embellissements qu'il fit effectuer à Éléphantine, dans le sanctuaire des dieux de la cataracte, sur les ordres du roi Apriès. Il raconte aussi les péripéties d'une expédition à laquelle il participa dans le sud du pays. Quant à la statue elle-même, le texte dit de façon très explicite qu'elle était déposée dans le temple de Chnoum pour perpétuer à travers les siècles la mémoire de son donateur :
« j'ai fait placer ma statue avec mon nom dessus impérissable dans votre temple... »
En dehors de cette inscription principale, de petits textes diversement orientés courent sur le socle et sur la tranche du pilier dorsal. Ce sont des textes religieux : invocation aux dieux de la ville, formule du *« souffle de la bouche »*...

C. Z.

Hiéroglyphes et arts décoratifs

89 Collier de perles d'or en forme de signes « nefer »

Or, cornaline, verre coloré et matière vitrifiées
Largeur totale : 32 cm ; hauteur au centre : 11 cm
Largeur des extrémités : 7 cm ; hauteur : 3,5 cm
Largeur du contrepoids : 4,3 cm ; hauteur : 5 cm
Passant pour provenir du Ouadi Gabbanet el Kouroud (Thèbes-Ouest)
Règne de Thoutmosis III (vers 1450 av. J.-C.)

M.M.A. 26.8.70, 26.8.135, 58.153.9, 58.135.10
Bibliographie :
H. E. Winlock : The Treasure of Three Egyptian Princesses p. 20, 21, pl. X, XI
Concernant des objets semblables :
Aldred, Jewels of the Pharaohs, pl. 71 et 100
Jewellery through 7 000 years, pl. 7, 47
JEA 54, 1968, p. 79, pl. XIII, 2

Les éléments de ce collier ont la forme du hiéroglyphe *nefer*, ce qui est tout à fait approprié puisque *nefer* veut dire « beau ». Les différentes parties du collier ont été acquises dans les années 1919-1925 et en 1958, en même temps que d'autres pièces passant pour provenir de la tombe de trois épouses secondaires de Thoutmosis III découverte en 1916 par des Égyptiens vivant à Thèbes-Ouest. Il n'y a pas de documents permettant de savoir comment les différents éléments étaient disposés et la présentation actuelle, bien que fondée sur des parallèles antiques, n'est pas entièrement certaine. Par exemple les trous de suspension des extrémités correspondaient clairement à sept rangs de petites perles cylindriques plutôt qu'aux cinq rangs de signes de ce montage. Les signes *nefer* qui ont de 1,4 et 1,7 cm de haut, sont disposés de façon à ce que le centre du collier soit plus large que les extrémités. Les rangs sont enfilés avec de petites perles annulaires (celles du 2e au

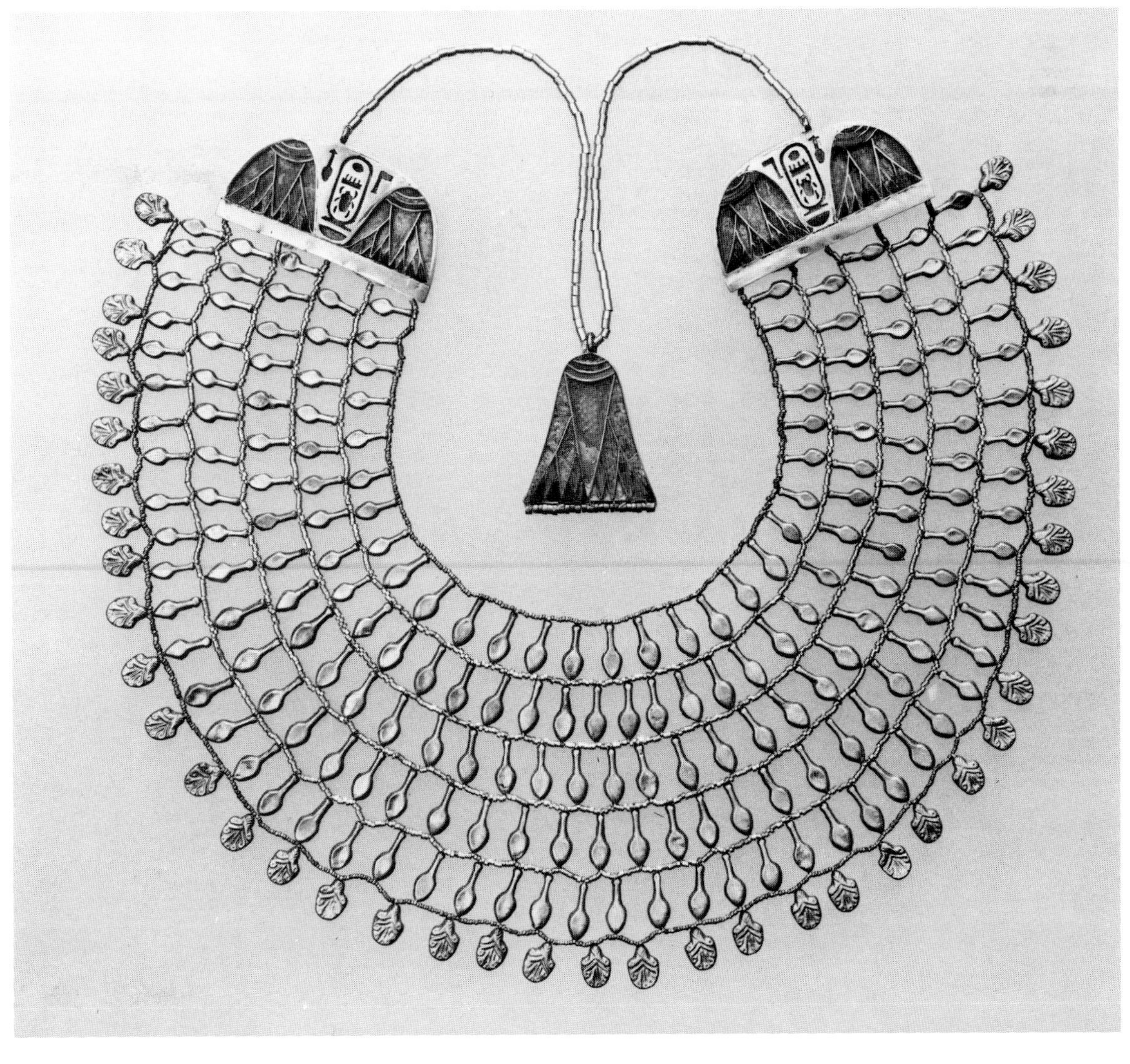

5e rangs sont modernes) qui sont assemblées aux anneaux du sommet et de la base des éléments. Les *nefer* sont de 3 types : 83 sont entièrement en feuille d'or creuse. Le devant a été modelé en haut-relief dans un moule ou une forme ; le dos est plat avec un trou d'évent pour éviter un effondrement quand l'air contenu par la coquille d'or a refroidi après que le dos et le devant aient été fixés ensemble. 99 autres *nefer* ont un dos fait de la même façon que le devant des *nefer* entièrement en or, mais ils furent ensuite incrustés avec une matière vitrifiée, aujourd'hui très décomposée ; des restes de matière bleue peuvent suggérer que ces incrustations étaient autrefois bleues. Les 10 autres *nefer* sont d'une taille intermédiaire et de forme plus pointue. Au moins leurs incrustations de verre doivent être modernes. Du fait que beaucoup d'incrustations manquent ou sont douteuses, le collier a été enfilé de façon à montrer le devant des *nefer* non incrustés et le dos d'or des *nefer* incrustés.
Les palmettes du rang externe représentent un motif fréquent à cette époque. Elles sont faites de la même façon que les *nefer* non incrustés, mais avec seulement un anneau au sommet. La radiographie de la momie de Méryt au Musée de Turin (fin de la XVIIIe dynastie) montre qu'elle porte un collier avec un rang externe de perles de cette forme.
Les extrémités sont faites d'une épaisse feuille d'or incrustée de cornaline, de verre bleu et d'une matière vitrifiée aujourd'hui incolore. Le motif consiste en deux lotus flanquant le cartouche de Menkheperre (Thoutmosis III), avec le titre de « dieu bon », sur un panier *neb* signifiant « seigneur ». Une fente dans le revers plat en or permet l'accès aux 8 trous ménagés pour le passage des fils, dont seulement cinq ont été utilisés pour ce montage. Un large anneau destiné à des cordelettes est attaché au sommet. Le contrepoids, actuellement attaché aux cordelettes, est très semblable en style et en technique mais a aussi le motif du lotus exécuté au repoussé sur son revers. Un signe *nefer* incisé sur le revers peut indiquer qu'on devait le suspendre avec les éléments en forme de *nefer;* plus vraisemblablement l'hiéroglyphe est utilisé conventionnellement pour marquer les pièces d'un ensemble.
Un large anneau d'or était attaché au sommet du contrepoids pour recevoir des cordelettes de lin. Les cordelettes actuelles sont bien sûr modernes ; elles sont ici enfilées avec des perles modernes couleur d'or. Les cinq anneaux plus petits placés le long de la partie inférieure, auxquels sont aujourd'hui suspendues des perles dorées modernes, étaient destinés à une frange de fils recouverts de perles annulaires et terminés par des pendentifs probablement en forme de fleur. De telles franges apparaissent à de nombreuses reprises dans les bijoux de Toutankhamon.

R. S.

90 Éléments de bracelet au cartouche du r[oi] Amosis

Or
Longueur du cartouche : 4,8 cm ; largeur : 1,9 cm
Longueur des lions : 4 cm ; largeur : 1,6 cm
Nécropole de Dra Aboul Naga (région de Thèbes)
Règne d'Amosis (vers 1550 av. J.-C.)

Louvre : AE/E 7168
Bibliographie sommaire :
P.M.I, part II (1964), p. 600

Ces trois éléments d'or appartenaient probablement à un bracelet. Ils portent à leurs revers des anneaux permettant le passag[e]
d'une cordelette nouée autour du bras, et sont très proches d'u[n]
bracelet de la reine Iahotep datant de la même époque.
C'est l'archéologue Auguste Mariette qui les découvrit sur l[a]
momie du roi Kamosis, lors de fouilles exécutées en 1857 dan[s]
la région de Thèbes, à Dra Aboul Naga.
Le bijou se compose d'un cartouche royal flanqué de deux lions.
Le cartouche contient le nom d'Amosis, successeur de Kamosi[s]
et premier roi de la XVIIIe dynastie, précédé de l'épithète « fil[s]
du soleil ». Il se présente comme une petite boîte ovale a[u]
couvercle mobile cerné d'une tresse soudée. Les hiéroglyphe[s]
découpés dans une feuille d'or sont également soudés ; ils s[e]
détachent en relief sur un fond qui était probablement incrust[é]
de pierres de couleur. Les deux lions sont faits en deux partie[s]
estampées dans une feuille d'or.
Beaucoup de bijoux égyptiens utilisent comme motifs décoratif[s]
des hiéroglyphes isolés ou formant des mots. A la beauté de l[a]
forme ils associent des vertus magiques : signes porte-bonheur
évocation d'un dieu ou d'un haut personnage...

C. Z

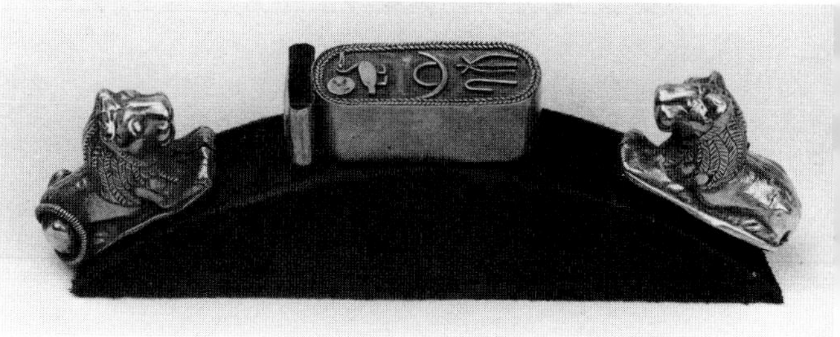

91 « Brasero » au nom du roi Kheti

Cuivre
Diamètre : 16 cm ; hauteur : 5 cm
Achat 1891 — proviendrait de Meir
IXe-Xe dynastie (vers 2100 av. J.-C.)

Louvre : AE/E 10501
Bibliographie sommaire :
Gauthier L. R., I, 204 ; P.M., IV, p. 258
J. V. Beckerath, ZÄS 93 (1966), p. 14-15

Ce récipient circulaire muni de quatre petits pieds passe ordinairement pour être un braséro : il aurait été utilisé pour griller les volailles offertes aux dieux. Le fond, formé d'un treillis ajouré, et l'attestation de ce rite sont les seuls éléments permettant de soutenir cette hypothèse. Le grand intérêt de l'objet est l'inscription qui orne son pourtour. Les hiéroglyphes découpés à jour constituent un décor tout en donnant les noms du roi Kheti qui régna vers 2100 av. J.-C. : *« Vive l'Horus Méryibtaouy, le roi de Haute et Basse Égypte, le fils du soleil Khéti, les deux maîtresses Méryi..., le roi de haute et Basse Egypte Meryibré doué de vie. »*
Ce souverain qui appartient à la dynastie hérakléopolitaine exerça le pouvoir durant une période troublée. En dehors de ce récipient, son nom n'est connu que par deux objets inscrits, une canne d'ébène et un fragment de coffret en ivoire.

C. Z.

92 Pot à cosmétique orné des cartouches du roi Aménophis III et de son épouse Tiy

Faïence jaune à décor bleu, rouge et blanc
Hauteur : 8,4 cm ; diamètre de l'embouchure : 6,6 cm
Collection Raifé
Règne d'Aménophis III (vers 1400 av. J.-C.)

Louvre : AE/E 4877
Bibliographie :
J. Vandier d'Abbadie : Catalogue des objets de toilette égyptiens au Musée du Louvre (1972), p. 73

Ce petit vase contenait probablement du kohol, fard noir avec lequel les Égyptiens soulignaient le contour de leurs yeux. L'embouchure aplatie est ornée d'une frise où alternent les fleurs et les boutons de lotus bleus et rouges. Une marguerite blanche décore le petit couvercle. Sur la panse, trois colonnes de hiéroglyphes verticaux sont inscrites dans un cadre rectangulaire. Les cartouches contiennent deux des noms du pharaon Aménophis III et celui de son épouse Tiy. Ce dernier, aisément reconnaissable grâce au déterminatif de la reine (une dame assise tenant sur ses genoux un sceptre flexible qui se termine comme une fleur), est orienté de manière à faire face aux deux noms du roi.
La composition harmonieuse et le jeu habile des couleurs, un trait bleu vif mettant en valeur le jaune lumineux du vase, font de cette inscription un motif aussi décoratif que les lotus ornant l'embouchure.

C. Z.

93 Élément de meuble orné de hiéroglyphes incrustés

Bronze incrusté d'or
Hauteur : 8 cm ; largeur : 7 cm
Règne d'Apriès (580 av. J.-C.)

Louvre : AE/E 17107 *bis*.

Ce support d'angle présente deux des noms du pharaon Apriès : à droite celui de « fils du soleil », à gauche celui de « roi de Haute de Basse Égypte ». Le premier est suivi de l'épithète « aimé du dieu Montou », le second d' « aimé du dieu Amon ». Comme on peut le reconnaître à l'orientation des hiéroglyphes animaux (canard, petite caille, abeille), l'inscription utilise les quatre directions possibles, épousant la forme de l'objet. L'aspect décoratif du texte est souligné par les incrustations d'or qui font de l'ensemble un véritable bijou.

C. Z.

Le hiéroglyphe, œuvre d'art

94 Fragment de texte peint

Peinture sur limon. Hauteur : 12,5 cm ; largeur : 30 cm
Provenant sans doute d'une tombe thébaine (Cabinet des médailles nº 84)
XVIIIe dynastie (vers 1400 av. J.-C.)

Louvre : AE/E 13099 b

Ce fragment peint a probablement été arraché aux murs d'un tombe thébaine. Il contient une phrase incomplète appartenar à un texte religieux : *« Les Grands (s'éveillent) à ta voix ; t es »*...
L'inscription se lit de gauche à droite en allant à la rencontr des personnages animés. Les couleurs fraîches et le soi particulier avec lequel le dessinateur les a figurés font de chaqu signe un petit chef-d'œuvre. Les plus remarquables sont d gauche à droite le signe-idée du dignitaire (un homme debou s'appuyant sur un grand bâton), le signe déterminatif du die (un personnage assis pourvu d'une longue barbe recourbée), l signe-son *ḥr* correspondant à une préposition (un visage d face) et le signe déterminatif de la parole (un homme assi portant la main à la bouche).

C. Z

95 Élément de titulature royale

Calcaire autrefois peint
Hauteur : 19 cm ; largeur : 21 cm
Nouvel Empire (1555-1305 av. J.-C.)

Louvre : AE/E 14 222
Bibliographie :
Les animaux dans l'Égypte Ancienne (Lyon 1977), p. 106

Ce relief fragmentaire présente le début du nom de naissance d'un roi inconnu, introduit par l'épithète « fils du soleil ». Ici le canard joue le rôle du signe-son *sa,* utilisé pour écrire le mot « fils », qui se prononçait de cette façon. Le disque qui surmonte le volatile représente le dieu soleil Ré. L'ensemble se lit *sa ré.* Le signe du canard semble s'être échappé d'une basse-cour. Les détails du plumage, du bec légèrement recourbé et des pattes palmées le rendent extraordinairement vivant. Quelques traces de peinture rouge visibles sur les pattes ne donnent qu'une faible idée de la beauté originelle des hiéroglyphes.

C. Z.

96 Deux carreaux de faïence au nom du roi Sethi Ier

Faïence égyptienne bleu turquoise
Hauteur : 23,7 cm et 19,3 cm ; largeur : 12,7 cm
Achat provenant de Quantir dans le Delta
Règne de Séthi Ier (vers 1300 av. J.-C.)

Louvre : AE/E 11 518
Bibliographie :
Inédit, pour l'origine L. Habachi : ZÄS 1974, p. 95 à 102

Les poètes égyptiens ont vanté les charmes de Pi-Ramsès, l'une des capitales des rois de la XIXe dynastie, « aux salles éblouissantes de lapi-lazuli et de turquoise »... Ces carreaux de faïence bleu-vert ornaient probablement l'une des portes du palais élevé dans cette région par le roi Séthi Ier.
Ils étaient disposés verticalement et fixés par deux chevilles. Ils portent des hiéroglyphes en relief qui constituaient des textes célébrant la grandeur du pharaon. L'un est orné du cartouche de Séthi Ier, le second d'un collier, hiéroglyphe de l'or, suivi de l'épithète « comme le soleil ».
La grande taille des signes a permis aux artistes de noter des détails réalistes comme le quadrillage du damier, dernier élément du nom royal, ou la cordelette torsadée formant l'anse du petit vase à lait.

C. Z.

 97 Modèles pour le hiéroglyphe du poussin de caille

Calcaire
Hauteur : 21,8 cm ; largeur : 11,5 cm
Provenant sans doute de Saqqara
IVe siècle av. J.-C.

Louvre : AE/E 11129
Bibliographie :
Inédit

Pour réaliser leurs magnifiques inscriptions monumentales, les Égyptiens possédaient des recueils de modèles hiéroglyphiques. Bien que la signification des modèles de calcaire et de plâtre soit encore discutée, il semble vraisemblable que l'objet ici présenté ait été destiné à servir d'exemple pour un appren sculpteur. Il montre en effet deux étapes successives dans l représentation d'un poussin de caille. Ce hiéroglyphe servait noter un son voisin de notre « *ou* ».
Le poussin du bas, presque achevé diffère de celui du haut pa quelques détails supplémentaires : ocelles du plumage et band située le long du dos. Les deux oiseaux sont inscrits dans u carré qui correspond aux proportions respectées dans la disposi tion des hiéroglyphes (cadrat).
Le réalisme des poussins, la précision des contours, l'extrêm finesse des détails font de ce modèle un chef-d'œuvre de l'a animalier dans lequel les Égyptiens ont excellé de tout temps.
C. Z

98 Modèles pour le hiéroglyphe du vautour

alcaire
auteur : 18,2 cm ; largeur : 11 cm
rovenant sans doute de Saqqara
Ve siècle av. J.-C.

ouvre : AE/E 11 130
ibliographie :
ncyclopédie Photographique de l'Art I (Paris 1936), p. 131

Cet objet, analogue au précédent, montre deux étapes du signe u vautour, servant à noter le son *aleph,* un son de gorge que on peut comparer à une sorte de *a.*
En haut le sculpteur a délimité les contours de l'oiseau qui se étache en relief saillant. Il a également individualisé les différentes parties du corps en sculptant des surfaces à des niveaux différents, et il a modelé la tête. Sur l'oiseau du bas, le plumage est indiqué par de délicates ciselures. Des détails ont été ajoutés autour de l'œil. L'épaisseur initiale du bloc de pierre a été conservée dans l'angle supérieur gauche. Cette portion servirait de repère pour déterminer la profondeur du champ à creuser.

C. Z.

99 Modèles de hiéroglyphes en creux

Quartzite
Hauteur : 27 cm ; largeur : 26,5 cm
Acquis en 1912
Basse Époque

Louvre : AE/E 11272
Bibliographie :
Pour un objet semblable, Möller : Metallkunst (1924), pl. 46 d.

Sur ce bloc de quartzite un artiste a sculpté en creux différents hiéroglyphes ; de gauche à droite on peut voir une chouette servant à écrire le son *m,* un faucon sous les pattes duquel rampe la vipère cornue correspondant à notre *f,* puis le roseau *sou* et le signe rond *kh.* En haut à droite c'est un mot entier, « prêtre » qui est écrit à l'aide de la bannière divine précédée d'un pain semi-circulaire. Certains égyptologues pensent que ces modèles en creux étaient utilisés pour estamper des feuilles d'or et obtenir des inscriptions sur métal décorant des objets faits en une autre matière : sarcophages, coffrets...

C. Z.

Hiéroglyphe, images et bandes dessinées

A la différence des autres écritures antiques, les hiéroglyphe sont étroitement liés aux représentations figurées. Si l'Ancienn Égypte inventa les premiers livres illustrés — les Livres de morts — on peut aussi la considérer comme la patrie de la band dessinée. Dès l'époque des pyramides, les reliefs et les peinture des tombes sont accompagnés de textes hiéroglyphiques expri mant les paroles échangées par les personnages. Ces « bulles font revivre d'une manière extraordinairement pittoresque le premiers habitants de la vallée du Nil. Des matelots s'injurient un bouvier apaise d'une phrase ses bêtes apeurées, un paysa jure après son âne récalcitrant, des orfèvres s'interpellent au dessus d'un fourneau et vantent la qualité de leur fabrication.. Un peu plus tard, ce sont les représentations de banquets qu offrent les conversations les plus vivantes : une servant complimente poliment sa patronne en lui donnant à boire ; un belle dame s'exclame *« j'ai le gosier aussi sec que de la paille » !..* On a même conservé le texte des chansons mélancolique interprétées par les harpistes aveugles ! on ne retrouve pas ce scènes de la vie quotidienne sur les murs des temples, mais l commémoration des hauts faits des souverains : ainsi au cœu de la bataille qui l'oppose à l'armée hittite, peut-on entendre Ramsès II implorer l'aide du ciel ; les textes accompagnant le images de l'expédition qu'une reine envoya vers le pays d l'encens nous font partager la stupéfaction des indigènes devan les soldats de Sa Majesté *« d'où venez-vous ? êtes-vous tombé du ciel ? ».* On peut aussi voir représenté des milliers de fois, l dialogue des rois et des dieux, ou le récit des grands mythe religieux. Sur les murs du temple d'Edfou par exemple, image et textes se complètent à tel point que les étudiants d'Oxfor ont pu interpréter sous forme d'une pièce de théâtre le dram d'Horus et de Seth. Les inscriptions sont variées : prologue di par un récitant, discours des dieux, cris des chœurs encouragean le héros « Harponne le Horus, Harponne le » !...
Mais, sous cette apparente similitude avec nos bandes dessinée se cache une destination différente : les mots sont inscrits pou insuffler la vie aux représentations et les représentations server de déterminatifs aux mots. Cet usage reflète également un conception magique de l'image et de l'écriture ; comme beaucou de peuples, les Égyptiens pensaient que ceux-ci étaient de aspects de la réalité, et faisaient partie intégrante de l'être qu'il désignaient.

C. Z

scène de banquet (tombe thébaine, vers 1400 avant J.-C.)

dispute des bateliers
(tombeau de Ti
vers 2300 avant J.-C.)

100 Rapports entre les hiéroglyphes et l'image le dieu Horus adresse la parole au roi Ramsès II

Calcaire ; en deux fragments
Longueur : 106 et 196 cm ; hauteur : 64,5 cm
Petit temple d'Abydos (Haute-Égypte)
Règne de Ramsès II (vers 1250 av. J.-C.)

Louvre : AE/B 20
Bibliographie :
J.-J. Dubois, Description des Antiquités composant la collection de feu J.-F. Mimau (Paris 1837), p. 32-33, nº 191
C. Ziegler : L'Égypte des Pharaons (Marcq-en-Barœul 1977), nº 8

Tout comme dans nos bandes dessinées, les murs des temples égyptiens portent à la fois l'image de personnages conversant et les paroles qu'ils échangent. Des milliers de fois, dieux et rois sont représentés figés pour l'éternité en un dialogue dont les termes sont écrits en hiéroglyphes : félicitations, invocations, promesses...

DISPOSITION DES TEXTES ET DES IMAGES

ur ce linteau de porte Ramsès II est représenté quatre fois, ebout devant une table d'offrande accomplissant les actes écessaires au culte divin. Les scènes sont symétriques, l'axe tant formé par la colonne centrale de texte. Des deux côtés le oi portant le *némès*, coiffure réservée aux rois, offre un bouquet e plantes à la déesse Isis dont la tête est surmontée d'un disque olaire encadré de cornes. Dans la partie centrale, Ramsès II est oiffé du *pschent*, double couronne symbolisant son pouvoir sur es royaumes de Haute et Basse-Égypte ; il présente deux vases e vin au dieu Horus à tête de faucon. Les textes hiéroglyphiques ermettant d'identifier les personnages sont orientés dans la nême direction qu'eux, ainsi que le discours qu'Horus adresse u roi (dessin ci-contre). Les représentations sont placées derrière es inscriptions de la même façon qu'un signe déterminatif omplète un mot.

C. Z.

. paroles dites : je t'ai donné des fêtes ubilaires aussi nombreuses que les toiles du ciel, ô maître des deux terres, amsès II doué de vie comme Ré.

2. qu'il donne toute vie comme Ré

3. l'aimé d'Horus, vengeur de son père

4. le maître des deux terres Ouser-Maât-Ré Setep-en-Ré

5. le maître des couronnes Ramsès

6. Isis la grande, mère divine, dame du ciel, souveraine des deux terres.

7. le maître des deux terres Ouser-Maât-Ré Setep-en-Ré.

8. le maître des couronnes Ramsès.

Les écritures cursives

L'écriture hiératique

Cette désignation, qui signifie en fait « écriture sacerdotale », nous a été léguée par les Grecs. A son dernier stade d'évolution, en effet, le hiératique n'était plus guère employé que pour la rédaction des textes religieux. Mais, à l'époque gréco-romaine, cette écriture atteignait ses 3000 ans et il n'en avait pas toujours été ainsi. En effet, l'écriture hiéroglyphique, avec ses signes fignolés, était inadaptée aux exigences de la vie courante. Comment aurait-on pu avec ce seul outil communiquer de manière rapide? Seuls le cinéma et la bande dessinée tentent encore parfois de nous le faire croire!

En outre, la pierre gravée au ciseau, n'était pas l'unique support des messages antiques. Dès les premières dynasties, les scribes utilisent un pinceau fait d'un roseau à l'extrémité écrasée ou mâchée pour noter des indications sur des récipients ou des tablettes : la nature même de l'instrument utilisé entraîne une simplification et une déformation des signes hiéroglyphiques pris comme modèles. Plus souples et plus concis, ceux-ci perdent progressivement leur caractère d'images : le hiératique est né. Cette écriture coexistera avec l'écriture hiéroglyphique pendant toute la durée de la civilisation pharaonique et elle en restera toujours étroitement dépendante. En effet, cette simplification est purement graphique et le principe de base de l'écriture (mélange de signes idéographiques, syllabiques et alphabétiques) est conservé. Un texte hiératique peut toujours être transcrit en hiéroglyphes, moyennant l'adoption de quelques conventions, et les égyptologues ne s'en privent pas, car la connaissance du hiératique est une spécialité qui n'est pas pratiquée par tous. Les Égyptiens de l'Antiquité eux-mêmes utilisaient probablement des notes rédigées en hiératique pour dessiner et graver les textes hiéroglyphiques et il n'est pas rare de voir surgir au milieu de ces textes des signes ayant conservé leur forme cursive ou de rencontrer des écritures aberrantes nées de la confusion de deux signes semblables en hiératique. Néanmoins, l'hiératique a ses traits propres : si les textes peuvent être composés en lignes ou en colonnes, cette dernière disposition étant nettement prédominante à l'Ancien et au Moyen Empire, les caractères se succèdent de droite à gauche, sans exception. En outre, l'hiératique étant une écriture rapide, engendre des formes extrêmement simplifiées et des ligatures. Les signes rares, donc peu usés, restent proches des hiéroglyphes. Les signes ou les groupements de signes très fréquents peuvent se transformer en points, en virgules ou en monogrammes dans lesquels les prototypes hiéroglyphiques ne sont plus identifiables. Beaucoup de nos contemporains, pressés, n'ont-ils pas eux-mêmes l'habitude de remplacer les finales « ent » par un trait allongé pourvu d'un crochet? Des préférences s'instaurent également dans le choix des signes : Par exemple, là où le texte hiéroglyphique porterait le signe du dieu  , le texte hiératique met le faucon sur un pavois 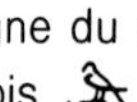 . Enfin, des signes diacritiques, points ou petits traits, servant à identifier ou différencier les signes, émaillent les textes. Notons encore que la ponctuation, ignorée des textes hiéroglyphiques apparaît dans les textes littéraires, au moins à partir du Nouvel Empire, sous la forme de gros points rouges. Tous ces traits font qu'un texte transcrit du hiératique en hiéroglyphes par les égyptologues, soucieux de respecter les conventions, se reconnaît au premier coup d'œil. Les supports de cette écriture sont variés : le papyru et, plus encore, le cuir, ne représentent que les plus nobles d ces matériaux. Les scribes réutilisent souvent les documents n'hésitant pas à les effacer plus ou moins parfaitement (palimpsestes). Les plus anciens papyrus hiératiques connus remonter à la Ve dynastie (Archives d'Abousir, vers 2400 avant J.-C.) mais il existe un lot, encore inédit, peut-être plus ancien. Le éclats de calcaire et les tessons de poterie constituent un moye plus économique d'échanger des informations ou de prendr des notes rapides. Ils servent souvent de brouillons. Les tablette de bois sont fréquemment utilisées pour les exercices scolaires On écrit également des textes sur le lin des bandelettes et de suaires. Des indications et des marques diverses rédigées e hiératique figurent sur les récipients, les poids, les pièces d mobilier (indications de montage), les blocs de pierre. On sèm des graffiti sur la roche naturelle ou sur les murs et colonne des monuments. Et encore ne s'agit-il que des textes écrits l'encre. On rencontre sporadiquement, notamment après 100 avant J.-C. des inscriptions hiératiques gravées sur pierre.

Les textes rédigés dans cette écriture appartiennent à tous le genres : documents administratifs, économiques, juridiques, épistolaires, médicaux, mathématiques, littéraires, religieux, magiques. C'est en somme, la forme d'écriture la plus courante e elle ne sera détrônée que par le démotique (voir 162). A part du moment où cette véritable sténographie se développ (VIIe siècle avant J.-C.), l'emploi du hiératique va être de plu en plus réservé aux textes religieux; l'écriture devient plu régulière et moins cursive et se rapproche même à la fin de so évolution des hiéroglyphes. Il n'y a donc pas qu'un hiératiqu mais des hiératiques. Qui n'a constaté que l'écriture fleurie e appliquée de nos grands-pères était différente de la nôtre, qu l'on n'écrit pas de la même manière suivant que l'on utilise un plume ou un stylo à bille, que les médecins ont un graphism différent de celui des bureaucrates. Les mêmes facteurs interviennent pour différencier les écritures antiques : la chronologi d'abord : en 3000 ans d'existence, une écriture ne peut pas n pas évoluer. La nature du document : une lettre officiell calligraphiée est plus lisible qu'un brouillon sur un éclat de calcair ou de poterie. L'instrument utilisé : le pinceau souple des époque classiques ne donne pas la même écriture que le calame fa d'un roseau taillé ou le ciseau sur la pierre. Enfin, le facteu individuel : le scribe Kenherkhepchef qui vivait dans la régio Thébaine, dans la deuxième moitié de la XIXe dynastie, est célèbr pour son écriture désordonnée et si typée que l'on reconnaît d premier coup d'œil un document écrit de sa main. Un papyru saïte enregistrant une cérémonie d'oracle et contresigné pa plusieurs témoins montre d'une manière frappante ces différence individuelles.

Pour se retrouver dans ce maquis, les égyptologues disposer maintenant d'un certain nombre d'outils et notamment de liste d'équivalences entre signes hiéroglyphiques et hiératiques. Le scribes égyptiens pour lesquels le hiératique était l'écriture usuell n'éprouvaient sans doute pas comme nous le besoin de « pense en hiéroglyphes ». Cependant un document particulièremer intéressant mais très tardif (alentours de l'an 100 après J.-C trouvé à Tanis, contient un syllabaire : les signes hiéroglyphique sont mis en parallèle avec leurs équivalents hiératiques. De gloses, rédigées en hiératique également, nous précisent ce qu représentent ces signes. Cas très rare, car les Égyptiens qu écrivaient tant ne nous ont pas laissé de traité concernant leu langue.

Bernadette Letellie

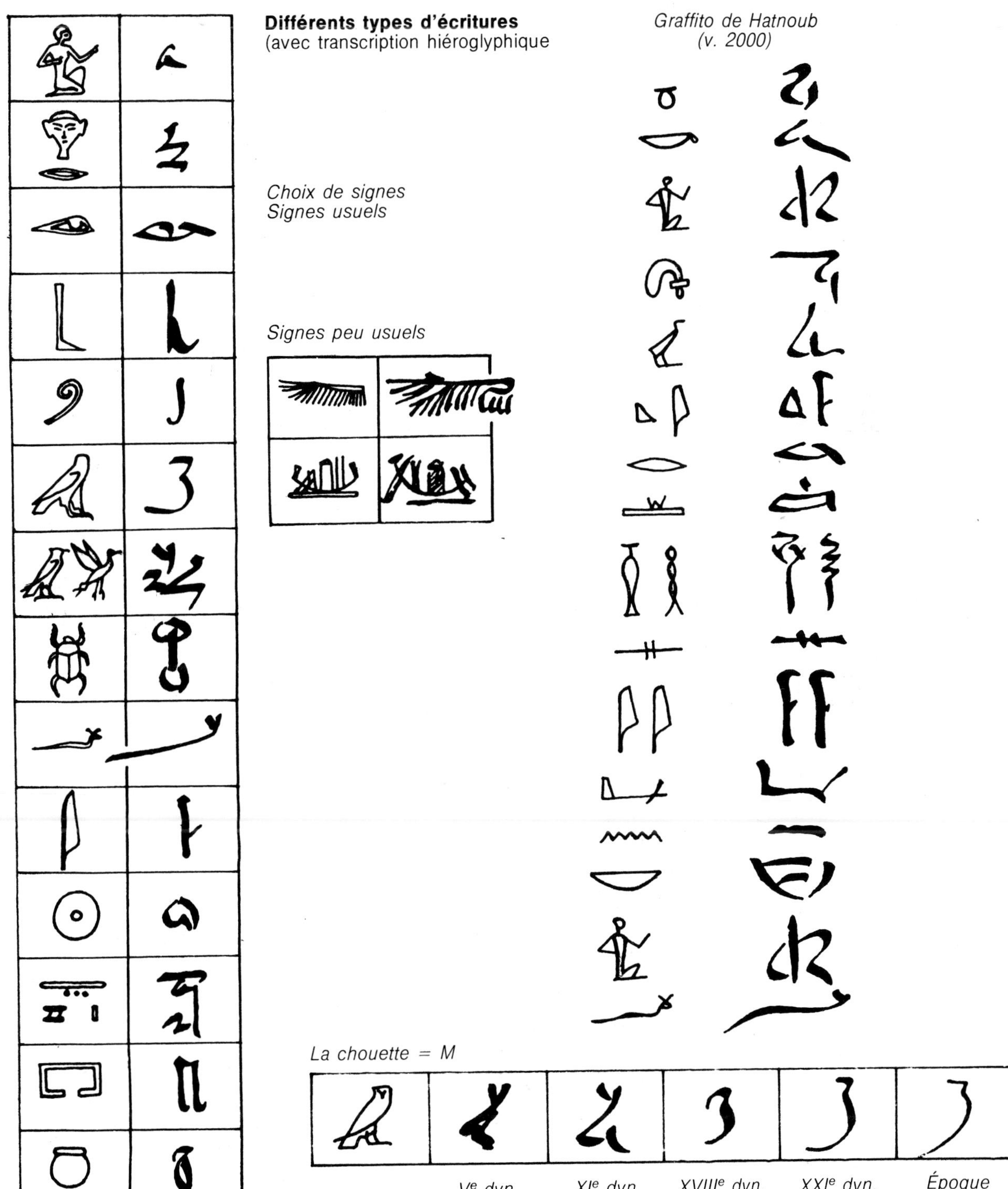
Différents types d'écritures
(avec transcription hiéroglyphique
Graffito de Hatnoub
(v. 2000)
Choix de signes
Signes usuels
Signes peu usuels
La chouette = M
Ve dyn.
XIe dyn.
XVIIIe dyn.
XXIe dyn.
Époque
romaine

Lettre de Iahmes de Peniaty (v. 1529-1470

Écriture du scribe Kenherkhepchef (v. 1250-1200)

Papyrus Harris. An 32 de Ramsès III (v. 1162)

Lettre du Grand-Prêtre Menkheperrê (v. 1000)

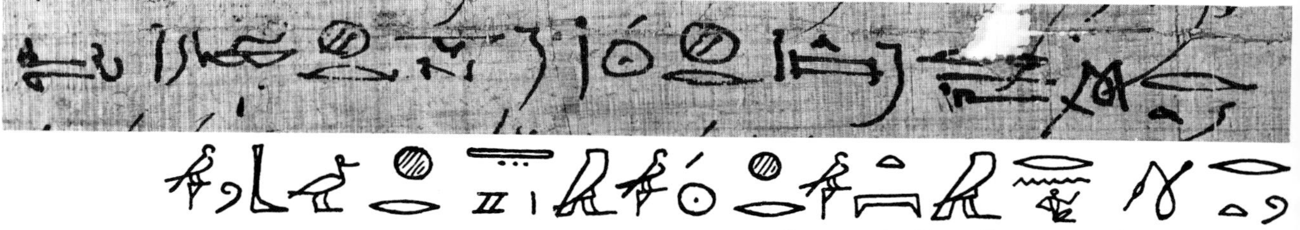

Papyrus de Sôter. Ep. romaine (2e s. ap. J.-C. ?)

101 Un tableau d'inventaire de l'ancien empire

apyrus
argeur : 21 cm; hauteur : 14,7 cm
bousir. Temple funéraire de Neferirkarê-kakaï
rob. Djedkarê-Isesi (vers 2400 av. J.-C.)

ouvre : AE/E 25280
ibliographie :
. Posener-Kriéger et J. L. de Cénival : Hiératic Papyri in the British Museum. Fifth eries. The Abou Sir Papyri, London, 1968, pl. XXII-XXII A.
. Posener-Kriéger : Les archives du temple funéraire de Neferirkarê-Kakaï (les apyrus d'Abousir). Traduction et commentaire I (BdE LXV) p. 136-137, fig. 4)

.e personnel du temple funéraire de la pyramide du roi Neferirkarê rocédait périodiquement à des inventaires minutieux du matériel le culte placé sous sa responsabilité. Le résultat de ces nspections était consigné dans des tableaux quadrillés dont nous vons ici un exemplaire fragmentaire. Deux encres différentes noir et rouge) ont été utilisées pour séparer plus clairement les lifférentes notations. Chaque colonne est consacrée à la description de l'état de conservation d'un objet. Au cours des inspections uivantes, ces objets sont cochés (*« présent »*) et les modifications ventuelles à leur état relevées. Ces diverses notations sont édigées dans une graphie cursive et pour la plupart à la verticale, lisposition qui est de règle dans les documents anciens. Les lignes horizontales qui constituent les en-têtes sont écrites en beaux hiéroglyphes cursifs, le choix de signes plus grands et plus clairs permettant d'appréhender plus rapidement le contenu du document. Ces titres, qui traversent les colonnes, indiquent, d'une part la matière (quartz, hématite, galène, encens), éventuellement sa nuance (blanc, noir) et, d'autre part les types d'objets enregistrés (vases, coupes, boulette, coffret), ainsi que des précisions techniques (coupe plaquée d'argent).

Le soin porté à ces observations est stupéfiant, un vase est décrit comme suit : *« vides, fuites, nombreuses réparations en lui, nombreux éclats à la lèvre »*; une coupe : *« éclats, très nombreuses réparations, fuite, trou »*. (Traduction P. Posener-Kriéger).

Cette précision confine même à la maniaquerie : une colonne entière a été consacrée à noter la présence d'une boulette d'encens !

Les documents d'Abousir sont parmis les plus anciens papyrus hiératiques connus. Leur grande originalité et leur caractère technique font que leur déchiffrement et leur traduction ont représenté une véritable prouesse. Les égyptologues ne sont pas prêts d'épuiser toutes les informations qu'ils nous livrent.

B. L.

102 Un texte funéraire sur un papyrus du moyen empire

Papyrus brunâtre
Largeur : 30,8 cm ; hauteur : 20 cm
Provenance inconnue. Don A. H. Gardiner au Musée du Louvre
Moyen Empire

Louvre : A.E./E 14703,1 (= Pap. Gardiner IV)
Bibliographie :
A. De Buck : The Egyptian Coffin Texts VII, p. 144-145 (Spell 937).

Ce fragment de papyrus fait partie d'un lot portant des extraits d'un recueil de formules que les égyptologues ont baptisé « Textes des Sarcophages » ; en effet, cette composition religieuse, qu'on a réorganisée en plus de mille chapitres, se rencontre dans la majorité des cas sur les parois des cercueils de bois des défunts, au Moyen Empire et même un peu avant le début de cette période. Elle prend place, chronologiquement, entre les Textes des Pyramides de l'Ancien Empire, qui ne concernent que le souverain, et le Livre des Morts, qui l'évincera à partir du Nouvel Empire. Si ce dernier est associé au rouleau de papyrus, il est, en revanche, exceptionnel de trouver les Textes des Sarcophage rédigés sur ce support.

Ces formules sont destinées à assurer la renaissance et la survi du mort, qui doit s'allier un certain nombre de divinités et mêm s'identifier à elles. Ce fragment est malheureusement trè lacuneux et le chapitre qu'il contient (§ 937, dans la publicatio de référence), quelque peu obscur ; l'un des passages les plu clairs peut être compris comme suit : « ... *je me suis transform en esprit glorieux. Je suis puissant grâce à ce qui sort de m bouche. Ces dieux farouches (?) viennent à moi avec empres sement. Ils m'ont pris dans le Ciel...* »

La disposition en colonnes est de rigueur à cette époque, pou ce type de texte ; celles-ci sont nettement espacées et rédigée dans une écriture régulière et harmonieuse. Les signes sor isolés les uns des autres, sans ligatures. A condition que l'o soit habitué à ce graphisme, le déchiffrement est, dans l'ensembl aisé, et les difficultés de compréhension viennent plutôt de lacunes et du caractère, parfois insolite, de ces formules.

B. L

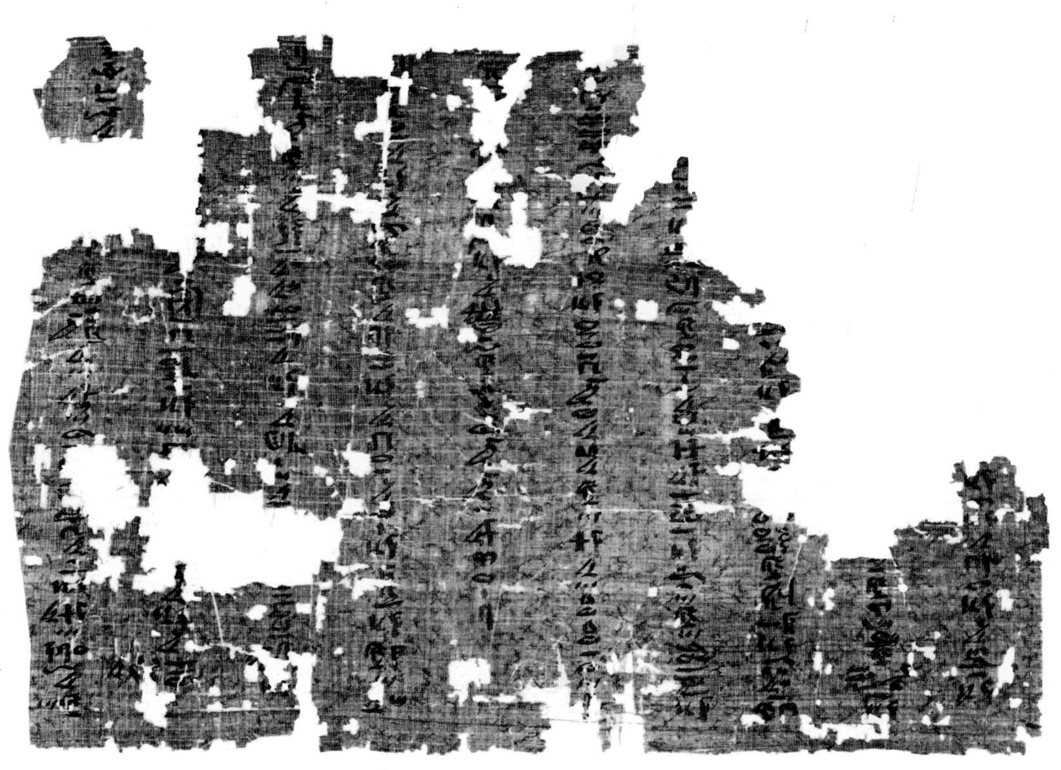

103 Une correspondance de la XVIIIe dynastie

ıpyrus ; deux morceaux collés sur toile et carton
ttre de Teti : 17 cm × 13,5 cm
ttre de Iahmes : 16,8 cm × 10,6 cm
ovenance inconnue. Collection Anastasi (acquisition 1857)
but XVIIIe dynastie (1529-1470)

uvre : AE/E 3230
bliographie sommaire :
E. Peet : Two Eighteenth Dynasty Letters. Papyrus Louvre 3230, JEA 12 (1926), 70-74, pl. XVII

es deux lettres nous posent un problème : elles font partie une même trouvaille et concernent un même personnage ; ais, dans un cas, celui-ci est l'auteur et, dans l'autre, le estinataire de la lettre. Ces documents ont subi des altérations des remaniements (fixation au XIXe siècle sur toile et carton) ui gênent nos observations ; cependant, on a l'impression qu'ils nt pu faire partie du même rouleau. Les écritures sont très emblables, bien que celle de la lettre la mieux préservée paraisse us soignée et peut-être écrite par une main différente. En autres termes, s'agit-il de lettres originales ou de copies estinées à une administration ? Nous verrons que l'une des ttres, au moins, concerne un litige. Le personnage central de ette correspondance est un certain « Iahmes de Peniaty ». Peniaty ait un chef de travaux ayant exercé son office sous plusieurs ouverains (d'Aménophis Ier aux règnes conjoints d'Hatchepsout Thoutmosis III) et Iahmès, qui était son assistant a joint son om au sien-propre dans un souci de déférence.
'une des lettres est adressée par un personnage nommé Téti Iahmès : c'est un modèle de correspondance protocolaire : uand on est parvenu à la cinquième ligne, soit la moitié de la ttre, on n'a déchiffré que des formules de politesse : « *Teti salue son frère qu'il aime, son ami qu'il affectionne, le scribe Iahmès (et lui souhaite) vie, prospérité, santé, (d'être) dans la faveur d'Amon-Rê, roi des dieux, ton dieu vénérable. Que Thot, Seigneur des paroles du dieu, Ptah le grand, qui-est-au-sud-de-son-mur, Seigneur de Memphis, t'aiment. Qu'ils te donnent faveurs, amour et habileté devant tous. Comment vas-tu ? Comment vas-tu ? Es-tu en bonne condition ? Mon seul désir est de te revoir...* »
Après ce préambule, le texte devient lacuneux, mais on comprend que Teti se targue d'avoir accompli quelques travaux agricoles pour le compte de Iahmès.
La deuxième lettre, écrite cette fois par Iahmès, est plus intéressante : il se plaint à un supérieur hiérarchique sur un ton qui, sans exclure la déférence, est un peu cassant : « *Ce qu'a dit Iahmès de Peniaty à son maître, le chef du trésor Tay : Pourquoi avoir enlevé la servante qui était chez moi pour la donner à quelqu'un d'autre ? Est-ce que je ne suis pas ton serviteur, obéissant à tes directives de nuit comme de jour ? Qu'on accepte de m'en donner la compensation ou bien, étant donné que c'est une gosse et qu'elle ne sait rien faire, que mon maître ordonne de me laisser s'occuper de son travail comme (pour) toutes les esclaves de mon maître. En effet, sa mère m'a écrit disant : « Tu as permis que ma fille soit emmenée, alors qu'elle était là chez toi. Je n'ai pas voulu faire de rapport à mon maître, car elle était sous ta responsabilité, étant une jeune fille ». Voilà ce qu'elle m'a rapporté* ».
La graphie de cette lettre, assez esthétique avec ses pleins et ses déliés, et plus souple, moins sèche que celle des documents ramessides calligraphiés, est particulièrement typique de la XVIIIe dynastie.

B. L.

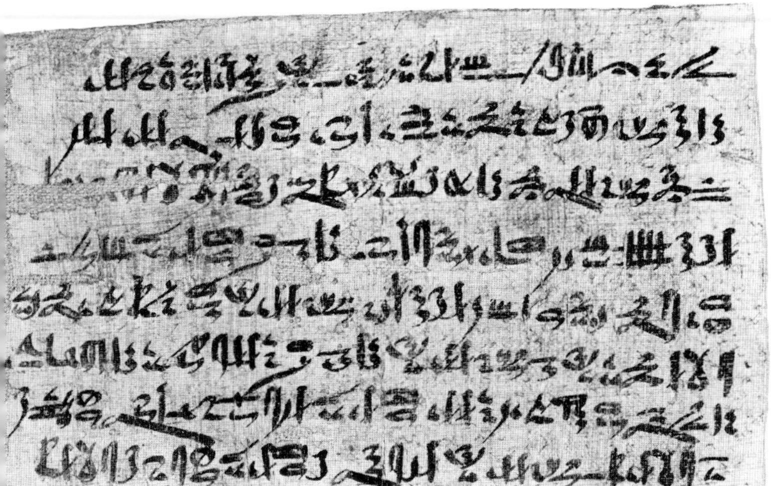

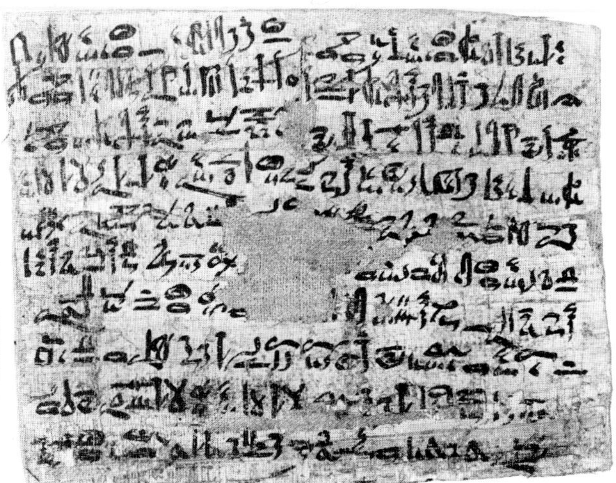

104 Décret oraculaire en faveur de Moutouates

Papyrus
Hauteur : 32,5 cm ; largeur : 5,5 cm
Provenance thébaine
XXIe-XXIIe dyn. (1000-700)

Louvre : A.E. E 3234 (Vente Anastasi 1857 ; no. 1040)
Bibliographie :
I.E.S. Edwards : Oracular Amuletic Decrees..., Hieratic Papyri in the British Museum, Fourth Series (1960), I, p. 77-79 ; II, pl. XXIX-XXX

Des bandes de papyrus, couvertes de textes conjuratoires, roulées et placées dans des cylindres, servaient d'amulettes et étaient censées protéger leur porteur des maléfices et des dangers de l'existence (v. cat. n° 256).
Ce document présente cependant des traits originaux : les promesses divines qu'il contient portent essentiellement sur la carrière sacerdotale de l'intéressée, probablement une très jeune fille, sinon une enfant, nommée Moutouates. Les dieux de Thèbes (Amon, Mout, Khonsou) parlent à son sujet en ces termes : « ... *Nous ferons qu'elle atteigne une vieillesse importante et heureuse dans le harem d'Amon. Nous ferons en sorte qu'Amon l'accueille, en une très belle réception... Nous ferons en sorte qu'elle grandisse, nous ferons en sorte qu'elle se développe. Nous en ferons quelqu'un d'accompli (?). Nous ferons en sorte qu'elle devienne une femme...* » Les formules protectrices contre la maladie et la mort n'occupent ici qu'une faible place à la fin du texte.
Après avoir rempli le recto du papyrus, le scribe a retourné la bande pour poursuivre sa rédaction, ce qui fait que les deux parties du texte se présentent tête-bêche. Une ligne au bas du verso porte le nom de la propriétaire de cette amulette.
Le scribe, contraint par le manque de place, a produit un texte dense et d'aspect disgracieux. Il s'en dégage une impression de confusion ; celle-ci est, en définitive assez trompeuse, car, en dépit de quelques simplifications, l'écriture est assez claire.

B. L.

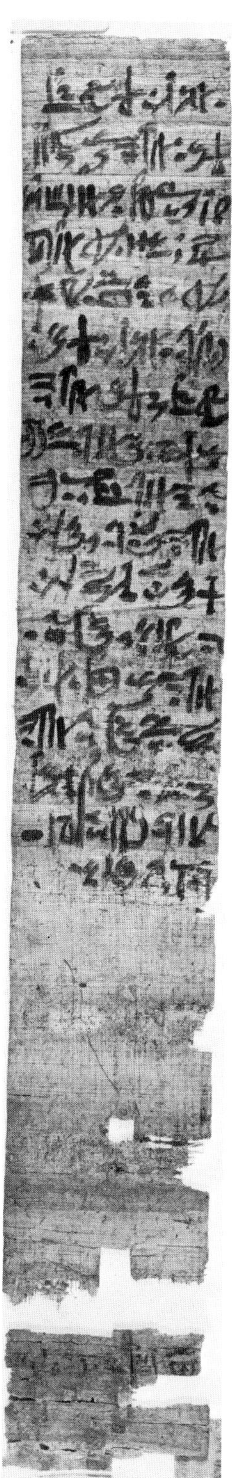

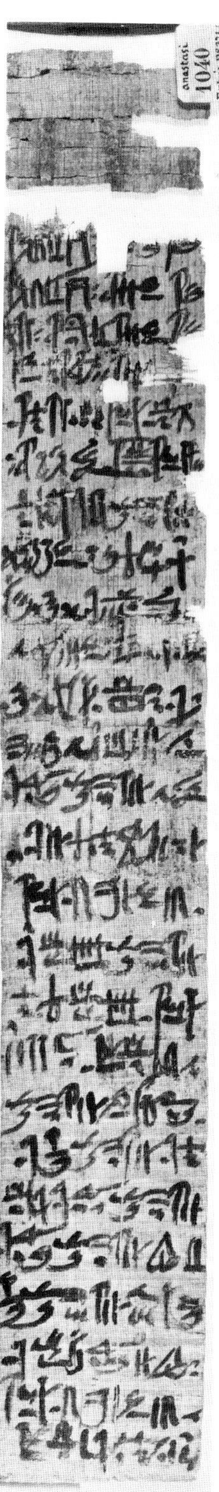

105 Verset « que mon nom prospère » de Soter

pyrus écrit recto-verso
rgeur : 23 cm ; hauteur : 18,3 cm
ovenance thébaine probable. D'après Champollion trouvé sur une momie avec manuscrit similaire N 3289
oque romaine (IIe siècle après J.-C. ?)

uvre : AE/N 3156 (Ancienne collection Salt n° 53)
bliographie sommaire :
Cl. Goyon : Rituels funéraires de l'Ancienne Égypte, p. 292-293

verso du document porte une rubrique donnant le titre du xte et le nom de son propriétaire : « Le Livre des Respirations Sôter, justifié né de Zephora, qu'elle se porte bien ». Au-dessus l'intitulé, ce grec d'Égypte a fait rajouter son nom, dans sa ngue d'origine : CWTHP
composition religieuse, à laquelle appartient le texte du recto, est apparue tardivement : les textes que nous possédons sont, pour la plupart, d'époque romaine.
Des versions abrégées en ont été établies pour servir de talismans déposés sur la momie du défunt. La formule d'introduction de notre texte en donne l'esprit : « *Osisis Sôter, justifié, né de Zephora, qu'elle se porte bien ! O Hathor, Dame de l'Occident (= le monde des morts) fais que mon nom prospère, nuit et jour, et à tout instant de chaque jour...* »
L'écriture, caractéristique de l'époque romaine est finie, un peu raide. Certains signes sont très proches de leurs prototypes hiéroglyphiques. Elle trahit l'emploi d'un instrument plus évolué que l'ancien roseau mâché, semblable à un pinceau : les scribes utilisent désormais le calame taillé en pointe qui fonctionne comme une plume.

B. L.

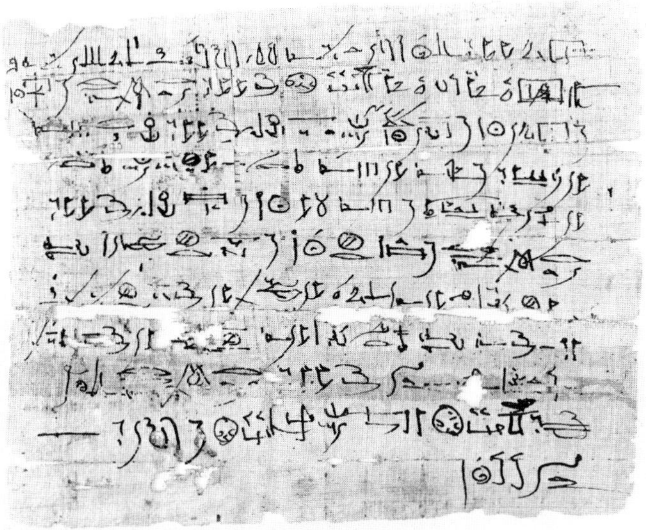

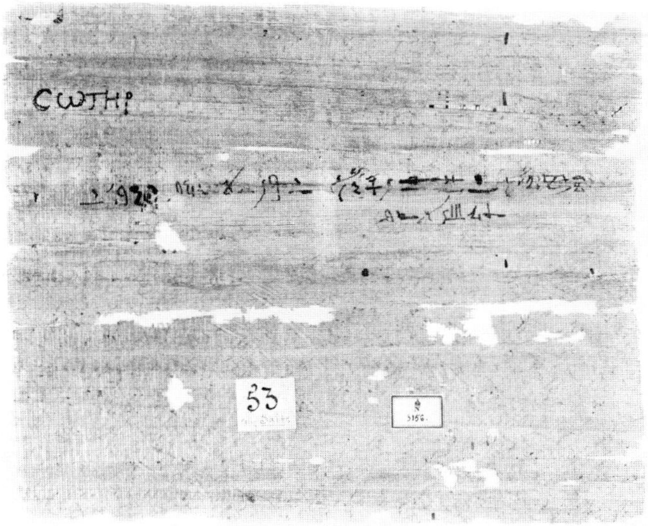

Le nom de Soter

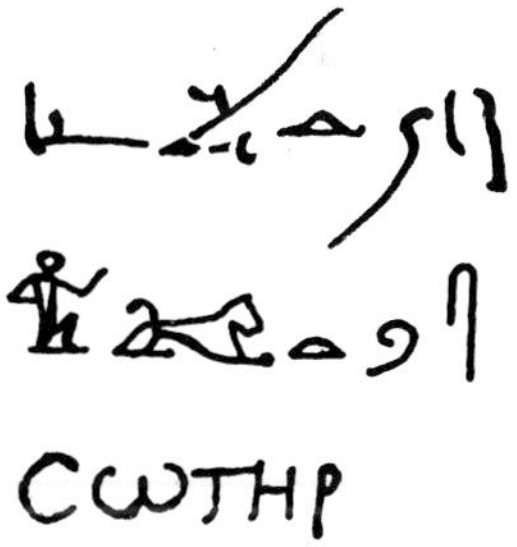

Forme hiératique

Transcription hiéroglyphique

Forme grecque

Hiératique anormal et démotique

Dès la fin du Nouvel Empire (vers 1000 av. J.-C.), le fossé entre la cursive plus ou moins soignée des textes littéraires ou religieux et celle, de plus en plus simplifiée, des documents administratifs s'agrandit et bientôt se crée une rupture. Le hiératique soigné se fige en une écriture de copistes réservée surtout aux textes religieux. Les documents administratifs d'abord, puis principalement juridiques s'écrivent en une forme très rapide, très ligaturée de cursive que l'on a appelée le « hiératique anormal ». Nous possédons une cinquantaine de textes ainsi rédigés, qui paraissent tous provenir de la moitié sud du pays. Probablement à cause de l'extrême difficulté de leur déchiffrement, un bon tiers en demeure inédit.
Vers 650 av. J.-C. apparaîssent, venant du nord, des actes juridiques rédigés avec un formulaire sensiblement différent et en une cursive aussi rapide et ligaturée mais nettement plus claire à laquelle on a donné le nom de « démotique » (écriture « populaire »). Ce démotique va progressivement gagner le sud et, à partir de 550 à peu près, éliminer complètement le hiératique anormal. Il demeurera jusqu'à la fin de l'histoire égyptienne la forme normale d'écriture cursive pour tous les usages civils courants, et comme toute écriture vivante, se transformera plus ou moins vite.
Avec l'apparition de ces textes en hiératique anormal ou en démotique, nous n'assistons pas seulement à un changement d'écriture, mais aussi à une transformation du caractère de notre documentation, donc des mentalités et des rapports sociaux : les actes de droit privés, les contrats, très rares auparavant, forment désormais la plus grande partie de cette documentation sur papyrus.
Ce démotique gagne cependant vite les autres secteurs de l'activité civile : il est utilisé pour les lettres (n° 107), les comptes, les ouvrages scientifiques (médicaux, astronomiques, mathématiques), la littérature, l'histoire, les décrets royaux (la pierre de Rosette est écrite en grec, hiéroglyphes et démotique) et même pour quelques textes religieux, mais le nombre de ces documents reste toujours inférieur à celui des actes juridiques.

Jean-Louis de Cenival

106 Contrat de métayage (exemple de démotiq précoce)

Écrit à l'encre noire en démotique sur papyrus
Hauteur : 27 cm; largeur : 24 cm
533 av. J.-C.

Louvre : AE/E 7836; ancienne coll. Eisenlohr
Bibliographie :
Malinine : Choix de textes juridiques p. 95-8

« La 35e année du roi Amasis (= 533 av. J.-C.), le 3e mois d la saison de la moisson, le cultivateur du (domaine du die Montou (appelé) Padimontou, fils de Paouahimen a déclaré prêtre funéraire Irtourtchai fils de Djedkhi :
Tu m'as loué ton champ de fondation qui t'a été donné po (assurer le culte funéraire) du prêtre d'Amon-roi-des-dieu Irethorrou fils de Diskhonsou,
(champ) situé sur la haute terre de « L'étable de la ferme du l d'Amon », appelé Tasébi, et limité à l'ouest par le champ d Khabsenkhonsou.
Quand arrivera la récolte de l'an 36, nous ferons deux parts d toutes les céréales et de tout le fourrage produits, une pour t et une pour moi et mes associés ;
Nous nous acquitterons de l'impôt du temple d'Amon qui est la charge de nous deux ;
Gains et pertes sont à partager entre nous deux.
Écrit par Neshor fils de Padihorresné, le chef de la nécropo (en tant que notaire ?), par Dikhonsouiaout fils de Padihorresn et Nespasefi fils de Paouahhor (en tant que témoins ?) » (Trad d'après Malinine).

J.-L.

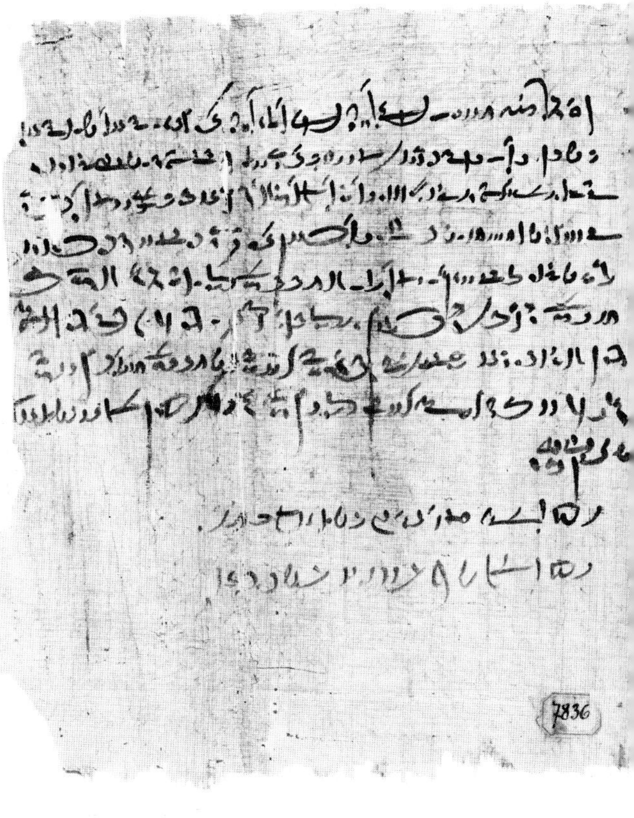

7836

107 Lettre de recommandation (exemple de émotique ptolémaïque ou classique)

:rite à l'encre noire en démotique sur papyrus en deux morceaux maintenant unis mais qui devraient sans doute être séparés par environ 5 cm
›ngueur actuelle : 28,5 cm (à l'origine environ 33 cm) ; hauteur : 6,7 cm
›oque ptolémaïque (vers le IIe siècle av. J.-C.)

›uvre : AE/E 3333 ; donnée par Mariette en 1858
bliographie :
ay, Revue d'Egyptologie 29 p. 97 et sq ; nouvelles propositions de lecture par uzich, Enchoria 9 p. 121-2

a plus grosse partie des papyrus démotiques qui nous sont arvenus est constituée par des documents juridiques. Mais cette criture était aussi utilisée pour tous les autres textes civils, omme les lettres, les comptes, les textes scientifiques, etc.
ans cette lettre, dont la traduction est obscurcie par une lacune entrale et de nombreuses difficultés, les prêtres de la ville 'Hermopolis, en Moyenne Égypte recommandent à leurs col-gues du Nord un des leurs qu'ils ont envoyé en mission.
Lettre des prêtres qui pénètrent devant Thot deux fois grand, eigneur de la ville d'Hermopolis, aux prêtres de Ré, de Thot..., ux prêtres du bélier maître de la ville de Mendes, aux prêtres e Hor-khenty-khéty... — puisse Thot deux fois grand, seigneur 'Hermopolis, le grand dieu, leur accorder une longue vie. Nous vons envoyé l'embaumeur (?) de l'ibis (animal sacré de Thot) erou qui est chargé de service pour exécuter le travail de l'ibis. 'eillez à ce qu'on l'assiste en ce qu'il est venu faire et veillez ce qu'il ne soit pas contrarié... Thot, le deux fois grand honorera es prêtres qui serviront bien le temple d'Hermopolis... Écrit le du 2e mois de la saison de la moisson de l'an 7».

J.-L. C.

La diffusion des écritures égyptiennes.

Le méroïtique : une écriture africaine proche de l'égyptien

L'Empire méroïtique («Koush» des textes égyptiens et bibliques, l' «Éthiopie» des auteurs classiques) a dominé la Nubie et le Nord de l'actuel Soudan du VIIIe siècle avant J.-C. jusqu'au IVe siècle après. Sa civilisation originale nous a laissé un certain nombre d'inscriptions (environ 900 textes) que la reprise des fouilles sur le Nil moyen devrait nous permettre d'accroître. C'est en 1819 que l'architecte Fr.-Ch. Gau, donnant le relevé de quatre petites lignes d'un texte copié par lui à Dakka en Basse-Nubie, publia en fait la première inscription méroïtique. Puis le grand archéologue prussien R. Lepsius rapporta en 1844 le butin épigraphique de 53 inscriptions. Au début de ce siècle, les recherches de L. Woolley et F. Ll. Griffith accrurent considérablement le corpus. C'est en 1909-1911 que ce dernier put reconnaître la valeur approximative des différents signes en se servant de comparaisons avec des noms propres connus par l'égyptien hiéroglyphique. Pour cela, il avait dû prendre conscience que les hiéroglyphes méroïtiques, empruntés pour leur forme générale au répertoire pharaonique, étaient tournés en sens inverse et recevaient des valeurs particulières ; il en était de même pour la forme cursive de l'écriture empruntée dans l'ensemble au démotique égyptien.
Les signes sont au nombre de 23 : il s'agit d'un alphabet avec cependant quelques bilitères, plus précisément 6 signes vocaliques (a, e, o, i, et les semi-voyelles : y et w), 13 signes consonantiques et 4 signes syllabiques ; il faut y ajouter un «séparateur» (2 points superposés, éventuellement 3) qui est de façon générale inséré entre les divers mots.
Cependant, l'interprétation des textes a continué à échapper : ignorance de la structure et même de la nature de la langue, méconnaissance quasi totale du vocabulaire. Un essai cependant a fait date : celui du Prof. Fr. Hintze consacré à la structure des phrases de «description» des textes funéraires (1963) ; puis ce fut une note vigoureuse de A. Heyler sur les «articles»

méroïtiques qui a permis de fixer la division des textes en segments dénommés « stiches » (1967). Il était alors possible pour notre groupe parisien de proposer un programme d'enregistrement par l'informatique de l'ensemble des textes méroïtiques, puis de le réaliser. Les textes funéraires privés se laissent assez aisément découper en « invocation » (appel aux divinités, Isis et Osiris essentiellement), « nomination » (désignation du défunt), « description » (désignation des géniteurs par un stiche à finale *-qowi,* le nom de la mère précédant généralement celui du père, et d'autres parents du défunt, ainsi que les liens divers, tous exprimés par des stiches à finale *-lowi*), « bénédiction » enfin de divers types. L'enregistrement par l'informatique permet de « tenir en mémoire » l'ensemble des textes connus ; des index et des concordances ont pu être établis de la façon la plus fiable ; dès lors, tous les traitements possibles peuvent être envisagés : statistiques, tableaux de fréquence, incompatibilités, etc. Ainsi a pu être composé un recueil des noms de personnes, de lieux, de divinités ; une sorte de « bottin » administratif et religieux de l'empire méroïtique a été dressé. Mais la valeur sémantique des inscriptions continue d'échapper dès que l'on passe à des textes plus longs, textes dits « historiques ».

Ainsi le méroïtique est un témoin encore presque muet, malheureusement, de l'histoire de la Nubie et du Soudan septentrional. De cette première langue de l'Afrique interne qui ait été écrite, nous ne connaissons que la valeur approximative des signes, quelques formes grammaticales, des noms propres et des titres ; pour le moment, nous ignorons sa nature profonde ; le sens général nous en échappe.

Jean Leclant

108 Table d'offrandes portant une inscriptio méroïtique

Grès
Hauteur : 0,34 m ; largeur : 0,34 m ; épaisseur : 0,10 m
Méroé, Tombe 307 du cimetière central
Fouilles J. Garstang à Méroé 1909-1910
Achat 1913
Début de l'époque méroïtique (vers 300 av. J.-C.)

Louvre : AE/E 11435
Bibliographie :

J. Garstang, A. H. Sayce et F. Ll. Griffith : Meroe, The City of the Ethiopians, beir an Account of a First season's Excavations on the site, 1909-1910, Oxford 191 p. 75, nº 28 ; pl. LVI (1) et LXXI.
M. H. de Rudder-Rutschowscaya : Anubis et les personnages à tête de canic dans l'art méroïtique, Mémoire de Maîtrise d'Histoire de l'art et d'archéologie dirig par M. le Professeur J. Leclant, septembre 1969 (non publié), nº 78.
M. Hainsworth, Typologie des tables d'offrandes méroïtiques inscrites, dar Meroitic Newsletters, nº 17, oct. 1976, p. 47.

Les tables d'offrandes méroïtiques empruntent leur forme au tables d'offrandes égyptiennes reproduisant le signe hiérogly phique *ḥtpw* (« offrandes »).

Un grand nombre est décoré, en bas-relief ou en gravure comme sur notre document, d'une figuration du dieu Anubi faisant une libation en compagnie d'une déesse (Isis, Nephthy ou Maât) : le dieu et sa parèdre, en tant que dieux funéraires pratiquent ainsi le geste de la purification du mort, souver nommé sur les monuments.

Au centre est disposé une sellette en forme de fleur au-dessu de laquelle sont disposés quatre pains (?) d'où le liquid s'écoule par le canal. Devant chaque divinité se dresse un amphore. Toute la scène repose sur une rangée de huit pains Comme la majorité des exemplaires connus, cette table d'of frandes porte une inscription en caractères cursifs sur l bordure, invoquant Isis et Osiris, de style archaïque.

M. H. F

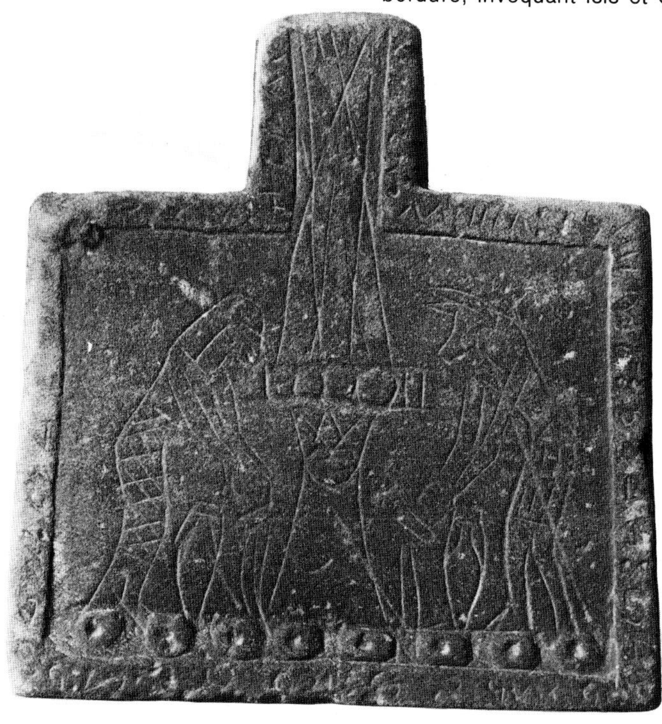

La diffusion des techniques d'écriture égyptiennes : encre et papyrus

Si l'écriture hiéroglyphique n'a eu qu'une diffusion très limitée hors des frontières de l'Égypte, il n'en va pas de même pour sa technique particulière. Pour la rédaction des documents de la vie courante, deux méthodes se sont en effet opposées dès la naissance de l'écriture : celle des Mésopotamiens imprimant leurs « clous » sur des tablettes d'argile ; celle des Égyptiens qui traçaient à l'encre des signes sur une feuille de papyrus. C'est finalement la seconde qui prévalut, de par ses mérites mêmes. L'écriture sur papyrus est sans doute l'un des plus importants héritages que l'antique Égypte nous ait légué. Notre papier et nos stylos ne sont en définitive que les ultimes dérivés de l'attirail du scribe égyptien et beaucoup de langues occidentales ont gardé la trace de cette filiation : dans la plupart d'entre elles, le mot désignant le « papier » ne descend-il pas directement de l'égyptien « paper-aâ », le papyrus ?

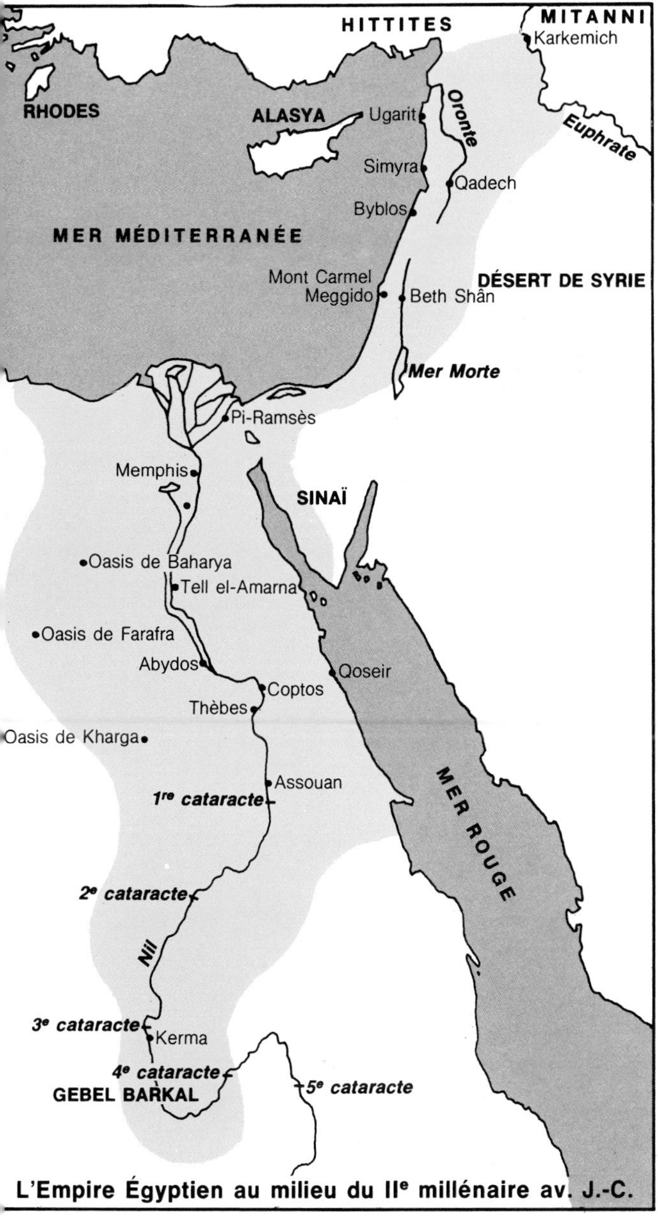

L'Empire Égyptien au milieu du IIe millénaire av. J.-C.

« La civilisation, ou du moins l'histoire de l'humanité, repose sur le papyrus » notait vers 70 de notre ère l'écrivain latin Pline l'Ancien. Pendant plus de 4000 ans, une grande partie du monde civilisé écrira sur papyrus ; les derniers documents connus, une bulle pontificale et un manuscrit arabe, datent en effet du XIe siècle de notre ère. Mis à part les ostraca, les autres supports de l'écriture étaient pour la vie quotidienne des matériaux fragiles : la tablette en bois ou recouverte de cire, et plus tard le parchemin. Le papier, invention chinoise, ne fut introduit dans le monde occidental que très tardivement.
Après l'invention de l'alphabet les écritures du Proche-Orient abandonnent progressivement la tablette d'argile pour le papyrus. L'exportation de ce matériau est alors une source de revenus importants pour l'Égypte du Ier millénaire avant J.-C. Si, pour des raisons climatiques, les papyrus retrouvés en Grèce sont rarissimes, nous savons que les Grecs anciens utilisaient également ce support. De même, les rouleaux calcinés découverts dans les cendres d'Herculanum attestent sa présence dans les bibliothèques romaines au Ier siècle avant J.-C. L'intégration de l'Égypte dans l'Empire romain ne fit qu'amplifier la diffusion de l'écriture sur papyrus : des exemplaires ont été retrouvés jusqu'à Doura Europos, en plein cœur de la Mésopotamie.

Christiane Ziegler

109 Papyrus araméen

Papyrus
Hauteur : 22 cm ; largeur : 20,5 cm
Égypte, ancienne collection Drovetti
Ve-IVe siècle av. J.-C.

Louvre : AE/AF 7991
Bibliographie sommaire :
C.I.S. (1889), 146
Sur l'araméen : Cowley, aramaïc papyri (1906), p. 26, nº 4
J. Naveh : The development of the aramaïc script, The Israel Academy of Sciences and Humanity, Proceeding V, 1, Jerusalem (1970)
Grelot : Documents araméens d'Égypte (1972)

L'araméen, langue sémitique proche du Cananéen, a joué un grand rôle dans la diffusion de l'écriture alphabétique. Il fut en effet utilisé comme langue internationale dans l'Empire Perse, qui s'étendit de l'Indus à l'Égypte. Il s'écrivait à l'aide de l'alphabet, en général sur papyrus ou parchemin.
Un grand nombre de papyrus araméens ont été retrouvés en Égypte où le climat a permis leur parfaite conservation. Datant du VIe au IIIe avant J.-C., ils sont de natures diverses. On y trouve des textes littéraires, comme le roman d'Ahiqar l'Assyrien, des témoignages sur la vie religieuse des communautés juives dont la plus fameuse était établie à Eléphantine, des écrits de la vie quotidienne (lettres, procès, serments, contrats...) et des documents administratifs.

C'est à cette dernière catégorie qu'appartient le papyrus ici présenté. Il s'agit d'une pièce de comptabilité évaluant la quantité de vin dépensée en deux mois.

C. Z.

110 Papyrus grec : lettre d'Armaïs à Posidonios

Papyrus
Hauteur : 21 cm ; largeur : 15,8 cm
157 av. J.-C.

Louvre : AE/N 2335
Bibliographie :
Th. Deveria : catalogue des manuscrits égyptiens... Paris 1872, XIV, 8
Letronne, Brunet de Presles et Egger : les papyrus grecs du Musée du Louvre et de la bibliothèque Impériale, Paris 1856, n° 12, p. 208
Académie des Inscriptions, 1852, Ire série, t. 2, Mémoire sur le Sérapeum par Brunet de Presles (traduction p. 571)

Ce document est une lettre de caractère officiel, écrite en lettres majuscules, détachées les unes des autres, l'équivalent, à notre époque d'une lettre dactylographiée.

C'est une requête adressée par un cultivateur nommé Armaïs transposition grec de l'égyptien Horemheb, au stratège Posidonios selon laquelle il narre, qu'étant venu comme chaque année, faire un sacrifice au dieu Sarapis à Memphis et logeant dans le temple d'Anubis, il a été pris pour un voleur par un des gardes du Serapeum et rendu boiteux par un mauvais coup d'épée ; aussi ne pouvant plus subvenir à ses besoins, il sollicite du stratège l'autorisation de retourner chez lui.
Elle est rédigée en grec, langue administrative officielle sous les Ptolémées, probablement par un scribe, jouant le rôle d'un écrivain public, étant donné la nationalité et la condition d'Armaïs.
La date est mentionnée à la septième ligne : l'an 25 du règne de Ptolémée VI Philometor I, soit 157 avant J.-C., le 28 Athyr ou le vingt-huitième jour du mois Athyr. Ce qui montre, qu'en ce qui concerne la datation, les Grecs se conformaient à la coutume égyptienne.

M.-F. A.

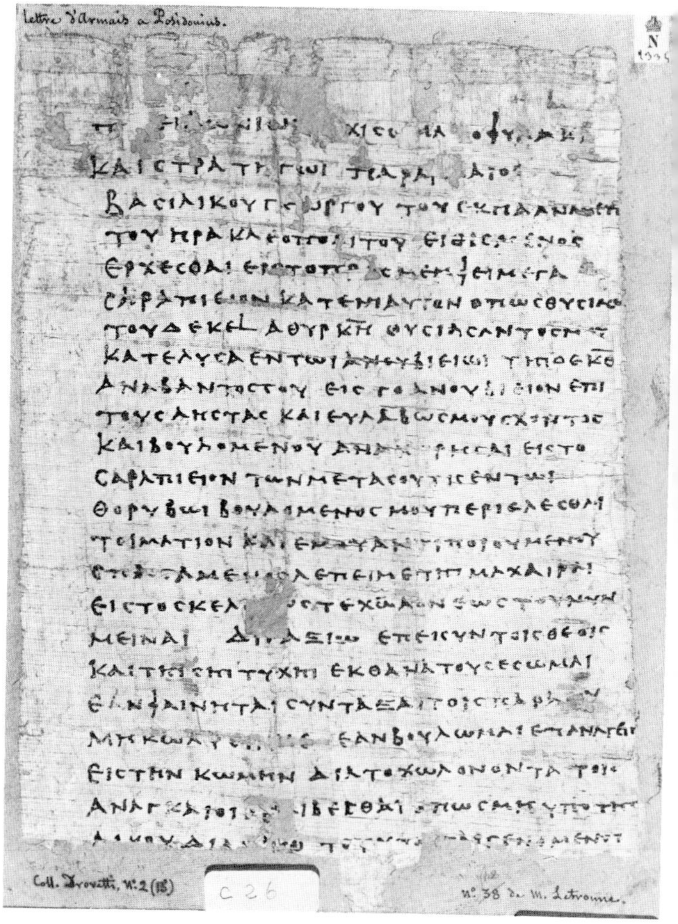

111 Papyrus : fragment de lexique latin-grec

Papyrus
Hauteur : 29,3 cm ; largeur : 12 cm
Ve-VIe siècle après J.-C.

Louvre : AE/N 2329
Bibliographie :
Th. Deveria : Catalogue des manuscrits égyptiens, Paris 1872, XIV, 2
Letronne, Brunet de Presles, Egger : les papyrus grecs du Musée du Louvre, 1856, no 4 bis, p. 125

Ce papyrus est rédigé en caractères cursifs ; la graphie semble négligée et la composition désordonnée. L'étude du texte montre qu'il s'agit de notes prises, ayant trait à des aliments, objets mobiliers, parties du corps, etc... pour un usage personnel, à partir d'un lexique latin-grec : le vocabulaire grec, influencé par la prononciation égyptienne et panaché de termes de grec moderne, ressort du langage parlé ; de plus il est écrit en lettres latines. Le vocabulaire latin lui, est altéré par la prononciation courante, qui élide les voyelles finales. Ce qui incite à placer ce document à une époque tardive, c'est-à-dire, au Ve ou VIe siècle après J.-C.

M.-F. A.

112 Papyrus arabe

Papyrus
Hauteur : 18 cm ; largeur : 20 cm
IXe siècle après J.-C.
Égypte (sans doute Fayoum)

Louvre : AE/inv 7340
Bibliographie sommaire :
Yusuf Ragib : Annales Islamologiques 14, (1978), p. 29-31

La papyrus a été largement utilisé dans le monde islamique. L'exemple ici présenté est une lettre écrite par un exploitant agricole qui vendait ses fruits et ses céréales. Il annonce à son correspondant qu'il a acheté des vignobles avec deux associés, et lui fait part d'opérations concernant des récoltes de prunes et de blé.
Ce document datant du IXe siècle de notre ère illustre le rôle essentiel que joue le support de l'écriture, ici le papyrus. Sa graphie rappelle de façon étonnante celle de certains documents démotiques qui lui sont antérieurs de 1 500 ans (cat. no 106). Pourtant la langue et le système d'écriture sont totalement différents. Quant au sceau d'argile, encore en place sur le bord supérieur de la lettre, il est tout à fait comparable à ceux de l'époque pharaonique (cat. no 240).

C. Z.

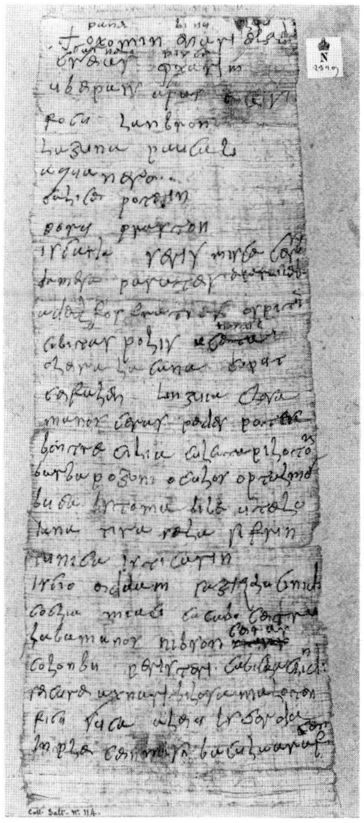

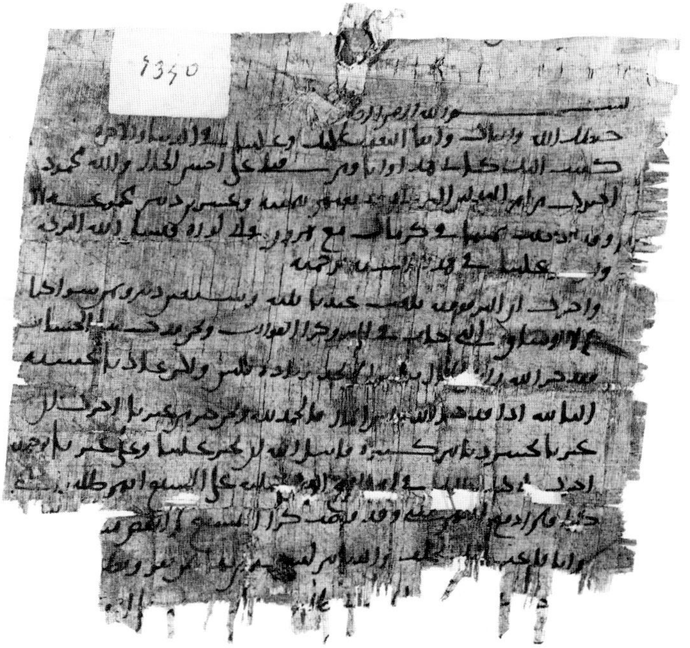

Les hiéroglyphes modernes

Sans nous en apercevoir nous utilisons aussi des idéogrammes, et cela de plus en plus. Dans un monde où les frontières disparaissent, ils ont l'immense avantage d'être compris par tous :
— signalisation routière
— guides touristiques
— dépliants publicitaires

CLASSE ET CONFORT

	Grand luxe et tradition	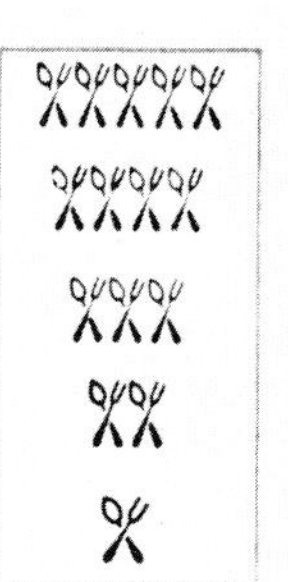
	Grand confort	
	Très confortable	
	Confortable	
	Assez confortable	
	Simple mais convenable	

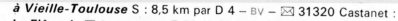

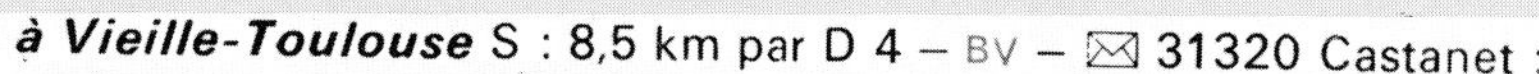

à Vieille-Toulouse S : 8,5 km par D 4 – BV – ✉ 31320 Castanet :
La Flânerie Ⓜ sans rest, ☎ 52.42.80, ← Garonne, parc – P. SC : 8 - **15 ch** 70/90.

à Colomiers-Centre par ⑩ : 9 km – ✉ **31770** Colomiers :
Concorde sans rest, 7 pl. F.-Pons ☎ 78.02.64 – *fermé 14 juil. au 15 août* – **SC** : 4,50 - **12 ch** 28/32.

à St-Jean par ③ : 9 km – ✉ **31240** l'Union :
Horizon 88 Ⓜ, ☎ 84.41.19, – P
SC : **R** *(fermé dim.)* 20 bc/45 - 6,50 - **38 ch** 55/80.

à Vigoulet-Auzil par ⑦ et D 35 : 12 km – ✉ 31320 Castanet :
Aub. de Tournebride, ☎ 81.77.05 – P
fermé 1er au 15 fév., 15 au 31 août et lundi – **SC** : **R** 23/50.

à Lacroix-Falgarde par ⑧ : 15 km – ✉ **31120** Portet-sur-Garonne :
Bellevue, ☎ 08.20.96, ← – P
1er mars-15 oct. – **R** 20/60.

Extrait du Guide Michelin

.'écriture syllabique

)ans les textes rédigés en langue clas-ique, on rencontre parfois dans les mots es syllabes formées d'une consonne forte t d'une consonne faible, valant pour la onsonne forte seule ou, est c'est là tout e problème, pour la consonne forte et une oyelle (des exemples rares existent dès Ancien Empire).
;e procédé est largement utilisé dès le /loyen Empire pour rendre les noms pro-res étrangers : les listes de peuples et de illes fournissent de nombreux exemples. ;'est pourquoi on a voulu voir dans adoption généralisée de ce système, une nfluence de l'akkadien cunéiforme.
;'est vers 1350 av. J.-C. qu'apparaît le néo-gyptien qui consacre le triomphe de la angue parlée sur l'ancienne langue écrite, levenue une langue morte ; le système yllabique connaît alors son plein épanouis-ement ; les mots écrits suivant ce procédé ont, non seulement des noms propres et les mots étrangers importés, mais aussi les mots égyptiens d'usage ancien, dont écriture est alors remaniée.
.e principe du système syllabique, très implifié, est le suivant : L'égyptien, comme eaucoup de langues, possède un certain ombre de consonnes faibles ou semi-onsonnes, qui présentent des affinités avec es voyelles (comme notre *ou* et notre *i-y*). vec les consonnes fortes (*b, p, m, k*, etc...), elles forment des syllabes qui prennent dans le mot la place de l'ancienne consonne simple (ex. : *pw* pour *p, ny* pour *n*).
On a souvent prétendu que l'écriture égyptienne, tout comme l'écriture hébraïque ou l'écriture arabe, ignorait les voyelles. Mais ceci n'est déjà pas tout à fait vrai pour ces langues sémitiques, où les consonnes faibles (aleph, w, y) servent à rendre les voyelles longues, ne serait-ce que par le seul jeu de l'usure de la langue, plus rapide dans sa forme parlée que dans sa forme écrite. D'autre part, pour transcrire en égyptien les noms des souverains ptolémaïques et des empereurs romains, on donne à ces consonnes faibles la valeur des voyelles :

𓄿, 𓂝 pour A, 𓅱 pour OU ou O,

𓇌 pour I.

Dès lors, le système syllabique ne constituerait-il pas déjà une tentative pour rendre les voyelles, surtout dans les mots étrangers, que les égyptiens risquaient d'écorcher ? Le problème n'est pas encore tranché, car il est difficile d'établir des équivalences solides entre ces prétendues voyelles et les phonèmes qu'elles auraient pu servir à rendre.

B. L.

Termes rédigés en écriture syllabique

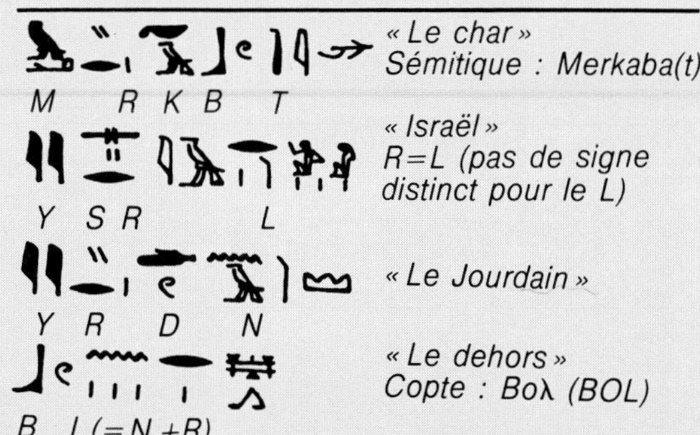

Les signes noircis représentent les consonnes, squelette du mot.

Une colonne du papyrus de Tanis : liste de signes à l'usage des étudiants ; elle donne les principaux hiéroglyphes avec leur équivalent en hiératique et leur signification

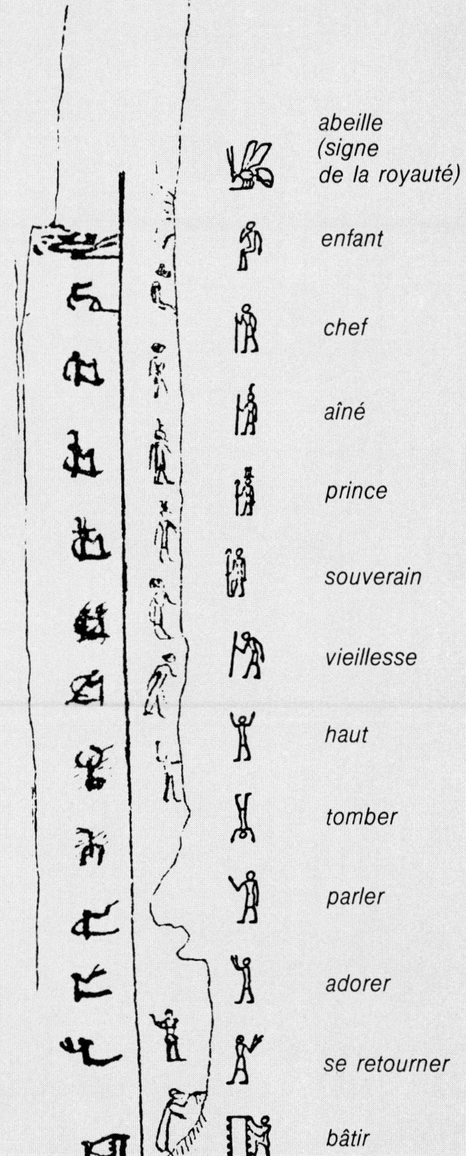

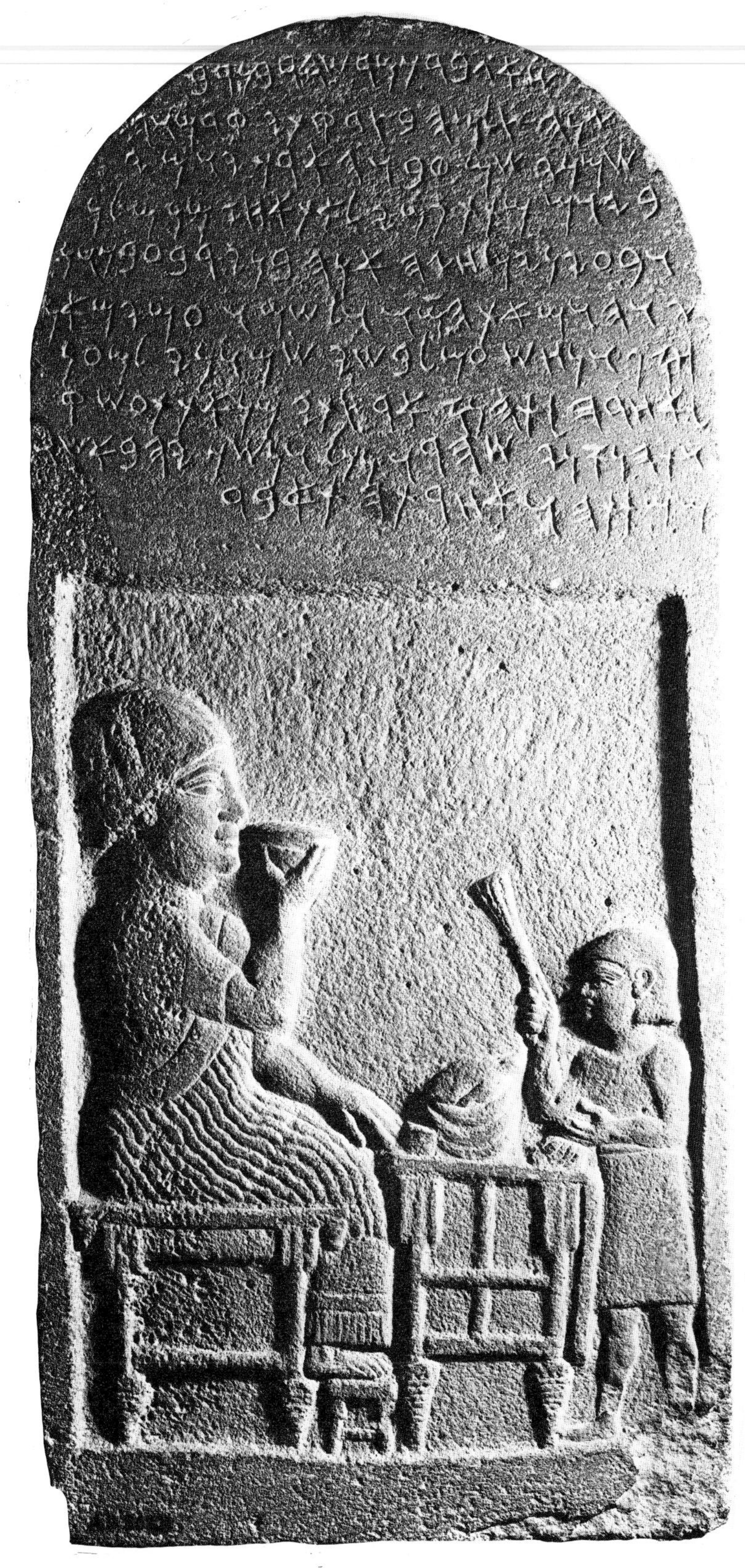

III. Naissance et formation de l'alphabet au Proche-Orient

L'alphabet et les alphabets

Le mot *alphabet* vient du grec par le biais du latin. Il est formé des noms des deux premières lettres grecques : alpha et beta, d'où « alphábētos ». Ce mot, ainsi construit, est passé dans la langue latine « alphabetum » d'où il a été repris par le français et par d'autres langues. Les Romains exprimaient ainsi leur conviction que leur alphabet provenait du grec, ce qui est exact en grande partie. Notre alphabet provient à son tour de l'alphabet latin utilisé par les Romains. Mais ni les Romains ni les Grecs ne sont les inventeurs de l'alphabet.
L'alphabet de n'importe quelle langue est la liste des 20 ou 30 lettres (1) avec lesquelles on peut écrire cette langue. Les lettres sont les signes qui notent les phonèmes, les sons les plus simples dans lesquels se décompose une langue.
Théoriquement, et d'un point de vue linguistique, l'inventeur de l'alphabet est celui qui a réussi le premier à faire la décomposition d'une langue dans ses sons les plus simples et qui a créé les signes graphiques pour représenter ces sons ou phonèmes. Il ne faut pas exclure que, comme dans d'autres inventions, l'homme soit parvenu à la décomposition complète de la langue dans ses plus simples phonèmes, ainsi qu'à la notation complète des phonèmes qu'au bout d'essais successifs. Par contre, il est certain que l'homme n'a pas commencé à écrire avec le système le plus simple, mais avec un système pictographique ou idéographique, puis un système syllabique, ce qui en soi est plus compliqué. Ce phénomène s'est produit simultanément et de façon autonome dans deux régions différentes : la Mésopotamie et l'Égypte, et a donné lieu à deux systèmes d'écritures, idéographique d'abord et phonétique ensuite.
Nous ne connaissons par l'auteur de la première décomposition d'une langue en phonèmes, ni l'auteur de la première liste de signes ou lettres. A vrai dire, nous ne connaissons même pas avec certitude le peuple dont il était originaire ni la langue dans laquelle cette invention a été réalisée. On en connaît par contre la région, le Proche-Orient Ancien, notamment la Syrie-Palestine, et l'époque, le IIe millénaire avant notre ère.
On croit déceler des essais d'alphabétisation d'une langue dans des groupes d'inscriptions comme celles appelées « protosinaïtiques » du côté de l'Égypte ou celles appelées « protocananéennes » ou encore, quoique plus difficilement dans les pseudohiéroglyphes de Byblos. Mais toutes ces inscriptions sont encore de nos jours indéchiffrées. Elles pourraient témoigner des différents essais de parvenir à l'alphabet. C'est l'avis de certains savants (dans cette éventualité on pourrait situer l'apparition de l'alphabet entre 1800 et 1500 av. J.-C.) mais nous ne pouvons pas l'affirmer avec certitude.
Par contre, nous pouvons affirmer avec certitude et d'un point de vue historique, la réalisation dans la deuxième moitié du IIe millénaire av. J.-C., de deux alphabets dans la région syro-palestinienne : l'alphabet cunéiforme d'Ugarit et l'alphabet linéaire de Phénicie.
L'alphabet cunéiforme d'Ugarit compte 30 lettres écrites en « cunéiforme » c'est-à-dire au moyen de signes constitués par la trace d'un poinçon que l'on appuie sur l'argile fraîche et qu'on laisse traîner en formant un sillon. L'ensemble de cette trace ressemble à un clou que l'on aurait mis à plat sur l'argile, d'où le nom attribué postérieurement à ce système « cunéiforme » (de « cunei » = clous, en forme de clou). (Cf. dossier documentaire)
Depuis 1929, on a trouvé à Ras Shamra, ancienne ville d'Ugarit en Syrie, quelque 2000 textes de tous genres (mythes, légendes, rituels, lettres, contrats, listes comptables, documents économiques) écrits avec cet alphabet. Ces textes remontent aux XIVe et XIIIe siècles av. J.-C. L'alphabet était donc d'usage courant au XIVe siècle ce qui fait remonter son invention à une date antérieure.
Cet alphabet cunéiforme a été utilisé pour écrire des langues très

(1) Ma phrase, ici comme ailleurs, simplifie les choses. En fait, les linguistes parlent de 34 phonèmes en français par exemple.

diverses. A part l'ugaritique, langue du même groupe linguistique que l'hébreu, l'araméen ou le phénicien, et pour laquelle semble avoir été inventé cet alphabet, d'autres langues ont fait usage dans une moindre mesure du même alphabet. Ainsi on a trouvé à Ugarit même, des textes akkadiens et hurrites écrits en alphabet cunéiforme. Or ces langues sont normalement écrites à l'aide des cunéiformes syllabiques. Cela montre bien qu'il ne faut pas confondre l'alphabet ou système de notations des phonèmes avec la langue ou les langues qui peuvent faire usage de cet alphabet.

A Ugarit même, et ailleurs, on a connu cet *alphabet cunéiforme raccourci* en 22 signes. La documentation existant jusqu'à présent, plutôt modeste, permet quand même de conclure que l'usage de cet alphabet n'était pas limité aux confins du royaume d'Ugarit mais qu'il s'étendait vers le sud, vers la Palestine. On a ainsi trouvé des textes à Qadesh sur l'Oronte, à Tell Soukas, à Kāmid el-Lōz, au Mont Tabor, à Sarepta et à Beth Shemesh. (Voir carte p. 191)

Dans le système alphabétique, chaque lettre note un son. Quand une lettre disparaît d'un alphabet sa disparition témoigne de la disparition du son qu'elle notait. Un phénomène bien connu des linguistes est celui de deux sons différents à l'origine, qui dans la pratique de la langue, se rapprochent et finissent par se confondre. La confusion de deux sons en un seul entraîne à la longue la disparition d'un des signes ou lettres qui notait les deux sons différenciés. C'est ce qui semble s'être produit. L'alphabet court semble témoigner ainsi d'une simplification phonétique des langues qu'il notait.

L'alphabet linéaire phénicien. Vers la fin du XIIe siècle av. J.-C., on utilise dans la région de Phénicie, le Liban actuel, un alphabet linéaire de 22 signes voué à un grand avenir. (Voir les 22 signes de cet alphabet p. 191.) On retrouve depuis le début dans l'alphabet phénicien le phénomène du raccourcissement. De plus, il s'agit d'un alphabet linéaire. Linéaire s'oppose ici à cunéiforme. Quand on dit linéaire, on ne pense pas à la disposition des mots en une ligne mais au tracé de la forme de la lettre, au « ductus ». Ses signes sont des lignes droites ou courbes, mais des lignes, dessinées à l'aide d'une plume ou d'un pinceau trempé dans l'encre et se déplaçant sur une surface relativement plate, papyrus comme en Égypte, ou ostracon qui étaient les supports ordinaires de l'écriture. Cette différence de support pourrait être à l'origine du passage du cunéiforme au linéaire. Le papyrus étant bio-dégradable dans un climat humide comme celui du Liban, la majeure partie de la documentation en langue phénicienne a disparu. Il ne nous reste que les inscriptions sur matière noble comme le bronze, ou la pierre, supports de l'écriture qui défient plus facilement l'action du temps et du climat.

Les Phéniciens, commerçants s'il en fût, et navigateurs, ont su faire voyager leur alphabet qui a été emprunté par d'autres langues. Avec l'alphabet phénicien, on a écrit dans l'Antiquité l'araméen ancien, l'hébreu ancien, le moabite, le punique, etc. Il a également inspiré d'autres peuples dans la création de leur propre alphabet. Ainsi l'alphabet phénicien semble être à la base de l'inspiration des Grecs. Puis par le biais des Grecs et des Romains, il est arrivé jusqu'à nous. Dans notre alphabet, il y a encore des traits décelables de son origine phénicienne, lointaine il est vrai. Ainsi le 𐤀 devient A, le 𐤁 devient 6 = b. La lettre a pivoté sur elle-même dans les deux cas.

Le fait que l'alphabet phénicien soit à l'origine de notre alphabet également linéaire, lui a acquis une aura auprès de tous les représentants de la culture, historiens et autres, à laquelle aucun autre alphabet ne peut prétendre. Le fait aussi que l'alphabet phénicien soit connu depuis plus de deux siècles tandis que l'alphabet ugaritique n'est connu que depuis cinquante ans lui donne une autorité qu'il est difficile de combattre. Et pourtant, dans l'état actuel de nos connaissances, l'alphabet ugaritique cunéiforme est documenté et attesté deux siècles avant le linéaire phénicien.

L'histoire générale de l'écriture dans cette région montre que l'on est passé du pictographique au cunéiforme et probablement de ce dernier au linéaire. Le passage du pictographique au cunéiforme fait que certains savants postulent l'existence d'un alphabet sémitique avec des traces pictographiques, antérieur à celui d'Ugarit.

L'alphabet cunéiforme et l'alphabet linéaire ont pu naître simultanément dans la meilleure des suppositions, mais on ne peut pas présenter un seul argument ni document en faveur d'un passage du linéaire au cunéiforme.

L'usage d'une écriture cunéiforme ou linéaire pourrait tenir plus au support utilisé pour l'écriture qu'à n'importe quelle autre raison. En fait, l'argile fraîche se prête à une écriture cunéiforme et pas du tout, ou très difficilement, à une écriture linéaire, tandis que le papyrus est apte à recevoir une écriture linéaire et inapte pour l'écriture cunéiforme.

Par ailleurs les archéologues, les épigraphistes, les philologues, les historiens savent bien à quel point il faut toujours être prudent dans les affirmations. A n'importe quel moment, et cela arrive périodiquement, une nouvelle fouille peut nous apporter des données, jusque-là insoupçonnées, qui modifient notre vision des choses.

Puis, il faut se rappeler que d'autres alphabets ont surgi à d'autres moments de l'histoire de l'humanité dans d'autres régions et indépendamment des alphabets décrits ici, par exemple, l'alphabet ibérique pour ne citer qu'un exemple connu des lecteurs.

L'alphabet est né ici ou là quand l'homme en a senti le besoin et que ce besoin a rencontré les circonstances favorables à sa réalisation. Ces circonstances restent difficiles à préciser dans le cas de l'alphabet comme dans le cas d'autres inventions. On pense non sans raison aux besoins du commerce et de la communication, aux conditions économiques, politiques et même culturelles et psychologiques. Quant à sa diffusion, il y a parmi les savants ceux qui mettent en avant les motivations commerciales ; d'autres pensent plutôt aux guerres, tandis que d'autres préfèrent voir dans la religion le véhicule de l'expansion de l'alphabet comme de l'écriture. Les trois facteurs ont contribué à la diffusion de l'écriture à un moment ou à un autre de l'histoire, mais en ce qui concerne l'alphabet, l'impératif commercial et éventuellement les rapports diplomatiques, me semblent avoir constitué les éléments déterminants.

L'alphabet a été l'outil nécessaire à la démocratisation du savoir. Retenir dans la mémoire vingt ou trente signes est à la portée de tous. Se rappeler de quelque cinq cents signes avec des valeurs différentes, était l'exclusivité d'une élite. Cette élite d'ailleurs était généralement rattachée aux temples. Passer d'un système de quelques cinq cents signes avec des valeurs différentes à un système de 30 ou 22 signes est un progrès de l'humanité. Et pourtant, le lecteur sait combien de siècles il a fallu à l'histoire humaine pour que cet outil, comme tant d'autres inventions, devienne la propriété de tout un peuple, et de tous les peuples.

J. L. Cunchillos

L'alphabet égyptien

113 Proportion des signes « alphabétiques » dans une inscription du temps des pyramides

Calcaire
Hauteur : 48 cm ; largeur : 48 cm
Fouilles de l'I.F.A.O.
VIe dynastie (vers 2300 av. J.-C.)

Louvre : AE/AF 9460
Bibliographie :
Urk, I, p. 250
Helck, Beamtentiteln (1954), p. 114

Dès les origines, l'écriture égyptienne semble avoir possédé des signes correspondant à une seule consonne et formant un alphabet qu'il suffisait de combiner pour écrire tous les mots (cat. 15). Les égyptiens n'exploitèrent pas à fond les possibilités de cette invention et utilisèrent en même temps d'autres types de signes (cat. 15). Mais à certaines époques, comme l'Ancien Empire, auquel appartient l'inscription présentée, la proportion des signes « alphabétiques » est particulièrement forte : le dessin ci-contre le met bien en relief.
Le texte lui-même consiste en un compte rendu laconique des étapes de la carrière d'un fonctionnaire au temps des pyramides.

C. Z.

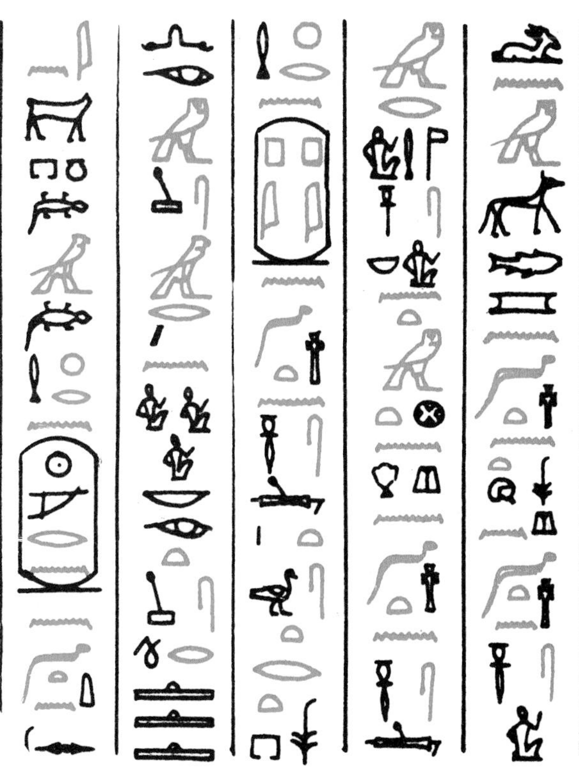

114 Le nom d'Alexandre écrit à l'aide de l'alphabet égyptien

Basalte
Hauteur : 5 cm ; largeur : 9 cm
Ancienne collection Guimet
Époque ptolémaïque (vers 330 av. J.-C.)

Louvre : AE/MG 23090

Ce fragment d'horloge à eau (pages documentaires) porte un cartouche royal contenant le nom « Alexandre ». Faute de textes complémentaires, nous ne pouvons savoir s'il s'agit d'Alexandre le Grand qui conquit l'Égypte en 330 av. J.-C. ou bien de son fils mort en bas âge.
Tous les signes utilisés pour écrire ce nom appartiennent à l'alphabet égyptien qui est attesté dès les premiers documents écrits. Le nom royal, inscrit de droite à gauche peut se décomposer ainsi :

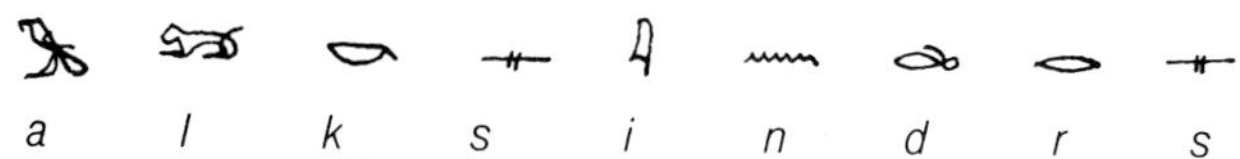

a *l* *k* *s* *i* *n* *d* *r* *s*

correspondant au Grec Alexandros.
C'est précisément en déchiffrant les noms des pharaons d'origine grecque que Champollion réussit à mettre en évidence la présence de signes alphabétiques dans l'écriture hiéroglyphique.

Les signes alphabétiques proto-sinaïtiques

115 Le sphinx du Sinaï

Grès
Longueur : 23,7 cm
Sérabit el-Khadim au Sinaï
Fin de la XIIe dynastie, vers 1800 av. J.-C.

British Museum, 41748
Bibliographie sommaire :
Porter and Moss VII (1951), p. 360
J. Cerny : The Inscriptions of Sinaï, II (1955), p. 202
Cěrnӯ dans J. Harris (éd.), The Legacy of Egypt, 2e éd. (Oxford, 1971), p. 215 se

En 1905, Flinders Petrie conduisit une expédition dans la péninsule du Sinaï pour explorer et fouiller les sites connus pour avoir été visités dans l'Antiquité par les Égyptiens. A Serabit el Khadim, il trouva beaucoup d'inscriptions et d'objets inscrits dans les mines, et dans le temple d'Hathor et ses environs. Les expéditions égyptiennes venaient à Sérabit à la XIIe dynastie et au Nouvel Empire pour exploiter les riches gisements de turquoise. Ces visites étaient si régulières qu'un temple fut construit, dédié à la déesse égyptienne Hathor, connue localement sous le nom de « Dame de la turquoise ». La raison de l'association entre Hathor et Sérabit n'est pas claire, mais il est possible qu'elle ait été identifiée avec quelque déesse non égyptienne adorée à cet endroit.
Parmi les objets trouvés au temple d'Hathor, il y avait ce petit sphinx grossièrement sculpté. Comme d'autres petites pièces de sculpture trouvées à Sérabit par Petrie, il est probable qu'il ne fut pas sculpté par un Égyptien, mais par un des ouvriers sémitiques qui étaient fréquemment employés sur le site. Les inscriptions du sphinx contribuent à confirmer cette hypothèse.
Sur l'épaule droite, gravé en hiéroglyphes égyptiens grossiers, on trouve un texte disant : « aimé d'Hathor, [dame] de la turquoise ». Entre les pattes, sur la poitrine, est sculpté un cadre rectangulaire appartenant au type employé pour enfermer le nom d'Horus du roi égyptien. On a suggéré qu'il s'agissait du nom de Snéfrou, premier roi de la IVe dynastie, qui était grandement vénéré au Sinaï à des époques plus tardives ; mais cette vue n'est généralement pas acceptée.
Sur les côtés droit et gauche du sphinx, deux courtes lignes de texte sont écrites à l'aide de signes qui, bien que pictographiques, ne sont pas des hiéroglyphes égyptiens. Un petit nombre de textes dans la même écriture, furent trouvés par Petrie, et d'autres ont été découverts par la suite. L'écriture est aujourd'hui connue sous le nom de « protosinaïtique » ou de « proto-sémitique » ; elle consiste en environ 30 signes qui ne sont ni idéographiques ni syllabiques, mais alphabétiques. C'est donc une des formes les plus précoces d'un alphabet à partir duquel, le moment venu, l'alphabet sémitique se développa. Il est possible de lire, dans les inscriptions du sphinx, le nom de la déesse Ba^{c}alat, forme féminine de Ba^{c}alat. Les Cananéens qui servaient les Égyptiens au Sinaï, avaient une dévotion particulière pour Ba^{c}alat.

T. G. H. J.

Alphabet cunéiforme d'Ugarit

116 « Abécédaire » cunéiforme d'Ugarit

Argile cuite
Hauteur : 6,7 cm; largeur : 4,3 cm; épaisseur : 6 cm
Ras Shamra (ancienne Ugarit), Syrie XIVᵉ siècle av. J.-C.

Louvre : AO 19992
Bibliographie sommaire :
Ch. Virolleaud : Revue d'Assyriologie, XXXVII (1940), p. 34
Ch. Virolleaud : Syria, XXVIII, 1950, p. 23
Herdner : Corpus des tablettes en cunéiforme alphabétique de Ras Shamra, 1963, 186

Exemplaire incomplet auquel il manque sept lettres :
(ʾa, b) g, h, d, h, w
(z, ḥ) ṭ, y, k, ś,
(l) m, d, n, ẓ,
(s) c p, ṣ, q, r,
(t) ğ, t, ʾı, ʾu,
L'écriture est celle d'une main malhabile. Les lettres se lisent de gauche à droite.

B. A.-L.

117 Herminette à caractères d'écriture cuné forme alphabétique d'Ugarit

Bronze
Longueur : 23 cm; hauteur de l'emmanchement : 4,5 cm; largeur max. : 5 cm
Ras Shamra (ancienne Ugarit), Syrie; XIIIᵉ siècle av. J.-C.

Louvre : AO 11611
Bibliographie sommaire :
Ch. Virolleaud; Syria, X, (1929), p. 304 ss

Herminette ayant servi, ainsi que quatre autres semblables, a déchiffrement de l'alphabet cunéiforme ugaritique de Ra Shamra, par l'Allemand H. Bauer et le Français Ch. Virolleaud Ce dernier avait pensé à un parallèle possible avec une point de flèche de Sidon (cat. nº 120), inscrite en phénicien parta du principe que Ras Shamra était en Phénicie et qu'on y parla cette langue. Si le parallèle était valable, le premier mot signifia « hache », et le second était celui du propriétaire, ce qui s révèla exact.
H. Bauer sut exploiter adroitement la remarque capitale d Virolleaud que l'un des signes était la préposition « à » en l reconnaissant la valeur phénicienne *Lamed...*
Ces haches, ainsi que d'autres armes, portent une inscriptic signifiant *« la hache du grand prêtre »,* dans la résidence duqu on les a trouvées entassées.
Des essais de déchiffrement séparés furent ensuite menés p Virolleaud lui-même, Bauer et E. Dhorme de l'École Françai de Jérusalem.
(Cf. dessin, partie documentaire)

B. A.-L

118 Tablette en cunéiforme alphabétique 'Ugarit : poème du cycle de Baal : Baal et la mort

rgile cuite
auteur : 26,5 cm ; largeur : 19 cm ; épaisseur : 3 cm
as-Shamra (ancienne Ugarit), Syrie, XIVe siècle av. J.-C.

ouvre : AO 16636
bliographie sommaire :
h. Virolleaud : Syria, XII, 1931, p. 193 ss
Herdner : Corpus des textes alphabétiques de Ras-Shamra (1963), p. 6
Caquot et M. Sznycer : Textes ougaritiques, I, Paris éd. du Cerf 1974, p. 225-271

i le dieu El incarne la sagesse et la connaissance de toutes hoses, c'est Baal qui détient la jeunesse et l'activité, interve- ant dans les affaires du monde pour repousser le désordre. on nom signifie « seigneur ». Dans l'Ancien Testament, il est résenté comme l'adversaire le plus dangereux de Yahvé, dieu ational d'Israël.

Le Baal d'Ugarit est le dieu de l'orage et de la pluie (cf. photo partie documentaire). Il manie la foudre et brandit la massue. Dieu guerrier, il est prêt à frapper. Ses activités sont liées aux mythes et cultes agraires qui constituent la base de la religion ugaritique. Maître des eaux, de la terre féconde et nourricière, du renouveau de la nature, de la végétation. Comme elle, il meurt et ressuscite chaque année comme le berger sumérien Dumuzi, le Tammuz des textes akkadiens et de la Bible dont certains textes ugaritiques sont inspirés. L'affrontement annuel entre Baal, dieu de la vie et Mōt, dieu de la mort, a donné lieu à un cycle de poèmes mythiques. Mōt se nourrit de la substance de Baal qui meurt, mais retriomphe chaque année pour une nouvelle saison de vie.

Extrait de traduction (A. Caquot et M. Sznycer) :
« Alors (la déesse Anat) se rend auprès d'(El)
à la source des fleuves
au milieu du cours des deux océans...
aux pieds d'El, elle s'incline et tombe prosternée
et elle lui rend honneur.
Elle élève la voix et s'écrie...
... le très puissant Baal est mort,
le prince, seigneur de la terre, a péri. »
(Le récit se termine par la victoire de Baal sur Mōt)
« Ils s'affrontent comme des champions
(tantôt) Mōt l'emporte, (tantôt) Baal l'emporte...
ils se mordent comme des serpents
(tantôt) Mōt l'emporte, (tantôt) Baal l'emporte...
Ils bondissent comme des coursiers...
le divin Mōt prend peur,...
On fait asseoir Baal (sur son trône) royal,
(sur la chaise, siège) de sa domination. »

B. A.-L.

119 Tablette en cunéiforme alphabétique d'Ugarit : lettre privée

Argile cuite
Hauteur 5,3 cm ; largeur : 4,2 cm ; épaisseur : 1,7 cm
Ras Shamra (ancienne Ugarit)
Syrie ; XIIIe siècle av. J.-C.

Louvre : AO 19940
Bibliographie sommaire :
E. Dhorme : Syria, XIX, 1938, p. 142-146
A. Herdner : Corpus des tablettes alphabétiques de Ras Shamra, 1963, n° 51

Traduction : (J.-L. Cunchillos).
A ma mère, notre dame, dis :
« Message de Talmiyanu et d'Ahatmilki tes serviteurs.
Aux pieds de notre dame nous tombons à distance.
Que les dieux te protègent et te donnent la santé.
Ici, chez nous, tout va pour le mieux et moi je suis désormais tranquille.
Que de là-bas, (toi), notre dame, en ce qui (concerne ta) santé, (tu) fasses parvenir une réponse à (nous) tes serviteurs. »

J.-L. C.

Phénicien Ancien

120 Pointe de flèche inscrite en phénicien ancien

Bronze
Longueur : 8,5 cm ; largeur : 1,5 cm ; épaisseur : 0,25 cm
Roueissé (Liban du Sud)
Xe siècle av. J.-C.

Louvre : AO 18849
Bibliographie sommaire :
Sébastien Ronzvalle : Note sur le texte phénicien de la flèche publiée par M.P. GUIGUES, Mélanges de l'Université Saint-Joseph, t. XI, fascicule 7, Beyrouth 1926
R. Dussaud : Syria, VIII, 1927, p. 185-186
J. T. Milik : « Flèches épigraphes phéniciennes au Musée National Libanais » Bulletin du Musée de Beyrouth, XVI, 1961, p. 103-108 (pour comparaison)

Pointe de flèche de forme lancéolée portant sur chaque face une ligne d'écriture phénicienne ancienne : *« Flèche de Addo, fils de Akki. »*
Cette flèche a servi à Virolleaud pour ses premiers pas dans le déchiffrement de l'Ugaritique (cf. cat. n° 117).
C'est l'une des plus anciennes inscriptions en alphabet phénicien connues, presque contemporaine de celle du sarcophage d'Ahiram (cf. partie documentaire). Le texte se lit de droite à gauche.

B. A.-L.

121 Dédicace phénicienne d'une statue du ·haraon Osorkon I par Eliba'al, roi de Byblos

·rès rouge
auteur : 60 cm ; largeur : 36 cm ; épaisseur : 37,5 cm
ègne d'Osorkon I (vers 924-895 av. J.-C.), successeur de Sheshonq I, fondateur
e la XXIIe dynastie égyptienne
rovient de Byblos (Liban)

ouvre : AO 9502
ibliographie sommaire :
ené Dussaud : Syria, VI (1925), p. 101 ss.

e roi de Byblos, vassal du roi d'Égypte, y inscrivit, en écriture hénicienne alphabétique archaïque, une dédicace à la déesse e sa ville, appelée la « dame de Byblos ». Ce monument révèle ›s liens étroits entre Byblos et l'Égypte, qui existaient dès le I^e millénaire.

;ertaines lettres conservent la forme révélée par le sarcophage 'Ahiram, d'autres ont la forme qu'on leur voit sur la stèle de ⁄lesha (cat. n° 122). Le plus grand nombre marque la transition ·ntre les deux écritures.

;'est peu après l'époque où fut inscrit le buste d'Osorkon, à la n du Xe ou tout début du IXe siècle av. J.-C. que les grecs ont ·mprunté l'écriture phénicienne pour l'adapter à leur langue.

B. A.-L.

Moabite

122 La stèle de Mesha, roi de Moab

Basalte noir, restaurations au plâtre faites à partir de l'estampage exécuté quand la stèle était encore en place
Hauteur : 124 cm ; largeur : 71 cm
Dibân (Transjordanie) en 1868
Époque de Mesha, roi de Moab (Livre des Rois, II, 3-4), fin du règne, vers 830 av. J.-C.

Louvre : AO 5066 + AO 2142
Bibliographie sommaire :
R. Dussaud : Les monuments palestiniens et judaïques, Paris, 1912, p. 4 à 22
Albright : Bulletin of the American Society of Oriental Research, 89 (1943), p. 16 n° 55

Albright in J. Pritchard : Ancient Near Eastern Texts, édition 1969, p. 320 ss
J. Briend, M. J. Seux : Textes du Proche-Orient et Histoire d'Israël, éd. du Cerf, Paris, 1977, p. 90 ss

Le texte de 34 lignes en écriture proche du phénicien ancien, en lignes lues de droite à gauche, comporte une particularité : Les mots sont séparés par des points avec des barres de ponctuation en fin de phrases.
Le dialecte est peu différent du phénicien de Byblos, et est très voisin de l'hébreu.
Il commémore la défaite infligée au royaume d'Israël après la mort d'Achab, peu avant 842 av. J.-C. Mesha rapporte la construction d'un haut lieu de délivrance « pour son dieu Kemosh », puis il relate comment il chassa les israélites. Il massacra la population de la ville de Nebé où se trouvait un temple de Yahveh : *« Je pris de là les vases sacrés de Yahveh et je les traînai devant Kemosh. »* Enfin le texte commémore l'activité de Mesha dans la réorganisation des principales villes de son royaume.
C'est une authentique page d'histoire que l'on peut confronter avec le Livre des Rois.
Extrait de traduction :
« Mon père a régné sur Moab trente ans et moi, j'ai régné après mon père. J'ai construit ce sanctuaire pour Kemosh... (sanctuaire) de salut car il m'a sauvé de tous les agresseurs et il m'a fait triompher de tous mes ennemis. Omri était roi d'Israël et opprima Moab pendant de longs jours, car Kemosh était irrité contre son pays. Son fils lui succéda et lui aussi, il dit "j'opprimerai Moab". De mes jours il a parlé (ainsi), mais je triomphai de lui et de sa maison. Israël a été ruiné à jamais... »

B. A.-L.

123 Copie d'une partie de l'inscription de la stèle de Moab à Diban (Transjordanie), exécutée en octobre 1869 par Selim-El-Qâri

Hauteur : 69 cm ; largeur : 43 cm

Louvre : AO 5020
Bibliographie sommaire :
R. Dussaud : Les Monuments palestiniens et judaïques, Paris, 1912, p. 20

La cadre renferme deux feuilles : celle de la partie supérieure contient une copie prise sur le monument original, la seconde est la reproduction d'une partie de cette copie tracée par la même main. L'arabe a ajouté au bas l'indication et la provenance et un croquis inexact de la stèle.
Cette copie permit à M. Clermont-Ganneau de constater que le texte était gravé en caractères sémitiques.
L'authenticité en a été autrefois mise en doute.

B. A.-L.

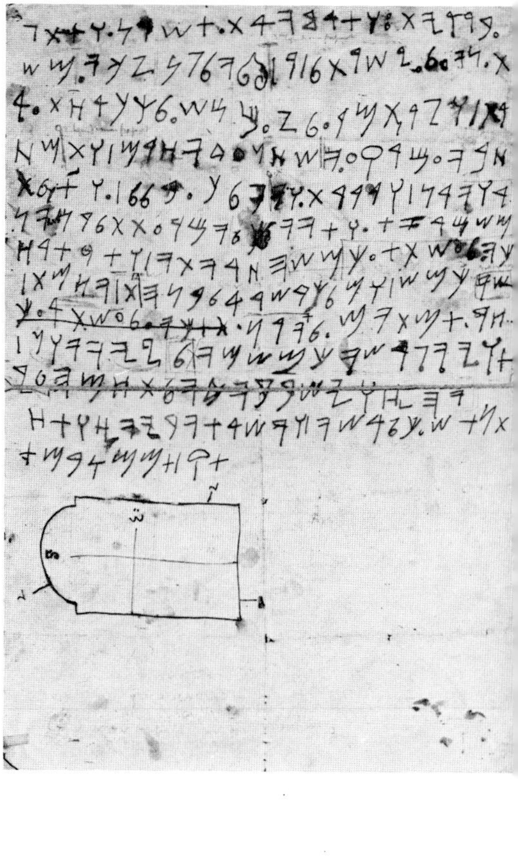

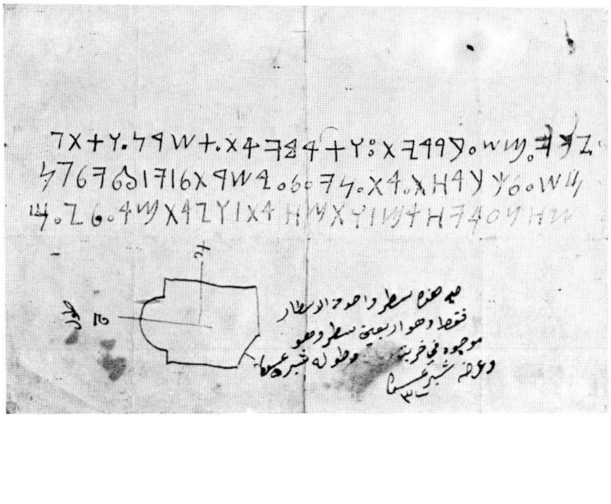

Araméen ancien

124 Stèle de Zakkur, inscrite en araméen ancien

Grès
Hauteur : 103 cm ; largeur : 62 cm
Fin IXe siècle av. J.-C.
Afis (Sud-Ouest d'Alep en Syrie)

Louvre : AO 8185
Bibliographie sommaire :
A. Dupont-Sommer : Les Araméens, Paris, 1949, p. 45 ss. et p. 112
P. Briend, M. J. Seux : Textes du Proche-Orient Ancien et Histoire d'Israël, éd. du Cerf, Paris, 1977, p. 96-97

La partie inférieure de cette stèle de Zakkur, roi araméen de Hamath (actuellement Hama sur l'Oronte) érigée vers 800 av. J.-C. nous éclaire sur les rapports politiques existant entre les divers états araméens de Syrie. Le haut de la stèle a disparu, il ne reste que le bas du corps du roi, debout sur un escabeau de prière. La stèle devait se dresser devant le temple du dieu de l'orage, mais son inscription glorifie Baal-Shamaïn, le « Seigneur du ciel ». Elle rapporte que Zakkur s'empara du trône de Hamath. Cela suscita une guerre à l'initiative de Bar-Had, fils de Hazaël, roi de Damas (II Rois VI, 24 ; XIII 3).
Assiégé, le roi invoqua son dieu qui le sauva :
« Alors, je levai les mains vers Baal-Shamaïn
(et) Baal-Shamaïn me parla par l'intermédiaire des voyants et par des devins
(et) Baal Shamaïn me dit « Ne crains pas !
Car c'est moi qui t'ai fait régner
et c'est moi qui me tiendrai avec toi,
et c'est moi qui te délivrerai
de tous ces rois qui ont dressé contre toi le siège »...
L'araméen est une langue sémitique occidentale septentrionale proche du cananéen ; les plus anciennes inscriptions, des IXe et VIIIe siècles av. J.-C. ont été trouvées près de Damas et d'Alep. Leur direction se lit de droite à gauche.

B. A.-L.

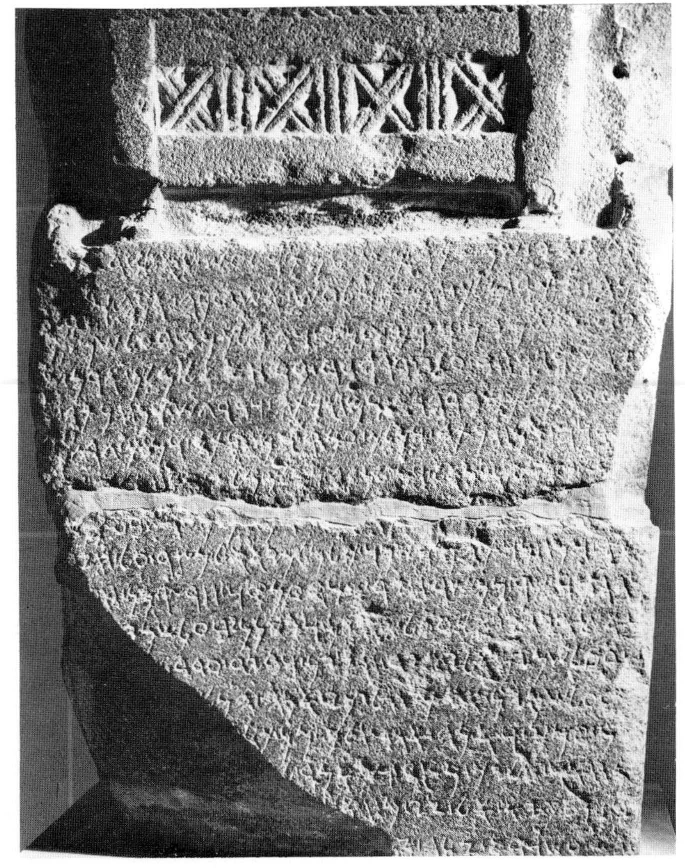

Hébreu Ancien

125 Moulage de l'inscription de Siloé en hébreu ancien

Plâtre
Longueur : 72 cm; largeur : 38 cm
Découverte en 1880 dans le rocher du tunnel d'Ézéchias, au sud du temple de Jérusalem. Règne d'Ézéchias (vers 715-687 av. J.-C.)
(Cf. Livre des Rois 20-22 et II, Chroniques 32-30)

Louvre : AO 1310
Bibliographie sommaire :
R. Dussaud : Les Monuments palestiniens et judaïques, Paris, 1912,p. 24 ss
S. Moscati : L'epigrafia ebraïca antica 1935-1950 (Rome , 1951).
Albright in J. Pritchard : Ancient Near Eastern Texts, édition 1969, p. 321
J. Briend, M. J. Seux : Textes du Proche-Orient Ancien et Histoire d'Israël, éd. du Cerf, Paris, 1977, pp. 117-118

Ce moulage a été pris par M. Clermont-Ganneau alors que l'inscription était encore en place dans le canal souterrain alimentant Jérusalem en eaux. L'original est au musée d'Istanbul.

L'inscription, en hébreu ancien, relate la percée, par le ro[i] Ézéchias, de ce canal.
Extrait de traduction :
« ... *Voici la percée et telle fut l'histoire de la percée :... Au jou[r] de la percée, les mineurs frappèrent (le rocher) l'un à l[a] rencontre de l'autre, pic contre pic; et les eaux coulèrent de l[a] source vers le réservoir sur (une longueur) de 1200 coudées et la hauteur du rocher au-dessus de la tête des mineurs éta[it] de 100 coudées.* »
Après leur installation en Palestine, les hébreux se sont servi[s] de l'écriture linéaire alphabétique pour écrire leur langag[e] cananéen qu'ils ont apporté ou adopté avec les mêmes carac-tères qui servaient pour le phénicien et le moabite, à quelques différences de tracés près. Le plus ancien document, outre celui-ci, est la tablette de Gezer : liste d'opérations agricoles rangées par mois et datant des Xe et IXe siècles avant J.-C.

B. A.-L.

Alphabet Grec Ancien

126 Aryballe ovoïde

Terre cuite peinte
Hauteur 10,2 cm ; diamètre : 5,7 cm.
Provenance inconnue ; style subgéométrique de transition entre le protocorinthien et le corinthien (vers 630 av. J.-C.)

Louvre S 1151
Bibliographie sommaire :
Pottier E 415, Corpus Vasorum Antiquorum, Louvre 13 (France 21), p. 46 et 47, nos 3 et 5, et pl. 45, 8 et 9
M Lejeune, Revue des Études Antiques, XLVII, 1945, p. 97-99.
L.H. Jeffery, The Local Scripts of Archaic Greece, 1961, p. 125 et 126

Sur l'embouchure, languettes. Sur l'épaule, chasse au lièvre. Sur la panse, dans la zone supérieure, écailles imbriquées ; dans la zone inférieure, languettes.
Sur l'anse, entre deux traits verticaux qui forment bordure, inscription peinte, donc contemporaine de la décoration du vase, qui se lit ΑΠΛΟΥΝ. Parfois considéré comme inintelligible, le mot est reconnu aujourd'hui comme une forme syncopée du nom d'Apollon. M. Lejeune y verrait la plus ancienne inscription en dialecte thessalien, où le nom d'Apollon est attesté sous cette forme. L. H. Jeffery, pour sa part, préfère y lire une inscription corinthienne, puisque celle-ci se trouve sur un vase dont l'origine corinthienne n'est pas douteuse et qu'aucune lettre n'affecte une graphie étrangère au dialecte de Corinthe ; elle proposerait de l'interpréter comme le nom du possesseur du vase, notée sous cette forme syncopée, et même abrégée : elle rejoint, sur ce point, le commentaire de M. Lejeune, en complétant Ἀπλουν en Ἀπλούν(ιος). L'interprétation de Jeffery évite en tout cas de supposer la présence problématique d'un artiste thessalien exerçant son métier dans un atelier de potiers corinthien.
Bien que des inscriptions grecques sur vase, en Attique ou à Corinthe même, remontent à une période encore plus reculée, c'est ici l'une des plus anciennes qu'il nous soit donné de déchiffrer. En effet, bien que la question soit aussi obscure que controversée, tout se passe comme si l'alphabet phénicien avait été emprunté par les Grecs dès la fin de la période géométrique. Les premières inscriptions datent en effet de la deuxième moitié du VIIIe siècle av. J.-C. Mais le fait qu'elles apparaissent sous une forme déjà dialectale peut faire supposer qu'un certain laps de temps s'est écoulé entre leur apparition et les toutes premières expériences de l'adaptation de l'alphabet phénicien aux phonèmes de la langue grecque.

A. P.

L'alphabet copte

L'écriture copte

L'alphabet copte est formé des 24 lettres de l'alphabet grec permettant la transcription des voyelles, inexistantes dans les textes pharaoniques, et de 7 lettres d'origine démotique :

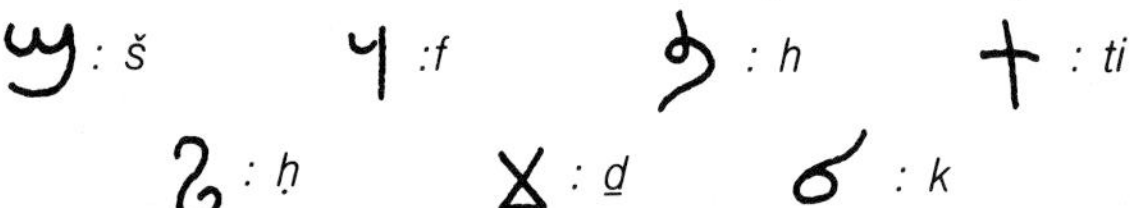

La langue copte constitue l'ultime étape de l'évolution de l'écriture égyptienne. Le passage de l'écriture hiéroglyphique et démotique à l'écriture copte s'est effectué à partir d'essais individuels, réalisés indépendamment les uns des autres, à travers une période de tâtonnements « vieux copte » pour aboutir aux environs du IIIe siècle après J.-C. à l'apparition simultanée de systèmes orthographiques communs. La dépendance des traditions propres aux différents espaces géographiques est à l'origine de la naissance de dialectes dont les différences sont uniquement d'ordre vocalique.
R. Kasser distingue quinze dialectes dont sept sont attestés de manière satisfaisante :
— « Saïdique » ou « Thébain » (IIIe au XIe) : dialecte très bien attesté et le plus répandu jusqu'au XIe, l'église copte l'utilisera comme langue liturgique.
— « Bohairique » ou dialecte du Nord (IVe-XVIIe) : il volera au saïdique sa prééminence en devenant la langue liturgique de l'Église.
— « Fayoumique » (IIIe-XVIIe) : Région du Fayoum
— « Akhmimique » (IVe au VIe-VIIIe) : Région d'Akhmim
— « Lycopolitain » ou « subakhmimique » (IVe au Ve-VIe) : région d'Assiout
— « Moyen Égyptien » (environ V^e-VIIe) : région d'Oxyrhynque
— « Hermopolitain » : attesté par un texte du IXe.
Si la grammaire est largement tributaire de l'Égypte Ancienne, le vocabulaire est composé des deux catégories de mots, illustration de sa dualité fondamentale :
— Mots d'origine grecque liés à une spécialisation de nature étrangère : vocabulaire juridique, religieux, médical.
— Mots d'origine égyptienne, d'usage courant donc extrêmement variés.
Les événements politiques et religieux faussent probablement la vision que nous avons actuellement de la littérature copte : à côté des écrits sacrés de sectes (gnostiques, manichéens...) des traductions de la Bible et des livres liturgiques ou des ouvrages de piété, il existait certainement une littérature laïque, profane qui a pratiquement disparu. Il nous faut donc nous tourner vers les fragments de papyri, les ostraca ou les graffitis qui témoignent, par l'écriture, de certains aspects de la vie quotidienne dans l'Égypte chrétienne.
Après la conquête arabe de 641 après J.-C., la langue copte déclina peu à peu pour perdre toute vie à partir du XIe siècle. Seule l'Église continue encore aujourd'hui, à l'employer, constituant le dernier bastion de l'héritage de l'Égypte ancienne.
Néanmoins, dès le XVIIe siècle, des savants commencèrent à s'y intéresser, tel le P. Athanase Kircher qui déjà en 1643 affirmait que le copte était la langue égyptienne ancienne.

Marie Hélène Rutschkowskaya

127 Stèle copte

Calcaire
Hauteur : 44,5 cm ; largeur : 30,5 cm ; épaisseur : 9 cm
Esna
1084 après J.-C.

Louvre : AE, AF 6265
Bibliographie :
Inédite. Pour comparaison, voir S. Sauneron et R. G. Coquin, « Catalogue provisoire des stèles funéraires coptes d'Esna », dans Livre du Centenaire de l'Institut Français d'Archéologie Orientale, MIFAO, CIV, p. 259, n° 57

La stèle est occupée par 17 lignes inscrites insérées à l'intérieur d'un double cadre formé d'un rang de perles et d'un rang de denticules triangulaires. Au centre, cinq lignes s'interrompent pour laisser place à une croix cernée d'un tore et de pétales de fleurs. Le tout est encadré de deux rainures formant des écoinçons ornés de feuilles trilobées. L'extérieur de l'encadrement, en haut et en bas, est décoré de croix ou de fleurs en forme de croix.
Traduction :
« Avec Dieu. En ce jour de Paremhotep, le 6, (année) 800 des (saints) Martyrs, Amen, s'est reposé dans le Christ Jésus le bienheureux Théodore, fils du bienheureux Ména, père de Sévère le Charpentier, habitant de la ville d'Esna. Seigneur

Jésus-Christ, puisses-tu donner le repos à son âme bienheureuse dans les lieux du repos et puisses-tu le placer dans le sein d'Abraham, d'Isaac et de Jacob dans ton Paradis, dans un jardin qui est sur les eaux du repos, lieu d'où se sont enfuis le chagrin et les gémissements dans la lumière de tes Saints. Amen. »

Après la conquête arabe, les datations furent calculées à partir de l'« Année de Dioclétien » ou l'« Année des Martyrs » qui débutait le 29 août 284 ap. J.-C., correspondant à la Grande Persécution de Dioclétien contre l'Église chrétienne : 800 (année des Martyrs) + 284 (persécution de Dioclétien = 1084 ap. J.-C.
Le mois de Paremhotep correspond au 7e mois de l'année, c'est-à-dire au mois de mars.

M. H. R.

Les écritures de la péninsule arabique

Dans la péninsule Arabique, l'écriture apparaît relativement tard. Les documents les plus anciens que nous connaissons ne semblent pas antérieurs aux VIe-Ve siècles avant l'ère chrétienne. Ils utilisent diverses écritures alphabétiques appartenant à une même famille qui n'a qu'une parenté assez lointaine avec les alphabets du Proche-Orient, notamment l'ougaritique et le phénicien.
La péninsule Arabique peut être divisée en deux parties inégales. Dans l'angle sud-ouest (le Yémen actuel), des montagnes culminant à 3700 m reçoivent des précipitations abondantes et régulières, de sorte que des populations sédentaires y sont établies depuis 3000 ans au moins. Dans tout le reste de la péninsule prédominent les déserts de sable et de rocailles, qui sont le domaine de pasteurs nomades.

I. L'Arabie du Sud

Avant l'islam, les communautés sédentaires de la chaîne yéménite, appelées conventionnellement « sudarabiques », se distinguaient des nomades du désert par un niveau de civilisation très supérieur et par la langue. Tandis que les nomades parlaient divers dialectes arabes, les Sudarabiques avaient une langue qui leur était propre, apparentée à l'arabe mais aussi à l'éthiopien. Cette langue sudarabique nous est connue par 8000 inscriptions environ. Elle était écrite au moyen d'un alphabet de 29 consonnes ; d'ordinaire, les voyelles n'étaient pas notées mais certaines consonnes *(', h, w* et *y)* pouvaient à l'occasion avoir valeur vocalique (notamment *a, u* et *i*). L'écriture sudarabique se lit très aisément car chaque lettre a une forme nettement individualisée ; la compréhension des textes est également facilitée par l'emploi de barres verticales pour séparer les mots.
Le chiffre de 29 consonnes indiqué ci-dessus est intéressant car il montre que le sudarabique a conservé tous les phonèmes du sémitique commun, langue hypothétique de laquelle dériveraient toutes les langues sémitiques. Le sudarabique est la seule langue sémitique dans ce cas : l'arabe, lui-même très conservateur, n'a plus que 28 consonnes, ayant perdu le *s* latéral. On sait depuis peu de temps dans quel ordre les Sudarabiques classaient leur alphabet. Cet ordre, proche de celui du syllabaire éthiopien (écriture qui est évoquée ci-dessous), est radicalement différent de celui des autres écritures alphabétiques.
L'écriture courait d'ordinaire de droite à gauche mais, dans les textes les plus anciens, elle pouvait aller alternativement de droite à gauche et de gauche à droite (voir cat. n° 128). Dès les origines ou presque, elle a été employée comme motif ornemental, notamment en architecture. La forme et la proportion des lettres ont été de ce fait régies par des canons très stricts, qui n'évoluèrent qu'avec lenteur. Ces canons, qui manifestent un goût prononcé pour les figures géométriques simples, pour la symétrie et pour le dépouillement, ont peut-être été influencés par l'écriture grecque d'époque classique. Mais ils expriment avant tout une sensibilité particulière qui se retrouve en architecture.
Dans certaines régions périphériques de l'Arabie méridionale ont été utilisées des écritures présentant de menues différences avec l'alphabet sudarabique monumental. L'écriture éthiopienne consonantique dérive de l'une de celles-ci. Elle a donné aujourd'hui le syllabaire éthiopien qui est la seule survivance de l'écriture sudarabique.

II. L'Arabie déserte

L'écriture sudarabique n'a pas été utilisée qu'en Arabie méridionale. On s'en est servi aussi en Arabie centrale et orientale pour noter des dialectes arabes. Mais ces dialectes ont été écrits également avec des alphabets différents de l'alphabet sudarabique, bien qu'étroitement apparentés à celui-ci. Mentionnons le safaïtique en Syrie méridionale et en Jordanie, le dédanite et le lihyanite dans le nord du Hijâz et les diverses variétés du « thamoudéen » dans presque toute la péninsule.

III. L'origine des alphabets arabiques

Reste la question des origines. Quand les divers alphabets utilisés en Arabie sont-ils apparus, quels sont les rapports qui existent manifestement entre eux et dans quelle mesure dépendent-ils des alphabets du Proche-Orient ?

En Arabie du Sud, il n'est pas sûr qu'on connaisse d'inscription antérieure au Ve siècle avant l'ère chrétienne. Cette date est également, semble-t-il, celle des plus anciens textes « thamoudéens » ; quant aux inscriptions dédanites, elles remonteraient au VIe siècle. Comme ces écritures ne semblent pas pouvoir dériver les unes des autres, on a suggéré qu'elles descendent toutes d'un même ancêtre qui ne serait encore attesté par aucun document.

On a observé par ailleurs des parentés troublantes entre le sudarabique et le phénicien, qui comptent une dizaine de lettres de forme pratiquement identique. Mais les différences sont également nombreuses : elles interdisent de supposer que le sudarabique dérive du phénicien. On en est donc réduit à faire l'hypothèse que ces deux alphabets se sont constitués indépendamment l'un de l'autre, mais en empruntant toute une série de signes à des écritures alors en usage au Proche-Orient, écritures qui ne sont plus attestées aujourd'hui que par des vestiges insignifiants.

Christan Robin

128 Stèle d'albâtre (dite stèle de Marseille)

Albâtre
Hauteur : 95 cm ; largeur : 59 cm
Yémen
Ve siècle av. J.-C.

Louvre : DAO 18
Bibliographie sommaire :
Répertoire d'Épigraphie Sémitique, n° 4226

Le champ est encadré à droite et à gauche par quatre bouquetins superposés, traités en ronde-bosse, et en haut par une double série de stries et de denticules. Le texte court de droite à gauche à la première ligne puis se poursuit aux lignes suivantes en allant alternativement de gauche à droite et de droite à gauche (écriture en boustrophédon) ; il commémore une offrande de personne au dieu sabéen Almaqah.

C. R

129 Bague-sceau

Or
Longueur : 2,8 cm ; largeur : 1,8 cm
Yémen
Ier siècle av. J.-C.

Louvre : AO 11208
Bibliographie sommaire :
Corpus Inscriptionem Semiticarum, n° 866

Le champ, délimité par un grènetis, comprend trois registres. En haut, un lion couché tourne la tête vers l'arrière (vers la droite sur le sceau mais vers la gauche sur l'empreinte).
Au centre, un texte de deux lignes se lit : « *Dhamar'îl dhû-Abîshabb* » ; c'est sans doute le nom du propriétaire. En bas, un bouquetin est représenté dans la même position que le lion. (Traduction Christian Robin.)

C. R.

Stèle dite du « Baal au foudre »
Ras-Shamra (ancienne Ugarit)
XVIe siècle av. J.-C.
Illustration du Mythe de Baal (cf. cat. n° 118).
Louvre AO 15775

Naissance et formation de l'alphabet

Tentatives d'écriture simplifiée au Proche-Orient : les « précurseurs »

— Les pseudo-hiéroglyphes de Byblos (vers XVIIIe siècle av. J.-C.).
— Les textes proto-cananéens de l'ancienne Palestine (vers XVIIIe-XVIe siècle av. J.-C.).
— Les signes proto-sinaïtiques dans la Péninsule du Sinaï (vers le XVe siècle av. J.-C.).
— L'ugaritique alphabétique cunéiforme, ouest-sémitique sur la côte syrienne (XIVe-XIIIe siècles av. J.-C.), dérivé d'un modèle ouest sémitique plus ancien, mais premier « abécédaire » constitué connu.

origine commune

L'alphabet consonantique linéaire phénicien (XIe siècle av. J.-C.)

(choisit un certain nombre de caractères des « précurseurs » pour noter ses consonnes)

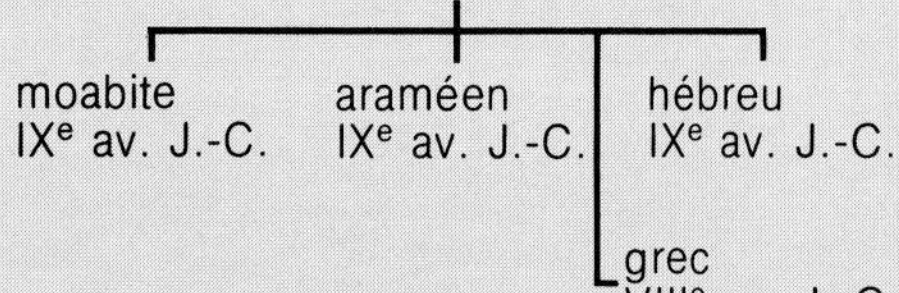

moabite IXe av. J.-C.
araméen IXe av. J.-C.
hébreu IXe av. J.-C.
grec VIIIe av. J.-C.

Prototype des alphabets de la péninsule arabique

(non attesté — choisit un certain nombre de caractères des « précurseurs » pour noter ses consonnes)

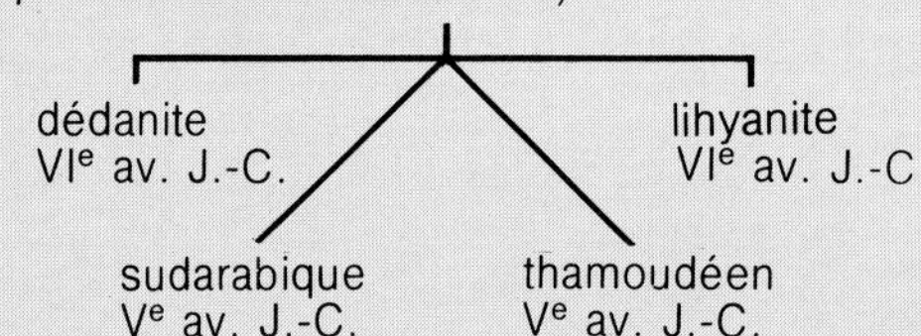

dédanite VIe av. J.-C.
lihyanite VIe av. J.-C.
sudarabique V^e^ av. J.-C.
thamoudéen V^e^ av. J.-C.

Abécédaire d'Ugarit
ɔa, b, g, h, d, ḫ, w, z, ḥ, ṭ, y, k, ś, l, m, ḏ, n, ẓ, s, c, p, ṣ, g, r, ṯ, ġ, t, ɔi, ɔu, s̀

d'après Virolleaud, Syria, XXVIII, p 22

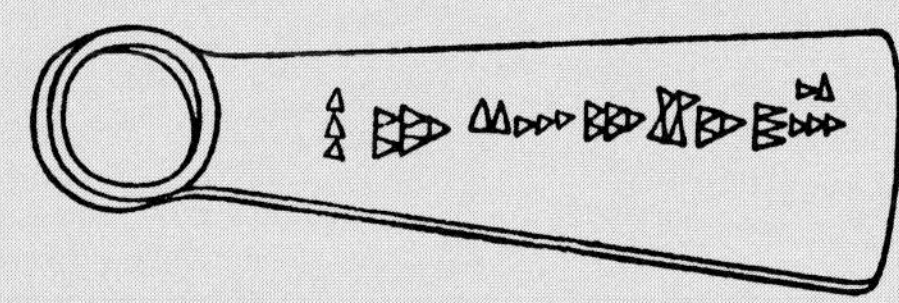

Hache gravée en ugaritique ayant permis le déchiffrement (cf. cat. n° 115).
« hrsn rb khnm : la hache du grand prêtre »

B. A.-L.

Alphabet cunéiforme d'Ugarit

Alphabet cunéiforme d'Ugarit

ɔa
b
g
ḫ
d
h
w
z
ḥ
ṭ
y
k
ś
l
m
ḏ
n
ẓ
s
c
p
ṣ
q
r
ṯ
ğ
t
ɔi
ɔu
s̀

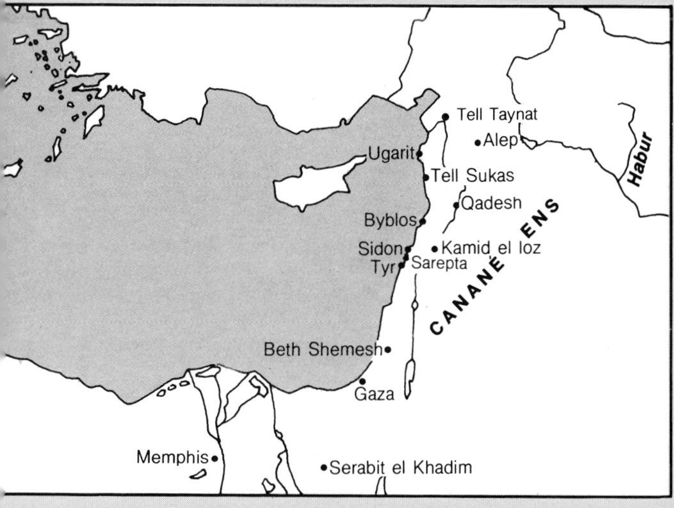

**ays de l'alphabet dans la deuxième moitié du IIe millé-
aire av. J.-C.**

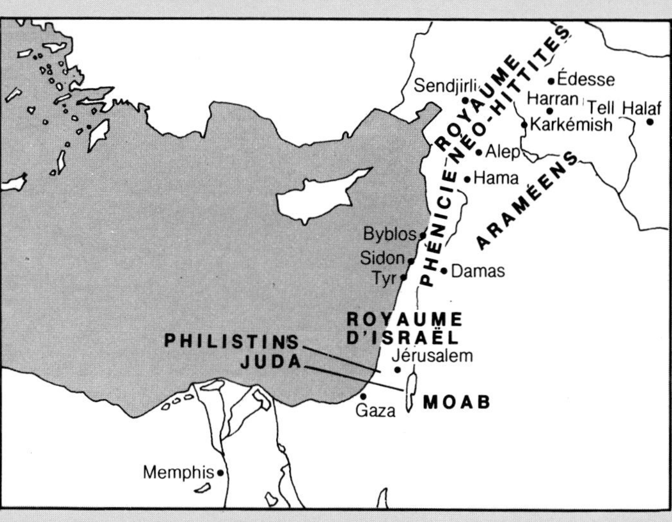

diffusion de l'alphabet consonantique au début du Ier millénaire av. J.-C.

Alphabet phénicien ancien		Alphabet araméen ancien Syrie *VIIIe siècle av. J.-C.*		
𐤀	*ɔ*	𐡀	*ɔ*	
𐤁	*b*	𐡁	*b*	
𐤂	*g*	𐡂	*g*	
𐤃	*d*	𐡃	*d*	
𐤄	*h*	𐡄	*h*	
𐤅	*w*	𐡅	*w*	
𐤆	*z*	𐡆	*z*	
𐤇	*ḥ*	𐡇	*ḥ*	
𐤈	*ṭ*	𐡈	*ṭ*	
𐤉	*y (i)*	𐡉	*y*	
𐤊	*k*	𐡊	*k*	
𐤋	*l*	𐡋	*l*	*Les signes ne diffèrent de l'alphabet phénicien que par quelques variantes de tracé.*
𐤌	*m*	𐡌	*m*	
𐤍	*n*	𐡍	*n*	
𐤎	*s*	𐡎	*s*	
𐤏	*ε*	𐡏	*ε*	
𐤐	*p (ph)*	𐡐	*f*	
𐤑	*ṣ*	𐡑	*ṣ*	
𐤒	*ḳ*	𐡒	*ḳ*	
𐤓	*r*	𐡓	*r*	
𐤔	*š*	𐡔	*š*	
𐤕	*t*	𐡕	*t*	

Alphabets grecs

Corinthe	alphabet classique		noms des lettres
A A	A	a	alpha
ʅ ɯ	B	*b*	*bêta*
< C I	Γ	*g*	*gamma*
Δ	Δ	*d*	*delta*
Ɛ B	*E*	*e*	*épsilon*
F			*digamma*
I	*Z*	*z*	*dzêta*
B *h*	H	*ē*	*êta*
⊗	Θ	*th*	*thêta*
ʒ ϟ	I	*j*	*iota*
K	K	*k*	*kappa*
Γ Λ	Λ	*l*	*lambda*
M *m*	M	*m*	*mu*
N	N	*n*	*nu*
Ξ	Ξ	*x*	*xi*
O	O	*o*	*omikron*
Γ	Π	*p*	*pi*
M *s*			*san*
ϙ			*koppa*
P	P	*r*	*rô*
	Σ	*s*	*sigma*
T	T	*t*	*tau*
V	Y	*u*	*upsilon*
Φ *ph*	Φ	*ph*	*phi*
X+*kh*	X	kh	*khi*
Ψ *ps*	Ψ	*ps*	*psi*
	Ω	*ō*	*oméga*

Alphabet linéaire phénicien

Inscription du sarcophage d'Ahiram, roi de Byblos, écrite de droite à gauche sur le couvercle. XIe siècle av. J.-C. (Musée de Beyrouth.)
Cette épitaphe est le plus ancien texte qui nous soit parvenu de l'alphabet phénicien linéaire, dont sont issus presque tous les alphabets du monde.
Texte :
Traduction :
1. « Sarcophage qu'a fait Ittobaal fils d'Ahiram roi de Byblos à Ajhiram son père comme demeure pour l'éternité. »
2. « Et si un roi d'entre les rois ou un gouverneur d'entre les gouverneurs, ou un chef d'armée monte contre Byblos et ouvre ce sarcophage, que le sceptre de sa domination soit dépouillé (?), que le trône de sa royauté soit renversé et que la paix s'enfuie de Byblos, et pour lui, que son inscription (funéraire) soit effacée au tranchant de... » (Trad. J. Starcky).

Transcription :
1. 'rnz:pʿl(:')tbʿl:bn 'ḥrm:mlk gbl:l'ḥrm:'bh:kšth:bʿlm:
2. w'l:mlk:bmlkm:wskn:bs(k)nm:wtm' :mḥnt:ʿly:gbl :wygl:' rn:zn:tḥtsp: ḥṭr:mšpṭh:thtpk:ks' :mlkh:wnḥt:tbrḥ:'l:g-bl:wh' :ymḥ sfrh:lpp:šbl
Le sarcophage d'Ahiram a été trouvé dans un hypogée de la nécropole royale de Byblos (Liban). La face latérale gauche représente, sculpté en bas-relief, le roi défunt assis sur son trône, recevant offrandes et hommages. Il repose sur des lions, gardiens de son sommeil.

Hébreu ancien

Après leur installation en Palestine, le Hébreux se sont servis de l'écriture alpha bétique linéaire pour écrire le langage cana néen sémitique qu'ils ont apporté ou adopté avec les mêmes caractères qui servaier pour le phénicien, mais à quelques diffé rences de tracés près.

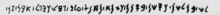

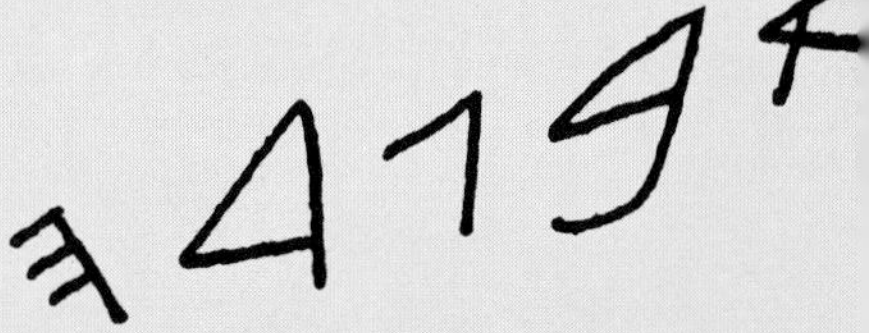

Inscription découverte sur les marches d palais de Lachish. C'est la plus ancienn attestation des cinq premières lettres d l'alphabet hébreu ancien dans leur ordr conventionnel : aleph, beth, gimel, dalet he. Il s'agit peut-être d'un exercice d'écolie. (IXe ou VIIIe siècle av. J.-C.)

Copie de l'Inscription de Siloé, près d Jérusalem, relatant le percement d'un tunne pour l'alimentation de la ville en eau sou Ézéchias - vers 700 av. J.-C. (Cf. texte ca n° 125.)

volution possible de quelques lettres, du rotosinaïtique au phénicien archaïque.

roto-sinaïtique (Ve siècle)	Phénicien archaïque (XIe-Xe siècle)	Valeur phonétique	Noms des lettres	Signification des noms
		b	*bêth*	*maison*
		ɔ	*aleph*	*(tête de) bœuf*
		l	*lamed*	
		ʿ	*ᶜayin*	*œil*

'après M. Sznycer
L'origine de l'alphabet sémitique »
ans l'espace et la lettre, Paris, 1977

Alphabet sudarabique

lettres	valeurs	lettres	valeurs
	ɔ		*ḍ*
	b		*ṭ*
	t		*ẓ*
	ṯ		*ᶜ*
	g		*ḡ*
	ḥ		*f*
	ḫ		*q*
	d		*k*
	ḏ (éth. z)		*l*
	r		*m*
	z		*n*
	s ou s1		*h*
	š ou s2		*w*
	ś ou s_z		*y*
	ṣ		

D'après Ch. Robin.
Dossiers de l'Archéologie, n° 33, 1979.

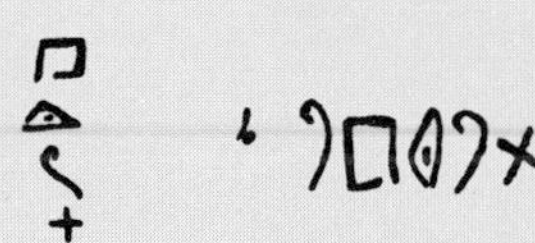

eux séquences protosinaïtiques, lues par ardiner :
de haut en bas : BᶜLT
de gauche à droite : LBᶜL T.

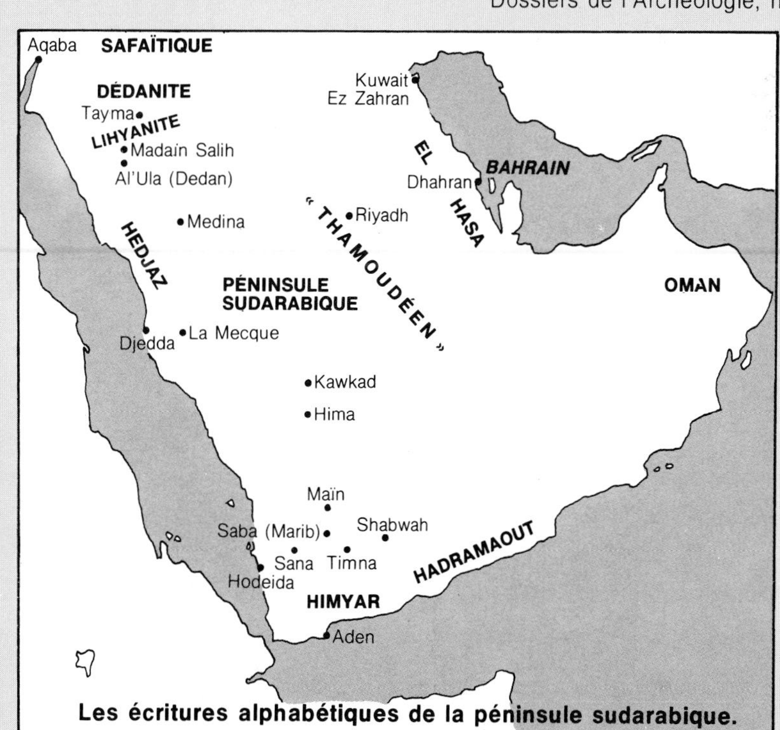

Les écritures alphabétiques de la péninsule sudarabique.

IV. L'écriture, expression d'une civilisation

écriture et civilisation mésopotamienne
écriture et civilisation égyptienne

Écriture et civilisation mésopotamienne

L'histoire événementielle

Il y a presque un siècle et demi, les déchiffreurs eurent un éblouissement : les Assyriens, ceux de leur Bible, parlaient et d'une coulée continue, cohérente et ordonnée. Depuis, certes, nous avons appris à nous méfier des rédacteurs antiques, volontiers insincères, mais reste que, des Parthes, nous remontons jusqu'en Sumer, en plein IIIe millénaire, et même si plusieurs centaines d'années séparent l'invention de l'écriture de la première inscription historique, pouvoir plonger dans un passé aussi reculé est unique : aujourd'hui les spécialistes ont pu bâtir une chronologie solide jusque vers —2200, flottante ensuite jusque vers —2600, hypothétique au-delà.
En Mésopotamie même, ce n'est qu'après le milieu du IIe millénaire qu'on rencontre des historiographes. Auparavant nous avons des listes, listes de rois ou d'événements mémorables qui désignaient chaque année. La curiosité désintéressée n'était pas à l'origine de leur compilation mais les besoins des scribes (il fallait pouvoir replacer dans la durée la date d'un contrat ou d'un bilan), voire la propagande politique : telle ville imposait l'idée de son pouvoir légitime sur la Babylonie en inscrivant ses propres rois à la suite de tous les princes connus. Déjà pourtant l'exposé d'un conflit politique ou social sur un monument qui disait en marquer le terme ébauchait le genre historique : de tels développements, plus ou moins charnus, se retrouvent jusqu'aux Grecs mais, à partir de —1400, en plus, les rois assyriens font rédiger leurs annales tandis que les Babyloniens préfèrent composer des chroniques. Les premières certes exaltent jusqu'à l'emphase le monarque ; les secondes affichent souvent un didactisme inspiré par une bigoterie indiscrète, même si certaines tirent leur objectivité de leur sécheresse de rédaction. Assurément la réalité est quelque peu malmenée, au nord par le nationalisme assyrien, au sud par l'orgueil babylonien.
Le concept d'histoire est inconnu des Mésopotamiens mais ils avaient une idée arrêtée sur l'évolution de leur société dans le temps. Elle est foncièrement pessimiste. L'homme a reçu la civilisation toute achevée des dieux mais depuis la révélation, le monde s'éloigne de cette perfection qu'aucun effort ne saurait maintenir, encore moins retrouver. Archivistes et bibliothécaires, collectionneurs d'antiques à l'occasion, les Mésopotamiens connaissaient trop bien leur passé tumultueux et étaient des témoins trop attentifs de leur présent pour ne pas juger que tout décidément allait de mal en pis. L'Histoire est alors enseignement d'une morale sociale dont l'archaïsme fondait la valeur : la connaissance des crises passées sert, sinon à en éviter le retour, du moins à le retarder ou à en atténuer les effets. Après chaque catastrophe, les Mésopotamiens, énergiques et désabusés, se remettaient à la tâche.

Daniel Arnaud

Chronologie et datation : la notation du temps

130 Prisme à quatre faces portant la liste chr nologique de la dynastie de Larsa (vers 2025-17 av. J. -C.)

Argile cuite
Hauteur : 29,5 cm ; largeur (chaque côté) : 10 cm
Larsa (Mésopotamie)
Daté de la 39e année du règne de Hammurabi de Babylone (1792-1750 av. J.-

Louvre : AO 7025
Bibliographie sommaire :
F. Thureau-Dangin : Revue d'Assyriologie, XV, 1 (1918), p. 1-57
Ungnad : Reallexicon der Assyriologie, II (1938), Article « Datenlisten », p. 131

texte est mutilé. Dans son intégralité, il donnait la chronologie la dynastie entière ; les noms des quatre premiers rois avec durée respective de leurs règnes, et à partir du cinquième roi, liste complète des noms des années, selon la coutume lisée depuis les rois d'Agadé, sous l'influence d'un empire ntralisé, de dater les années selon les hauts faits d'un règne : nstructions ou victoires.
s contrats datés de la dynastie de Larsa ont permis de mpléter les parties manquantes du texte.
traits du texte (traduction Thureau-Dangin) :
ce 1 :
) années de Naplānum » (vers 2025-2005 av. J.-C.).
) années d'Emiṣum » (vers 2004-1977 av. J.-C.).

« (année) où Gungunum devint roi » (vers 1932-1906 av. C.).
« (année) où il introduisit dans le temple de Shamash deux lmiers de cuivre. »...
« année où Anshan fut dévasté. »
« année où il élut, par le moyen des présages, le grand prêtre Shamash. »...
7) années de Gungunum.

ce 4 :
nnées de Rîm-Sîn, dernier roi de la dynastie — vers 1822-'63 av. J.-C. — contemporain de Hammurabi de Babylone.)
1) « (Année) où, avec l'arme sublime d'Anu, Enlil et Enki, Isin, ville royale, avec la foule de ses (habitants), autant qu'il y en ait, le pasteur légitime Rîm-Sîn la prit, fit grâce de la vie à sa mbreuse population et illustra pour l'éternité le nom de sa ropre) royauté. »...
1) « 31e année (depuis) qu'il prit Isin. »
61 années de Rîm-Sîn roi.

Mois de Tebet, matin du 14e jour.
Main (œuvre) de Sîn-Uṣelli.
Année où Hammurabi, le roi, avec la force puissante que lui ait donnée (Enlil), vainquit l'ensemble des pays ennemis squ'en Subartum. »
'est-à-dire Hammurabi 39)

B. A.-L.

131 Tablette : document administratif dans son enveloppe avec empreinte de sceau d'un scribe du roi et date

Argile
Longueur : 5 cm ; largeur : 4,7 cm ; épaisseur : 2,9 cm
Tello (Basse-Mésopotamie) ; époque de la renaissance sumérienne, an VIII d'Amar-sin (2046-2038 av. J.-C.), troisième roi de la IIIe dynastie d'Ur

Louvre : AO 2468
Bibliographie sommaire :
Thureau-Dangin : Recueil de tablettes chaldéennes, 1903, no 425.
Thureau-Dangin : Les Inscriptions de Sumer et d'Akkad, Paris, 1905 (Sceau), p. 284-285

Reçu de service de douze hommes au mois de la fête du dieu Dumuzi (dieu de la végétation, époux de la déesse de l'amour Inanna), au 11e jour du mois *še-il-la ;* an VIII d'Amar-Sin. Les tablettes administratives sont datées depuis l'époque des dynasties archaïques (tablettes de Shuruppak, vers 2600 av. J.-C.)
C'est à l'époque de la troisième dynastie d'Ur que fut pratiqué pour la première fois l'usage d'apposer un sceau sur les tablettes, ce qui engageait la responsabilité du fonctionnaire.
L'usage de placer les tablettes dans une enveloppe d'argile scellée, portant un résumé du contenu, date également de cette époque.

B. A.-L.

La Guerre

132 Cône d'Entemena, prince de Lagash, relatant l'histoire d'un règlement de frontières entre les deux États de Lagash et d'Umma

Argile cuite
Hauteur : 27 cm ; diamètre (base) : 12,7 cm
Tello (Basse-Mésopotamie)
Époque des dynasties archaïques, règne d'Entemena de Lagash (2404-2375 av. J.-C.)

Louvre : AO 3004
Bibliographie sommaire :
F. Thureau-Dangin : Les Inscriptions de Sumer et d'Akkad (1905), p. 62-69
Sollberger et Kupper : Inscriptions Royales Sumériennes et Akkadiennes (Paris, 1971), p. 71 ss.
S. N. Kramer : L'Histoire commence à Sumer, 2e édition, Arthaud (Paris, 1975), p. 64 ss.

Il n'existe pas, à l'époque sumérienne, de textes historiques proprement dits. Les documents qui nous renseignent sur les événements du temps sont les inscriptions votives des statues, stèles, cônes, cylindres, vases et tablettes, relatant des faits

contemporains et isolés, et écrits pour s'attirer la faveur d dieux. Mais les écrits des princes de la dynastie de Lagash no renseignent sur les événements d'un temps où les cités-Éta gouvernées par un roi prince héréditaire, délégué du grand di local, s'affrontent pour des problèmes de règlements de frc tières et pour imposer leur hégémonie à la cité voisir L'exemple le plus célèbre est la « stèle des vautours » (cf. par documentaire) d'Eanatum, grand-père d'Entemena, qui cc cerne la même « affaire » que le cône. L'originalité de ce derni tient cependant au fait que l'archiviste d'Entemena, faisant ai œuvre de véritable historien, raconte l'histoire de ce démé entre les deux villes, dû à un problème de fossé ou talu frontière, revendiqué par les deux États, depuis les origines, temps où Mesalim, roi de Kish (cf. cat. n° 41), régnait sur tc le pays de Sumer.
Les gens d'Umma ne respectèrent jamais le traité d'allian concernant la délimitation de ce fossé pendant trois génératior et c'est Entemena qui régla le différend et fit reconstruire fossé (ou talus), en plaidant devant Enlil, grand dieu de Sum pour établir son droit. Le texte se termine par des malédictio contre « l'homme d'Umma » qui « franchirait le talus-frontière Le discours, très narratif, est loin d'être objectif.
Extrait (traduction Sollberger-Kupper) :
« Enlil, le roi de tous les pays, le père de tous les dieux, par ferme parole, délimita la frontière...
Mesalim, le roi de Kish, la mesura à la corde d'arpentage (et) érigea une stèle...
Entemena, le prince de Lagash, eut beau envoyer des mess gers à Ila au sujet de ce talus, Ila, le prince d'Umma, voleur domaines, diseur de vilainies, déclarait : "Le talus-frontière... e à moi." »

B. A.-

133 Tablette des annales historiques de Sargon II d'Assyrie relatant sa huitième campagne militaire contre l'Urartu (714 av. J.-C.)

Argile cuite
Hauteur : 37 cm; largeur : 24 cm; épaisseur : 4 cm
Époque néo-assyrienne, règne de Sargon II (721-705 av. J.-C.)
Khorsabad, Assyrie (ancienne Dûr-Sharrukîn)

Louvre : AO 5372
Bibliographie sommaire :
F. Thureau-Dangin : Textes cunéiformes du Louvre, III, Paris, 1912
Luckenbill : Ancient Records of Assyria, II, 1927, p. 73 ss.

Les textes historiques antérieurs au milieu du IIe millénaire sont constitués par des listes dynastiques et des récits légendaires relatifs aux grands héros de l'histoire mésopotamienne, tel Sargon d'Agadé qui demeura pour la postérité un roi mythique : l'histoire de sa naissance merveilleuse, de son abandon, de sa découverte dans un panier flottant sur le Tigre, comme le Moïse biblique, de sa prise du pouvoir, de ses victoires et revers, était connue jusqu'en Égypte.

A partir du milieu du IIe millénaire, les souverains assyriens (comme leurs voisins hittites), puis syriens et babyloniens, firent rédiger par leurs scribes des récits détaillés concernant les événements survenus en chaque année de leur règne. Écrits essentiellement pour glorifier le roi et lui attirer la faveur des dieux, ils restent, en dépit de leur partialité, la source principale, avec les archives diplomatiques, de l'histoire de cette période.

Sargon II d'Assyrie — probablement un usurpateur, qui prit le nom de son illustre prédécesseur d'Agadé, Sargon = *Šarru-Kîn* = « le roi est légitime », ce qui signifie en général qu'il ne l'est pas — fit graver ses annales sur les murs du palais de sa ville de Dûr-Sharrukîn (« forteresse de Sargon ») et sur de nombreuses catégories de documents de fondation enfouis dans les murs des différents édifices de la ville. (Cf. cat. nos 178 à 180.)

Cette tablette, l'une des plus grandes connues, rédigée en écriture soignée, relate sa campagne contre l'Urartu (royaume constitué dans le bassin du lac de Van, en Arménie), la destruction de sa capitale et le pillage de la ville de Muṣaṣir.

Le texte se présente sous la forme d'une lettre à Assur, « le père des dieux ». Le style est poétique et emphatique.

B. A.-L.

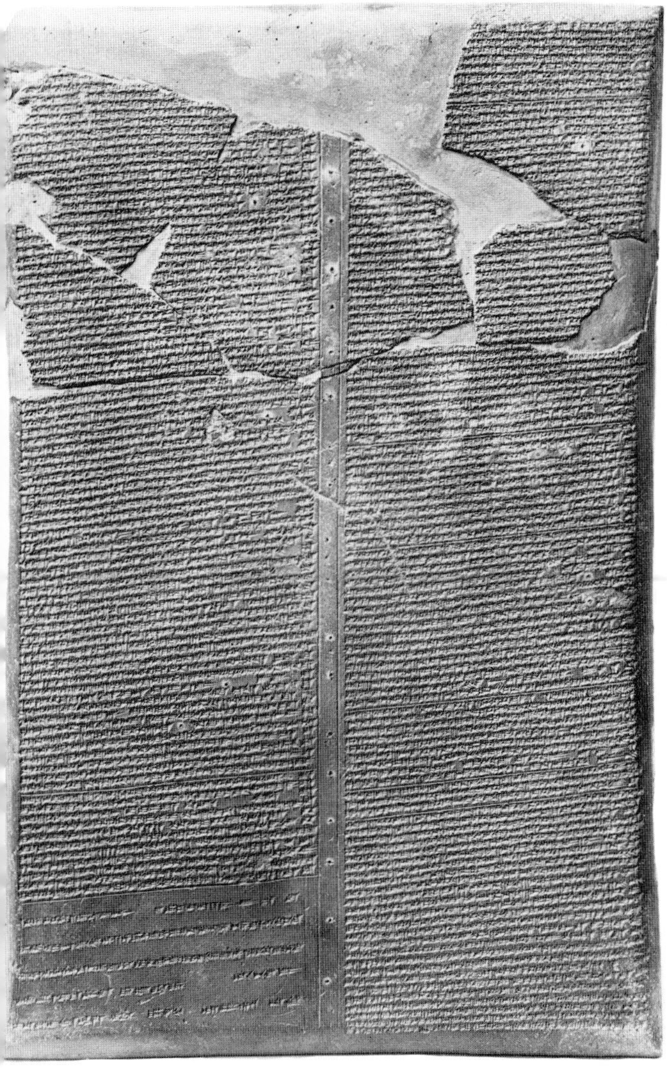

Les alliances et la paix

134 Clou de fondation de « fraternité » d'Entemena avec le roi d'Uruk

Argile cuite
Hauteur : 12,4 cm ; diamètre : 6,2 cm
Tello (Basse-Mésopotamie) : Époque d'Entemena
Prince de Lagash (2404-2375 av. J.-C.)

Louvre : AO 22934
Bibliographie sommaire :
M. Lambert : Revue du Louvre, 21, 1971, p. 5
Sollberger, Kupper : Inscriptions royales sumériennes et akkadiennes, 1971, pp. 70-71

Clou de fondation voué par Entemena au dieu de la ville de Bad-Tibira pour commémorer la reconstruction de son temple, à l'occasion d'un traité de paix avec le prince de la ville d'Uruk.
Ce texte est le plus ancien document diplomatique qui nous soit parvenu. Il a été reproduit sur de nombreux clous semblables. Nous en connaissons actuellement quarante-six.
Extrait du texte en sumérien (traduction Sollberger-Kupper) :
« En ce temps-là, Entemena, le prince de Lagash et Lugal-Kinishedudu, le prince d'Uruk, firent (traité de) fraternité. »

B. A.-L.

135 Tablette : acte diplomatique international traité d'alliance entre Naram-Sin d'Agade et le ro[i] d'Awan, suzerain de Suse

Argile
Hauteur : 15 cm ; largeur : 16 cm
Suse (Iran)
Époque d'Agadé, Naram-Sin, quatrième roi de la dynastie (2254-2218 av. J.-C.)

Louvre : Sb 8833
Bibliographie sommaire :
V. Scheil : Mémoires de la Délégation en Perse, XI (1911), p. 1 ss. et pl. I
F. W. König : Die Elamitischen Königsinschriften, in Archiv für Orientforschung Bhft 16 (1965), p. 29-34

Version élamite.
Traité en langue élamite mais transcrit en cunéiformes akkadiens. Il existait certainement une version akkadienne non retrouvée.
Invocation des grands dieux d'Awan et d'Agadé ; puis le roi d'Awan jure fidélité et prête serment en ces termes : *« L'ami de Naram-Sin est mon ami, l'ennemi de Naram-Sin est mon ennemi. »*

B. A.-L.

136 Relief de bronze commémorant la restau-ation de Babylone par Asarhaddon, roi d'Assyrie

ronze
auteur : 33 cm ; largeur : 31 cm ; épaisseur : 15 cm
ovient probablement de Babylone
poque néo-assyrienne, règne d'Asarhaddon (681-669 av. J.-C.)

ouvre : AO 20185
bliographie sommaire :
Parrot et J. Nougayrol : Syria, XXXIII (1956), p. 147-160
Nougayrol : Revue des arts (1957), nº 3, p. 98-104

elief de bronze, anciennement plaqué d'or, appartenant à un onument érigé probablement à Babylone : le roi d'Assyrie, sarhaddon, y est représenté, suivi de sa mère, la reine Naqi'a, emme de Sennachérib. Tous les deux portent la main à la ouche dans le geste de la prière traditionnel en Mésopotamie. e texte inscrit sur tout le fond du relief, et couvrant même le orps des personnages, commémore le retour de la statue du ieu de l'abîme Éa, dans le temple de son fils Marduk, le grand ieu de Babylone.

Le contexte historique est le suivant : Sennachérib avait brûlé et rasé Babylone, et fait balayer par les eaux la terre de la ville maudite. Il meurt assassiné, et dès la première année de son règne, Asarhaddon reconstruisit la ville sainte, plus magnifique que jamais. Ce changement de politique est probablement dû à l'initiative de la reine mère, qui, d'origine babylonienne, souhaitait voir restaurer sa ville natale. La représentation de la femme est rare en Assyrie ; or, l'artiste, contre tout usage, a fait figurer une femme dans une procession solennelle, et immédiatement après le roi. Nous pouvons admettre qu'Asarhaddon a voulu proclamer par ce geste, devant les dieux et les hommes, que sa mère avait inspiré ou tout au moins soutenu l'entreprise. La figure de Naqi'a, restauratrice de Babylone, est passée dans la légende sous le nom de Sémiramis. C'est à Assurbanipal, son petit-fils et le dernier grand roi d'Assyrie, que reviendra le mérite de parfaire et de couronner la restauration religieuse de Babylone entreprise par son père, en ramenant dans son temple la statue de Marduk, le dieu suprême.

B. A.-L.

Économie et vie sociale

Inventée pour elle, l'écriture fut l'outil par excellence de la bureaucratie, celle des palais comme celle des temples. Efficace sans doute, mais souvent tâtillonne et quelquefois désordonnée, elle couchait tout sur des tablettes d'argile dont les plus importantes étaient scellées par les responsables. Les archivistes classaient ensuite les documents dans des paniers auxquels ils attachaient des étiquettes pour s'y reconnaître plus vite car certaines administrations en produisaient bon an mal an plusieurs milliers.

La part de l'oral dans la vie des administrés resta pourtant considérable : les ordonnances royales étaient proclamées par héraut mais on plaçait les monuments qui les portaient comme référence dans les temples, sous la protection des dieux. Le domaine du contrat écrit, très étroit jusqu'au IIe millénaire, s'élargit alors : la loi exigeait un acte pour les ventes immobilières par exemple et la prudence pour les prêts, mais en beaucoup d'occasions les parties pouvaient à leur gré s'engager simplement sur parole. Les juges même ne se contentaient pas de requérir les pièces écrites mais demandaient à entendre en même temps aussi ceux qui en avaient été les témoins.

A peu près tous agriculteurs, les Mésopotamiens ne pratiquaient que la mesure par volumes, définis par l'usage local, ou que le compte par unité ; ils ignoraient la pesée : seuls les orfèvres et ceux qui les employaient s'en servaient et c'est à eux que l'on doit les poids de pierre, souvent en forme d'animaux, mais sur lesquels, praticiens entraînés, ils négligeaient de faire graver la valeur. Les étalons inscrits, s'ils servaient à l'occasion de référence, proclamaient surtout devant la divinité la sagesse et la piété du prince ou du prêtre qui les signaient.

La substitution, jamais complète, de la lettre au message oral se fit lentement pour tous : les puissants utilisaient leur secrétariat ; les autres l'écrivain public. Ainsi des rois mais aussi des marchands entretinrent une correspondance internationale. Les fonctionnaires recevaient sous cette forme ordres et informations. Quant aux missives des particuliers, elles nous donnent des aperçus pittoresques sur la vie quotidienne.

Daniel Arnaud

Les ordonnances royales

137 Cône B d'Urukagina relatant les réformes de ce prince contre les abus des « jours anciens »

Argile cuite
Hauteur : 28,2 cm ; diamètre de base : 16,5 cm
Tello (Basse-Mésopotamie)
Époque des dynasties archaïques : règne d'Urukagina, dernier roi de la dynastie de Lagash (2351-2342 av. J.-C.)

Louvre : AO 3278
Bibliographie sommaire :
E. de Sarzec : Découvertes en Chaldée, 1884-1912, pl. 32bis, 4
F. Thureau-Dangin : Les Inscriptions de Sumer et d'Akkad, 1905, p. 76 ss.
E. Sollberger : Corpus des Inscriptions Cunéiformes de Lagash, 1956, p. 50

Ce document sumérien, ainsi que deux autres cônes semblables, provient des Archives d'Urukagina, homme nouveau qui fut porté au pouvoir par le peuple après le renversement de la dynastie d'Ur-Nanshé. Dès son avènement, il entreprit une politique de réformes visant à restaurer l'ordre antérieur compromis par les abus des puissants et des riches, le palais et les temples principalement. Le caractère et la portée de ces réformes ont peut-être un caractère anticlérical mais aussi un désir de soulager les opprimés. Elles aboutirent à une réduction

des impôts et taxes prélevés par les prêtres. On respectait les biens du temple, et *« d'une extrémité du pays à l'autre... il n'y avait plus de percepteur »*. Urukagina avait *« instauré la liberté »* des citoyens de Lagash. Il débarrassa également la cité des usuriers, voleurs et criminels : *« Si le fils d'un pauvre homme aménageait un étang pour y pêcher, personne ne lui volerait maintenant son poisson »* (traduction d'après A. Poebel).
Ces réformes ne réussirent pas à rendre sa puissance à Lagash. Urukagina fut défait par Lugal Zaggesi, roi d'Umma, le rival de toujours, et Lagash ne s'en releva pas.

B. A.-L.

138 Prologue du code de lois de Lipit-Ishtar d'Isin

Argile
Longueur : 11,4 cm ; largeur : 6,4 cm ; épaisseur : 3,2 cm
Mésopotamie : Isin ?
Époque de la dynastie d'Isin, règne de Lipit-Ishtar (1934-1924 av. J.-C.)

Louvre : AO 5473
Bibliographie sommaire :
H. de Genouillac : Textes cunéiformes du Louvre, XV (1930), pl. LXXII
R. Steele : American Journal of Archaeology, LII (1948), p. 425-450
E. Szletcher : Revue d'Assyriologie LI, 2 (1957), p. 57 ss.
S. N. Kramer in Pritchard : Ancient Near Eastern Texts, troisième édition (1969), p. 159 ss.

Ce code, écrit en sumérien, et plus ancien que le code de Hammurabi, est le second en date après celui d'Ur-Nammu (2112-2095 av. J.-C.), le premier roi de la IIIe dynastie d'Ur. Nous ne le connaissons que sur des tablettes, ce qui ne signifie pas qu'il n'y ait pas eu de stèles, celle de Hammurabi ayant eu son prototype sur tablettes d'argile.
Celle-ci est une des tablettes connues comportant 43 articles, un prologue et un épilogue. Comme les lois de Hammurabi, c'est un recueil casuistique n'envisageant que des problèmes isolés, et ne s'élevant pas du particulier au général. Ce sont des sentences plutôt que des lois.
Prologue (traduction d'après Szletcher) :
« Lorsque le Grand Anu, le père des dieux (et) Enlil, roi de toutes les contrées, le seigneur qui détermine le destin... Isin ont délimité (et) le dieu Anu y ont installé, ... lorsque Lipit-Ishtar, le pasteur obéissant, a été appelé par Nunamnir, pour établir dans le pays l'équité... pour briser par la force la méchanceté et la malveillance, pour (établir) le bien-être dans Sumer et Akkad, Anu et Enlil ont appelé Lipit-Ishtar à la souveraineté du pays... Sur l'ordre d'Enlil, l'équité dans Sumer et Akkad j'établis... »

B. A.-L.

139 Code de lois du roi Hammurabi de Babylone (vers 1760 avant J.-C.)

Moulage (original en basalte au Louvre). La stèle, qui pèse 4 tonnes et se présente en plusieurs morceaux, n'a pu être transportrée
Hauteur : 225 cm ; diamètre : 190 cm
Trouvée à Suse (Iran) où elle avait été emportée en butin au XIIe siècle par un conquérant élamite
Son origine serait Babylone ou Sippar, la ville du dieu Soleil, dieu de la Justice
Mésopotamie. Époque paléo-babylonienne : règne de Hammurabi de Babylone (1792-1750 av. J.-C.)

Louvre : Sb 8
Bibliographie sommaire :
V. Scheil : Mémoires de la délégation en Perse, IV 1902, p. 11-162
Driver and Miles : The Babylonian Laws, Oxford 1955
A. Finet : Le code de Hammurabi, Coll. LAPO 6 (édition du Cerf, Paris, 1973)

Le code de lois de Hammurabi de Babylone a fondé la célébrité de ce roi. Sculptées en plusieurs exemplaires et en pierre dure, des stèles furent dressées dans chaque ville, pour faire respecter la justice.
Le code complet se présente comme une haute stèle de deux mètres de haut, au sommet de laquelle est figuré le roi en adoration devant une divinité assise, peut-être Shamash, dieu du Soleil et de la Justice. En dessous, sont gravées trois mille cinq cents lignes, enfermées dans des cartouches et disposées en colonnes. La graphie archaïsante, propre aux inscriptions sur pierre, impose une lecture verticale, alors que depuis près de mille ans celle des tablettes d'argile se faisait horizontalement. L'écriture et la langue atteignent ici le sommet de l'élégance et de la perfection.
Un prologue célébrait l'accession du roi au pouvoir, puis venaient les lois : recueil de sentences et de décisions de justice. Le code n'est pas le premier du genre. Nous en connaissons au moins deux antérieurs, ceux d'Ur-Nammu, fondateur de la troisième dynastie d'Ur, et de Lipit-Ishtar, roi d'Isin. Il fut pourtant le premier à avoir eu cette ampleur. Il nous révèle, une société fondée sur l'inégalité, mais où pourtant le roi désire que « le fort n'opprime pas le faible. » Les sentences sont rédigées par chapitres concernant le vol, le travail agricole, les locaux d'habitation, le commerce, la famille, le mariage et l'héritage, les enfants, les coups et blessures. L'exercice de certaines professions et les esclaves. Nous ressentons un certain désordre dans la disposition et des manques importants ; jamais le code ne s'élève du particulier au général, chaque précédent dans une situation déterminée faisant force de loi. La forme des sentences est immuable : « si un homme... (a fait telle action), il lui arrivera telle chose ». C'est qu'il s'agit, plutôt que de véritables lois, d'un choix de décisions prises pour résoudre des problèmes concrets et particuliers dus aux troubles du temps, ainsi que le roi l'explique lui-même dans l'épilogue :
« Telles sont les sentences équitables que Hammurabi, roi avisé, a portées pour faire prendre à son pays la ferme discipline et la bonne conduite. »
Avant de terminer en appelant sur lui la bénédiction des dieux, il conseille à ses successeurs de faire respecter ses décisions pour garder le pays en ordre.
Mais la solidarité du royaume reposait sur la personnalité du monarque et son pouvoir centralisateur, et il semble que les dispositions du code tombèrent dans l'oubli, faute d'un héritier assez fort pour les faire respecter.

B. A.-L.

140 Tête royale : portrait présumé du roi de Babylone, Hammurabi

Diorite
Hauteur : 15 cm ; largeur : 12,5 cm
Suse (Iran) où elle avait été emportée en butin au XIIe siècle av. J.-C., comme le code. Sa ville d'origine est probablement Babylone. Époque paléo-babylonienne, Hammurabi (1792-1750 av. J.-C.)

Louvre : Sb 95
Bibliographie sommaire :
E. Strommenger : Cinq millénaires d'Art mésopotamien, fig. 149, p. 86
P. Amiet : L'art antique du Proche-Orient, Paris, 1977, fig. 445.

Portrait d'un homme d'âge mûr à la barbe soigneusement bouclée, portant la coiffure royale en vigueur depuis Gudéa et les souverains de la troisième dynastie d'Ur. C'est un portrait stylisé selon l'idéal du roi législateur, d'un art très supérieur au bas-relief qui illustre le sommet du code.

B. A.-L.

Vie juridique, contrats

141 Cône inscrit : contrat de vente d'une maison

Argile cuite
Hauteur : 12,2 cm ; diamètre maximum : 7,8 cm
Tello (Basse-Mésopotamie)
Époque des dynasties archaïques : fin du règne d'Entemena ou Enanatum II de Lagash (vers 2380 av. J.-C.)

Louvre : AO 13239
Bibliographie sommaire :
M. Lambert : Archiv Orientalis, XXIII (1965), p. 563 ss.
D. O. Edzard : Sumerische Rechtsurkunden des III Jahrtausends (München, 1968), p. 67 ss.

Le texte relate les clauses d'un contrat de vente d'une maison passé devant notaire, par Enentarzi, administrateur du temple du dieu tutélaire de l'État de Lagash, Ningirsu. Les clauses mentionnent le prix à payer. Des cadeaux de vêtements, de bière, de pain et d'orge sont offerts aux témoins.
Ce cône, percé d'un trou en son centre, était destiné à être « planté dans le mur », sans doute fiché sur un pieu pour authentifier la transaction et la rendre publique.

B. A.-L.

142 Tablette dans son enveloppe : contrat de mariage

Argile
Hauteur : 12,6 cm ; largeur : 6,75 cm ; épaisseur : 4,3 cm
Kish (Mésopotamie : Babylonie du Nord)
Époque paléo-babylonienne : règne d'Apil-Sin (vers 1820 av. J.-C.)

Louvre : AO 5422
Bibliographie sommaire :
Inédite : Traduction D. Arnaud à paraître

Le contrat, encore dans son enveloppe scellée, ne peut être lu complètement. La tablette est collée à l'enveloppe, appliquée sur une argile trop humide, ce qui rend l'ouverture difficile.
Monsieur Shāhratum donne sa fille en mariage à Ipiq-Ishtar. Le cadeau nuptial donné par le fiancé est de 10 sicles d'argent (environ 85 g), à trois personnages, sans doute les frères de la jeune fille. Les autres clauses ne sont pas lisibles.
Au revers, liste des témoins et date (13e jour du mois d'Adar).
L'enveloppe porte les sceaux des témoins garants du contrat.

B. A.-L.

143 Tablette : contrat d'adoption de Nuzi

rgile
Hauteur : 8,9 cm ; largeur : 6,9 cm ; épaisseur : 2,8 cm
uzi (Mésopotamie du Nord). Époque de l'empire du Mitanni, XVe-XIVe siècle av. -C.

ouvre : AO 10889
ibliographie sommaire :
. Contenau : Revue d'Assyriologie, XXVIII (1931), p. 29 ss.

es documents légaux étaient rédigés selon un modèle rigoureux. On mentionnait l'objet de la transaction, puis le rapport ntre les partis. Des clauses additionnelles propres à chaque pération étaient ensuite données. On a même retrouvé à ippur, datant de la première dynastie de Babylone, des contrats n blanc prêts à être remplis.
)u site de Nuzi, proviennent des documents juridiques très pécifiques, notamment un grand nombre de contrats d'adoption ctifs, moyen légal de circonvenir l'interdiction d'aliéner la ropriété privée. L'écriture est souvent peu soignée. Empreintes e sceaux.
 s'agit ici de la « donation » d'un verger à un personnage adopté » par les deux propriétaires de ce verger. En échange, adopté fait à ses « bienfaiteurs » un cadeau consistant en orge, nouton et cuivre. Si l'un ou l'autre parti « trangresse la convenon », il paiera deux mines d'or.
Suivent les noms et les sceaux des témoins.

B. A.-L.

144 Kudurru ou charte de donation de terrains de Melishihu II

Pierre noire
Hauteur : 68 cm ; largeur : 30 cm ; épaisseur : 19 cm
Suse (Iran) où il avait été emporté en butin au XIIe siècle par un conquérant élamite
Époque kassite, de Melishihu II (1188-1174 av. J.-C.)

Louvre : Sb 22
Bibliographie sommaire :
V. Scheil : Mémoires de la Délégation en Perse, II, 1900, p. 99
U. Seidl : Baghdader Mitteilungen, 4, 1968, p. 29

A l'époque kassite, les traditions économiques et sociales subirent un changement profond. L'initiative privée, bien attestée auparavant, disparaît peu à peu. Nous sommes renseignés sur la vie économique principalement par les archives des palais. La terre était la principale richesse. Les transactions qui la concernent, particulièrement des donations de terrain par le roi, donnent lieu à un genre juridique, littéraire et artistique, nouveau

et solennel, le Kudurru. Les actes en étaient d'une rédactio stéréotypée. La stèle était certainement placée dans un temple sous la protection des divinités figurées sur sa face.
Celui-ci confirme, sur l'une des faces, les clauses d'un donation faite par le roi à ses fils; sur l'autre face sont figurés en cinq registres superposés, les emblèmes des dieux garant de ce contrat. En haut, les grands dieux, le croissant de Si (dieu lune), le soleil de Shamash (dieu soleil et de la justice) e l'étoile d'Ishtar (déesse de l'amour et de la guerre). Certain dieux (Anu, Enlil et Éa) sont figurés par leur tiare à cornes emblèmes des grands dieux. D'autres divinités sont représen tées par un symbole et un animal attribut. Notamment a troisième registre la bêche pointue « Marrû » de Marduk, gran dieu de Babylone, au centre le stylet et la tablette de Nabû, fil de Marduk et dieu de l'écriture, sur un socle porté par u serpent cornu. Au registre inférieur, le foudre d'Adad, dieu d l'orage. En bas, un serpent et un scorpion sont les symboles d divinités chtoniennes.

B. A.-L

145 Tablette : compte rendu d'un jugement concernant une esclave oblate

Argile
Hauteur : 19 cm; largeur : 7,1 cm; épaisseur : 2,9 cm
Mésopotamie
Époque néo-babylonienne, datée de l'an 17 de Nabonide, c'est-à-dire 539 av. J.-C., moins de deux mois avant que Cyrus l'Achéménide ne s'empare de Babylone

Louvre : AO 19536
Bibliographie sommaire :
D. Arnaud : Revue d'Assyriologie, 67, 1973, p. 147 ss.

De nombreux textes néo-babyloniens et perses concernent les esclaves des temples. Il s'agit ici d'une oblate du grand temple d'Ishtar à Uruk, l'Eanna, « marquée de l'étoile » à la main, comme l'étaient les biens, objets, bêtes et gens des grands sanctuaires, et que réclame un autre maître, Nūrea.
Extrait de traduction (D. Arnaud) :
« ... *Nanaya-hussinni (l'esclave) contre argent, j'ai acheté, mais, sous le règne d'Amēl-Marduk, roi de Babylone, s'étant enfuie de chez moi, de l'étoile elle se marqua la main et une inscription sur sa main "pour Nanaya", elle écrivit.* »
Les juges interrogèrent N. H. et elle déclara : « *avant que Nūrea ne m'achetât contre argent, Mâr-(E) Sagilā Lūmur, mon maître précédent, à Nanaya m'avait vouée* ». Les juges ayant entendu leurs déclarations, firent venir un *šēpiru* (scribe-traducteur sur parchemin) et la main de N. H. après avoir expertisé, il déclara : « *d'une inscription ancienne, d'il y a longtemps, "pour Nanaya" sa main est inscrite, et une seconde inscription, sous l'inscription précédente, porte "pour Ishtar d'Uruk"* ». Les juges dirent à Nūrea : « *pourquoi donc une servante, vouée à Ishtar d'Uruk, marquée de l'étoile et dont la main "pour Ishtar d'Uruk et pour Nanaya" est inscrite, as-tu acheté ?... Pourquoi donc ne l'as-tu pas, à cette époque, conduite devant les juges, pourquoi n'a-t-on pas examiné cette affaire, et pourquoi contre celui qui avait inscrit sa main ne t'a-t-on pas rendu justice ?...* »
Les juges, après délibération, comptèrent N. H. et son fils Taddannu au nombres des travailleurs, porteurs du couffin, de l'Eanna. Nūrea pourra attaquer le garant qui lui a livré l'esclave. « *A la rédaction de cette tablette* » suit la liste des juges et des scribes.
Datée : « *Babylone, mois d'Ab, 24e jour, 17e année de Nabonide, roi de Babylone.* »
Le fait que c'est un expert en écriture sur papyrus qui ait été appelé pour lire l'inscription de la main de l'esclave, que les scribes babyloniens n'avaient pu lire, indique qu'elle était en caractères alphabétiques linéaires araméens. Leur emploi en aurait facilité le tatouage.

B. A.-L.

Vie économique

146 Tablette : compte de salaire en nature

Argile
Longueur : 1,9 cm ; largeur : 1,7 cm : épaisseur : 1,2 cm
Tello (Mésopotamie)
Époque de la IIIe dynastie d'Ur (vers 2150-2000 av. J.-C.)

Louvre : AO 3471
Bibliographie sommaire :
F. Thureau-Dangin : Revue d'Assyriologie, V (1898), p. 75
Catalogue de l'Exposition « de Sumer à Babylone » (1979), nº 155

Toute petite tablette portant sur une opération simple (comparer avec le document récapitulatif cat. nº 147).
C'est un compte de quantités d'huile pour deux jours à verser en salaire à un travailleur spécialisé venu installer des pêcheurs.

B. A.-L.

147 Tablette : bilan d'une exploitation agric[…] d'État pour un an

Argile
Hauteur : 26,5 cm ; largeur : 26,5 cm
Umma (Mésopotamie)
Époque de la IIIe dynastie d'Ur, an 4 d'Amar-Sin (2046-2038 av. J.-C.)

Louvre : AO 6036
Bibliographie sommaire :
H. de Genouillac : Textes cunéiformes du Louvre, V (1922), pl. XVIII-XXI
B. Landsberger : The Date Palm and its by-products... Archiv für Orientforsch[…] BHft 17 (1967), p. 7 ss.

Grande tablette à dix colonnes : c'est un livre de compt[…] recettes et dépenses, divisé en différentes sections comport[…] plusieurs rubriques. Elle a été rédigée par le scribe des artisa[…] L'ensemble concerne des ouvrages de vannerie simple […] goudronnée ; paniers, vans, nattes, voiles de bateaux,... Le te[…] se présente comme : un compte général des matériaux utilis[…] et du nombre de journées de travail des ouvriers ; un détail […] l'inventaire de la main-d'œuvre et des matériaux employés[…] bois, palmier, roseaux tressés, joncs, goudron ; un total d[…] matières dépensées avec les différences trouvées en moins […] en plus dans les matériaux manufacturés dans les ateliers.
A l'époque des rois d'Ur III, le secteur public de l'écono[…] (temples et palais) est le seul qui nous ait laissé des archiv[…] bien que nous sachions que la propriété privée existait alo[…] Les tablettes ont souvent une écriture très soignée et une for[…] nette, rectangulaire ou carrée.

B. A.[…]

148 Tablette : inventaire d'objets appartenant à « trésor du temple »

ile cuite
ıteur : 6,5 cm ; largeur : 5,1 cm ; épaisseur : 2,6 cm
lo (Mésopotamie)
oque de la IIIe dynastie d'Ur (vers 2150-2000 av. J.-C.)

ıvre : AO 8110
liographie sommaire :
Limet : Revue d'Assyriologie, LXII (1968), p. 11-12

trait de traduction :
1 récipient en bronze du temple, 1 boîte à onguents en bronze..., paniers en cuivre... 1 pièce de lin usagée, 1 vêtement de ... 2 fauteuils de sanctuaire... 2 tablettes en bois de cèdre, pré-euses, 3 lits en bois de palmier... le sceau du directeur dministratif) du temple a été apposé. »

B. A.-L.

149 « Badge d'identification » d'un travailleur

Argile
Hauteur : 3,3 cm ; largeur : 2,4 cm
Proviendrait de Sippar (Mésopotamie)
Époque paléo-babylonienne : règne de Hammurabi de Babylone (1792-1750 av. J.-C.)

Louvre : AO 1793
Bibliographie sommaire :
F. Thureau-Dangin : Textes cunéiformes du Louvre, I, 1910, n° 214
M. Weitmeyer : Some aspects of the hiring of workers in the Sippar Region... (Copenhagen 1962)
J.-M. Durand : Revue d'Assyriologie 73 (1979), p. 33, n° 44

Ce petit objet, de forme triangulaire, percé au sommet pour pouvoir être porté au cou, est une sorte de badge ou d'autorisation de travailler que l'on donnait aux ouvriers loués sur les chantiers. Une inscription nous fournit la qualité du travailleur, ici un vannier, son nom et la date, mois et jour de l'embauche. Le sceau est celui de l'employeur ou du contremaître. Il représente un thème fréquent dans la glyptique de l'époque : le dieu (ou roi ?) debout, tenant une masse d'armes, ici disparue.

B. A.-L.

Chiffres, poids et mesures

150 Tablette économique sumérienne : compte de chèvres et de moutons

Argile cuite
Longueur : 7,8 cm ; largeur : 7,8 cm ; épaisseur : 2,4 cm
Tello (Mésopotamie)
Époque des dynasties archaïques : an 5 d'Urukagina, roi de Lagash (2351-2342 av. J.-C.)

Louvre : AO 13456
Bibliographie sommaire :
Allotte de la Fuÿe : Documents présargoniques (1908), n° 248, Mitteilungen der Vorderasiatisch-Aegyptischen Gesellschaft, 39 II, p. 117

Les tablettes économiques de l'époque archaïque sont essentiellement les archives des temples, quoique la propriété privée ait sans doute déjà existé.
Le système numérique sumérien était à la foi décimal et sexagésimal. Des signes simples correspondaient aux nombres 1, 10, 60, 3 600. Des signes composés désignaient les multiples de ces signes simples. Les petites encoches coniques (D) correspondent à 1, les grandes (D) à 60, les petites encoches circulaires à 10 (O). (Cf. partie documentaire.)
Plus tard, le système numérique resta le même qu'à l'époque ancienne, mais il s'écrivit différemment suivant l'évolution des signes : le chiffre 1, avec un simple petit clou vertical 𒁹 ; le chiffre 2, avec deux de ces clous, et ainsi de suite..., 10 s'écrivit avec une grosse tête de clou 𒌋 , et 60, avec un grand clou vertical 𒁹 .
Ce sont les Akkadiens qui introduisirent les nombres 100 et 1 000. Le zéro n'a été inventé qu'à l'époque séleucide (IIIe-Ier siècles av. J.-C.)
Extrait de traduction :
Col. I 1 : 1 brebis,
2 : 60 + 10 + 10 moutons mâles,
6 : 60 + 60 + (4 × 10) + 6 chevreaux.

B. A.-L.

151 Poids en forme de canard inscrit

Calcaire noir
Longueur : 7,25 cm ; hauteur : 3,85 cm ; largeur : 4,9 cm
Tello (?), Mésopotamie
Époque de la IIIe dynastie d'Ur (vers 2150-2000 av. J.-C.)

Louvre : AO 21419

Inscription sur le côté : « 1/3 de mine ».
Très divers, les poids ont souvent des formes géométriques (cf. cat. n° 152), mais ils peuvent avoir aussi des formes d'animaux : canards, lions, têtes de lions, grenouilles. De nombreux exemplaires inscrits ont été trouvés en Mésopotamie, en Élam, en Syrie et en Palestine.
La mine *(ma-na)* : 505 gr., était l'unité de poids fondamentale en Mésopotamie. Elle était divisée en nombreux multiples et sous-multiples. La mine était divisée en sicles (1/60 = 8,4 gr.), mais il existait aussi des poids de 5, 10, 20 sicles et 1/2 sicle... Le talent valait 60 mines (30,5 kg.).
Ces différentes mesures participaient à la fois du système décimal et sexagésimal.

B. A.-L.

152 Poids voué au dieu lune

orite
auteur : 6,2 cm ; largeur : 4,5 cm
ésopotamie
poque de la IIIe dynastie d'Ur : règne de Shulgi (2094-2047 av. J.-C.)

ouvre : AO 22187
ibliographie sommaire :
ollberger, Kupper : Inscriptions Royales Sumériennes et Akkadiennes (Paris 1971), 140

raduction (sumérien) :
Pour (le dieu) son maître, Shulgi, l'homme fort, le roi d'Ur, le i de Sumer et d'Akkad, a certifié (ce poids d'une) demi-mine. »
'est-à-dire environ 250 gr.

B. A.-L.

153 Plan coté d'une maison

Argile
Hauteur : 11 cm ; largeur : 9 cm
Époque d'Agadé (vers 2330-2150 av. J.-C.)

Louvre : AO 338
Bibliographie sommaire :
F. Thureau-Dangin : Revue d'Assyriologie, IV, 1, 1897, p. 23

Le scribe a noté les cotes de chaque pièce et la fonction des principales. Son dessin ne respecte pas les proportions :
— (entrée) ? : 7 m × 3 m.
— « cour d'honneur » : 4,50 m × 6 m.
— « chambre de réception » : 3 m × 6 m.
— « habitation » : 4 m × 6 m.
— « chambre » : 2 m ×...
Il s'agit très certainement de l'habitation d'un personnage important.
Le calcul des surfaces a varié selon les époques. On utilisait par exemple le *bur* qui mesurait 63 510,48 m², L'*ikû* ou arpent (représenté primitivement par le signe de la parcelle de terre [signe], longée par un canal d'irrigation, et figurée en plan), qui valait 100 *sar* (signe du jardin : [signe]).
La mesure de longueur était la coudée (49,5 cm) avec ses multiples et sous multiples.

B. A.-L.

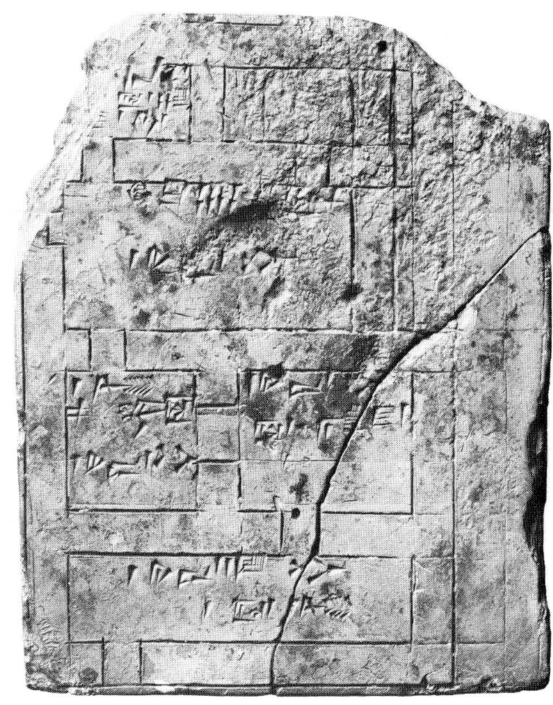

Inscriptions anecdotiques de la vie quotidienne

154 Pendentif en forme d'olive

Argile
Longueur ; 2,3 cm ; diamètre : 1,4 cm ; épaisseur : 1 cm
Suse (Iran)
Époque de la renaissance sumérienne (fin IIIe millénaire av. J.-C.)

Louvre : Sb 6727
Bibliographie sommaire :
M. Lambert : Revue d'Assyriologie, 64 (1970), p. 72

Inscription en sumérien :
« *Ton épouse aimante qui a enfanté.* »
Il s'agit peut-être d'une étiquette attachée à un cadeau ?

B. A.-L.

155 Étiquette inscrite, percée pour être suspendue au cou d'un mouton qui est mort de froid

Argile
Longueur ; 3,3 cm ; diamètre : 3,1 cm
Mésopotamie
Époque paléo-babylonienne (début du IIe millénaire av. J.-C.)

Louvre : AO 7486
Bibliographie sommaire :
J. Nougayrol : Revue d'Assyriologie, 73 (1979), p. 75, no 44
D. Charpin, J.-M. Durand : Revue d'Assyriologie, 75 (1981), p. 18-19

« *Un mouton, le berger étant Rîbam-ilî, qui est mort de froid.* »

B. A.-L.

Correspondance

156 Tablette : lettre de Hammurabi à un fonctionnaire

Argile
Hauteur : 8,7 cm ; largeur : 5,6 cm ; épaisseur : 2,9 cm
Larsa (Mésopotamie)
Époque paléo-babylonienne. Début XVIIIe siècle av. J.-C.

Louvre : AO 8317
Bibliographie sommaire :
F. Thureau-Dangin : Revue d'Assyriologie, XXI, 1924, p. 16-17
F. R. Kraus : Briefe aus den Archive des Shamash-Hazir, Leiden, 1968, p. 12

La correspondance administrative de Hammurabi avec les fonctionnaires des différentes villes de ses provinces est très importante. Nous possédons environ quatre-vingts lettres adressées à Shamash-Hasir, administrateur du domaine royal dans le territoire annexé au royaume de Babylone après la chute de la dynastie de Larsa et de son dernier roi Rîm-Sîn, la 29e année du règne de Hammurabi.
La plupart des lettres concernent l'administration des domaines ou des affaires privées, comme des cas litigieux dans un procès

our lesquelles on avait recours au roi pour rendre la justice, elon l'idéal du roi législateur. Administration et Justice dépen-aient en dernier recours du souverain.

ans les lettres émanant de l'autorité centrale, la chancellerie es rois de la dynastie de Hammurabi adopta la coutume de citer ans la réponse d'une demande, d'une plainte ou d'un rapport fficiel, le texte du document qui avait suscité cette réponse.

a lettre commence par la formule stéréotypée : *À... N... dis eci, ainsi parle (le roi)...»*

xtrait de traduction :

A Shamash-Hasir, dis ceci : ainsi parle Hammurabi : Nannatum ı'a parlé en ces termes : «Dans mon champ à loyer, une très rande partie de la terre n'a pas été arrosée». C'est ainsi qu'il ı'a parlé. Va au champ de Nannatum... inspecte-le, puis dans es terres qui sont au bord du canal... et qui appartiennent au alais, (donne) un champ arrosé (en échange du champ) qui n'a as été arrosé, à Nannatum... Si un champ arrosé à Nannatum ı ne donnes pas... le déficit de son loyer sur toi sera placé.»

B. A.-L.

157 Tablette : correspondance diplomatique nternationale

rgile
lauteur : 8,2 cm ; largeur : 5,8 cm ; épaisseur : 2,2 cm
l Amarna (Égypte)
khnaton, XIVe siècle av. J.-C.

ouvre : AO 7095
ibliographie sommaire ;
. Thureau-Dangin : Revue d'Assyriologie, XIX (1922), p. 100-101
ritchard : Ancient Near Eastern Texts, 3e édition (1969), p. 484

ur les archives diplomatiques d'El Amarna (voir cat. n° 67). Le exte est rédigé en akkadien, langue diplomatique de l'époque.

A Intaruda, prince d'Achshaph dis ceci :
ıinsi parle le roi : Vois, cette tablette que je t'ai envoyée pour e dire : «Sois sur tes gardes»...
/ois, le roi t'envoie Hanni, fils de Mairia, le messager du roi pour e pays de Canaan. Ce qu'il te dit, écoute-le très attentivement, fin que le roi ne te trouve pas en faute... Attention, attention, ıe sois pas négligent, et tu prépareras pour les archers du roi eaucoup de nourriture et beaucoup de vin... Vois, il viendra ers toi vite, vite, et il tranchera la tête des ennemis du roi. ache que le roi se porte comme le soleil qui est dans les cieux t que ses troupes et chars nombreux sont en très bon état.»

Cette lettre est caractéristique des messages du pharaon Akhnaton-Amenophis IV à un chef palestinien. Achshaph est robablement Tell Kisan dans la plaine d'Acre, en Galilée.

B. A.-L.

158 Tablette et son enveloppe, et sceau ayant servi à la sceller

Argile
Enveloppe : Longueur : 7,2 cm ; largeur : 5,1 cm ; épaisseur : 3,5 cm
Sceau : Hauteur : 3 cm ; diamètre : 1,5 cm
Larsa, Mésopotamie
Époque paléo-babylonienne

Louvre : AO 6411, AO 2369
Bibliographie sommaire :
Delaporte : Catalogue des cylindres orientaux du Musée du Louvre, II, 1920, pl. 117 nº 11
C. H. Jean : Textes cunéiformes du Louvre, X, 1926, nº 140, pl. XCIX

L'usage d'insérer les tablettes dans une enveloppe d'argile est attesté pour les documents administratifs légaux, et principalement la correspondance royale entre souverains et fonctionnaires, qu[i] apparue à l'époque d'Agadé, se développe alors. C'est à l'époqu[e] de la troisième dynastie d'Ur, que fut pratiqué pour la premièr[e] fois, l'usage d'apposer un sceau sur les tablettes, ce qui engagea la responsabilité du fonctionnaire. Sur l'enveloppe d'argile, elle même inscrite, on a déroulé l'empreinte d'un sceau qui serva[it] à la fois de signature et de garantie contre toute falsification d[u] texte recouvert par l'empreinte. Celle-ci met en présenc[e] l'« homme à la masse » (le roi divinisé ?) et la déesse nue, l[a] déesse Lama protégeant la personne royale.
Cette scène, fréquente à l'époque, a été gravée sur le sceau cylindre mis en parallèle.

M. F

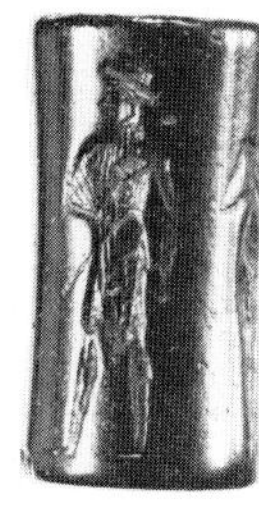

159 Tablette : essai littéraire sumérien sous forme de lettre : « message de Ludingirra à sa mère »

Argile
Hauteur : 10,4 cm ; longueur : 5,4 cm ; épaisseur : 2,9 cm
Mésopotamie ; fin du IIIe millénaire

Louvre : AO 6330
Bibliographie sommaire ;
H. de Genouillac : Textes cunéiformes du Louvre, XV, 1930, pl. LXXXI-LXXXII
M. Civil : Journal of Near Eastern Studies, 1964, vol XXIII, p. 155
S. N. Kramer : L'histoire commence à Sumer, 2e éd. 1975, p. 160 ss.

Il s'agit d'un message rédigé dans un style fleuri qu'un personnage nommé Ludingirra adresse à un courrier royal en le chargeant de le transmettre à sa mère qui vit à Nippur. « *Si tu ne connais pas ma mère* » dit-il au courrier « *je te donnerai certains signes* » pour la reconnaître. Ces cinq signes consistent en une description poétique des charmes et de la beauté de sa mère.
Un fragment retrouvé à Bogazköy la capitale hittite, en Anatolie, nous donne une traduction akkadienne et quelques signes de la version hittite. Ce texte a été recopié dans des langues différentes comme la plupart des grands textes littéraires sumériens.
Extrait de traduction (d'après M. Civil)

« O messager royal, prends la route,
Comme envoyé spécial, porte ce message à Nippur ;
Pars pour ce long voyage ;
Peu importe si ma mère est éveillée ou si elle dort,
Va droit à sa demeure.
Si tu ne connais pas ma mère, tu la reconnaîtras aux signes que voici :
Son nom est Sat-Ishtar...
Ma mère est semblable à une lumière brillant à l'horizon,
C'est une biche des montagnes,
étoile du matin qui scintille à midi,
cornaline précieuse, topaze de Mahrashi,
Trésor digne d'un frère de roi, pleine de séduction,
Un bracelet d'étain, un anneau... d'or resplendissant...
Figure protectrice, taillée dans l'albâtre et le lapis lazuli...
Ma mère est la pluie du ciel, l'eau pour les meilleures semences...
Un jardin de délices plein de joie,
Un canal apportant les eaux fertilisantes,
Une datte sucrée..., prémice recherché...
Ma mère... est une princesse, une chanson d'abondance...
Un palmier odorant, un char de bois de pin, une litière de buis...
Un flacon de coquille, débordant de parfum...
Quand ces signes te l'auront désignée,
et qu'elle sera, rayonnante, devant toi,
Dis lui ;
« Ludingirra, ton fils bien-aimé, te salue. »

B. A.-L.

160 Sceau de la chancellerie babylonienne

Calcaire gris
Hauteur : 5,5 cm ; diamètre : 1,8 cm
Mésopotamie
Époque néo-babylonienne : VIIe siècle av. J.-C.

Louvre : AO 4793
Bibliographie sommaire :
Frankfort : Cylinder Seals, 1939 pl. XXXVI
P. Amiet : Exposition « Bas-reliefs imaginaires de l'Ancien-Orient » (Paris 1973), n° 528

Le décor comprend deux chèvres cabrées, et entrecroisées, à côté des emblèmes de Marduk, grand dieu de Babylone, et de Nabû, son fils, dieu des scribes, représenté par son stylet. Inscription : *« Sceau des messagers du roi ».*

B. A.-L.

La religion

La religion mésopotamienne était un polythéisme où les divinités se comptaient par milliers ; elles différaient fondamentalement des humains par l'immortalité dont elles jouissaient. On devait les traiter comme des êtres de nature supérieure et exigeante : d'abord les abriter dans des temples, vêtir ensuite les statues qui les incorporaient, enfin les nourrir et les abreuver jour après jour, mais seuls des spécialistes prenaient part au culte : la foule était tenue à l'écart, sauf dans les processions hors les murs des sanctuaires.

L'essentiel de ce qu'un prêtre devait savoir lui était transmis oralement et appris par cœur : en Babylonie, par exemple, les rituels n'ont été rédigés qu'à une époque tardive. Pourtant même si l'on attendait des clercs qu'ils reproduisent sans faute les gestes et les paroles antiques, on ne pouvait toujours brider leur sensibilité : certains ont continué à composer cantiques et prières qui faisaient partie du culte quotidien et des fêtes. Ils le faisaient en assyro-babylonien mais aussi en sumérien, bien après que cette langue fut totalement morte.

L'écrit était précis ; il était durable : dès le IIIe millénaire, les donateurs prirent l'habitude d'inscrire leur nom sur les objets votifs offerts aux dieux. Les dédicaces s'allongèrent peu à peu jusqu'à se transformer en véritables hymnes. On pouvait certes communiquer oralement avec la divinité mais les précautionneux, pour être sûrs d'être entendus, lui adressaient des lettres qu'on déposait sur leurs genoux : les particuliers pour demander une faveur, les rois pour rendre compte de leur action.

Lors de la construction ou de la restauration d'un temple, le prince tenait à placer dans les fondations des documents de formes diverses, en argile ou en métal : les inscriptions qu'ils portaient s'adressaient aux dieux mais aussi à la postérité : les rois à venir retrouveraient ces trésors au cours de leurs travaux ; renseignés par eux, ils devaient les remettre pieusement en place. Plus simplement des briques estampillées par le constructeur dans les murs ou les pavages disaient à ceux qui savaient lire le nom du bienfaiteur.

Daniel Arnaud

Les écrits touchant à la religion nous introduisent dans le domaine de la littérature. Qu'il s'agisse de dévotion ou de la magie protectrice des prêtres exorcistes, le rythme de la phrase, la sonorité des mots, le ton de l'invocation, constituaient des éléments indispensables à l'efficacité d'une prière, d'une incantation ou d'un rituel.

Car les anciens Mésopotamiens croyaient en la vertu du verbe. Parler ou écrire sont des actes importants. Le mot est synonyme de création ou d'existence. Il en résulte une recherche de l'effet littéraire pour une recherche de l'efficacité du mot.

La plupart des œuvres sont écrites pour plaire aux dieux et s'attirer leur faveur. Mais le texte écrit peut être utilisé par un tiers contre celui qui l'a composé, c'est ainsi que certains documents sont réservés à la lecture des seuls initiés.

B. A.-L.

Les Dieux

161 Tablette : liste de divinités

rgile
ongueur : 20,2 cm ; largeur : 13,5 cm ; épaisseur : 2,2 cm
lésopotamie ; début du IIe millénaire av. J.-C.

ouvre : AO 5376
ibliographie sommaire :
I. de Genouillac : Revue d'Assyriologie, XX (1923), p. 89 et XXV (1928), p. 133 ss.
I. de Genouillac : Textes cunéiformes du Louvre, XV (1930), pl. XXV
. Thureau-Dangin : Revue d'Assyriologie, XXXII (1935), p. 156 ss.
. J. A. Vandijk : Acta Orientalia, 28

e panthéon mésopotamien comportait un nombre incalculable le divinités, chacun des principaux dieux était pourvu d'hypos-ases nombreuses. Peu d'entre eux jouissaient cependant de la aveur populaire. Ce sont, pour le début du IIe millénaire : Janna-Sin le dieu lune, Utu-Shamash le dieu soleil et de la ustice, Nergal le dieu des enfers, Inanna-Ishtar la grande léesse de l'amour...

Chaque cité était placée sous la protection d'une divinité ssociée à un ou une parèdre.

es théologiens ont tenté d'organiser un tel foisonnement en roupant en familles ou en « maisons » avec maîtres et servi-eurs les dieux les plus remarquables, cela principalement aux poques de la Renaissance Sumérienne et d'Isin-Larsa (fin IIIe-lébut IIe millénaire av. J.-C.).

Mais cet effort ne fut jamais systématique. Ces regroupements, consignés dans des listes, ne furent jamais définitifs. Il s'agit sans doute d'œuvres d'« écoles », en cette époque de grande compilation et de mise par écrit de la pensée sumérienne. Le texte présente en dix colonnes, une liste de 473 divinités, groupées d'abord par grandes familles autour de quinze couples divins, puis par analogies, rassemblées autour d'un grand dieu. Les premières « familles » sont celles des trois grands dieux du panthéon de Sumer :

An : « le ciel », le « dieu », par excellence, dieu suprême, époux d'Antum, et dont la figure reste lointaine et incertaine. Son principal sanctuaire était dans la ville d'Uruk. Il représente en fait l'idée du divin. Son groupe ne comprend que sept noms.

Enlil : le dieu principal, fils d'An dont il prit bientôt la place à la tête du panthéon sumérien. Il était l'époux de la déesse Ninlil. Il est le « roi des pays », le dieu du souffle et de l'atmosphère, le maître des destinées et de l'ordre universel. Son temple de Nippur était considéré par les sumériens comme le centre religieux principal, et faisait fonction de sanctuaire fédéral. Son caractère universel s'estompa à partir du IIe millénaire, sous les dynasties Amorites, notamment à Babylone où il fut remplacé par Marduk (cf. cat. no 165) et en Assyrie par Assur. Dans la liste, sa maison, la plus importante, comprend soixante-huit noms.

Enki, dieu des eaux et de la mer primordiale qui se trouve sous la terre *(Apsu)*, de la sagesse et de la magie. Son temple se trouvait à Eridu, dans le sud du pays de Sumer. Son groupe comprend trente-huit noms.

B. A.-L.

162 Statue de la déesse Narunte

Grès
Hauteur : 109 cm ; largeur : 47 cm
Suse (Iran). Début de l'époque de Puzur-Inshushinak (2229-2195 av. J.-C.) prince de Suse pendant le règne de Naram-Sin d' Agadé

Louvre : Sb 54-6617
Bibliographie sommaire :
V. Scheil : Mémoires de la Délégation en Perse, XIV (1913) pl. III-IV et p. 17
V. Hinz : Iranica Antiqua II (1962), p. 16, Alt-Iranische Funde und Forschungen (1969), p. 14, pl. 3 et p. 38-39, pl. 14
A. Spycket : Syria XLV (1968), 67-73
P. Amiet : L'Art d'Agadé au Musée du Louvre, Paris (1976), fig. 36, p. 38-39 et 129-130

Les rois d'Agadé avaient réduit à l'état de vassale la dynastie élamite d'Awan (site inconnu). Puzur-Inshushinak (en élamite Kutik-Inshushinak), prince de Suse et ensuite roi d'Awan réussit à s'émanciper. Il dédia de nombreux monuments sur l'acropole de Suse, dont la plupart portent une inscription bilingue en écriture élamite (cf. cat. nº 58) et en akkadien. L'art de son règne est très influencé par la Mésopotamie. La statue de la déesse élamite Narunte, trouvée dans un temple de l'Acropole, apparaît sous les traits de son équivalente sumérienne Inanna, la principale déesse du panthéon sumérien, qui deviendra l'Ishtar akkadienne, déesse de l'amour et de la fécondité associée à des lions, ses animaux attributs, et vêtue du Kaunakès, vêtement de laine de mouton que portent les grands dieux.
Nous possédons très peu de statues de culte. La plupart devaient être en bois et légères, pour pouvoir être transportées lors des cérémonies religieuses où on les sortait en procession. Celle-ci, en pierre dure, n'a jamais pu être transportée. Le visage, grossier, devait être anciennement plaqué d'or.
— Inscription akkadienne sur le côté gauche du trône : *« O dieu..., Puzur-Inshushinak, prince de Suse. O toi, (ma prière), de tes oreilles puisses-tu (écouter). Mon jugement, juge (le) ! »*
— Inscription en élamite sur le côté droit du trône : *« que la victoire par Narunté soit réalisée ! Je suis Kutik-I(n) Shushinak, prince de Suse. A l'aide ô Dame ! que ma force soit assurée, dans le pays je suis roi... »*
(Traduction V. Hinz)

B. A.-L.

Hymnes et prières

163 Tablette : hymne royal sumérien au temple d'Ur; chant d'Ur Nammu

Argile
Hauteur : 13 cm; largeur : 9,5 cm; épaisseur : 3,5 cm
Mésopotamie; époque de la renaissance sumérienne
Règne d'Ur-Nammu, Ier roi de la IIIe dynastie d'Ur (2112-2095 av. J.-C.)

Louvre : AO 5378
Bibliographie sommaire :
H. de Genouillac : Textes cunéiformes du Louvre, XV (1930), n° 12
G. Castellino : Zeitschrift für Assyriologie, 53 (1959), p. 118-131

Le genre littéraire de l'hymne royal apparaît sous la IIIe dynastie d'Ur. Il s'agit d'œuvres lyriques, rythmées, poétiques, accompagnées de musique, exaltant les dieux, les rois et les sanctuaires. Les plus nombreux furent rédigés à la période d'Isin-Larsa et disparurent ensuite. Il s'agit principalement d'une auto-louange du roi, divinisé de son vivant.
Ce texte est pourtant unique et ne ressemble pas aux hymnes postérieurs aux rois divinisés.
Ur-Nammu ne fut en effet déifié qu'après sa mort, par son fils Shulgi. Très peu d'ouvrages littéraires célébrant ce roi nous sont parvenus, et nous ne possédons pas de duplicata contemporain ou postérieur de celui-ci.
Le texte commence par une louange à la ville d'Ur et à ses temples : *« cité de la destinée favorable, noble trône de la royauté, cité princière de Sumer, bâtie en un lieu pur... »* il continue par une auto-louange du roi, chéri des dieux dès sa naissance : *« Utu (le dieu-soleil) et de la justice a placé le mot (juste) dans ma bouche. »*
Suit une énumération de ses mérites : il est *« le protecteur de sa ville »*, réformateur social (il élimina le mal et renforça la justice), garant de la fertilité et de l'abondance pour son peuple le bétail et les champs; il accomplit des activités militaires et religieuses : *« je suis Ur-Nammu, le pasteur, que la vie soit ma récompense; pour Nanna* (le grand dieu d'ur), *j'ai bâti un temple... »* l'hymne s'achève par le rappel de la filiation divine du roi : *« le frère (aîné) de Gilgamesh je suis, le fils né de (la déesse) Ninsun (mère de Gilgamesh), je suis..., du ciel la royauté est descendu vers moi; Ur-Nammu le pasteur je suis ».*

B. A.-L.

164 Hymne à la déesse Ishtar

Argile
Longueur : 15,5 cm ; largeur : 6,9 cm ; épaisseur : 3,7 cm
Mésopotamie ; époque paléo-babylonienne
Règne d'Ammiditana de Babylone (1683-1647 av. J.-C.)

Louvre : AO 4479
Bibliographie sommaire :
F. Thureau-Dangin : Revue d'Assyriologie, XXII, (1925), p. 169 ss
R. Labat : Les Religions du Proche Orient Ancien, Paris, 1970, p. 238-239
M. J. Seux : Hymnes et prières aux dieux de Babylone et d'Assyrie, Paris 1976, p. 39 ss

C'est l'un des plus beaux textes de la littérature religieuse akkadienne. Il est composé de quatorze strophes de quatre vers. Les dix premiers exaltent Ishtar, déesse de l'amour, de la vie, de la joie et de la guerre, épouse d'Anu, le dieu suprême et reine des dieux. Les quatre dernières strophes chantent la piété du roi que la déesse protège.
L'hymne se termine par une prière du poète pour que la déesse *« donne, en présent longue et durable vie », au roi.*
Extrait de traduction (d'après R. Labat).

« Chantez la déesse, la plus auguste des déesses !
Que soit honorée la souveraine des peuples, la plus grande des Igigu (les grands dieux)
Ses lèvres ont la douceur du miel ; sa bouche, c'est la vie.
A son aspect, les rires s'épanouissent.
Elle est somptueusement parée ; des joyaux sur sa tête reposent,
Belles sont ses couleurs ; chatoyants sont ses yeux, et brillants...
Elle, parmi les dieux, éminente est sa place ;
Pleine de poids est sa parole ; plus qu'eux, elle est puissante !
Ishtar, parmi les dieux, éminente est sa place ;
Pleine de poids est sa parole ; plus qu'eux elle est puissante.
Elle est leur reine ; d'elle, toujours, ils reçoivent les ordres !
Tous, devant elle, ils se tiennent agenouillés.
C'est son éclat qu'ils lui empruntent,
femmes ou hommes, ils la révèrent... »

B. A.-L.

:ulte officiel et rituels

165 Tablette : rituel du nouvel an à Babylone

'gile
ngueur : 19 cm; largeur : 11 cm; épaisseur : 3,4 cm
abylone (?) Mésopotamie; époque néo-babylonienne
'I[e] siècle av. J.-C.) ou Séleucide

uvre : MNB 1848
bliographie sommaire :
Dhorme : Revue d'Assyriologie, VIII, 1911, p. 41-63
Thureau-Dangin : Rituels accadiens, Paris, 1921, p. 128-154
ıchs dans J. Pritchard, éd. Ancient Near Esatern Texts, 3e éd. 1969, p. 331

e texte appartenait à une série qui reste incomplète, malgré usieurs duplicata connus, et qui décrivait les cérémonies rincipales du culte babylonien, Le Nouvel An, qui avait lieu à équinoxe de printemps.
e rituel commençait par une prière du prêtre *Urigallu* au dieu ēl; elle est ici mutilée, et le texte du Louvre commence le uatrième jour de la fête, trois heures avant la fin de la nuit, par ne autre prière à Marduk, grand dieu de Babylone, célébré ous le nom de Bēl; *«... Seigneur du monde, roi des dieux, 'vin Marduk qui fixe les destins... qui tiens la royauté, possède la souveraineté... je suis le prêtre* Urigallu, *du temple* Ekua, *qui te bénis; pour ta cité Babylone, sois indulgent! de l'Esagil, ton temple, prends pitié, qu'à ton ordre sublime, ô Seigneur des grands dieux, devant les habitants de Babylone, la lumière luise.»*

Il récite ensuite une prière à la déesse Bēltia :
«Elle est celle qui accuse et intercède, qui appauvrit le riche et enrichit le pauvre... qui sauve le captif et prend la main de celui qui est tombé...»
Puis le grand prêtre récite le poème de la création qui se nomme d'après les premiers mots du texte : *enuma-eliš :* «lorsqu'en haut»... et raconte les origines du monde, alors que n'existaient ni le ciel ni la terre mais l'abîme primordial, pour rappeler que le Nouvel An évoque le commencement du monde dont il est le renouvellement.
Le lendemain, a lieu la cérémonie de purification du temple : on offre ensuite un banquet à Marduk, et le roi s'humilie devant lui en déclarant : «je n'ai pas péché ô Seigneur des contrées; je n'ai pas été négligent envers ta divinité, je n'ai pas détruit Babylone, je n'ai pas ordonné sa dispersion...» Chaque phase de la cérémonie est entrecoupée par des rites exécutés par le grand prêtre ou par le roi.
La fête se terminait par une grande procession où l'on faisait sortir la statue du dieu, mais dont le récit ne nous est parvenu que par des textes épars. C'était le huitième jour de la fête que le roi ayant «pris la main» du dieu l'avait conduit au temple de l'*akîtu,* dans la campagne, où se célébrait, aux époques anciennes le mariage sacré entre le roi, représentant le dieu, et une prêtresse, gage de la fécondité et de la fertilité du pays pour l'année à venir. Marduk revenait à Babylone, dans son temple de l'Esagil, le onzième jour. Le lendemain, le dieu Nabû, son fils, dieu des scribes, venu honorer son père, rentrait dans sa ville de Borsippa.

B. A.-L.

166 Tablette : rituel des sacrifices quotidiens du grand temple du dieu Anu à Uruk

Argile cuite
Longueur : 22,3 cm; largeur : 10,4 cm; épaisseur : 2,2 cm
Uruk actuellement Warka (Basse Mésopotamie)
Époque Séleucide IIIe-Ier siècle av. J.-C. copie d'un texte plus ancien

Louvre : AO 6451
Bibliographie sommaire :
F. Thureau-Dangin : Rituels accadiens, Paris, 1921, p. 62
F. Thureau-Dangin : Textes cunéiformes du Louvre, VI, 1922, n° 38
Sachs dans Pritchard, Ancient Near Eastern Texts, 3e éd. 1969, p. 325

C'est un rituel pour tous les jours de l'année ou rituel de «l'ordinaire». Ce genre de textes décrit l'existence que le dieu mène dans son temple au milieu de sa famille et de ses serviteurs.
Les statues prennent vie : elles se lèvent, vont et viennent comme si elles étaient animées. Cette vie peut également être conférée à des objets comme un trône ou une arme.
Les dieux qui reçoivent les offrandes quotidiennes sont Anu, grand dieu d'Uruk et du panthéon mésopotamien, Antu, son épouse et les dieux habitant d'autres temples de la ville. Le rituel distingue quatre repas à offrir chaque jour aux dieux avec des offrandes régulières.
Extrait de traduction :
«Chaque jour de l'année, au repas principal du matin, tu prépareras, outre les vases maqqānē, *dix-huit vases d'or sur le plateau du dieu Anu... Au grand et au petit (repas) du soir, il ne*

sera pas offert de lait... chaque jour de l'année, aux quatre repas (quotidiens)... des dattes du pays de Tilmun, des figues et du raisin... seront offerts aux dieux Anu, Antu, Ishtar, Nanna et aux autres divinités demeurant dans la ville d'Uruk... »
Colophon : (indications portées au bas de la tablette et indiquant le nom du scribe, celui du personnage pour lequel elle a été réalisée et des précisions sur l'œuvre) : *« (cette tablette a été copiée) à partir de tablettes que Nabopolassar, roi de la dynastie de la mer* (c'est-à-dire le fondateur de la dynastie chaldéenne néo-babylonienne), *aurait emportées de la cité d'Uruk. Mais Kidikahu, un citoyen d'Uruk, prêtre... vit ces tablettes dans le pays d'Elam, les copia sous le règne des rois Séleucus et Antiochus, et rapporta (ses copies) à Uruk ».*

B. A.-L.

Les inscriptions royales : le roi dévôt

Durant toute l'histoire mésopotamienne, les souverains furent soucieux d'acquérir le mérite aux yeux des dieux et la gloire aux yeux des hommes d'avoir beaucoup construit.
On désigne par ce nom des inscriptions votives ou commémoratives destinées à perpétuer le souvenir des principaux actes des souverains. Comme toutes les catégories de textes, elles sont soumises à des règles strictes de composition.
Destinées à durer pour garder le nom du roi vivant dans les mémoires pour l'éternité, elles sont faites en matières précieuses et dures : pierre, métal ou terre cuite.
Elles se divisent en deux genres principaux :
— Les inscriptions votives (cf. chap. II, p. 81) écrites sur des objets offerts aux dieux par le roi ou consacrés pour la vie du roi par des particuliers.
— Les inscriptions de fondation, écrites sur des objets dits « documents de fondation » destinés à être enterrés dans les fondations, sous les portes, ou incorporés dans les murs, d'un monument ou d'un bâtiment, pour commémorer sa construction. Elles étaient destinées à n'être lues que par les dieux ou les souverains futurs qui restaureraient ces bâtiments, et on prit donc soin de les multiplier sous différentes formes ou en les reproduisant à plusieurs exemplaires semblables.
Ce sont principalement des briques écrites à la main ou estampées au moyen de matrices (cat n° 56), des tablettes de pierre ou de métal (cat n° 178), des figurines de cuivre terminées en pointe comme des clous et destinées à amarrer le bâtiment au sol (ceci jusqu'au début du IIe millénaire), des cônes ou clous d'argile dont la tête devait dépasser des murs dans lesquels ils étaient enfoncés (cat n° 174) des pierres de seuil (cat n° 171). Les galets inscrits (cat n° 172) ne sont attestés qu'à l'époque des Dynasties Archaïques, et les prismes ou barillets de terre cuite (cat n° 181) à partir de l'époque paléo-babylonienne seulement.
Le texte peut être court, comportant le nom de la divinité auquel le bâtiment est dédié, le nom du souverain et l'objet de la construction, mais s'allonge parfois de la filiation du roi, d'un rappel des circonstances qui ont motivé l'acte et de malédictions contre les éventuels profonateurs.

B. A.-L.

) *Inscriptions votives*

167 Relief votif d'Ur-Nanshe, roi de Lagash

ılcaire
ıuteur : 40 cm ; largeur : 47 cm ; épaisseur : 14 cm
llo (Basse Mésopotamie) ; époque des dynasties archaïques Ur-Nanshe (2494-
65 av. J.-C.)

uvre ; AO 2344
bliographie sommaire :
Heuzey : Revue d'Assyriologie, III (1893) p. 13-17
Amiet : L'Art Antique du Proche Orient, Paris 1977, fig. 324, p. 368
Sollberger et J. R. Kupper : Inscriptions Royales Sumériennes et Akkadiennes, 71, p. 44-45

n Mésopotamie, c'est au roi qu'incombait la construction des mples. Ce relief représente le roi bâtisseur, portant un couffin e briques pour la construction du bâtiment dont il va poser lui-ême la première brique. En face de lui sont sa femme et ses s.

u registre du bas, le prince assiste au banquet cultuel ommémorant la construction de l'édifice (comme le fera à son tour Gudéa, cat nº 168), accompagné de nouveau de ses fils et d'un serviteur qui se tient derrière lui.

La femme du roi, ses sept fils et trois fonctionnaires sont identifiés grâce aux noms indiqués comme une légende sur leurs vêtements ou à côté d'eux.

Le texte indique encore les relations commerciales que, dès cette époque, les princes des Cités-États entretenaient avec les pays lointains.

Extrait du texte sumérien (traduction Sollberger-Kupper)

« Ur-Nanshe, le roi de Lagash, le fils de Gunidu... a bâti le temple de Ningirsu, a bâti le temple de Nanshe... les bateaux de Tilmun de ce pays (lointain) ont charrié (pour lui) du bois. »

C'est la plus ancienne mention de Tilmun, le pays fabuleux et légendaire du « Paradis » des dieux (cf. cat. nº 182), que nous connaissions. Il s'agit très certainement de l'Ile de Bahrain au milieu du Golfe Arabo-Persique, par où transitaient les pierres dures ou précieuses et les métaux venus de l'Inde (le pays de Meluḫḫa) et d'Oman (le pays de Makkan.)

B. A.-L.

168 Statue de Gudéa, prince de Lagash, dite « l'architecte au plan », ou statue « B »

Diorite
Hauteur : 93 cm ; largeur : 41 cm
Tello (Basse Mésopotamie)
Époque de la renaissance sumérienne, vers 2150 av. J.-C.

Louvre : AO 2
Bibliographie sommaire :

F. Thureau-Dangin : Inscriptions de Sumer et d'Akkad, (1905) p. 104 ss.
A. Parrot : Tello, (1948) p. 161 ss
M. Lambert et J. R. Tournay : Revue d'Assyriologie, XLV, 1951, p. 49 ss

Gudéa, prince de Lagash, réussit à reconstituer, après la chute de l'Empire sémite d'Agadé, et l'intermède des barbares Guti, montagnards du Zagros, un embryon d'État sumérien, avant les rois de la IIIe dynastie d'Ur.

Se considérant comme le « pasteur des hommes », il remit en faveur le culte des dieux traditionnels de Sumer. Son époque inaugure la « Renaissance Sumérienne ». Religieux et pacifique, ami des lettres et des arts, il entretenait des relations commerciales avec une bonne partie de l'Asie Occidentale, et sa richesse lui permit de restaurer et d'élever des sanctuaires pour les dieux. Il nous a laissé dix-neuf statues en dure diorite d'un art habile et d'un classicisme académique qui inspirera l'art de toute la première moitié du IIe millénaire.

Gudéa nous a laissé les inscriptions les plus longues que nou connaissions en Sumérien, exaltant sa piété envers les dieu dans un idéal très différent du militarisme akkadien qui l'ava précédé.

Sa statue dite de « l'architecte au plan », à cause de la tablett qu'il tient sur ses genoux portant le plan de l'édifice qu'il est e train de construire, avec une règle à divisions et un stylet, es l'une des plus belles bien que la tête en ait été arrachée. Ell porte une longue inscription qui en fait le tour et un cartouch dans le dos qui nous livre la titulature du prince.

Le texte indique les honneurs à rendre à cette statue. Il s'ag d'une « statue vivante », destinée à remplacer le prince devan son dieu pour l'éternité. Taillée selon les rites, elle a reçu u nom et la parole et une place sur le parvis du temple d Ningirsu, le grand dieu de Lagash, sous le regard duquel ell est placée.

L'inscription rapporte encore la construction de E-Ninnu, templ du dieu, qui fut la grande affaire du règne et les cérémonies qu eurent lieu avant et après l'érection du temple. Elle donn ensuite une description de la statue à qui, Gudéa « donna l parole ». Suivent des malédictions contre qui la profanerait.

B. A.-L

169 Inscription votive : cylindre B de Gudéa

gile cuite
uteur : 56,5 cm ; diamètre : 33 cm
llo ; Époque de la renaissance sumérienne : Gudéa, prince de Lagash, (vers 50 av. J.-C.)

uvre : MNB 1511
bliographie sommaire :
Lambert et R. Tournay : Revue Biblique, 55 (1948), p. 520 ss
Falkenstein, W. von Soden : Sumerische und Akkadische hymnen und gebete, rich 1953

vec son complément, le cylindre A, de même taille, c'est un ocument littéraire et historique très important. Il relate la onstruction du temple de Ningirsu et l'intronisation du couple vin de Lagash, au cours de la fête du Nouvel An. Le cylindre A mettre en parallèle avec le texte de la statue cat. n° 168) écrit les principales phases de la construction du bâtiment. Les ésages et les consultations oraculaires, les rites propitiatoires ui l'avaient précédée après que Gudéa ait reçu, en rêve, l'ordre e son dieu de restaurer son domaine.
ans le cylindre B, le temple est achevé et il reste à installer le roi », c'est-à-dire le dieu ainsi que sa parèdre la déesse Bau. e rite principal converge vers la hiérogamie du couple divin, rite de fertilité dont dépendait la perpétuation sur la terre de toute vie, humaine, animale ou végétale.
En s'unissant à son parèdre, la déesse fait jaillir le soleil annuel sur le pays de Sumer, assurant ainsi, l'abondance pour l'année qui s'ouvre. Le jour ou Ningirsu arrive dans la ville, Gudéa la purifie ; il fait « se prosterner le pays » : il ferme les tribunaux, nettoie les chemins, secourt les mères malades... afin de préparer le renouveau. A la scène des noces évoquée en quelques lignes car elle reste enveloppée de mystère, succède le repas rituel. Dès lors, « les rites sont éxécutés et les décrets accomplis ». Grâce au prince, l'abondance régnera dans le pays, toute inégalité sera supprimée entre maître et esclave, puissant et faible, on respectera la veuve et les orphelins et la justice sera sauvegardée.
Le rite de la hiérogamie est usuel en Mésopotamie à toutes les époques. Accompli lors de la cérémonie du Nouvel An, c'est-à-dire au printemps, des cérémonies actualisaient chaque année cette union, faisant renaître la vie épuisée par la saison sèche. Dans ce mariage rituel le roi représentait le dieu mort et ressuscité Dumuzi à Sumer, Tammuz chez les Akkadiens (cf. le parallèle ugaritique de Baal, cat. n° 118).

B. A.-L.

170 Statuette de personnage priant dite « l'adorant de Larsa », représentant probablement Hammurabi

Bronze et or
Hauteur : 19,6 cm ; longueur : 14,8 cm ; largeur : 7 cm
Larsa (Basse Mésopotamie) : époque paléo-babylonienne
Règne de Hammurabi (1792-1750 av. J.-C.)

Louvre : AO 15704
Bibliographie sommaire :
E. Sollberger : Iraq, 31, p. 92
Sollberger-Kupper : Inscriptions Royales Sumériennes et Akkadiennes, 1971, p. 219
P. Amiet : L'art Antique du Proche-Orient, Paris, 1977, p. 383

Le personnage est à demi agenouillé, une main devant la bouche, selon l'attitude traditionnelle de la prière. La figure et les mains sont recouvertes d'un placage d'or. Le même personnage est représenté sur le côté droit du socle dans la même attitude, devant une divinité assise. Une petite vasque orne le devant du socle. Elle était destinée à recevoir une offrande. L'inscription gravée sur le socle est une dédicace au dieu Amurru (ou Martu) dieu de la dynastie Amorite de Hammurabi, par un homme de la ville de Larsa, pour la vie de Hammurabi et *« sa propre vie » : « (il) a façonné une statuette de cuivre (en attitude) de suppliant, (le) visage (pla)qué d'or... pour (qu'elle représente) son serviteur. »*
(traduction E. Sollberger)

B. A.-L.

ß) Inscriptions de fondation

171 Crapaudine hémisphérique avec trou d[e] pivot au centre, inscrite

Calcaire
Hauteur : 11,2 cm ; épaisseur : 28 cm
Époque des dynasties archaïques : Ur-Nanshe, roi de Lagash (2494-2465 av. J.-C.)
Tello (Basse-Mésopotamie)

Louvre : AO 252.
Bibliographie sommaire :
F. Thureau-Dangin : Inscriptions de Sumer et d'Akkad (1905), p. 20
E. Sollberger : Corpus des Inscriptions Royales Présargoniques de Lagash (195[6]) URN. 36
S. N. Kramer : The Sumerians (Chicago 1963), p. 108

L'inscription de vingt-quatre cases énumère la liste des con[s]tructions du prince, en commençant par le Temple de Ningirs[u] dieu-patron de Lagash. Le bâtiment où elle fut trouvée, l'a[n]*girsu,* n'est pas nommé.
Traduction (d'après S. N. Kramer) :
« Ur-Nanshe, le roi de Lagash, le fils de Gunidu, le fils [d]e Gurmu, a construit le temple de Ningirsu ; a construit le temp[le] de Nanshe ; a construit le temple de Gatumdug ; a construit [le] harem ; a construit le temple de Ninmah. Les bateaux de Tilmu[n] lui ont apporté du bois en tribut des terres lointaines... »
(Sur Tilmun cf. cat. n° 167).

B. A.-[L.]

172 Galet « A » de fondation d'Eanatum

alcaire
ongueur : 40 cm ; largeur : 18,5 cm ; hauteur : 20 cm
ello (Basse Mésopotamie) ; époque des dynasties archaïques
anatum (2454-2425 av. J.-C.)

ouvre : AO 2677
bliographie sommaire :
ollberger : Corpus des Inscriptions « royales » Présargoniques de Lagash, 1956, an-2
ollberger-Kupper : Inscription Royales Sumériennes et Akkadiennes, 1971, p. 58-

'inscription, en sumérien d'écriture très archaïque, énumère les onstructions du prince à l'occasion de ses victoires. L'objet est édicacé au dieu Ningirsu, dieu tutélaire de l'État de Lagash.

Le mode de présentation des documents de fondation en galets est propre à cette époque et à Lagash.
Extrait : (Traduction Sollberger-Kupper)
« ... l'Élamite se rua sur Eanatum : il refoula l'Élamite dans son pays... Eanatum, le prince de Lagash, qui subjugue les pays (au nom) de Ningirsu, vainquit l'Élam... (et) vainquit Kish, Akshak (et Mari)... Eanatum, celui qui occupe les pensées de Ningirsu... a bâti (pour Ningirsu) le palais de Tiras. Il est le fils d'Akurgal, prince de Lagash ; son grand-père était Ur-Nanshe, prince de Lagash. »

B. A.-L.

173 Dépôt de fondation : clou de cuivre en forme de figurine humaine dont la tête est enfoncée dans une tablette de pierre

Albâtre et cuivre
Tablette : longueur : 22,5 cm; largeur : 15 cm; épaisseur : 7,1 cm
Clou : longueur : 23,4 cm; largeur : 5,9 cm; épaisseur : 4,3 cm
Tello (Basse Mésopotamie); époque des dynasties archaïques
Entemena (vers 2440 av. J.-C.)

Louvre : AO 2353
Bibliographie sommaire :
Heuzey : Découvertes en Chaldée 1884-1912, p. XLVI
Thureau-Dangin : Inscriptions de Sumer et d'Akkad (1905), p. 52-55
A. Parrot : Tello (1948), p. 105

Les figurines-clous terminées en pointe associées à des tablettes de pierre sont représentatives des documents de fondation des époques anciennes. Apparues sous Ur-Nanshe de Lagash, vers 2500 av. J.-C., elles se poursuivent jusqu'au début du IIe millénaire.
Le texte inscrit sur la tablette mentionne toutes les constructions du prince. La figurine, très oxydée maintenant, est inscrite également.
Cette figurine, les mains jointes, au corps très allongé, a été trouvée avec plusieurs autres semblables.
La tablette a la forme des briques « plano-convexes », un côté plat, l'autre bombé, matériau de construction caractéristique de l'époque des dynasties archaïques.

B. A.-L.

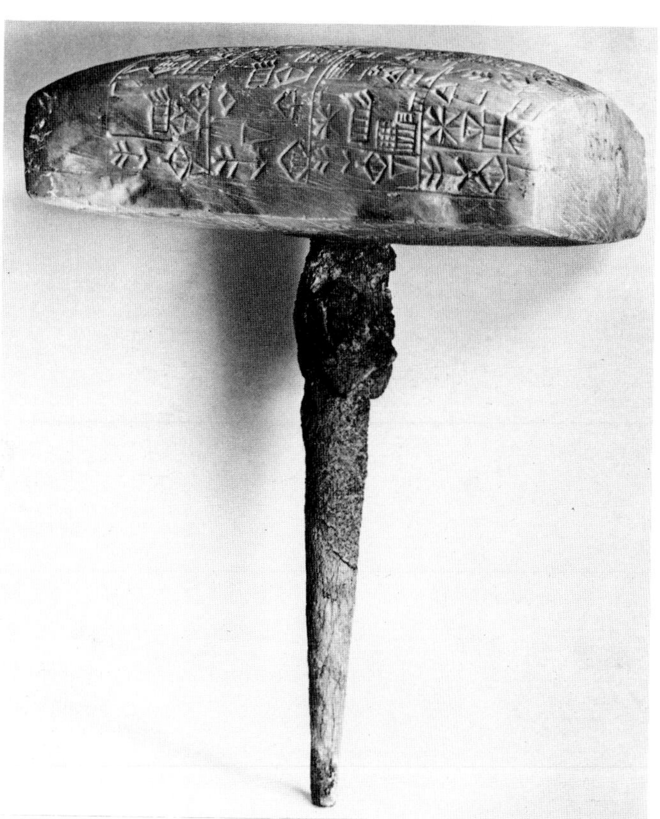

174 Clou de fondation

Argile cuite
Longueur : 16,2 cm; diamètre tête : 6,9 cm
Tello; époque de la renaissance sumérienne
Ur-Bau, père de Gudéa (2155-2142 av. J.-C.)

Louvre : AO 21036
Bibliographie sommaire :
Thureau-Dangin : Les Inscriptions de Sumer et d'Akkad (1905), p. 98.
J. M. Aynard : Revue d'Assyriologie, LIV (1960), p. 11 et ss

Dédicace à Ningirsu, dieu tutélaire de Lagash, pour la construc tion et la restauration de son temple, l'E-Ninnu, surnomm « L'oiseau brillant » (l'aigle à tête de lion emblème du dieu). est probable que la pointe seule était enfoncée dans le mur, tête du clou restant visible.

B. A.-

175 Figurine de fondation : dieu enfonçant un clou

Cuivre
Hauteur : 29 cm ; largeur : 8,5 cm ; épaisseur : 13 cm
Tello (Basse Mésopotamie) ; époque de la renaissance sumérienne
Gudéa prince de Lagash (vers 2150 av. J.-C.)

Louvre : AO 311
Bibliographie sommaire :
Perrot et Chipiez : Histoire de l'Art dans l'Antiquité, II (1884), p. 329, fig. 146
Strommenger : Cinq millénaires d'art mésopotamien (1964), fig. 146, p. 85

Le dieu, coiffé de la tiare à quatre rangs de cornes, la coiffure divine, un genou à terre, fait le geste d'enfoncer un clou. Cette scène est généralement interprétée comme un acte de prise de possession du temple. L'inscription dédicatoire au dieu Ningirsu est écrite sur le clou.

B. A.-L.

176 Tablette : document de fondation

Diorite
Longueur : 9,4 cm ; largeur : 6,8 cm ; épaisseur : 2 cm
Tello (Basse Mésopotamie) ; époque de Gudéa, prince de Lagash (vers 2150 av. J.-C.)

Louvre : AO 257a

Cette tablette, enfoncée sous les murs dans une logette façonnée en briques, était accompagnée d'une figurine de cuivre (comme cat. n° 175), couverte du même texte caractéristique de l'inscription de fondation dans sa forme stéréotypée la plus simple, avec un schéma de base comprenant le nom de la divinité à laquelle le bâtiment est dédié, le nom du souverain, l'objet de la construction, et le verbe exprimant l'action.
« Pour Ningirsu, le champion puissant d'Enlil, son maître, Gudéa, le prince de Lagash... l'E-Ninnu... il construisit, il restaura. »

B. A.-L.

177 Figurine de fondation : le porteur de corbeille

Cuivre
Hauteur : 24,3 cm ; largeur : 7,9 cm
Ṣuse (Iran), temple de la déesse Nin-Hursag de Suse.
Époque de la renaissance sumérienne
Règne de Shulgi, deuxième roi de la IIIe dynastie d'Ur (2094-2047 av. J.-C.)

Louvre : Sb 2881
Bibliographie sommaire :
V. Scheil : Mémoires de la Délégation en Perse, VI (1905) pl. 6 et p. 21
P. Amiet : Elam, (1966), p. 238

Dans les fondations du temple bâti sur l'Acropole de Suse, huit cachettes ont été découvertes comportant chacune une tablette de pierre et une figurine représentant un personnage, sans doute le roi lui-même, portant le couffin à briques de bâtisseur. Cette scène semblable à celle de bas-relief d'Ur-Nanshe (cf. cat. n° 167) rappelle que la construction des temples pour honorer les dieux et s'attirer leur faveur, est le devoir du roi, leur serviteur.
Ces figurines se terminent en pointe pour faire fonction de clous de fondation. Leur inscription est semblable à celle des tablettes : *« A Nin-Hursag de Suse, sa dame, Shulgi, l'homme fort, le roi d'Ur, le roi de Sumer et d'Akkad, son temple, a construit. »*

B. A.-L

178 Tablette de fondation en or

ngueur : 8 cm ; largeur : 4,2 cm ; épaisseur : 0,4 cm
orsabad (Assyrie)
oque néo-assyrienne
ègne de Sargon II (721-705 av. J.-C). -706 av. J.-C.

uvre : AO 19933
bliographie sommaire :
D. Luckenbill : Ancient Records of Assyria and Babylonia, II (1927), p. 56

ette tablette fait partie d'un lot de six plaques découvertes en 354 dans un coffret de pierre dans les fondations de la ville onstruite par Sargon II d'Assyrie. Deux d'entre elles ont disparu ans un naufrage sur le Tigre, les trois autres en argent (cat. ° 179), en cuivre (cat. n° 36) et en carbonate de Magnésie sont u Louvre.
vec très peu de variantes, chaque inscription mentionne les êmes faits et reproduit le texte des taureaux ailés, gardiens de ortes du palais (cf. partie documentaire).
lle énumère les titres du roi, relate la construction de la ville e Dûr Sharrukîn, du palais et des temples consacrés aux grands eux, les matériaux employés pour ces constructions et leur écoration. Le roi spécifie qu'il a écrit la gloire de son nom sur es tablettes en sept matières différentes et qu'il les a déposées ans les fondations. Des malédictions sont prononcées contre elui qui détruirait ses œuvres.

B. A.-L.

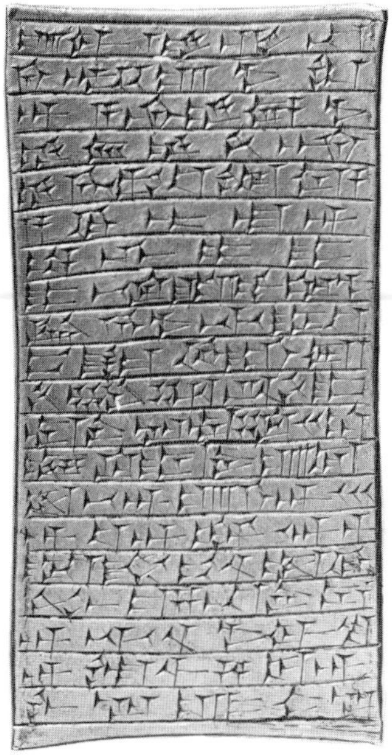

179 Tablette de fondation en argent

Argent
Longueur : 11,8 cm ; largeur : 6 cm
Khorsadad (Assyrie)
Époque néo-assyrienne
Règne de Sargon II (721-705 av. J.-C.) 706 av. J.-C.

Louvre : AO 21371
Bibliographie sommaire :
D. D. Luckenbill : Ancient Records of Assyria and Babylonia, II (1927) p. 56 :
confére notice précédente

B. A.-L.

180 Prisme à dix pans : document de fondation de la ville de Dûr Sharrukîn

Argile cuite
Longueur : 20 cm
Khorsabad (Assyrie) règne de Sargon II, dédié en 706 av. J.-C.

Louvre : N. III 3156
Bibliographie sommaire :
H. C. Rawlinson : Historical Inscriptions of Chaldea, Assyria and Babylonia, IR 1 London (1861), p. 36
D. D. Luckenbill : Ancient Records of Babylonia and Assyria, Chicago 1927, p. 60-66

Lors de la construction d'un monument, depuis la plus haute Antiquité, le souverain faisait enfermer dans les fondations ou dans les murs des objets portant une dédicace aux dieux. Ne consistant qu'en une brève adresse à la divinité au départ, avec le temps, les inscriptions votives devinrent de plus en plus longues, en même temps que la forme de l'objet changeait. Les prismes ne sont attestés qu'à la fin du deuxième et au premier millénaire avant J.-C. Celui-ci n'est pas un exemplaire unique. Les rois prenaient en effet le soin de multiplier les récits de leurs exploits pour accroître les chances qu'ils traversent l'éternité.
Le texte est très semblable à celui de l'inscription des taureaux ailés (cf. partie documentaire) qui était visible dans le palais. Bâti sur le même modèle stéréotypé que les Annales, il exalte le roi, ses bienfaits, ses constructions, principalement celle de la ville pour laquelle, soutenu par les dieux, il *« conçut des plans jours et nuits, pour établir cette ville, pour ériger un noble sanctuaire, une résidence pour les grands dieux, et des palais pour (sa) royale demeure »*. Puis il appelle sur lui les bénédictions de la divinité et des malédictions sur les éventuels profanateurs.
Cf. photo de la copie du début du texte.

B. A.-L.

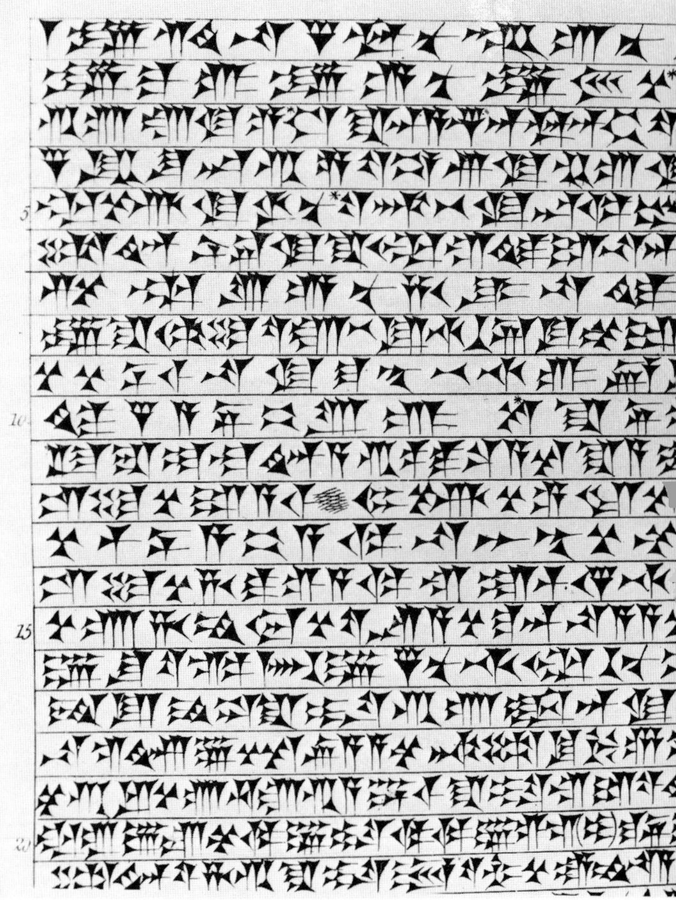

181 Barillet : document de fondation

rgile cuite
ongueur : 18 cm ; diamètre : 8,ç cm
abylone ; Époque néo-babylonienne : règne de Nabonide
555-539 av. J.-C.) dernier roi de la dynastie

ouvre : AO 6444
ibliographie sommaire :
. Dhorme : Revue d'Assyriologie, XI (1914), p. 105 ss

nscription de fondation traditionnelle utilisant un vocabulaire limité. Relation des constructions du roi dans les villes de Sippar, Kutha, Kish, Ur, Marad. le roi rapporte l'élévation de sa fille au sacerdoce dans le temple du dieu-lune à Ur.

B. A.-L.

La vie intellectuelle

Aussi étonnant que cela puisse nous paraître, les Sumériens répugnèrent, semble-t-il, longtemps à utiliser l'écriture à des fins proprement intellectuelles ; ce n'est que plusieurs siècles après son invention qu'apparaissent en petit nombre sur argile des textes littéraires. Pour les mythes et les épopées, l'essentiel de leur édition ne date vraiment que du début du IIe millénaire avant J.-C. La divination fut le domaine où l'écrit joua le plus complètement le rôle que nous lui attribuons aujourd'hui : celui de référence et de contrôle. Les spécialistes consultaient leurs tablettes pour interpréter les signes qu'ils voyaient d'ailleurs partout : dans les entrailles des animaux, puis, au Ier millénaire, dans le ciel mais aussi dans tous les incidents, même les plus insignifiants, de la vie. Ils découvraient, croyaient-ils, ainsi l'avenir des pays et de leurs princes. Ce ne fut qu'avec l'arrivée des Grecs que les astrologues s'intéressèrent au destin particulier de tel ou tel Babylonien, en dressant son horoscope.

Les intellectuels mésopotamiens tirèrent-ils bénéfice de la pratique de l'écriture ? La question ne doit ni étonner ni choquer. La réponse ne saurait être que nuancée. Assurément le système cunéiforme pouvait reproduire toutes les inflexions de la voix : elle notait facilement donc la poésie et, en même temps, certains idéogrammes servaient de symboles abstraits dans les sciences. De fait les Mésopotamiens atteignirent un niveau remarquable en mathématiques et en astronomie, mais trop souvent savoir écrire représentait un but en soi au détriment de la réflexion : en sciences naturelles, ils se contentèrent d'établir et de recopier des listes de signes, de pierres, de plantes ou d'animaux, et négligèrent l'étude de la réalité. Les médecins décrivirent avec précision les maladies et savaient en pronostiquer l'évolution, mais leurs remèdes, empiriques ou fortement influencés par la magie, ne devaient guère enrayer le mal : ils accumulèrent pourtant un trésor d'observations cliniques, mais ce sont les Grecs qui les repensèrent selon les lois rationnelles.

Daniel Arnaud

Littérature et pensée philosophique

Le partage entre religion et littérature est difficile. Au domaine des grandes œuvres littéraires appartiennent les grands mythes cosmogoniques qui exprimaient l'interprétation des anciens mésopotamiens sur les origines du monde et la création des êtres. Plusieurs légendes d'explication du monde sont d'origine sumérienne (cat. n° 183). Elles ont été reprises et refondues par les Akkadiens, et ce mythe de la Genèse trouva sa principale expression vers la fin du IIe millénaire. Dans une langue littéraire pleine d'archaïsme, le Poème de la Création, appelé *« enûma eliš »,* « lorsqu'en haut... » selon les premiers mots du texte, nous raconte les origines du monde, alors que n'existaient ni le ciel ni la terre, mais l'abîme primordial, immense masse liquide d'où naquirent des générations successives de dieux.

Un conflit éclata entre les plus anciennes attachées au silence, à l'immobilité et à la nuit, et les plus récentes aspirant au mouvement et à la lumière. La victoire revint au champion des dieux jeunes, Marduk, le dieu de Babylone, qui créa l'univers ordonné.

Mieux qu'aucun autre, ce mythe nous éclaire sur la conception du monde des Mésopotamiens : l'Homme est né du sang d'un dieu déchu mêlé à de l'argile, ce qui explique son attitude pessimiste devant la vie et le peu de confiance qu'il peut avoir en l'être humain et en sa destinée. Issu du sang versé, et donc marqué, dès l'origine, d'une tare indélébile, créé pour servir les dieux, sans libre arbitre, que pouvait espérer l'homme avant de redescendre après sa mort au royaume « du Pays sans retour... vers la demeure où ceux qui entrent sont privés de lumière, où la poussière (nourrit) la faim, et le pain est l'argile » ? (« Descente d'Ishtar aux Enfers »).

L'œuvre maîtresse de la littérature mésopotamienne est l'Épopée de Gilgamesh. Son héros est un très ancien roi d'Uruk, à demi légendaire. Une tradition poétique, d'abord orale, donna naissance à un cycle de poèmes en langue sumérienne dont les poètes akkadiens tirèrent une épopée en douze chants. Poème épique, l'épopée illustre aussi le thème des grandes inquiétudes humaines devant la mort et la recherche de l'immortalité. Elle met en lumière les aspects essentiels de la littérature mésopotamienne : les sources sumériennes et l'héritage qu'elles laissèrent à la pensée babylonienne ; les aménagements successifs des rédactions de l'œuvre illustrent l'histoire littéraire de la Mésopotamie, puisque l'épopée connut des refontes aux périodes paléo-babylonienne, kassite et surtout néo-assyrienne d'où nous est parvenu l'essentiel. Des copies et des traductions en furent faites dans les pays étrangers.

Les grands thèmes communs de la littérature mésopotamienne sont celui du Déluge universel, illustré par plusieurs récits tels celui du « mythe d'Atrahasis » dont s'inspireront les rédacteurs de la version assyrienne de Gilgamesh (cf. cat. n° 186) ; des méditations sur la toute puissance divine comme le conte le mythe d'Anzu, oiseau fabuleux qui avait ravi les « tablettes du destin » ; la mort et les Enfers, la quête de l'immortalité, et les éternelles questions de l'Homme sur son destin, qui ont donné naissance à des œuvres à caractère moral : textes dits de sagesse (cf. cat. n° 187), satires ou proverbes (cf. partie documentaire).

Béatrice André-Leicknam

182 Tablette : mythe de création sumérien « Enki et Ninhursag »

Argile
Hauteur : 9,1 cm ; largeur : 7 cm ; épaisseur : 2,7 cm
Mésopotamie. Début du IIe millénaire av. J.-C.

Louvre : AO 6724
Bibliographie sommaire :
S. N. Kramer : L'Histoire commence à Sumer, Paris, trad. 2e éd. (1975), p. 168-17

Après un hymne à Dilmun, peut-être plutôt une parodie d'hymne qui décrit l'endroit comme désert, c'est-à-dire encore vierge d tous les « bonheurs » de la civilisation, le texte raconte commen Enki apporta l'eau à Dilmun, et avec elle la vie. Par une sort de procréation en chaîne, en s'accouplant chaque fois avec l déesse qu'il vient d'engendrer, il crée diverses déesses de l végétation et du tissage. Son accouplement avec la déesse d tissage, détourné par Ninhursag, produit non une nouvelle déesse mais une série de plantes. Enki, en les mangeant pour détermine leur fonction, tombe gravement malade. Ninhursag, après un intervention du Renard, finit par accepter de le guérir, créant u dieu chargé de guérir chacune des parties malades du corps d'Enki (on notera qu'il y a chaque fois une ressemblanc phonétique entre le nom du dieu et le nom de la partie malade). Le texte se termine par une bénédiction adressée par Enki chacune de ses divinités, la dernière étant précisément celle d Dilmun.

Ce mythe est si loin de nous qu'il est difficile d'en percer l sens. Il y a, bien sûr, au moins en partie, l'explication de l richesse de Dilmun, terre luxuriante, mi-terrestre, mi-aquatique mais beaucoup de choses nous échappent. S. N. Kramer l redécouvreur de la littérature sumérienne y a décelé certaines parentés avec le début de la Genèse : il est vrai que la descriptior de Dilmun fait penser au Paradis et le jeu de mots entre T « côte » et le nom de la déesse Ninti « La Dame qui donne l vie » est bien troublant et peut être pour quelque chose dans l Création d'Ève à partir d'une côte d'Adam. Mais les apparences sont peut-être trompeuses : Dilmun n'est pas un Paradis au sens biblique et il ne saurait y avoir autre chose qu'un lointain emprun dont la source était inconnue à l'auteur biblique. Mais surtou disons que nous comprenons *au fond* si peu du texte sumérien qu'il est malaisé d'établir des parallèles. Les implications les plus évidentes aux auditeurs antiques nous échappent complètement il semble que le texte commence comme une sorte de chan prononcé devant une grande assistance populaire ; il est auss plein de jeux de mots et d'assonances qui avaient peut-être pourquoi pas, un effet comique.

Traduction Antoine Cavigneaux (inédite).

« La ville est sainte ! Allez-y exultez !
Le pays de Dilmun est saint !
Sumer (tout entier) est saint ! Allez-y exultez !
Le pays de Dilmun est saint ! Le pays de Dilmun est rayonnant.
Le pays de Dilmun est splendide ! Le pays de Dilmun es magnifique !
Quand il se fut reposé, lui le premier, à Dilmun,
L'endroit où Enki s'était étendu avec son épouse,
L'endroit pur, l'endroit magnifique...
Quand il se fut reposé, lui le premier, à Dilmun,
L'endroit où Enki s'était étendu avec Ninsikila,
Cet endroit pur, cet endroit magnifique,
Dilmun ne laissait pas le corbeau croasser,

le coucou (?) jeter son cri,
le lion déchirer sa proie,
le loup emporter l'agneau,
dogue ne savait terrasser le chevreau,
le sanglier dévorer les blés,
veuve pouvait étaler le malt sur la terrasse
ns que les oiseaux du ciel vinssent le picorer,
colombe n'inclinait pas la tête,
omme atteint des yeux ne disait pas « j'ai mal aux yeux »,
omme malade de la tête ne disait pas « ma tête me fait mal »,
vieille femme ne disait pas « je suis vieille »
vieillard ne disait pas « je suis vieux »
jeune fille ne se baignait pas, il n'y avait pas d'eau qui passait
ns la ville,
lui qui voulait traverser la rivière ne disait pas « ohé du bateau »

héraut ne faisait pas sa ronde,
ède ne chantait pas l'appel au travail,
x abords de la ville il ne chantait pas sa mélopée... »

A. C.

183 Tablette : mythe de création sumérien : « Enki et l'ordre du monde »

Argile
Longueur : 12,2 cm ; largeur : 6,4 cm ; épaisseur : 3,2 cm
Basse-Mésopotamie
Début du IIe millénaire av. J.-C.

Louvre : AO 6020
Bibliographie sommaire :
H. de Genouillac : Textes cunéiformes du Louvre, XV (1930), pl. LXXVI ss
S. N. Kramer : The Sumerians (1963), p. 171-183 et l'Histoire commence à Sumer, 2e éd. fr. (Paris 1975), p. 114
C. A. Benito : Sumerian and Akkadian texts with english translations and notes, 1970
Thèse : University of Pennsylvania 1969 (publ. Ann Arbor, 1978)

Le mythe nous rend compte des activités créatrices d'Enki, dieu de l'eau et de la sagesse, pour organiser la terre, y établir l'ordre et les lois essentielles à la civilisation.
Le texte débute par une prière à Enki *« le seigneur sublime du ciel et de la terre... qui est élevé sur toute la terre... dont l'ombre couvre le ciel et la terre... »* Puis il *« décrète le destin »* des pays et des villes :
« Sumer, grand pays, entre les pays de l'Univers,

plein d'une lumière imposante, qui du Levant au Ponant dispense les lois divines à tous les peuples!
Tes lois divines sont altières, inaccessibles,
tu donnes naissance aux rois... et poses la couronne sur leur tête.
... O maison de Sumer, que tes étables soient construites, que tes vaches se multiplient,
... que tes temples inébranlables élèvent leurs prières jusqu'au ciel, que chez toi les Grands Dieux décident les destinées.
Au sanctuaire d'Ur (la capitale de Sumer, à l'époque où le poème fut écrit), *il alla.*
Enki, roi de l'abîme, décréta son destin... »
(traduction d'après S. N. Kramer et C. A. Benito)

Le dieu se rend ensuite successivement à Meluhha (pays lointain, sans doute l'Inde avec lequel les rois d'Ur commerçaient) et il bénit ses arbres et ses roseaux, ses métaux précieux et ses habitants. Il revient ensuite au Tigre et à l'Euphrate, puis il se consacre à la charrue et au joug, aux champs et à la végétation, à la pioche et au moule à brique. Il bâtit des maisons, les étables et les bergeries, et place toute ses créations aux soins de divinités. Pour expliquer la marche de l'Univers, les penseurs sumériens avaient en effet recours à des personnalités divines, mais aussi à des « lois divines » ou ME, celles dont parle le texte comme existant à Sumer. A propos d'un mythe consacré à la grande déesse de l'amour, Inanna, l'un d'eux nous a laissé une énumération d'environ cent de ces éléments essentiels à la civilisation tels que l'entendaient les Sumériens. Les principaux sont : la Souveraineté, la Divinité, le Trône royal, la Royauté, le Déluge, les Rapports sexuels, l'Art, la Musique, le Pouvoir, la Bonté, la Justice, la Fonction de Scribe, la Sagesse, mais aussi le Mensonge, le Désaccord et la Lamentation... c'est-à-dire des Institutions et Fonctions, les comportements de l'esprit et du cœur, certaines croyances, et les différentes professions (maçon, forgeron, vannier...).

B. A.-L.

184 Tablette : mythe sumérien; « Enki et Ni mah » : la création de l'homme

Argile
Longueur : 14 cm; largeur : 10,8 cm; épaisseur : 3,7 cm
Mésopotamie
Début du IIe millénaire av. J.-C.

Louvre : AO 7036
Bibliographie sommaire :
H. de Genouillac : Textes cunéiformes du Louvre, XVI (1930), nº 71, pl. CXX et CXXXVIII
S. N. Kramer : Sumerian Mythology, Philadelphie (1944), pp. 68-72 et L'Histo commence à Sumer, 2e éd. fr., Paris (1975), p. 125
C. A. Benito : Sumerian and Akkadian Texts with English translations and no Thèse : University of Pennsylvania 1969 (publ. Ann Arbor, 1978)
T. Jacobsen : Before Philosophy (1946), p. 174

Le mythe débute par un prologue évoquant la condition l'Univers dans les temps primordiaux : les dieux éprouvent d difficultés à se nourrir, aussi le dieu Enki et la déesse Ninm (la déesse-mère) décident de créer l'humanité, pétrie d'argi pour servir les dieux :
« Pétris le cœur de l'argile qui est à la surface de l'Abîme, l bons et magnifiques modeleurs épaissiront cette argile...
Ô ma mère, décide le destin du nouveau-né,

'inmah fixera sur lui l'image (?) des dieux :
'est l'homme... »
e poème relate alors la fête des dieux, au cours de laquelle nki et Ninmah, un peu ivres, créent successivement six créatures normales ou incomplètes. Ce passage a sans doute pour but 'expliquer l'existence des êtres anormaux :
Le..., Ninmah en fit une femme incapable de mettre au monde.
nki, voyant cette femme incapable de mettre au monde, décida
e son sort, et la destina à demeurer dans le « gynécée ». Le...,
lle en fit un être privé d'organe mâle, privé d'organe femelle.
nki, voyant cet être privé d'organe mâle, privé d'organe femelle,
écida que son destin serait de marcher devant le roi. »
Traduction S. N. Kramer)

nki crée ensuite un septième être raté qui ne peut ni parler ni ıanger, ni rester debout, ni assis, et le texte se termine par un ialogue entre le dieu et la déesse, au cours duquel Ninmah emble maudire Enki au spectacle navrant de cet être de nature ıconnue qu'il s'est amusé à faire vivre.
e texte peut être reconstitué à partir de la tablette du Louvre t d'une autre appartenant à l'University Museum de Philadelphie.

B. A.-L.

185 Tablette : relation sumérienne de l'histoire du déluge

Argile
Hauteur : 9,8 cm ; largeur : 12,7 cm ; épaisseur : 2 cm
Provient de Nippur (actuelle Nuffar, Irak)
Époque paléo-babylonienne, vers 1700 av. J.-C.

University Museum, Philadelphie (États-Unis)
Bibliographie sommaire :
A. Poebel : Publications of the Babylonian Section, University Museum, Philadelphia, vol. 5 (1914) (copie)
M. Civil : In W. G. Lambert et A. R. Millard, Atra-Hasis Oxford, 1969, p. 138 ss (transcription, traduction)

Dans son état actuel, la tablette, découverte à la fin du XIXe siècle, comporte de nombreuses lacunes, il manque environ les deux tiers du texte. Le début et la fin de la composition ont été perdus. Il s'agit du seul récit du Déluge sumérien que nous possédions, aucun duplicata n'est connu.

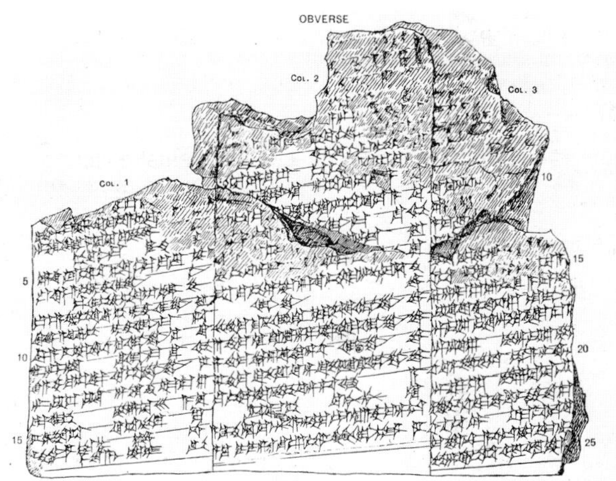

Le texte raconte comment furent créées cinq villes saintes sumériennes : (Eridu, Badtibira, Larag, Sippar, et Shuruppak), puis comment le roi Ziusudra (« celui qui a la vie longue »), échappa à un déluge qui détruisit l'humanité et dura sept jours et sept nuits. Les dieux accordèrent l'immortalité au héros, l'installant dans l'Ile de Tilmun (actuelle Ile de Bahrain).
Extrait de traduction (M. Civil) : le récit du Déluge.
« ... les dieux de l'Univers ayant (juré) par le nom d'An et d'Enlil, (alors) le roi Ziusudra,...
... se tenant près des murs, entendit...
« O mur, je désire te parler, (écoute) ma parole,
Prête l'oreille à mes instructions :
Sur toutes les demeures (?), sur les villes, la tempête va se (déchaîner)
(pour) la destruction de la descendance de l'humanité
la sentence finale, la décision de l'assemblée,
la parole prononcée par (les dieux) An, Enlil, et Ninhursag (sera) la chute de la royauté... »
Et tous les vents ravageurs et les ouragans furent au rendez-vous,
la tempête balaya les villes,
Après que la tempête eut balayée le pays pendant sept jours et sept nuits,
Et que le vent ravageur eut balloté l'énorme bateau sur les eaux
le soleil apparut, illuminant la terre et le ciel
Ziusudra pratiqua l'ouverture de l'énorme bateau,
le roi Ziusudra se prosterna devant le dieu-soleil,
le roi immola des taureaux et des moutons en grand nombre. »
B. A.-L. ; A. S.

186 La onzième tablette de l'épopée de Gi gamesh

Argile
Longueur : 13,5 cm ; largeur : 14,7 cm
Ninive (Kuyunjik), Assyrie
Règne d'Assurbanipal (668-627 av. J.-C.)

British Museum : K 8517, K 8518, K 8569, K 8595
Bibliographie sommaire :
R. Campbell Thomson : The epic of Gilgamesh (London, 1930), p. 60-67, pl. 44-
P. Haupt : Das babylonische Nimrodepos (Leipzig, 1884), p. 114-119
J. B. Pritchard : Ancient Near Eastern Texts (Princeton, 1950), p. 93-97
George Smith : The Chaldean Account of the Deluge', Transactions of the Socie of Biblical Archaeology, II (London, 1873), p. 213-234

Il s'agit de l'une des trois tablettes sur lesquelles George Smi reconnut en 1872 le récit babylonien du Déluge. Elle a ét reconstituée par George Smith lui-même, alors qu'il étudiait le milliers de petits fragments trouvés par A. H. Layard, W. K. Loftu et H. Rassam au cours des fouilles qu'ils firent à Ninive (184 1855).
L'épopée de Gilgamesh raconte les exploits du héros Gilgamesh roi d'Uruk, et le voyage qu'il entreprit pour trouver le secret d l'immortalité après avoir assisté à la mort de son ami Enkid Son voyage le conduit dans un pays situé au-delà des Eaux d la Mort où il rencontre Ut-Napishtim.
Dans la onzième tablette de l'épopée, Ut-Napishtim racon comment le dieu Enki lui a enjoint de construire un bateau, d' installer sa famille et ses biens, ses artisans et tous les animau des champs afin d'échapper au Déluge qui s'annonçait. L'histoir du Déluge lui-même est analogue à l'histoire de Noé dans Bible. Après la décrue, les dieux découvrent Ut-Napishtim et s famille encore en vie. Ils accordent l'immortalité à Ut-Napishti et à sa femme. Personne ne peut convoquer l'assemblée de dieux pour donner l'immortalité à Gilgamesh qui ne peut pa relever le défi que lui a lancé Ut-Napishtim de rester éveill pendant sept jours. Et il retourne déçu à Uruk.
(Notice en anglais, traduite en français par F. Tallon.)

C. W

Cf. traduction partie documentaire.

187 Tablette : « Le juste souffrant »

gile
ngueur : 18 cm ; largeur : 9,7 cm ; épaisseur : 2,9 cm
ssopotamie ; époque paléo-babylonienne
gne d'Ammiditana, 3e successeur de Hammurabi de Babylone (1683-1647 J.-C.)

uvre : AO 4462
bliographie sommaire :
Nougayrol : Revue Biblique LIX (1952), p. 239-250
von Soden : Orientatia N.S. 26 (1957), p. 315 ss
G. Lambert : Babylonian wisdom litterature, (1960), nº 3, p. 10-11
orientalia N.S. 40 (1971), p. 97
Bottero : Annuaire de l'E.P.H.E. IVe section, 1964-65, p. 129 ss

ette œuvre, en akkadien, fait partie de la littérature dite « de igesse », touchant aux grands problèmes de la condition ımaine. Elle se présente sous forme de proverbes, de récits de fables, de prières, de dialogues (cf partie documentaire) de monologues, comme celui-ci qui pose le problème du al, châtiment du péché conscient ou inconscient. Un grand ersonnage, juste et comblé de bonheur est abandonné par son eu, sans raison apparente. Dès lors, malheurs et maux ıysiques s'abattent sur lui. Il souffre et se lamente jusqu'à ce ıe la divinité lui rende sa faveur. La leçon montre que ni la été ni la magie des exorcistes ne peuvent lutter contre le mal. œuvre a été comparée au « livre de Job » biblique plus récent, en qu'elle n'ait pas tout à fait le même sens : le texte est mutilé ais il ne semble pas que le « juste » soit sans défauts. Il dit qu'il ignore le péché qu'il a pu commettre », mais le dieu, en i faisant grâce, ne présente pas son abandon comme immérité. l'exhorte à la bonne conduite et à la générosité envers les ıtres. La leçon morale est donc très élevée. Le poème est composé de neuf strophes de dix vers chacune, séparées entre elles par un trait horizontal. Cette version, qui a un prototype sumérien, est la plus ancienne relation akkadienne que nous connaissions, mais l'œuvre fut souvent recopiée par la suite, et le thème réutilisé.

Extrait des strophes finales (traduction J. Bottéro).

« ... Que ton cœur ne soit plus mauvais !
Finis les ans et les jours pleins de peine !...
...Tu as goûté à la détresse, retenue sur toi peu de temps,
Et quand tu eus porté jusqu'au bout son lourd fardeau,
On t'a remis en liberté (?) : le chemin t'est large ouvert
Ta route est libre, il t'a été fait grâce !
Seulement, désormais, n'oublie plus jamais ton dieu,
(Rappelle-toi) ton créateur, lorsque tu seras en bien-être !

C'est moi qui suis ton dieu, ton créateur, ton secours :
Mes gardiens veilleront sur toi...
Tant que j'ai l'œil sur toi, tu garderas la vie.
Mais toi, ne sois plus endurci : donne l'onguent à qui en manque,
Donne à manger à qui a faim, à boire à qui a soif,
Que le mendiant, gisant (à terre) et dont l'œil brille d'envie
Goûte à ta nourriture, la consomme, l'emporte et soit heureux,
La Grande-Porte du bien-être et de la vie t'est rouverte :
Rentres-y librement, sois en paix ! »

B. A. L.

188 Lamentation sur la ruine d'Ur — Sumérien

Argile
Hauteur : 24,5 cm ; largeur : 13,6 cm
Basse-Mésopotamie
Début du IIe millénaire av. J.-C.

Louvre : AO 6446
Bibliographie sommaire :
S. N. Kramer : Materials for the Assyrian Dictionnary, 12, Chicago, 1940, p. 1 à 71
J. Pritchard : Ancient Near Eastern Texts, 3e ed., Princeton, 1969, p. 455

Le texte appartient au genre des lamentations, précurseur des lamentations bibliques, qui, connu dès l'époque des dynasties archaïques, fleurit en Mésopotamie aux environs de 2000 av. J.-C., à un moment où le pays connaît plusieurs invasions dévastatrices et des guerres entre cités qui veulent s'assurer le pouvoir après la chute de l'Empire d'Ur III.
Contrairement à la plupart des lamentations liturgiques, au texte stéréotypé, celle-ci, composée et récitée pour un événement particulier, la ruine de la capitale puis la reconstruction de la cité d'Ur, est très belle. Elle relate la décision des grands dieux de laisser faire cette infamie qu'est la destruction de leurs temples, décrit le sac de la ville, puis le revirement des dieux destructeurs.
La composition rythmée, consiste en 436 lignes divisées en 11 chants ou stances de 11 lignes, séparées les unes des autres par un antiphon de une ou deux lignes.
Extrait d'un passage où Ningal la déesse d'Ur, se présente en suppliante devant les grands dieux obligés d'accomplir les ordres du Destin :
« Le sang des pays comme du bronze et du plomb s'accumule ;
Ses morts fondent d'eux-mêmes comme de la graisse au soleil ;
Ses hommes qu'anéantit la hache, aucun casque ne les protège ;
Comme une gazelle prise au piège, ils s'allongent, la bouche dans la poussière...
Les mères et les pères qui ne sortent pas de leur maison sont recouverts par le feu ;
Les enfants couchés dans le giron de leur mère, comme des poissons sont emportés par les eaux...
Puisse ce désastre être entièrement anéanti !
Comme la grande grille de la nuit, puisse la porte être refermée sur lui !... »

B. A.-L.

;éographie-Topographie

189 Tablette : carte topographique d'une égion montagneuse

rgile
ɔngueur : 12 cm; largeur : 7,5 cm; épaisseur : 2,9 cm
ésopotamie
ɔoque néo-babylonienne (VIe siècle av. J.-C.)

ɔuvre : AO 7795
ibliographie sommaire :
édit : D. Arnaud, à paraître

e paysage, montagneux, représente vraisemblablement une ontrée située à l'Est de la Babylonie, peut-être près des Monts u Zagros.

es montagnes sont représentées par des carrés □ comme ans les légendes de nos cartes actuelles. Cela est précisé par indication du déterminatif KUR (sumérien) : *šadu* (akkadien) = ı montagne.

n haut, la route est indiquée *(sḫulu)* = le chemin.

u centre, le fleuve *(nāru)*.

n bas, est figuré un canal d'irrigation avec ses canaux econdaires transversaux.

D. A.

Mathématiques

Toute société semble avoir développé un système de numération, base de toute mathématique. Mais impossible d'aller plus loin sans un système de notation écrite. C'est justement là où l'on découvre le premier système d'écriture — Sumer et Élam — que naissent les premières formes d'arithmétique. D'ailleurs selon les découvertes les plus récentes, écriture et mathématique seraient intimement liées : elles auraient vu le jour en même temps. En effet, les premiers textes écrits comptent, mesurent, additionnent et divisent les richesses économiques, sociales et religieuses de la communauté.

De quoi traitent ces textes mathématiques ? Les plus anciens, vers la fin du quatrième millénaire, comptent des objets — tant de béliers, tant de brebis, tant d'agneaux. Ils les additionnent — un troupeau de tant. Ils les distribuent — tant pour le temple, tant pour le palais. Ces textes deviennent plus longs, plus complexes, et, vers le milieu du troisième millénaire, échappent aux limites du système comptable à proprement parler. C'est la naissance d'une systématisation et d'une exploration des différentes possibilités des opérations numériques : l'épanouissement des mathématiques durant les deux millénaires qui suivront.

On a découvert deux sortes de textes.

Les *tables :* les plus anciennes servent à résoudre des problèmes bien précis et concrets, par exemple celles donnant la longueur, largeur et surface de champs rectangulaires, tandis que les dernières, en supprimant toute référence à un problème particulier présentent de véritables tables de multiplications. D'autres, les racines carrées, racines cubiques, divisions de l'unité, etc... Ce seront les auxiliaires parfaits pour résoudre les problèmes.

Les *problèmes :* un des premiers que nous ayions en notre possession date de la même époque que les premières tables. Il pose la question de savoir combien d'hommes sont nécessaires pour vider un grenier plein d'orge, et donne la réponse. Ces exemples scolaires deviendront de plus en plus nombreux, variés et complexes au cours des périodes suivantes, tout en conservant leurs caractères numériques et concrets.

Trois mille ans de cunéiformes, quelques centaines de tablettes mathématiques (tables et problèmes), c'est le bilan des découvertes en Élam et en Mésopotamie. Mais les questions les plus intéressantes attendent encore une réponse : Quel rôle jouaient les mathématiques dans la vie et la culture de ces peuples anciens ? Une réponse qui nous permettrait peut-être d'élucider le rôle des sciences dans nos propres sociétés, même si elles nous paraissent maintenant très loin de cette première aventure mathématique, bien concrète et pourtant pleine d'imagination.

J. R.-RITTER

190 Prisme mathématique : calcul de surfaces

Argile
Hauteur : 16,7 cm ; largeur : 7 cm
Larsa (Basse-Mésopotamie)
Époque paléo-babylonienne (vers le XVIIIe siècle av. J.-C.)

Louvre : AO 8862
Bibliographie sommaire :
F. Thureau-Dangin : Revue d'Assyriologie, XXIX, (1932), p. 1 ss
F. Thureau-Dangin : Textes Mathématiques Babyloniens, Leiden (1938), p. 64 ss
Neugebauer : Mathematische Keilschrifttexte (1935), p. 108 ss

Au-dessus de la première face, sur la tranche, mention de la déesse Nisaba, patronne de l'écriture et de la science des nombres.
Le prisme comprend plusieurs problèmes.
Les quatre premiers concernent des calculs sur une surface de rectangle, les trois autres sont des comptes de salaires d'ouvriers en fonction de leur travail.
1er problème (traduction d'après Thureau-Dangin et Neugebauer) :

« Un rectangle, longueur et largeur, j'ai multiplié et ainsi j construit une surface.
Puis, j'ai ajouté à la surface ce dont la longueur excède largeur : (cela donne) 3,3
Puis j'ai additionné la longueur et la largeur : (cela donne) 27
Que sont la longueur, la largeur et la surface ?
27 (et) 3,3 ; les sommes,
15, la longueur,
3,0 la surface,
12, la largeur.
Toi, en opérant, ajoutes 27, la somme de la longueur et de largeur, à (3,3) : (cela donne) : 3,30 ; ajoutes 2 à 27 (ce donne) : 29. Tu diviseras en deux 29 (cela donne 14,30) 14,30 fois 14,30 (font) 3,30,15.
De 3,30,15, tu soustraieras 3,30 : il reste $0^{0}15'$; $0^{0}15'$ est carré de $0^{0}30'$. Ajoutes 30' au premier $14^{0}30'$: (cela donne) 1 (pour) la longueur. Tu retrancheras 30' du deuxième 14,30 (cela donne) 14 (pour) la largeur - 2, que tu as ajouté à 27 soustraieras de 14, la largeur : (cela donne) 12, la large définitive. Multiplies 15, la longueur et 12, la largeur : 15 fois 1 (donnent) 3,0 comme surface. De combien 15, la longueu dépasse-t-elle 12, la largeur ? Elle dépasse de 3. Additionnes à 3,0, la surface : le résultat est 3,3. »

B. A.-

191 Tablette : problèmes avec figures géomé-iques

gile
ngueur : 12,2 cm ; largeur : 12,2 cm ; épaisseur : 2,6 cm
se (Iran)
n de l'époque paléo-babylonienne (XVIIIe siècle av. J.-C.)

uvre : Sb 13088
bliographie sommaire :
M. Bruins et M. Rutten : textes Mathématiques de Suse, Mémoires de la Mission chéologique en Iran, XXXIV, (1961), p. 23 ss

n lot de tablettes contenant des problèmes mathématiques et ouvé à Suse, appartenait sans doute à une école de scribes un temple. Elles étaient écrites en babylonien avec emploi idéogrammes multiples.
elle-ci, qui montre un hexagone sur une face, et un heptagone ır le revers, démontre l'existence d'une théorie numérique des olygones réguliers.
e revers contient la figure d'un heptagone dont le rayon du ercle est indiqué. Il est divisé en sept triangles. L'inscription un des triangles se rapporte à la méthode de calcul utilisée our l'hexagone de la face pour calculer la hauteur de ce angle.

B. A.-L.

192 tablette : texte mathématique : table de division et de conversions de fractions

Argile cuite
Longueur : 12,7 cm ; largeur : 20,7 cm ; épaisseur : 2,1 cm
Uruk (actuellement Warka, en Basse-Mésopotamie)
Époque séleucide (IIIe-Ier siècles av. J.-C.), Copie d'un original plus ancien

Louvre : AO 6456
Bibliographie sommaire :
F. Thureau-Dangin : Textes cunéiformes du Louvre, VI, (1922), nº 31
Neugebauer : Mathematische Keilschriftexte (1935), p. 14 ss
E. M. Bruins : Actes de la XVIIe Rencontre Assyriologique Internationale, Bruxelles, 1970, p. 99-115

Table de valeurs réciproques. Division de l'unité par une série de nombres compris entre 1 et 3.
Nous possédons deux types de textes mathématiques : les tables, utilisées pour la multiplication et la division, et les textes de problèmes. Ce sont les Sumériens qui, au IIIe millénaire av. J.-C., inventèrent le système sexagésimal. Il nous est resté de cette découverte la division du cercle en 360°, la mesure des angles en degrés, et celle du temps en heures, minutes et secondes. Les Babyloniens conservèrent le système sexagésimal pour les textes scientifiques, tandis qu'ils usaient couramment d'un système décimal.
Les Grecs, à l'époque séleucide, conservèrent le système sexagésimal pour les fractions, comme c'est le cas pour ce texte ; ils y apportèrent une innovation, s'inspirant d'un procédé isolé babylonien, en introduisant le 0.

B. A.-L.

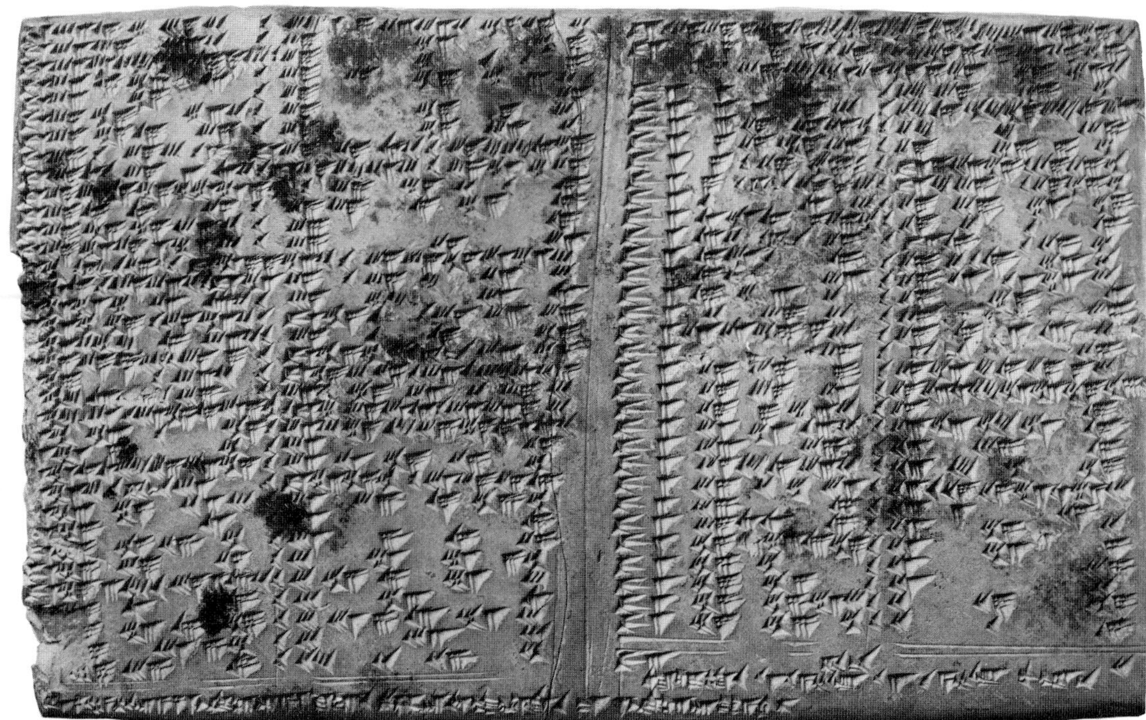

Médecine

Dans le traitement des maladies, on croyait, en Mésopotamie ancienne, à l'efficacité de deux moyens d'action : l'application d'une médication à base de plantes, et le recours à la magie. Les deux traditions, nées à la période babylonienne ancienne, ou même avant pour la première puisque nous connaissons une liste pharmaceutique sumérienne, furent conservées jusqu'au Ier millénaire, époque à laquelle la médecine pratique perdit son importance au profit de la conjuration magique, pratiquée par des experts en divination et des exorcistes.
A partir des signes observés sur le corps du patient, ils prévoyaient le cours du mal et faisaient des incantations : l'issue de la maladie était visée plutôt que le diagnostic.

B. A.-L.

193 Tablette : remède contre les morsures de scorpion

Argile
Longueur : 4,6 cm ; largeur : 5,7 cm ; épaisseur : 2,1 cm
Mésopotamie
Époque paléo-babylonienne : début du IIe millénaire av. J.-C.

Louvre : AO 7682
Bibliographie :
J. Nougayrol : Revue d'Assyriologie, 66 (1972), pp. 142-142

Il s'agit d'une formule magique, suivie d'un traitement. Le texte commence par cinq lignes de conjuration en sumérien ressemblant à une sorte d'« abracadabra » et se poursuit en akkadien.
Traduction du «remède» (J. Nougayrol) :
« Il est vert dans (sa) beauté,
c'est un fortin (?) dans les sables,
(mais) du venin est dans (son moule à briques).
Ayant enlevé (?)
l'intérieur des chairs,
tu frotteras
le dessus de la piqûre, et
il guérira. »

B. A.-L.

194 Tablette : extrait du livre I du corpus médical assyrien ; examens du crâne et de la tête

rgile
ongueur : 19,8 cm ; épaisseur : 11 cm
ssyrie (Mésopotamie du Nord)
poque néo-assyrienne, début du Ier millénaire av. J.-C.

ouvre : AO 11447
ibliographie sommaire :
. Labat : Revue d'Assyriologie, LIII (1959), n° 1, p. 1 ss.

:ette tablette constitue le premier élément d'une série et se attache au corpus médical akkadien traitant des maladies du râne et de la tête. Symptômes et prescriptions sont regroupés ous trois titres principaux : douleurs internes (maux de tête, nigraines, inflammations), affections du cuir chevelu (teigne, czéma...) et chute des cheveux (calvitie...).
.e texte du Louvre traite également des affections de l'oreille et omporte au dernier paragraphe une ligne annonçant la tablette uivante dont une partie concernait les troubles de la vue.
:xtrait (traduction R. Labat) :

« Pour calmer des maux de têtes lancinants, tu mélangeras du sapin, du myrte, des roses, du mucilage de sésame (?), de la férule commune avec du son, tu délaieras dans de la bière mêlée ou de la bière ordinaire, tu en feras un enveloppement.
(Si d'un hom)me la tête a des giṣṣâtu *(dermatose) :*
(tu pileras) du ricin et de la salicorne,
(dans de l'eau (?) tu en lav)eras (sa tête) ; puis tu broieras de la plante LAL et de l'asphodèle (?) (dans de l'huile, tu l'en frotteras à plusieurs reprises : ainsi il guérira).
Si d'un homme, ses oreilles (contiennent) du pus : (pour) le gué(rir), (tu prendras) de la myrrhe, ... des roses, de l'alun blanc, (du gypse),
de la moutarde, du (styrax) ; ces (7 in)grédients, tu les moudras, tu les passeras, tu en feras un enveloppement (que) tu mettras à l'intérieur de ses oreilles. (c'est) un envel(oppement éprouvé).

Si d'un homme les yeux sont pleins de sang et s'obscurcissent... »

B. A.-L.

195 Plaque de conjuration contre la Lamashtu, dite « plaque des enfers »

Bronze
Hauteur : 13,3 cm ; largeur : 8,4 cm ; épaisseur : 2,5 cm
Mésopotamie
Époque néo-assyrienne : début du Ier millénaire av. J.-C.

Louvre : AO 22205
Bibliographie sommaire :
Clermont-Ganneau : Revue Archéologique, décembre 1879
F. Thureau-Dangin : Revue d'Assyriologie, XVIII (1921), p. 172 ss

Plaque de bronze munie de deux attaches destinées à la suspendre près d'un malade (cf. cat. nº 196).
Elle est présentée par le démon Pazuzu, figuré au dos agrippant la plaque, et dont la tête dépasse au-dessus.
Le devant est divisé en registres.
De haut en bas :

— les emblèmes des dieux invoqués : foudre d'Adad (le dieu de l'orage), disque ailé d'Assur (grand dieu de la dynastie assyrienne),
— les sept démons à tête d'animaux,
— le malade, couché sur son lit et levant la main pour prier e deux prêtres incantateurs vêtus de dépouilles de poisson comme les génies acolytes d'Ea, dieu des eaux et de la sagesse,
— la Lamashtu, épouse de Pazuzu (cf. cat. nº 204), qui est figuré derrière elle. Elle est agenouillée sur un âne qui doit la conduire vers le désert, et dans une barque qui doit la ramener aux Enfers. Des présents, figurés à droite, l'incitent à entreprendre ce voyage et à délivrer le malade.

B. A.-L

196 Tablette : rites de conjuration et incanta-ions contre la Lamashtu : rituel pour les femmes nceintes

rgile cuite
ongueur : 13,3 cm ; largeur : 8,4 cm ; épaisseur : 2,5 cm
ruk (actuellement Warka, Basse-Mésopotamie)
poque Séleucide (IIIe-Ier siècle av. J.-C.)

ouvre : AO 6473
ibliographie sommaire :
Thureau-Dangin : Revue d'Assyriologie, XVIII (1921), p. 162 ss
Thureau-Dangin : Textes cunéiformes du Louvre, VI (1922), pl. XCIII et IV

artie du rituel ayant pour objet de protéger les femmes nceintes contre les entreprises de la démone (cf. cat. n° pré-édent). Des pierres magiques attachées suivant certains rites, différentes parties du corps, et la récitation d'incantations ppropriées, doivent avoir pour effet de préserver la patiente de avortement.
xtrait (traduction F. Thureau-Dangin) :
Incantation pour dénouer les sortilèges :
incantation : (le démon) qui frappe le crâne, dessèche
palais, des(sèche la tête » tu réciteras)...
orsque 30 jours se seront écoulés (depuis que) tu
uras enfilé (ces pierres) sur les cordons...
e ses mains et (les deux pierres) de ses pieds tu
rendras). (Telle est) la ligature (pour préserver)
une femme enceinte de rejeter son fruit.
Incantation : elle est furieuse, elle est impétueuse, elle
est déesse, elle est terrible et elle est comme un léopard,
la fille d'Anu...
elle entre par la fenêtre, elle se glisse comme un serpent ;
elle entre dans la maison, sort de la maison...

au lieu d'avoir tes mains dans la chair et le sang,
au lieu d'entrer dans la maison, de sortir de la maison, ...
reçois de l'orfèvre les boucles, ornements de tes oreilles,
reçois du lapidaire la cornaline, ornement de ton cou...
Je te conjure par Anu ton père, par Antu ta mère. Je te conjure
par Ea, le créateur de ton nom. »

197 Sceau-cylindre d'un médecin babylonien

Lapis-lazuli
Hauteur : 4,1 cm ; diamètre : 1,6 cm
Mésopotamie
Époque néo-babylonienne (VIe siècle av. J.-C.)

Louvre : AO 4485
Bibliographie sommaire :
P. Amiet : Catalogue Exposition : « Bas-reliefs imaginaires de l'ancien Orient », Paris, Hôtel de la Monnaie, 1973, n° 523, p. 180

Le sceau est orné de l'image d'un sphinx : monstre ailé à tête humaine. La légende commence par une prière : *« Par la parole de Sin et de Marduk les dieux ses seigneurs, que celui qui imprime ce (sceau) soit rassasié à vie ! »*

B. A.-L.

Astronomie, Astrologie

198 Tablette : traité théorique à l'usage des astronomes

Argile cuite
Longueur : 17,8 cm ; largeur : 13,4 cm ; épaisseur : 1,7 cm
IIIe - Ier siècles av. J.-C.
Uruk (Basse-Mésopotamie) — Époque Séleucide

Louvre : AO 6455
Bibliographie sommaire :
F. Thureau-Dangin : Textes cunéiformes du Louvre, VI (1922), nº 1, pl. XXII-XXIII.
F. Thureau-Dangin : Revue d'Assyriologie, XXXVII (1940-41), p. 6 ss.
V. Waerden : Journal of Near Eastern Studies, 10 (1951), p. 29

Traité avec des exemples concernant notamment le calcul de la nouvelle lune. Les observations les plus précises portent sur les phases de la lune, la position du soleil à son lever et à son coucher, les éclipses de lune.
Les textes astronomiques entrent dans deux catégories : ce sont, soit des textes de procédure établissant des règles pour calculer des événements particuliers, tels que positions des planètes et de la lune, éclipses..., soit le résultat de ces calculs, c'est-à-dire les éphémérides.
L'astronomie suméro-akkadienne fut d'abord de l'astrologie. La voûte céleste était, pour les anciens mésopotamiens, comme l'envers de l'habitat des dieux ; chaque astre était le reflet d'un dieu dont il portait le nom (ainsi Shamash = le soleil et dieu de la justice), et ils constituaient un lien entre le monde des dieux et le monde des hommes. Les observer, pour deviner leurs mouvements, était une nécessité vitale. L'astrologie ne s'appliquait pas aux individus mais aux récoltes, aux cités, au royaumes et au roi, garant de la fertilité de la terre et du bien-être de son peuple. Dans les grands mythes cosmogoniques, le rôle des astres est de signifier aux hommes les événements à venir.
Les documents astrologiques sur tablettes d'argile, remontent pour les plus anciens que nous possédons, au début du IIe millénaire avant J.-C. Les noms des étoiles et des constellations apparaissent vers cette époque, ainsi que les présages. Vers le milieu du Ier millénaire, les mathématiques furent introduites dans l'astronomie, et on vit changer les intérêts et les méthodes des scribes qui observaient les phénomènes célestes, en particulier les mouvements des planètes. Cette nouveauté bouleversa l'histoire de la science mésopotamienne. Elle est contemporaine de l'ascension des mathématiques grecques. Jusque-là la science babylonienne n'avait fourni que de simples prémices d'une « pré-science » : des collections d'observations très précises mais dont aucune loi n'avait été dégagée, des recettes habiles mais dont aucune formule n'avait été extraite. Avec ce changement, l'astronomie et l'astrologie qui lui est liée pouvaient devenir de vraies sciences qui seront transmises par ceux que l'Antiquité Classique et le Moyen-Age allaient appeler les « mages chaldéens ».
l'Égypte hellénistique a joué un rôle important comme point de diffusion des idées mésopotamiennes. C'est d'Égypte que les connaissances des astrologues et astronomes babyloniens passèrent en Occident.

B. A.-L.

199 Tablette : calendrier astrologique

rgile
ongueur : 11,5 cm ; largeur : 19 cm
ruk (Basse-Mésopotamie)
poque Séleucide (IIIe-Ier siècle av. J.-C.)

ouvre AO 6448
bliographie sommaire :
Thureau-Dangin : Textes cunéiformes du Louvre, VI (1922), n° 12
Zimmern : Zeitschrift für Assyriologie, XXXII (1917-1918), p. 69 ss

opie d'un texte plus ancien. L'autre partie de la tablette est à erlin (cf. partie documentaire, VAT 7847).
a tablette est divisée en douze cases correspondant aux douze ois de l'année et aux douze signes du zodiaque, en commenant par le signe de la vierge, dessinée à droite, tenant un épi. ient ensuite l'astre radié, de la planète Mercure, puis la onstellation du Corbeau au-dessus de celle de l'Hydre. Chaque ois est associé à diverses pierres, à des plantes et à des rbres.
es planètes alors connues étaient Vénus, Jupiter, Mars, aturne et Mercure.
e partage du plan de l'écliptique en douze parts égales qu'on epéra au moyen des douze signes du zodiaque a été inventé ers le VIe siècle av. J.-C.

B. A.-L.

200 Tablette : tables planétaires de Mercure et de Saturne

rgile cuite
ongueur : 19 cm ; largeur : 7,4 cm ; épaisseur : 2,1 cm
poque Séleucide (IIIe-Ier siècle av. J.-C.)
ruk (Basse-Mésopotamie)

ouvre : AO 6477
ibliographie sommaire :
Thureau-Dangin : Textes cunéiformes du Louvre TCL VI, 1922, n° 30, pl. LIV
eugebauer : Astronomical cuneiform texts (London 1955), n° 801, p. 366 ss

Mercure, la planète la plus proche du soleil, est d'observation difficile ; elle n'est visible que peu de jours par an. Les Babyloniens la connaissaient pourtant. Elle était l'astre du dieu Nabû, le dieu des scribes et de la ville de Borsippa.
La première section du texte considère Mercure comme une étoile du matin, la seconde section comme une étoile du soir :
« *En ce qui concerne Mercure (depuis son) apparition au matin, jusqu'à sa prochaine appartion le matin,*

d 1° ♌ (Lion) à 16° ♍ (Vierge), tu ajoutes 1,46 ; lorsque 16 ♍ est dépassé, tu multiplies par 0,20 et tu additionnes... »

Saturne, la planète la plus lente à se déplacer, s'appelait « la stable ». Elle était l'astre du dieu Ninurta (à la fois dieu de végétation, de fertilité et dieu guerrier).
« *En ce qui concerne Saturne,*

de 10 ♌ (Lion) à 30 ♒ (Verseau) (il est) lent,

de 30 ♒ à 10 ♌ (il est) rapide... »

Saturne reste pendant plusieurs années dans chacun de ces deux plans de l'écliptique. La section 4 décrit son mouvement journalier pour *l'arc* lent, la section 5 pour *l'arc* rapide.

B. A.-L.

Magie et divination

La divination est un phénomène propre à la Mésopotamie ancienne. La littérature ominale y tient une place considérable, car la crainte de l'avenir et le désir d'en prévoir les dangers n'ont cessé de hanter les esprits.
L'Astrologie (cf. chap. vie intellectuelle, p. 250) est une forme caractéristique de la divination babylonienne. Mais elle le cède en ancienneté à l'haruspicine dont le grand traité canonique, consacré à l'observation du foie (cf. cat. n° 201) et des entrailles d'animaux, comportait de nombreux livres divisés en chapitres. Il contenait environ dix mille observations donnant matière à prédiction.
Un autre recueil divinatoire comportait plus de cent tablettes. Son titre, d'après les premiers mots du texte, était : *« Šumma alû... » :* « si une ville est bâtie sur la hauteur ». Il contenait des observations portant sur les incidents de la vie journalière et le comportement des animaux familiers.
D'autres formes de la divination, par les naissances anormales (*« Šumma izbû » :* « si un fœtus... ») ou les rêves, ont fait l'objet d'une littérature spécialisée.
Ces méthodes stériles de connaissance, fondées, comme toute la science mésopotamienne, sur une collection d'observations dont aucune loi générale n'est déduite, démontrent cependant un souci aigu de l'examen attentif des faits et de leur description exacte.

B. A.-L.

201 Maquette de foie d'animal en argile, texte divinatoire

Argile
Longueur : 6,65 cm ; largeur : 5,9 cm ; épaisseur : 3,3 cm
Palais de Mari (Syrie, sur le Moyen-Euphrate)
XIXe siècle av. J.-C.

Louvre : AO 19837
Bibliographie sommaire :
A. Parrot : Mari, palais, III, 1935-36
M. Rutten : Revue d'Assyriologie, XXXV (1937), p. 36 ss

En Babylonie et en Assyrie, le foie était considéré comme l'organe essentiel de la pensée et des sentiments.
Celui-ci fait partie d'un lot de trente-deux objets semblables inscrits, découverts parmi les tablettes du palais de Mari. Ce devaient être des aide-mémoire pour les devins ou des pièces de démonstration pour les écoles d'augures. Une malformation est reproduite dans l'argile et le présage qui en découle est écrit. Les présages concernent surtout les rois et les états. Celui-ci se rapporte à la destruction de petites villes, « si un prince, vers la plaine ou la montagne est sorti ».
Il s'agit vraisemblablement d'un fait historique qui s'est déjà produit dans les temps anciens, avec la concordance de la même anomalie constatée sur le foie, et dont la répétition prend force de loi.
L'hépatoscopie ou divination par le foie prend son développement à partir du début du IIe millénaire, et son rôle ne cesse de grandir : la divination était attestée dès l'époque présargonique, mais les plus anciens *omina* observés sont ces modèles de foies d'animaux de Mari.
Outre ces maquettes d'argile, les devins qui voulaient pratiquer la divination par le foie avaient, comme matériel, des listes de présages recopiés depuis la plus haute antiquité, indiquant les prédictions correspondant aux diverses altérations de cet organe. Le schéma habituel est le suivant : si telle partie du foie présente telle anomalie, telle chose se produira. Parfois, on trouve noté que l'anomalie en question a annoncé tel événement mémorable sous tel règne. Ce précédent historique était considéré comme la garantie de la véracité du présage.

B. A.-L.

202 Tablette : texte de divination concernant les présages pour le pays, tirés de l'étude des ntestins

rgile
ongueur : 14 cm ; largeur : 10,5 cm ; épaisseur : 2,4 cm
ésopotamie
ilieu du IIe millénaire av. J.-C.

ouvre : AO 7539
ibliographie sommaire :
Nougayrol : Revue d'Assyriologie, 65 (1971), p. 67 ss

ocument d'extispicine (divination par l'observation de viscères 'animaux).
xtrait (traduction J. Nougayrol) :
... Si les intestins dans leur ensemble, sont éclatés : levée du rolétariat, défaite de l'armée ; ou bien : attaque de l'Élam.
Si les intestins, dans leur ensemble, leur moitié est très sombre : le roi l'emportera sur le roi son adversaire...
Si les intestins se chevauchent : il y aura des meurtres dans le pays...
Si les intestins sont peu visibles (?) : l'esprit public changera...
Si les intestins sont pleins de sang : erreurs (?) du devin : défaite de l'armée...
Si les intestins sont vides : il y aura une famine dans le pays.
Si les intestins sont divisés en deux : l'ennemi divisera (en) deux ton pays...
Si les intestins sont déchirés : déroute de mon armée... »
(Total : 60 +) 40 + 4 (sentences). Main de Ikun-pi-Ishtar, fils de Iliyatum, commissaire (?).

B. A.-L.

203 Tablette : présages tirés de l'observation des planètes et concernant la pluie et la crue

Argile cuite
Hauteur : 25 cm ; largeur : 13,2 cm ; épaisseur : 3,4 cm
Uruk (actuellement Warka, Basse-Mésopotamie)
Époque Séleucide (IIIe-Ier siècle av. J.-C.) an 84 de l'ère Séleucide

Louvre : AO 6449
Bibliographie sommaire :
F. Thureau-Dangin : Textes cunéiformes du Louvre, VI (1922), nº 19

On tient souvent l'astrologie pour la forme la plus caractéristique de la divination babylonienne. Leur grande œuvre, intitulée « *Enuma, Anu, Enlil* » (du nom des premiers mots de la première tablette du texte ; « lorsque les dieux Anu, Enlil et Ea établirent en leur conseil les plans du ciel et de la terre... ») répartissent en quatre livres les présages qu'ils tiraient de l'aspect et du mouvement des astres, de leurs rapports entre eux, des phénomènes célestes et des intempéries.
Les prédictions, de portée collective, intéressaient le pays tout entier : la guerre ou la paix, le roi, ou comme ici les troupeaux, les moissons ou les crues des fleuves.

B. A.-L.

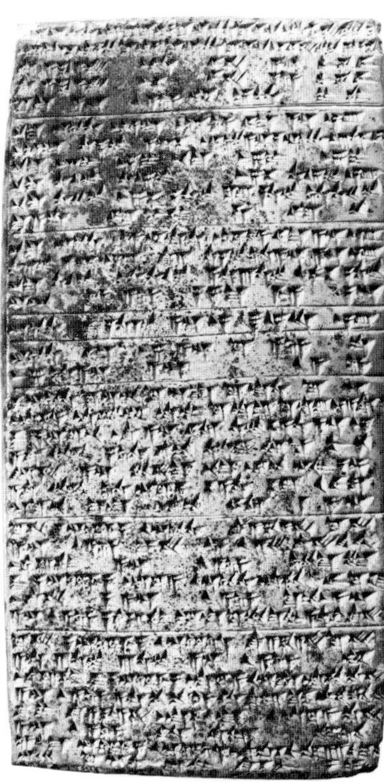

Magie et superstition

Démons et magie constituent une part importante de la vie de la religion quotidienne des anciens Mésopotamiens. Un gran nombre de rituels nous ont été conservés, utilisés aussi bie pour protéger le roi que les particuliers, contre les mauvais sor et la maladie (cf. chap. médecine, p. 246). Pratiqués par de prêtres exorcistes spécialisés, rites manuels et formules à récit alternaient, ces dernières accompagnant et assurant l'efficaci des premiers. Les deux principaux recueils de conjuration so les rituels des séries *Šurpu* ou *Maqlu,* « brûlement » concerna les opérations magiques utilisant le feu.
Des formules conjuratoires écrites sur certains objets étaie sensées protéger du mauvais sort (cf. cat. nº 205).

B. A.-

204 Statuette du démon Pazuzu

Bronze
Hauteur : 14,7 cm ; largeur : 8,6 cm ; épaisseur : 5,6 cm
Assyrie (Mésopotamie du Nord)
Époque néo-assyrienne : début du Ier millénaire av. J.-C.

Louvre : MNB 467
Bibliographie sommaire :
F. Thureau-Dangin, Revue d'Assyriologie, XVIII, 1921, p. 189 ss
P. Amiet, L'art antique du Proche-Orient, 1977

La magie tenait un grand rôle dans la vie quotidienne des ancier mésopotamiens. Des êtres redoutables étaient invoqués, sc pour qu'ils renoncent à tourmenter les humains, soit pour qu'i chassent des démons plus malfaisants qu'eux. (Cf. cat. nº 195 Pazuzu était invoqué pour faire rentrer aux Enfers les autre démons. La statuette porte au dos l'inscription suivante :
« Je suis Pazuzu, fils de Hanpa. Le roi des mauvais esprits d l'air qui sort violemment des montagnes en faisant rage, c'e moi ! »

B. A.-

205 Amulette : figurine-plaquette de protection

Argile cuite
Hauteur : 12,7 cm ; largeur : 5,8 cm
Assyrie (Mésopotamie du Nord)
Époque néo-assyrienne, début du Ier millénaire av. J.-C.

Louvre : AO 11104
Bibliographie sommaire :
M. T. Barrelet : Figurines et Reliefs en Terre Cuite (Paris, 1968), n° 755, p. 385-386 et pl. LXXIII

Il s'agit d'un *apkallu,* l'un des sept sages associés à Ea, dieu des eaux et de la sagesse. Ces images apotropaïques, confectionnées en série et dont le chiffre était rituellement fixé, étaient placées dans les fondations des bâtiments assyriens, et représentaient des génies bienfaisants invoqués pour la protection de ces derniers.
Inscription sur le flanc : « *Entre, gardien du bien !* »
Sur le bras gauche : « *Sors, gardien du mal !* »

B. A.-L.

206 Tablette : rituel incantatoire contre les mauvais signes issus de l'observation de serpents

Argile
Engobe ivoire
Longueur : 9,2 cm ; largeur : 7,5 cm ; épaisseur : 2,5 cm
Uruk (actuellement Warka, Basse-Mésopotamie)
Époque Séleucide (IIIe-Ier siècles av. J.-C.)

Louvre : AO 8871
Bibliographie sommaire :
J. Nougayrol, Revue d'Assyriologie, LXV, 1971, p. 161

Ce document écrit en akkadien avec emploi d'idéogrammes sumériens, est l'équivalent des textes de même teneur des périodes néo-assyrienne et néo-babylonienne, ce qui montre la continuité de la tradition mésopotamienne jusqu'à la période grecque.
Le texte appartient à la série des *namburbu,* rituels complexes de purification, élaborés pour préserver du mal, prédit par des faits de mauvais augure vus en rêve, en l'occurence des serpents surpris dans leurs amours !
Conformément à la tradition la plus courante, nous avons : une prière conjuratoire à Shamash, dieu de la justice et de la vérité, suivie de courtes instructions, une brève prière aux dieux personnels, enfin une prière conjuratoire au Fleuve Créateur, également accompagnée d'instructions rituelles. Nous possédons beaucoup de parallèles permettant de restituer les parties manquantes.

B. A.-L.

Astronomie. Astrologie en Mésopotamie

Photo de l'autre partie de la tablette qui est à Berlin.
Dessin de la tablette du Louvre. Cat. nº 199 : Calendrier astrologique

Signes numériques

sumérien archaïque	*akkadien*	valeur
		1
		2
		3
		4
		5
		10
		60
		600
		3600
		36000
Fractions		
		1/3
		1/2
		2/3

B. A.-L

éographie t représentation u monde

ablette d'argile : représentation de la arte du monde
xte relatant les conquêtes de Sargon 'Agadé vers 2300 av. J.-C.
Ie siècle av. J.-C.
ritish Museum

e titre de «roi des quatre régions», est-à-dire du monde entier connu, aux uatre points cardinaux, apparut, pour la remière fois, dans la titulature de Naram-in, le petit-fils de Sargon l'Ancien. La carte», ayant été exécutée à époque cente, on peut penser que les quatre ointes font cependant allusion à ce titre.
e double cercle fait penser à la représen-tion mésopotamienne du monde, telle ue l'a restituée S.N. Kramer : Pour les enseurs, l'univers se présentait sous la rme d'une demi-sphère, dont la base tait constituée par la terre, et la voûte par ciel. La terre leur apparaissait comme un sque plat, entouré par la mer, cette mer ù finissait le monde, sur les bords de la éditerranée et au fond de l'actuel Golfe rabo-Persique, «de la mer Supérieure à mer Inférieure». En dessous, étaient calisés les Enfers.

'après S.N. Kramer :
'Histoire commence à Sumer
ad. 2e éd. Paris 1975.

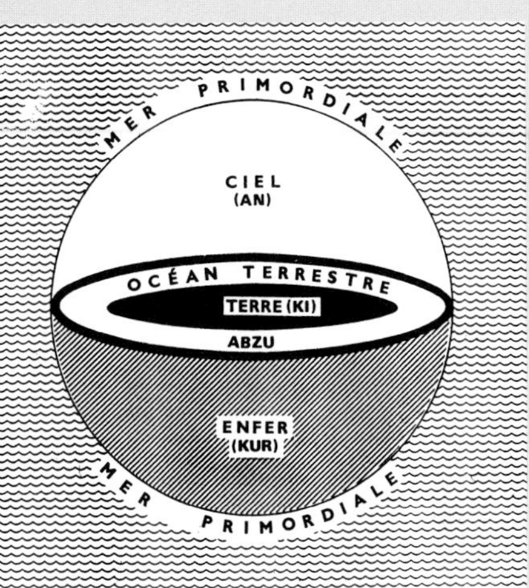

Histoire

Inscription des taureaux androcéphales de Sargon d'Assyrie (721-705 av. J.-C.)
Musée du Louvre

Il y avait à Khorsabad (ancienne *Dûrsarru-kîn*), ville bâtie entre 714 et 706 av. J.-C., plus de deux kilomètres de reliefs, ornant les murs du palais, et célébrant les exploits du roi. Le texte gravé entre les pattes des taureaux ailés à tête humaine, gardiens des portes, est celui des Annales Royales, semblable, en plus développé, à celui des inscriptions de fondation (cf. cat. nos 176 ss.). Les annales des rois assyriens jouèrent le même rôle que les hymnes royaux de l'époque d'Ur III. Genre littéraire figé, officiellement adressé à la divinité, ce sont des louanges aux dieux et aux rois, montrant le monarque tel qu'il souhaitait se voir lui-même. Elles glorifient ses réalisations, ses exploits militaires et sa piété. En retour, elles demandent des bénédictions.
Le langage des scribes de Sargon II est poétique et emphatique, rempli d'épithètes et d'inscriptions honorifiques :
« Palais de Sargon, le grand roi, le roi puissant, roi de l'univers, roi d'Assyrie, vice-roi de Babylone, roi de Sumer et d'Akkad, favori des grands dieux ; roi juste à qui (les dieux) Assur, Nabû et Marduk ont confié un royaume sans rival et dont ils ont fait parvenir le nom à la plus haute renommée ; il est celui qui a établi la liberté à Sippar, Nippur et Babylone...
... celui qui a étendu son ombre protectrice sur Harran et établi la (charte) de (leur) liberté ; selon le désir des (dieux) Anu et Adad ; héros puissant...
il a lancé ses armes pour terrasser ses adversaires... »
Suit ensuite le récit des campagnes militaires victorieuses de Sargon, qui nous donnent des renseignements importants pour l'histoire de la période, ainsi *« ... il a vaincu Merodach-Baladan, roi de Chaldée, l'ennemi mauvais, qui exerçait son autorité sur Babylone contre la volonté des dieux... »*.
Puis le roi, parlant alors à la première personne, en arrive au récit de la fondation de la ville de Khorsabad qui est l'objet principal de ce récit.
« A cette époque, au pied de la montagne de Nurri, au-dessus de Ninive, j'ai bâti une ville et l'ai nommée Dûr-šarrukîn... » *(ce qui signifie « forteresse de Sargon »).* Suit la description de la cité, de la consécration de la ville et de ses monuments. Le texte se termine par une prière aux dieux et des malédictions contre qui détruirait cette œuvre parfaite ... *« Lorsque j'eus achevé la cons-*

truction de la ville et de mes palais, j'ai invité les grands dieux qui résident en Assyrie... Des princes de l'Orient et de l'Occident, j'ai reçu de l'or, de l'argent, tout ce qui est précieux pour ces palais, comme riches présents. Pour les dieux qui habitent dans la ville, puisse chaque œuvre de mes mains être acceptée par eux. Qu'ils habitent dans leur sanctuaire, et que mon règne (ma dynastie) soit assuré, puisse cela être leur ordre pour l'éternité. Celui qui détruira les œuvres de mes mains, endommagera mes statues, réduira au néant la loi que j'ai établie ou effacera le récit de mes exploits, puissent Shamash, Adad et les grands dieux détruire son nom et sa postérité, puissent-ils l'enchaîner sous les talons de son adversaire ».

B. A.-L.

Chronologie et datation : la notation du temps en Mésopotamie

La reconstruction de la chronologie comporte beaucoup de difficultés. La notion d'ère est inconnue dans cette région avant l'installation de la dynastie gréco-macédonienne des Séleucides à Babylone dont la date initiale est 312 av. J.-C.

Très tôt, on a dressé des listes d'années dont on a tiré des listes royales qui comportent la suite des souverains avec le nombre d'années de chaque règne. Mais, ou bien les listes sont incomplètes par suite de cassures, ou elles sont contradictoires pour un même État à cause des erreurs des scribes. Des dynasties parallèles sont nombreuses dans ce monde souvent politiquement morcelé et la confrontation des listes de chaque État augmente les divergences. Le principe de dater les textes administratifs ou juridiques permet de compléter ou de rectifier certaines dates.

Nous possédons des listes des rois « d'avant le Déluge » au nombre d'années de règne fabuleux. Les listes royales débutent à ce moment mythique « où la royauté descendit du ciel ».

Les anciens Mésopotamiens possédaient plusieurs systèmes pour noter les dates :

— Depuis l'époque de Shuruppak (vers 2600 av. J.-C.) au moins, les textes administratifs sont datés « telle année de tel roi ». Ce système ne disparaîtra jamais complètement.

— Depuis l'époque d'Agadé (vers 23 av. J.-C.) le premier empire centralisé, principalement à l'époque des rois sum riens de la troisième dynastie d'Ur, le tem est compté d'après les années de règ du roi ; le jour et le mois sont indiqués. L années peuvent être nommées selon fait particulier du règne (campagne militai construction d'un édifice...). Chaque vi possédait son calendrier particulier pour mois, établi à partir des événements de vie économique ou une fête du roi ou d' dieu. L'année partait en principe du Nou An, c'est-à-dire du printemps, moment reprise de la vie agricole après l'hiv accompagnée de grandes festivités. calendrier, d'abord basé sur les lunaiso (12 mois de 29 1/2 ou 30 jours), fut corri de façon à faire coïncider l'année lunai avec l'année solaire. Un mois suppléme taire fut intercalé tous les six ans.

— Une liste conservée de 263 éponym assyriens (ou *Limmu*) fournit une ba solide pour la chronologie du Ier millénai av. J.-C., car l'indication d'une éclipse soleil sous l'un d'eux permet de situer s année en 763 et l'ensemble de la liste 911 à 648 av. J.-C.

Le Limmu était en Assyrie l'éponyme c donnait son nom à l'année en cours. liste en était établie au début de chaq règne. Le roi lui-même donnait son nom la première année, puis chacun des hau fonctionnaires selon une hiérarchie bi établie.

B. A.-

hamps de l'écriture en Mésopotamie.

ı Mésopotamie, l'écriture cunéiforme n'intéressait pas toutes les activités humaines, s'en fallait de beaucoup et c'était là décion délibérée des Anciens. En premier lieu, es zones entières n'en usèrent jamais et ourtant leurs habitants, ceux des mongnes à l'Est, ceux de la steppe à l'Ouest ı ceux des marais au Sud, jouèrent à ertains moments un rôle écrasant dans la vilisation de la Plaine. Mieux : Sumer ême oublia son invention entre — 1730 — 1450 et la réapprit alors de la Babylonie ı Nord. A toutes époques, une bonne part ı fonctionnement social ignora, sinon l'aurité des scribes, du moins leur art : c'est ıns écrits que le système de l'irrigation, ette absolue nécessité pour la vie sédenire sur l'Euphrate et le Tigre, s'est mis en ace puis a fonctionné pendant trois mille ıs. Sauf pour la divination savante, la transission du savoir resta largement orale, ıns en excepter l'apprentissage de l'écrire elle-même : nous n'en connaissons ıs de manuels à proprement parler et les ides nomenclatures d'idéogrammes ou de rmules complexes exigeaient un comentaire que les maîtres n'ont pas voulu diger. Pour le reste, dans un monde illettrés, le notaire ou l'écrivain public staient les arbitres de ce qui pouvait être onfié à l'écriture; or leur formation stricment académique les inclinait à refuser qui n'était pas la tradition compassée de cole. L'ingénu ou le spontané des Mésootamiens est perdu mais, ces limites bien ardées en mémoire, la documentation rite à nous transmise est pourtant d'une npleur confondante.

D. A.

a correspondance

- Comme les documents légaux, les ttres administratives devaient être rédiées selon certains principes concernant emploi des mots et la suite des phrases. a formule la plus courante est celle de ordre, donné à un messager, de réciter contenu de la tablette au destinataire, ommé dans l'en-tête de la lettre. L'ordre st toujours à l'impératif.
n retrouve ce type de documents depuis époque de la IIIe dynastie d'Ur jusqu'à époque néo-babylonienne, mais le plus rand nombre de lettres vient des archives e Hammurabi (cat. nº 156) et de Mari, où on a retrouvé les archives des souverains du XIXe et XVIIIe siècles av. J.-C. (cf. cat. nº 64).
Les lettres commencent toujours de la même façon : « A mon Seigneur, dis ceci, ainsi parle N... ton serviteur ». Suit alors l'objet de la missive.
A la période Kassite (deuxième moitié du IIe millénaire) pour des comptes rendus administratifs, on utilisa une formule différente : « voici (ce que dit) un tel..., dis à un tel ». Elle fut remplacée à la période néo-babylonienne (VIIe siècle av. J.-C.) par la formule laconique : « lettre d'un tel ».
— Les lettres échangées entre Hammurabi et Zimri-Lim de Mari, ou celle du roi de Mari avec les princes syriens, relèvent de la correspondance diplomatique, de même les lettres échangées entre le pharaon d'Égypte et les princes syriens, à une période plus récente (XIVe siècle av. J.-C.) (Cf. Cat. nº 67).
— La correspondance privée fut surtout pratiquée à Mari au XVIIIe siècle av. J.-C. Nous possédons, des archives de cette ville, toute une correspondance féminine. On en trouve cependant à une autre époque (cf à Ugarit cat nº 199)
— Enfin, d'un genre particulier sont les lettres aux dieux écrites par des particuliers, des scribes ou le roi pour se faire pardonner un péché, se concilier leur faveur ou adresser une demande.

B. A.-L.

XVIIIe siècle av. J.-C.

Lettre de Zimri-Lim, roi de Mari, à sa femme

« [A] Šibtu
[di]s (ceci);
[ains]i (parle ton seigneur.
J'ai appris que Nanname
souffrait de maladie.
Or, elle fréquente
beaucoup le palais et
elle se mêle
à beaucoup de femmes.
Maintenant donne des ordres sévères (pour)
que personne ne boive
dans la coupe où elle boit,
que personne ne s'asseye
sur le siège où elle s'assied,
et que personne ne se couche
sur le lit où elle se couche!
Et qu'elle ne se mêle plus
à beaucoup
de femmes!
Cette [malad]ie est contagieuse. »

Archives Royales de Mari X nº 129.

L'usage d'insérer les tablettes dans une enveloppe d'argile, est attesté par les documents administratifs légaux et principalement la correspondance royale entre souverains et fonctionnaires. A partir de la troisième dynastie d'Ur, on pratiqua l'usage d'apposer un sceau sur les tablettes, ce qui engageait la responsabilité du fonctionnaire. Sur l'enveloppe d'argile, on déroulait l'empreinte d'un sceau, qui servait à la fois de signature, et de garantie contre toute falsification du texte recouvert par l'empreinte. Les lettres étaient portées par un messager.

B. A.-L.

Thèmes bibliques dans les littératures orientales

Lorsque George Smith, le 3 décembre 1872, annonça, lors d'une séance de la Société anglaise d'Archéologie Biblique, sa découverte d'un récit du déluge babylonien présentant d'étonnantes ressemblances avec la relation biblique, sa communication fit sensation dans les milieux scientifiques. Ce texte était la XIe tablette d'un ensemble de douze chants, conservés dans la bibliothèque du roi assyrien Assurbanipal (VIIe siècle av. J.-C.) et connus aujourd'hui sous le nom d'Épopée de Gilgamesh.

Cette découverte fut le prélude d'une controverse passionnée parmi les savants biblistes. Les uns ne voulurent voir dans la littérature cunéiforme que l'illustration du Livre Sacré ; d'autres, frappés par l'antériorité des témoignages babyloniens, cherchèrent à expliquer par un panbabylonisme acharné, les données de l'Ancien Testament (Genèse, Paradis, Déluge, Patriarches, Littérature sapientiale).

On s'aperçut plus tard que le mythe babylonien lui-même avait un antécédent sumérien, et on trouva même, en Asie Mineure, plusieurs tablettes portant des traductions en hurrite et en hittite de certaines parties du poème.

Les Sumériens, les Égyptiens et les Babyloniens ont fait figure de précurseurs dans les thèmes principaux de leur littérature. Les eaux primordiales et la séparation du ciel et de la terre, l'argile dont fut créé l'homme (cat. n° 184), les lois civiques et morales, (code de Hammurabi), le tableau de la souffrance et de la résignation humaines (cat. n° 187), les lamentations (cat. n° 183), les proverbes, les poèmes d'amour... rappellent des épisodes de l'Ancien Testament : Genèse, Lévitique, Job, le Cantique des Cantiques, les lamentations de Jérémie...

Les racines de la Bible plongent dans le passé lointain de l'Orient. Mais ses épisodes et poèmes atteignent une vigueur créatrice et souvent une intensité d'émotion sans équivalent dans les schémas souvent conventionnels du vieux fonds sumérien.

Les Sumériens transmirent leur héritage aux Babyloniens et aux Assyriens, et par l'intermédiaire de ceux-ci, aux Hittites, aux Hurrites, aux Araméens et aux Hébreux.

Un exemple de ces analogies des textes orientaux et bibliques a été vu par le sumérologue S. N. Kramer, dans le mythe sumérien « Enki et Ninhursag (cf. Cat. n° 182), qu'il rapprocha du thème du Paradis de la Genèse. La faute commise par le dieu Enki, en mangeant les plantes créées par la déesse, peuvent faire penser au péché d'Adam et Ève, mangeant le fruit de l'arbre de la connaissance.

Un emprunt plus étonnant fournirait l'explication de la Création d'Ève à partir de la côte d'Adam (Genèse II, 21) : dans le poème sumérien, l'une des parties malades d'Enki est une côte *ti* en sumérien ; la déesse créée pour guérir le dieu est nommée Ninti « la Dame de la Côte ». Or *ti* signifie également « faire vivre » ou « la vie ». En jouant sur les mots, les Sumériens en vinrent à identifier « la Dame de la Côte » à « la Dame qui fait vivre ». Et ce jeu de mots a pu passer dans la Bible où il perdit sa signification, puisqu'en hébreu, les mots « côte » et « vie » se prononcent et s'écrivent différemment.

Il faut rester prudent sur ces parallèles.

B. A.-L.

Lois du Code de Hammurabi de Bab lone vers 1760 av. J.-C.

Sur le faux témoignage :

« Si un homme dans un procès s'est le pour un témoignage à charge et s'il n'a p justifié les propos qu'il a tenus, si cet cause est une cause de vie (ou de mo cet homme est passible de mort. » (Har murabi, 3)

Sur l'héritage :

« Si un homme a donné un cadeau à s épouse, champ, verger, maison, et lui laissé une tablette (un document écr après la mort de son mari, ses enfants lui contesteront rien ; la mère à sa mort donnera à l'un des enfants qu'elle préfè mais elle ne le donnera pas à un frère. (Hammurabi, 150)

La loi du talion :

« Si un homme a crevé l'œil d'un homn libre on lui crèvera un œil. Si il a brisé membre d'un homme libre on lui brise un membre. » (Hammurabi 196-197)

e mythe d'Atrahasis : la création de homme
kkadien XVIIe siècle av. J.-C.

orsque les dieux étaient (encore) hommes,
s assumaient le travail et supportaient le abeur,
– grand était le labeur des dieux,
ourd, leur travail, et longue, leur détresse.
ussi se révoltèrent-ils,
es ayant réunis le sage
'a [ouvrit] la bouche
t dit aux dieux, [ses frères] :
De quoi pouvons-nous les [accuser] :
eur travail est lourd, [et longue, leur étresse];
haque jour, [ils creusent] la ter[re)],
ourde est [leur] lamentation [...].
Mais) il y a [peut-être un remède à leurs naux] :
a Génitrice,] est là :
u'elle crée un être humain, l'Homme,
fin qu'il porte le joug [et en libère les ieux]... »
'a ouvrit la bouche et dit aux grands dieux :
Le premier, le septième et le quinzième our du mois,
préparerai, comme purification, un bain.
ue l'on égorge un dieu
t que les autres dieux, en s'y plongeant, oient purifiés !
vec la chair et le sang de ce dieu,
ue Nintou mélange de l'argile
fin que dieu même et l'homme
e trouvent mélangés ensemble dans l'ar-ile ;
u'(issu) de cette chair de dieu soit un esprit »,
omme vivant, qu'il révèle l'homme par ce igne,
our qu'on n'oublie pas, que soit un esprit »...

insi fut fait...

lors, Nintou ouvrit la bouche
t dit aux grands dieux :
Vous m'aviez ordonné une tâche : je l'ai chevée.
ous avez égorgé un dieu, avec son intelli-ence.
ai supprimé votre travail si pénible,
t votre dur labeur, c'est à l'homme que je ai imposé.
ous avez transféré la plainte à l'humanité :
pour vous,) j'ai délié le joug, j'ai établi la berté. »
raduction R. Labat.

Proverbes sumériens

Fin IIIe millénaire av. J.-C.

Ma femme est au temple,
Ma mère est au bord de la rivière,
Et moi, je suis ici, crevant de faim.

Pour le plaisir : mariage
A la réflexion : divorce

Tu peux avoir un maître, tu peux avoir un roi, Mais l'homme à redouter, c'est le percepteur.

traduction S.N. Kramer

Bas-relief Historique dit « la stèle des Vautours »,. Le texte relate, illustré par l'image, la victoire d'Eanatum, prince sumérien de l'État de Lagash (vers 2450 av. J.-C.), contre la ville voisine d'Umma (cf. cat. n° 132). Le roi est figuré à la tête de ses troupes, tandis que des vautours déchirent les cadavres des ennemis tués. Sur l'autre face, sous les traits de son dieu Ningirsu, il enserre ses ennemis dans un grand filet. C'est le plus ancien bas-relief narratif historique que nous connaissions. Musée du louvre.

Annales d'Assurbanipal, roi d'Assyrie. Récit de la campagne d'Élam et du sac de Suse
Septembre ou octobre 646 av. J.-C.

Je n'attendis ni un jour ni deux..., ce même jour je traversai le fleuve. quatorze villes fortes... je conquis, je détruisis, je dévastai, je ravageai par le feu ; je les transformai en ruines et en terrain vague ; je tuai ses innombrables guerriers d'élite... Ummanaldas, roi d'Élam, s'enfuit, nu, et gagna la montagne.
(...) Suse, grande ville sainte, demeure de leurs dieux, siège de leurs mystères, je conquis suivant la parole d'Assur et d'Ishtar, j'entrai dans ses palais, j'y habitai dans les réjouissances ; j'ouvris leurs trésors où argent et or, biens et richesses étaient entassés... trésors de Sumer, d'Akkad et de Babylone que les rois d'Élam antérieurs maintes fois, avaient pillés et emportés en Élam.
Je détruisis la ziqqurat de Suse qui avait été faite de briques de lapis-lazuli ; je brisai ses cornes de cuivre brillant. Shushinak le dieu mystérieux, qui réside dans des lieux secrets où personne ne voit ce que fait sa divinité (ainsi que les dieux qui l'entourent), avec leurs parures, leurs richesses, leur mobilier, avec les prêtres, j'emmenai comme butin au pays d'Assur...
Je réduisis à néant les temples d'Élam ; leurs dieux, leurs déesses, j'en fis du vent. Les bosquets secrets où nul étranger n'avait pénétré, dont nul étranger n'avait foulé l'orée, mes soldats y entrèrent, ils virent leurs secrets, ils les détruisirent par le feu. Les tombeaux de leurs rois anciens et récents qui n'avaient pas craint la déesse Ishtar, ma dame, et qui avaient donné des tourments aux rois, mes pères, je les dévastai, je les détruisis, je les exposai au soleil et j'emportai leurs ossements vers le pays d'Assur.
Les ânes sauvages, les gazelles, toutes les bêtes sauvages, habitèrent en paix dans ces villes, grâce à moi. Des voix humaines, du pas du gros et du petit bétail, du cri joyeux des moissonneurs je privai leurs champs.

Dialogue entre un maître et son esclave : conte moral
Fin IIe millénaire av. J.-C.

[« Esclave, viens ici à mes ordres !] — Oui, mon maître, oui !
[— File, va me quérir et] m'attelle un char, que j'aille au Palais !
[— Vas-y, mon maître, vas-y !] Il y aura [profit] pour toi :
[le roi, en te voyant,] te comblera d'honneurs !
[— Eh bien, non, esclave,] je n'irai pas au Palais !
[— N'y va pas,] mon maître, n'y va pas !
[Le roi, en te voyant,] t'enverrait [où tu ne voudrais aller],

« Esclave, viens ici à mes ordres ! — Oui, mon maître, oui !
— Je veux aimer une femme ! — Aime, mon maître, aime !
L'homme qui aime une femme oublie inquiétude et soucis !
— Eh bien, non, esclave, je n'aimerai pas une femme !
— N'aime pas, mon maître, n'aime pas !
La femme est un puits, oui, un puits, une citerne, une fosse,
la femme est un poignard acéré qui de l'homme tranche la gorge. »

« Esclave, viens ici à mes ordres ! — Oui, mon maître, oui !
—Je veux faire du bien à mon pays ! — Fais ainsi, mon maître, fais ainsi !
L'homme qui fait du bien à son pays
ses bienfaits sont placés au « cercle » (des grands dieux !)
— Eh bien, non, esclave, je ne ferai pas de bien à mon pays !
— N'en fais pas, mon maître, n'en fais pas !
Monte sur les collines de ruines d'antan, et les parcours,
considères-y les crânes mêlés des pauvres et des nobles :
lequel a fait le mal ? Lequel a fait le bien ? »...

— Esclave... qu'est-ce alors qui est bon ?...
— Qui donc est assez grand pour atteindre le ciel ?
Qui est assez large pour embrasser toute la terre ?
— Eh bien, non esclave ! Je vais te tuer et te faire partir avant moi !
— Oui, mais, mon maître ne me survivra pas trois jours ! »
Traduction R. Labat.

XIe tablette de l'Épopée de Gilgamesh. le Déluge version assyrienne récente
Ninive — Bibliothèque d'Assurbanipal. (VIIe siècle av. J.-C.). (Cf. cat. n° 186).

Les grands dieux décidèrent (un jour) de faire le Déluge.
Ea, parmi eux, siégeait,
Il me répéta leurs paroles :
« Homme de Shourouppak, fils d'Oubar-Toutou,
« démolis ta maison et construis un bateau,
« abandonne les richesses, cherche (seulement) la vie,
« fais fi des trésors, garde vivant le souffle de la vie !
« embarque dans le bateau toutes les espèces vivantes...
...
le 7e jour, au coucher du soleil, le bateau était prêt
...
[Tout ce que je possédais,] j'en chargeai le bateau...
tout ce que j'avais d'espèces vivantes, je l'en chargeai.
Je fis monter sur le bateau ma famille et ma belle-famille,
troupeaux nomades, bêtes sauvages, maîtres d'œuvre, tous, je les fis monter...

Lorsque, le matin, parut un peu de jour,
voici que monte à l'horizon une noire nuée :
l'effrayant silence d'Adad passe à travers le ciel
et change en ténèbres tout ce qui était lumineux.
[Les assises de] la Terre se brisent comme une jarre.
Un jour entier, la tempête [se déchaîna],
elle souffla fougeusement [et pousse] l'inondation,
(qui), comme une mêlée, passe sur les [humains]
Six jours et sept nuits,
souffle le vent diluvien, la tempête écrase la Terre.
Lorsqu'arriva le septième jour,
retombe la tempête diluvienne, (et ce) combat,
qui frappait autour d'elle comme une femme en couches ;
calme redevint la mer, et silencieux le vent mauvais, et le déluge cessa.
j'ouvris une lucarne,
Je regardai le temps : (partout) c'était le silence,
et toutes les populations étaient redevenues argile ;
comme un toit, la plaine humide s'étendait uniformément.
Je cherchai du regard les rivages aux confir. de la mer ;
à douze fois douze doubles cannes, éme geait une portion de terre.
A (ce) mont Nisir le bateau aborda.
...
Lorsqu'arriva le septième jour,
je fis sortir une colombe, et la lâchai.
La colombe partit, (puis) revint :
nul lieu où se poser ne lui étant appar
elle avait fait demi-tour.
Je fis sortir une hirondelle, et la lâchai.
l'hirondelle partit, (puis) revint :
nul lieu où se poser ne lui étant appar
elle avait fait demi-tour.
Je fis sortir un corbeau, et le lâchai.
Le corbeau partit, et, voyant l'assècheme des eaux,
mange, volète, croasse, et ne fit pas dem tour.
Je le fis sortir alors vers les quatre poin cardinaux
et je fis un sacrifice (aux dieux).
Traduction R. Labat

Le « paradis » des dieux
Mythe sumérien de création, vers 200 av. J.-C.

La terre de Dilmun est sainte, la terre d Dilmun est pure,
La terre de Dilmun est immaculée, la terr de Dilmun resplendit...
A Dilmun le corbeau ne croasse pas,
Le lion ne tue pas,
Le loup ne s'empare pas de l'agneau,
Le chien sauvage ne dévore pas le che vreau,
Inconnue y est la veuve,
La colombe ne baisse pas la tête...
Le vieillard ne dit pas : « je suis u vieillard »...
Et (le dieu) Enki dit à Ninsikalla, sa fille :
« Que Utu le soleil fasse jaillir pour toi l'ea douce de la terre,
Que ta cité s'abreuve aux eaux de l'abon dance,
Que ton puits d'eau amère devienne u puits d'eau douce,
Que tes champs labourés et tes ferme produisent leur grain,
Que ta cité devienne le port de la terre. »

écriture
et civilisation
égyptienne

Écriture et histoire événementielle

En Égypte comme ailleurs l'histoire naît avec l'écriture. L'écriture donne le moyen de consigner des événements précis et de les placer dans un cadre chronologique. Ce souci de fixer d'une manière durable des faits importants, nous l'avons déjà rencontré en Égypte avant l'ère historique, par exemple sur les manches sculptés de couteau (cat. 14). Bien avant l'époque des pyramides, l'existence d'un calendrier notant les jours, les mois et les années permit de situer dans le temps les personnages et les événements (cat. 207). Mais la notation égyptienne du temps était très différente de la nôtre. Pour nous, tout s'ordonne autour d'une date pivot, celle de la naissance du Christ. Pour les Égyptiens, chaque nouveau roi était le point de départ d'une nouvelle chronologie. Ils comptaient par année de règne d'un souverain et repartaient à zéro avec son successeur. Ainsi notait-on sur les monuments : an 10 d'Aménophis, an 20 de Psamétik... Quand plusieurs pharaons portaient le même nom (il y a eu jusqu'à 11 Ramsès !) on ne leur donnait pas de numéro d'ordre. C'est grâce aux autres noms constituant le protocole royal (cat. 79) qu'on peut les distinguer. On imagine le désarroi des historiens si les Égyptiens n'avaient légué des documents écrits permettant de remettre un peu d'ordre dans ces chronologies successives.
Les plus importants sont des listes énumérant les différents souverains égyptiens. Le plus ancien est un fragment d'annales royales connu sous le nom de « pierre de Palerme ». Les scribes du Nouvel Empire nous ont transmis un texte identique, malheureusement en lambeaux : c'est le célèbre « canon de Turin ». A la même époque, pour des motifs religieux, on fit graver sur les murs des temples, des listes royales dont nous connaissons trois exemplaires ; parmi eux se trouve la « chambre des ancêtres » de Karnak, aujourd'hui au Louvre. Le seul ouvrage d'ensemble est le traité de Manéthon ; ce prêtre connaissant les hiéroglyphes et pratiquant le grec, a légué à la postérité une histoire malheureusement incomplète de l'Égypte pharaonique. Ses listes de pharaons classés en dynasties qu'ont conservées les Égyptiens constitueraient une base irremplaçable si elles ne nous étaient parvenues malheureusement déformées à travers les résumés et les fragments des auteurs juifs et des premiers Chrétiens.
Pour connaître les événements qui s'insèrent dans ce cadre chronologique, l'historien de l'Égypte ancienne utilise, comme tous ses confrères, les documents les plus divers : pièces d'archives officielles (cat. 226), inscriptions royales commémorant des faits exceptionnels : combats, alliances, évocation de la paix retrouvée, relations de grands travaux, récits d'expédition (cat. 210)... Les textes religieux, prophéties, songes, oracles, et les compositions purement littéraires fournissent parfois des informations étonnantes (cat. 216). Mais quelques hiéroglyphes sur un vase ou un scarabée (cat. 212) peuvent aussi éclairer tout un pan de l'histoire. Il ne faut pas non plus négliger des documents apparemment secondaires : biographies de particuliers, graffiti, ostraca, lettres... leur étude permet à tout moment de fixer plus précisément les dates d'un règne, et parfois même révèle le nom d'un pharaon jusque-là inconnu. Prestigieux ou d'apparence modeste, les documents écrits ont été retrouvés par centaines de milliers sur le sol égyptien. C'est grâce à eux que l'histoire de l'ancienne Égypte nous est si familière.

C. Z.

207 Le calendrier d'Éléphantine

Grès peint
Hauteur : 62 cm ; largeur : 99 cm
Règne de Thoutmosis III (vers 1450 av. J.-C.)
Éléphantine, Fouilles Mariette

Louvre : AE/D68
Bibliographie sommaire :
PM V (1937) p. 225
Urkunden IV, 822 sq.

Ce fragment appartenait à une liste de fêtes gravées sous le règne de Thoutmosis III dans l'un des temples d'Éléphantine. Il énumère les offrandes à présenter chaque année aux dieux, le jour où l'étoile Sothis, notre Sirius, réapparaît après une absence de 70 jours ; elle surgit alors à l'horizon oriental quelques minutes avant le lever du soleil (lever héliaque). Cette réapparition est ici mentionnée avec une date : 3ᵉ mois de la saison des moissons, 28ᵉ jour.
Les Égyptiens utilisaient plusieurs calendriers. Le plus ancien était probablement divisé en mois lunaires, débutant à la nouvelle lune. Un progrès notable fut accompli avec l'adoption d'un calendrier de 365 jours, constitué de 12 mois de 30 jours et de 5 jours supplémentaires (épagomènes). Ces 365 jours étaient divisés en 3 saisons de 4 mois chacune et portant des noms en rapport avec la vie rurale : la saison de l'inondation (akhet), celle des semailles (péret) et celle des moissons (chémou). Il semble que lors de la création du calendrier égyptien, le jour de l'an coïncidait avec 2 phénomènes naturels pratiquement simultanés qui se produisaient aux alentours de notre 19 Juillet : la réapparition de l'étoile Sothis et l'arrivée de la crue annuelle du Nil. Théoriquement le lever héliaque de Sothis devait donc avoir lieu *le premier jour du premier mois de la saison de l'inondation.* Mais hélas, faute d'année bissextile tous les quatre ans le calendrier égyptien prenait un jour de retard, ce qui explique le décalage de l'inscription d'Éléphantine. Il fallait en effet à peu près 1460 ans (365 × 4) pour que le début de l'année retombe le 19 juillet.
Les mentions de la réapparition de Sothis sont de première importance dans l'établissement de la chronologie égyptienne. On sait en effet qu'en 139 apr. J.-C. ce phénomène s'est produit le premier jour de l'année égyptienne. En prenant cette donnée comme point de départ on peut calculer à 4 ans près la date des autres levers de Sothis qui sont mentionnés avec le jour, le mois, la saison et l'année de règne d'un pharaon, replaçant ainsi ce dernier dans la chronologie absolue. Malheureusement ces mentions sont très rares : cinq pour toute l'histoire de l'Égypte... Ce sont de précieux points de repère autour desquels on ordonne les dynasties successives.

C. Z.

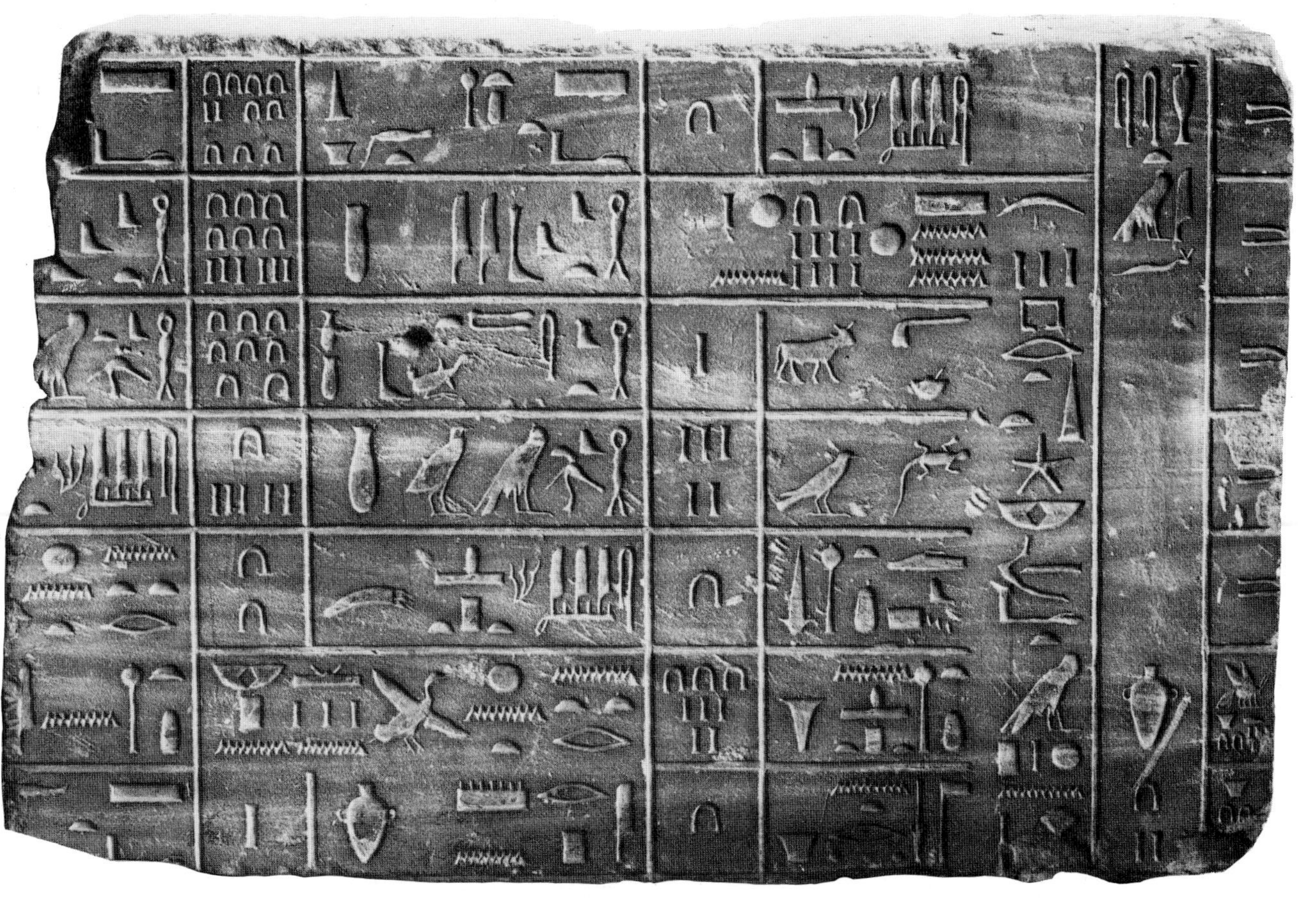

208 Épitaphe officielle d'un taureau sacré Apis nommant deux rois successifs

Calcaire
Hauteur : 49,7 cm ; largeur : 31,8 cm
An 20 de Psamétik Ier (644 av. J.-C.)
Sérapeum de Memphis

Louvre : AE/IM 3733
Bibliographie sommaire :
Malinine, Posener, Vercoutter : Catalogue des stèles du Sérapeum de Memphis (1968), nº 192, p. 146

Toute la chronologie égyptienne était centrée autour de la personne du roi régnant. Les dates étaient comptées à partir de l'avènement du souverain. En témoigne cette inscription officielle rédigée au moment de l'enterrement d'un taureau Apis, animal sacré du dieu Ptah, de Memphis : « *l'an 20, le 4e moi de la saison des moissons, le 21e jour, sous la Majesté du r de Haute et Basse Égypte Ouahibré, le fils véritable du sole Psamétik (Ier), la Majesté du taureau Apis alla au ciel. Ce die fut conduit en paix vers le bel occident en l'an 21, le 2e moi de la saison de l'inondation, le 25e jour. Il était né en l'an 26 d roi Taharqa ; il était venu à Memphis le 4e mois de la saison de semailles. Ce qui fait 21 ans (de vie)* ».

Ce petit monument nous donne le nom de 2 rois successifs Taharqa et Psamétik Ier, sous lesquels a vécu l'animal sacré. nous permet par un simple calcul de connaître la durée de règn du premier souverain. Enfin il mentionne les 3 saisons de 4 moi qui composaient l'année égyptienne : la saison de l'inondation *akhet,* celle des semailles, *péret* et celle des moissons, *chémou*

C. Z

209 Stèle « d'Harpason » donnant une liste de rois de la XXIIe dynastie

Calcaire peint
Hauteur : 29 cm ; largeur : 18,5 cm
Sérapeum de Memphis - fouilles Mariette
An 37 de Chéchonq V (vers 730 av. J.-C.)

Louvre : AE/IM 2846
Bibliographie sommaire :
Malinine, Posener, Vercoutter : Catalogue des stèles du Sérapeum de Memphis (1968), p. 30-31
Kitchen : The third intermediate period in Egypt (1973), p. 488

L'ordre de succession des pharaons d'Égypte est parfois donné par des documents d'apparence modeste. C'est le cas de cette stèle votive déposée au Serapeum de Memphis par un commandant militaire nommé Harpason. Datée de l'an 37 de Chéchonq V, avant-dernier roi de la XXIIe dynastie, elle a une importance capitale pour la chronologie de la période.
Comme c'est l'usage, le texte retrace l'enterrement du taureau sacré et comporte quelques prières en faveur d'Harpason. Celles-ci sont suivies d'une imposante liste de parents qui n'énumère pas moins de 16 générations successives. Cette généalogie se confond avec celle de la famille royale 6 générations avant Harpason. Ce dernier descend en effet du pharaon Osorkon II. A partir d'Osorkon II ce sont les rois de la XXIIe dynastie qui sont mentionnés sur la stèle par ordre chronologique, puis leurs ancêtres, des chefs militaires d'origine libyenne.
On comprend la valeur inestimable d'un tel document pour l'étude d'une période jusque-là très obscure.

C. Z.

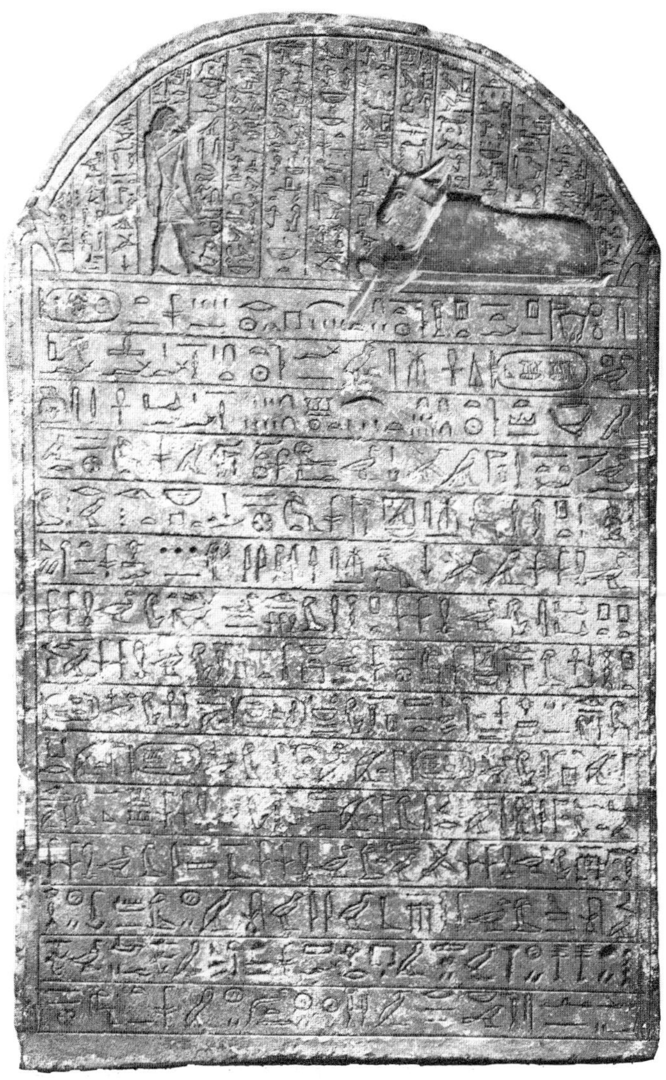

Généalogie d'Harpason

libyen Bouyouwawa
↓
grand chef Mawasen
↓
grand chef Nebnechi
↓
grand chef Paihouty
↓
grand chef Chéchonq
↓
père du dieu Nimlot
↓
CHECHONQ Ier
↓
OSORKON Ier
↓
TAKELOT I
↓
OSORKON II
↓
commandant militaire Nimlot
↓
commandant militaire Ptah-oudy-ankhef
↓
commandant militaire Hemptah
↓
commandant militaire Harpason
↓
commandant militaire Hemptah
↓
commandant militaire **Harpason, an 37 de Chechonq V**

210 Récit de la bataille de Qadech

Papyrus
Longueur : 23 cm ; hauteur : 20,5 cm
An 5 du règne de Ramsès II ; récit écrit vers 1200 avant J.-C.
Collection Raifé

Louvre : AE/E4892
Bibliographie sommaire :
Gardiner : The Kadesh inscriptions of Ramesses II (1960)
Kitchen : KRI II, fasc. 1 (1969)
Ramsès le Grand (Paris 1976), p. XXXVI-XLII

L'un des plus célèbres textes historiques est le récit de la bataille livrée par Ramsès II en l'an 5 de son règne près de la forteresse de Qadech, en Syrie. Ses troupes se mesurèrent avec celles du roi Hittite Mouwatali ; l'issue de ce combat semble incertaine. Les faits nous sont connus par des sources différentes reflétant les opinions des deux camps ; du côté hittite les plus importants sont « la lettre de Ramsès II » trouvée à Hattoushash, et la « lettre du général », récemment découverte dans les archives d'Ougarit, sur la côte syrienne. Les documents égyptiens sont plus éloquents. Le compte rendu de la bataille, souvent cité sous le nom de « bulletin » fut gravé par ordre du roi sur les murs de plusieurs temples : Abydos, Louxor, Ramesseum, Abou-Simbel. Ce texte est accompagné de reliefs figurant les divers épisodes de la bataille et dont les légendes fournissent des informations supplémentaires. Le récit de la bataille est repris sous une forme épique, faisant parfois penser à notre chanson de Roland ; c'est le poème dit de « Pentaour » (nom de son auteur présumé), également gravé sur les monuments cités, mais dont on compte quelques versions sur papyrus.

C'est un fragment appartenant à l'une de ces versions qui e ici présenté. Il narre l'arrivée du roi sur le lieu du combat. Bie qu'un souffle épique traverse ces quelques lignes il n'atteint pa la beauté lyrique d'un passage du même poème, où le roi cern de toutes parts implore le dieu Amon.

Traduction :

... « alors après bien des jours, Sa Majesté fut dans Ramsès Méry Amon, la ville qui est dans la Vallée du Cèdre. Et s Majesté se dirigea vers le Nord. Mais quand Sa Majesté e atteint la contrée montagneuse de Qadech, alors Sa Majest s'élança comme son père [Montou, le dieu de Thebes et traversa à gué l'Oronte avec] la première armée d'« Amon-qu donne-la-victoire-à-Ramsès II ». Sa Majesté arriva à la ville d Qadech, et alors le misérable traître qu'est le roi des Hittites éta arrivé et avait réuni tous les pays aussi loin que les confins d la mer ; le pays tout entier des Hittites était venu, comme cel du Naharina, celui d'Arzawa, Dardany, celui de Keshkesh, cel de Karkemisch, celui de Louka, Kizzouwadna, Kadech, Ougar Noukhashshe tout entier, Mouchanet de même...

Ce misérable traître qu'est le roi des Hittites, avec les nombreu pays qui étaient avec lui se tint caché et prêt au Nord-Est de ville de Qadech. Et Sa Majesté était toute seule, sans personn avec elle, l'armée d'Amon marchant derrière, l'armée de Par traversant le gué qui est dans la région Sud de la ville d Chabtouna, l'armée de Ptah (...), l'armée de Seth (...) »...

C. Z

211 Le roi Ramsès II

alcaire peint
auteur : 58,5 cm ; largeur : 93,5 cm
emple de Ramsès II à Abydos
ègne de Ramsès II (vers 1250 av. J.-C.)

ouvre : AE/B 13
ubliée par :
-J. Dubois : Description des Antiquités composant la collection de feu J. F. Mi-aut (1837), nº 188

e héros de la bataille de Qadech (nº 210) fut aussi un grand âtisseur. Durant ses 67 années de règne, villes nouvelles, emples et statues colossales se multiplièrent sur les rives du il.
Ce relief provient du sanctuaire qu'il fit construire en Haute gypte, à Abydos, lieu saint du dieu des morts Osiris. Il ppartient à une suite de scènes de culte représentant le roi en ompagnie de divinités. Ramsès II est ici figuré avec la couronne leue (Khépresh). Point de départ de la chronologie, le roi 'Égypte est aussi le centre de la vie religieuse. C'est par son ntermédiaire que s'accomplissent les rites qui satisfont les ieux, et de ce fait maintiennent l'équilibre du monde.

C. Z.

212 Scarabée commémorant le mariage du roi Aménophis III et de la reine Tiy

Faïence bleu-vert
Longueur : 9,15 cm ; largeur : 6,25 cm
Règne d'Aménophis III (vers 1400 av. J.-C.)
Collection Salt

Louvre : AE/N 787
Publiée par :
Blankenberg-Van Delden : The large commemorative scarabs of Amenhotep III (1969), p. 22 et pl. I

Symbole du devenir, les figurines de scarabée étaient utilisées en Égypte comme porte-bonheur ou comme sceau. A partir du règne d'Hatchepsout les pharaons de la XVIIIe dynastie firent inscrire de petits textes sur la base de l'animal : allusion à un événement historique ou éloge du roi. Les scarabées émis par le roi Aménophis III sont particulièrement nombreux et grands. La plupart d'entre eux ont été retrouvés en Égypte, mais certains proviennent de régions aussi éloignées que le Soudan et la Syrie. Ils relatent des événements que le pharaon considérait comme très importants et jouent le même rôle que nos médailles ou nos timbres commémoratifs.

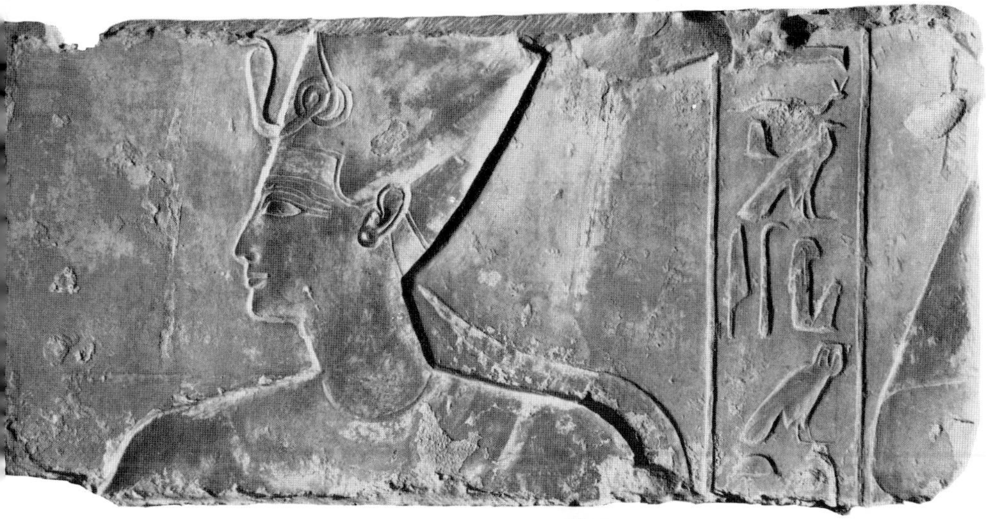

Notre exemplaire, dont on connaît plus de 50 versions identiques, commémore le mariage d'Aménophis III et de Tiy :

Vive l'Horus, le taureau puissant, apparaissant en vérité
celui des deux déesses « celui qui établit les lois, qui pacifie
les deux terres », l'Horus d'or « grand de vaillance,
qui dompte les asiatiques », le roi de Haute et Basse Égypte
Nebmaâtre, le fils du soleil Aménophis souverain de Thèbes,
doué de vie. La grande épouse royale
Tiy puisse-t-elle vivre ;
le nom de son père est Youia,
le nom de sa mère est Thouya ;
c'est l'épouse d'un roi puissant
dont la frontière Sud va jusqu'à Karoy
et (la frontière) Nord jusqu'au Naharina.

C. Z.

213 La reine Tiy, épouse d'Aménophis III

Schiste émaillé vert
Hauteur : 29 cm ; largeur : 12 cm
Règne d'Aménophis III (vers 1400 av. J.-C.)
Collection Salt et don des Amis du Louvre

Louvre : AE/N 2312 et E 25493
Publiée par :
J. Vandier, Monuments Piot 54 (1965), p. 8-23
C. Jouan-Ziegler : Recherches sur l'iconographie de la reine Tiy (Paris-Sorbonne 1966), doc. 12. Diplôme d'Études Supérieures d'Histoire dirigé par M. le Professeur J. Leclant

Cette statuette dont la partie supérieure a été miraculeusement retrouvée dans le commerce en 1962, représente la reine Tiy mentionnée sur le scarabée précédent. Celle-ci était à l'origine figurée aux côtés de son époux Aménophis III dont ne subsistent que l'épaule et le bras gauche. La souveraine, moulée dans une robe dont le décor évoque le plumage d'un oiseau, porte la coiffure habituelle des reines : dépouille de vautour encadrant le visage que surmonte une toque ornée de deux hautes plumes. Elle tient dans sa main gauche un sceptre souple, emblème traditionnel des épouses royales. Le texte inscrit au dos de la statue mentionne le roi Aménophis III et la grande épouse royale Tiy.
Celle-ci n'était pas d'origine princière mais descendait d'une famille de notables provinciaux. Elle semble avoir joué un rôle important dans l'histoire de la XVIIIe dynastie. Sa ferveur particulière pour le dieu soleil Aton influença sans doute son fils, le pharaon « hérétique » Aménophis IV.

C. Z.

214 Scarabée commémorant les chasses au lion du roi Aménophis III

Schiste émaillé
Hauteur : 5,3 cm ; largeur : 3,7 cm
Règne d'Aménophis III (vers 1400 av. J.-C.)

Louvre : AE/N 788
Publiée par :
Blankenberg-Van Delden : The large commemorative scarabs of Amenhotep III (1969) doc. C 6, p. 65-66

Les textes gravés sur les grands scarabés au nom d'Aménophis III commémorent 5 événements différents dont nous ne saisissons pas toujours l'importance. En effet, ils mettent sur le même plan l'annonce de son mariage avec la reine Tiy (cat. 212), l'arrivée en Égypte d'une princesse étrangère nommée Gilouképa, le creusement d'un bassin d'irrigation, le récit d'une chasse au taureau sauvage et le nombre de lions tués par le souverain dans les 10 premières années de son règne.
C'est à la dernière série qu'appartient notre scarabée. Le début du texte est identique à celui du scarabée du mariage. Il énumère les titres du pharaon et mentionne la reine Tiy. Puis vient un communiqué laconique : *nombre de lions capturés par sa Majesté grâce à ses propres flèches, de l'an 1 de son règne jusqu'à l'an 10 : 102 lions.*

C. Z.

215 Biographie d'un chef des prêtres d'Abydos ıommé Ameniseneb

alcaire
auteur : 1,06 m ; largeur : 58 cm
ègne de Khendjer (vers 1700 av. J.-C.)
bydos

ouvre : AE/C 11
ibliographie sommaire :
impson : The Terrace of the Great God at Abydos (1974), ANOC 58

n Égypte les inscriptions biographiques apparaissent dès Ancien Empire et sont attestées jusqu'à la Basse Époque. Sur ɜs murs des tombeaux, sur les stèles et les statues, administra- ɜurs, prêtres ou soldats racontent les événements notables de ɜur vie. Ces textes sont destinés au passant qui des siècles lus tard dira une prière pour l'âme du défunt. Soucieux de isser une impression favorable, leurs auteurs donnent une nage flatteuse des hommes et des événements. Il n'y faut donc as chercher des comptes-rendus exacts.

;ependant, ces autobiographies sont une précieuse source de ocumentation quand elles mettent en scène des personnages, ar ailleurs peu connus. C'est le cas pour cette stèle, élevée à bydos par un chef des prêtres nommé Améniseneb. Celui-ci ivait sous le règne de Khendjer, pharaon attesté par très peu e documents.

... le roi de Haute et Basse Égypte Nymaâtré, le fils du soleil hendjer...

Jne mission fut ordonnée au chef des prêtres d'Abydos meniseneb, justifié : « vois, ces travaux que tu as faits ont été us. Le souverain t'a récompensé, son Ka t'a récompensé ; asse ta vieillesse heureuse dans ce temple de ton dieu ».

fut ordonné de me donner l'arrière d'un bœuf. Une mission ne fut ordonnée : « mène à bien toutes les enquêtes qui sont à faire) dans ce temple ». J'ai agi conformément à ce qui m'avait té ordonné. J'ai fait restaurer toutes les chapelles de tous les ieux qui sont dans ce temple et rénover leurs autels et le grand utel de cèdre qui était devant. Je contrôlai mon cœur ; cela fut gréable à mon dieu. Le roi me récompensa. »

C. Z.

216 La chronique démotique

Papyrus
Longueur : 105 cm ; largeur : 23 cm
IIIe siècle av. J.-C.

Bibliothèque Nationale, no 215
Bibliographie sommaire :

W. Spiegelberg : Die sogenannte demotische Chronik, (Leipzig 1914)
F. Kienitz : Die politische Geschichte Agyptens vom 7 bis zum 4 Jahrhundert vor der Zeitwende (Berlin 1953), chap. XI, p. 136 sq
E. Bresciani : Letteratura e poesia dell antico Egitto (Turin 1969), p. 551 sq

Ce texte démotique, qui date des premiers Ptolémées, comprend des fragments d'un oracle obscur entrecoupé de commentaires et d'explications moralisantes. Son intérêt historique est grand car il donne la liste des rois de la XXVIIe à la XXXe dynastie : ceux-ci ont libéré l'Égypte de la domination perse.

Il a probablement été rédigé dans un temple par des scribes nationalistes et érudits qui interprétaient l'histoire à la lumière de la religion. En effet, pour le chroniqueur, les rois ayant respecté le loi religieuse ont été couronnés de succès ; ceux qui l'ont bafouée ont été châtiés par les dieux. On retrouve dans la littérature hébraïque cette conception moralisante de l'histoire, attestée en Égypte dès le XIIIe siècle av. J.-C. Il est également intéressant de constater que le procédé littéraire lui-même, avec ses commentaires, est attesté 150 ou 200 ans plus tard dans les textes Esséniens de Qumran (« manuscrits de la mer morte »).

... « C'est le dernier jour (du mois) ; le dernier jour sera » cela veut dire : les méfaits des susnommés finissent.
« sont complets le 1er jour (du mois), le 2e, le 3e, le 4e, le 5e, le 6e. Le (1er) jour est complet » cela veut dire : le pharaon Amyrtée.
« le 2e jour complet »
cela veut dire : le pharaon Neferitès (Ier).
« le 3e jour complet »
cela veut dire : le pharaon Akoris.
« le 4e jour complet »
cela veut dire : le pharaon Neferitès (II).
« le 5e jour complet »
cela veut dire : le pharaon Nectanebo.
« le 6e jour complet »
cela veut dire : le pharaon Téos.
« le 1er » cela veut dire : le 1er qui vient après les Mèdes comme il a ordonné qu'on ne respecte pas la loi ; vois ce qu (les dieux) lui ont fait : ils n'ont pas permis que son fils lu succède et l'ont fait destituer de son vivant.
« le 2e de la race » cela veut dire : le 2e qui vient après le Mèdes, c'est-à-dire Néféritès (I)er ; vois ce qu'il est devenu : il lui ont fait succéder son fils...
« le 3e, ils lui dirent » cela veut dire : le 3e souverain qui ser après les Mèdes. « ils lui dirent » cela veut dire : comme il abandonné la loi, ils lui firent succéder un autre de son vivant.
« le 4e n'exista pas » cela veut dire : le 4e souverain qui vier après les Mèdes c'est-à-dire Psammouthis. « il ne fut pas » cel veut dire : il ne fut pas sur la voie de Dieu, et il ne le fit pa durer comme souverain.
« le 5e est complet » cela veut dire : le 5e souverain qui vien après les Mèdes, c'est-à-dire Akoris, maître des couronnes, (le dieux) firent qu'il accomplisse ses jours de règne, car il fu bienveillant pour les temples...

C. Z

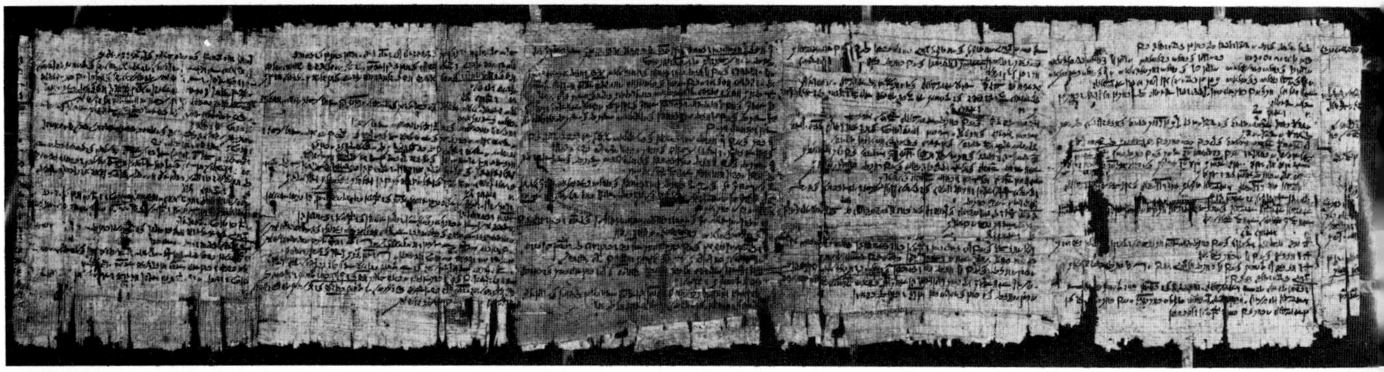

:criture et vie économique et sociale

'Égypte antique nous apparaît souvent comme dominée par le
ıénomène religieux. Nous nous passionnons pour la geste de
es grands conquérants. Nous éprouvons une certaine fascina-
on à l'égard de ses contes et récits légendaires. Et pourtant,
ait-on que les plus anciens papyrus connus actuellement sont
n paquet d'archives, qui constituent le plus bel exemple de
aperasserie bureaucratique (papyrus d'Abousir) ? Sait-on que
plus long des manuscrits ne traite pas de spéculations
ythologiques, mais décrit minutieusement les possessions
rales des temples (papyrus Harris, Ramsès III) ? Sait-on
ncore, que la plus grosse trouvaille d'ostraca (éclats de calcaire
t de poterie inscrits), faite sur la rive ouest de Thèbes, nous a
ré des informations innombrables sur la vie sociale d'un village
'ouvriers ? Sait-on, pour finir, que l'écriture démotique, qui a
té pratiquée pendant mille ans, est surtout une écriture de
otaires et d'agents de bureau ?
es plus humbles (empreintes de sceaux, poids, étiquettes) aux
us développés (lettres, pièces de comptabilité, cadastres des
gents du fisc, actes de donation, minutes de procès, contrats,
tc.), ces documents sont souvent ingrats, mais récompensent
ujours, par leur intérêt, celui qui a le courage de s'attaquer à
ur étude.
n outre, la connaissance de la langue et de l'écriture se
erfectionne grâce à la connaissance de ces sources. Limités
ux textes religieux, aux récits de l'Histoire-bataille et aux
uvres littéraires, nous n'aurions qu'une vision figée de la pen-
ée égyptienne et de ses modes d'expression. Grâce aux docu-
ents économiques, administratifs et juridiques, nous apprenons
connaître des formulations plus différenciées. Nous enrichissons
otre vocabulaire de termes techniques ou, au contraire, quoti-
ens, nous découvrons comment les égyptiens s'y prenaient
our ordonner leurs idées, dresser des tableaux, des inventaires,
omment fonctionnait leur système de notation chiffrée. Enfin, à
ôté des formules conventionnelles, imposées par les codes
ociaux et professionnels, nous voyons, dans les lettres surtout,
urgir les expressions de la langue parlée et s'exprimer les
mpéraments individuels.

Bernadette Letellier

'ie économique

es unités de mesure

la numération des égyptiens est, comme la nôtre, purement
écimale, leur système d'unité est mixte. Il ressemble donc à
elui de la France d'avant la Révolution ou à celui de l'Angleterre
tuelle. Ces unités, dont la valeur n'est pas toujours bien établie,
euvent varier d'une région à l'autre, d'une époque à l'autre.
oir pages documentaires)

Les unités de longueur

217 La coudée de Maya

Bois
Longueur : 52,3 cm
Vers 1350 av. J.-C. ou XIXe siècle apr. (la coudée exposée ici est une réplique, ancienne ou moderne, de la coudée N 1538)

Louvre : AE/N 5443 A.

C'est une « règle graduée » qui nous restitue l'unité de longueur de base et ses subdivisions. Elle est longue d'une coudée royale (52,3 cm) et divisée, sur sa face centrale en 28 doigts de 1,86 cm (placés chacun sous la protection d'un dieu), qui sont regroupés en palmes (de 4 doigts = 7,47 cm).
Sur la face avant sont gravées les fractions de doigt, depuis le demi-doigt à droite (9,2 mm) jusqu'au 16e (1,16 mm).
A l'arrière et sur la base sont inscrits des textes dédicatoires qui nous montrent que cette coudée n'avait pas été faite pour servir de mètre, mais avait été déposée dans un temple, sans doute en récompense royale, comme une sorte d'ex-voto — à la manière d'une stèle ou d'une statue — pour y perpétuer le nom du fonctionnaire méritant et lui garantir les bienfaits du dieu.

J. L.-C.

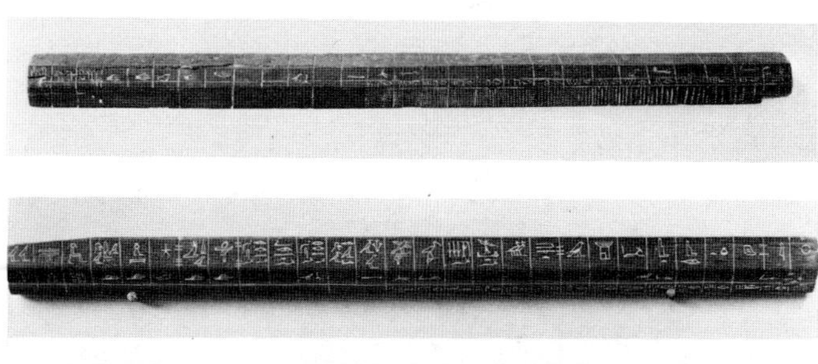

Les unités de poids

Au moins à partir du Nouvel Empire (vers 1550) — auparavant les unités étaient différentes — l'unité de base est le « dében », d'un peu plus de 90 gr, divisé en 10 « kités ». Nous possédons d'assez nombreux poids de diverses époques sur lesquels est inscrite la valeur en débens ou kités. Ces poids ont soit une forme géométrique (le plus souvent un tronc de cône inversé bombé), soit la forme d'un animal : bœuf, veau, lièvre ou bouquetin. Ils sont faits en pierre ou en métal (bronze au besoin lesté de plomb). C'est à partir de ces poids que l'on peut fixer la valeur du dében et de la kité.
Malheureusement ils varient dans une mesure assez large. Ceux d'un dében par exemple peuvent aller de 90 à 100 gr. Comme il est peu probable que les Égyptiens aient été de mauvais peseurs (leurs balances à fléau devaient être très précises), ces divergences doivent sans doute être expliquées par des différences d'époque et de centre d'émission.

J. L.-C.

218 Poids en forme de bouquetin

Bronze (figurine creuse remplie jusqu'au poids requis par un alliage de composition différente)
Nouvel Empire (?)

Louvre : AE/E 11684

Sur l'épaule gauche est gravé le signe pour l'unité «dében ». Le poids — 92,43 gr. — s'écarte sensiblement de la valeur communément admise pour le dében (91 à 92 gr.)

J. L.-C.

219 Poids du trésor d'Héliopolis

Pierre noire (basalte ?)
Diamètre : 3,6 cm ; hauteur : 2,2 cm

Louvre : AE/E 2753 ; ancienne coll. Clot. Bey

C'est la forme la plus courante de poids égyptiens. Sur le sommet est gravé : « 5 (kités ?), émission (?) de la ville d'Héliopolis ». On connaît un autre poids avec une inscription très semblable (5 kités trésor d'Héliopolis) pesant 45,358 gr. alors que celui-ci est de 45,22 gr., ce qui mettrait le dében du trésor d'Héliopolis à un peu moins de 91 gr. (90,72 et 90,44). Il se pourrait donc que tous les poids se conformant à cette valeur « normale » aient été émis dans cette ville.

J. L.-C.

220 Poids

Pierre verte (micro-diorite ?)
Diamètre : 4,5 ; hauteur : 3,1 cm

Louvre : AE/AF 9476

Il a la même forme que le précédent mais pèse 97,66 gr. C
doit donc être un « deben », mais avec une erreur de près d
8 % difficile à expliquer par une simple négligence. Il pourra
donc soit être d'une époque différente soit avoir été émis pa
un autre trésor.

J. L.-C

221 Poids destiné à peser les rations d poisson

Calcaire, texte gravé
Diamètre : 14,5 cm ; hauteur : 6 cm
Trouvé à Deir el Medineh (fouilles Bruyère)
Epoque Ramesside (vers 1300-1100 av. J.-C.)

Louvre : AE/E 14394

Dans les maisons du village de Deir el Medineh ont été trouvé
quelques poids de pierre en forme de calotte ou de tronc d
cône sur lesquels étaient inscrits le nom ou le mode de préparatio
de poissons et parfois l'équipe à laquelle était destiné ce poisson
On suppose que lors de la distribution de poisson (qui constitua
une des bases de leur alimentation) les ouvriers devaient arrive
avec leur poids, le poser sur la balance pour toucher la ratio
correspondante.
Sur celui-ci est écrit : *« partie postérieure de poisson frais »*.

J. L.-C

a comptabilité

eaucoup pensent (voir p. 46) que c'est pour tenir des comptes evenant vite trop complexes pour être maîtrisés autrement dans ne civilisation où les échanges s'accélèrent que l'écriture aurait é inventée. Cela pourrait bien avoir été le cas en Égypte. Nous vons vu (p. 61) que dès le départ le système mis au point le ermettait, et maints symptômes invitent à penser que la fièvre ureaucratique des Égyptiens s'était déjà déclarée dans le courant e la première dynastie. Mais le premier témoignage direct sur ette fièvre jusqu'ici publié remonte à la Ve dynastie :

J. L.-C.

222 Tableau de comptabilité mensuelle

rit en hiératique et hiéroglyphes, à l'encre noire et rouge sur papyrus
ngueur : 64,5 cm ; hauteur : 19,2 cm
rs 2400 av. J.-C.

uvre : AE/E 25416 C
bliographie :
Posener Krieger et J. L. de Cenival, Hieratic papyrus in the British Museum V p. 33-
5

ans les ruines du temple funéraire du pharaon Neferirkaré (mort ers 2460 av. J.-C.) à Abousir, des fouilleurs clandestins puis es archéologues ont trouvé une partie des archives administra- ves du temple. C'étaient, outre quelques lettres, des tableaux e service où étaient déterminées pour chaque jour ou chaque ois les tâches du personnel, des inventaires de tout le matériel même des éléments de l'architecture (voir n° 101) et enfin et urtout des comptes, une avalanche de comptes, des comptes uotidiens, des comptes mensuels, des comptes d'offrandes, es comptes de rations, des comptes de viandes, des comptes e grain, des comptes d'étoffe, des brouillons de compte, des capitulatifs de comptes. Aucune entreprise ou aucun état oderne n'est plus capable d'accumuler une telle masse de aperasserie.
a feuille présentée ici, malgré ses dimensions déjà respectables, n'est qu'une petite partie d'un rouleau de récapitulation de la comptabilité mensuelle, établie à partir de comptes partiels souvent beaucoup moins soigneusement présentés. Le titre est inscrit horizontalement en haut :
« Offrandes apportées du temple solaire du roi Neferirkaré à son temple funéraire. »
Le temple solaire, situé à quelques kilomètres, était le véritable centre économique et retransmettait au temple funéraire les produits des différents centres agricoles ou services qui ont droit dans ce tableau chacun à un chapitre vertical à l'intérieur duquel chaque produit se voit réserver 3 colonnes respectivement consacrées aux quantités devant être livrées, aux quantités effectivement livrées et au reste. Les chiffres correspondants sont inscrits dans les 30 lignes des 30 jours du mois, séparés en 3 décades par des lignes rouges. Nous pouvons ainsi savoir que le 3e jour du mois le palais aurait dû fournir un lot de 15 gâteaux divers, 2 pains et une cruche de bière, mais qu'il n'en a rien fait. Le lendemain la livraison a bien été effectuée.
A la fin de la page sont même indiqués les noms des responsables des livraisons.

J. L.-C.

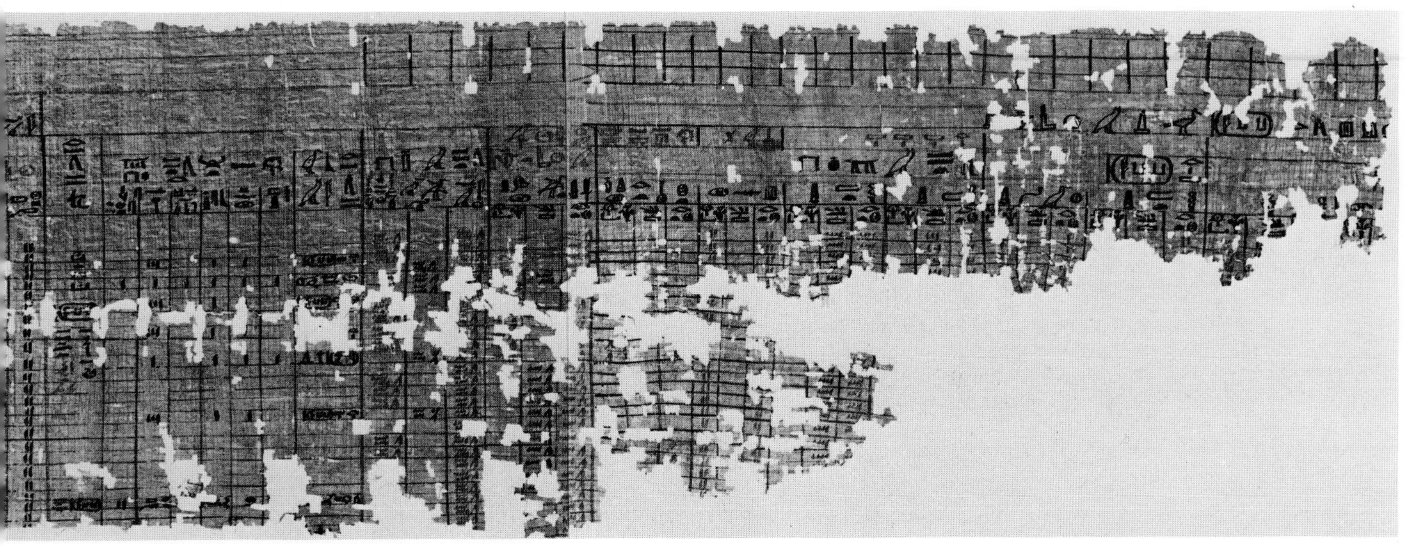

223 Comptes de dattes et de grains

Écrits en hiératique à l'encre noire et rouge sur papyrus
Longueur totale : 4,45 m ; longueur du fragment exposé : 2,23 m
Le début et la fin manquent
Vers 1450 av. J.-C.

Louvre : AE/E 3226 ; ancienne coll. Anastasi
Bibliographie :
M. Megally : Le papyrus hiératique comptable. E 3226 du Louvre

Mille ans séparent ce document du précédent. La technique de présentation a bien changé dans cet intervalle. Le quadrillage à double entrée qui semblait si commode et qui annonce si bien nos propres registres, a été abandonné au profit d'une disposition par pages en lignes horizontales avec chiffres dans la marge de gauche.
Le rouleau est consacré à une comptabilité de dattes et de grains (d'achats de dattes avec du grain ?) portant sur 6 ou 7 ans (an 28 à an 35 du roi Thoutmosis III).

Voici par exemple la traduction de la première colonne (B verso I)
Rappel des dattes données aux brasseurs 40 sacs
An 28, le 4 du 1er mois de la saison de l'inondation : reçu : dattes

de Pamouha : dattes	*285 3/4 sacs*	
Le 22 du 1er mois de l'inondation : dattes	*87 3/4 sacs*	*6*
Le 8 du 2e mois de l'inondation : dattes	*41 2/4 sacs*	*52 2/4*
Le 4 du 3e mois de l'inondation : dattes	*46 1/4 sacs*	*6 3/4*
Le 23 du 3e mois de l'inondation : dattes	*80 3/4 sacs*	*1*
Le 4 du 4e mois de l'inondation : dattes	*48 1/2*	
An 28, le 10 du 4e mois de l'inondation, après le compte : 28 sacs		
Le 20 du 4e mois de l'inondation : sous dattes	*63 3/4 sacs*	
Le 12 du 1er mois des semailles : sous dattes	*46 sacs*	
Le dernier jour du 1er mois des semailles : sous dattes	*31 sacs*	
Le 14 du 2e mois des semailles : sous dattes	*50 1/4 sacs*	

J. L.-C.

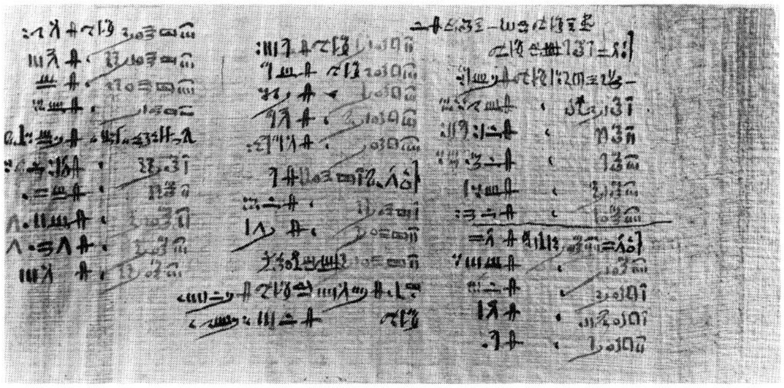

224 et 225 Deux jarres à vin

Terre cuite : l'une est inscrite à l'encre noire
Hauteur : 53 et 65 cm
Trouvées à Abydos (fouilles Amelineau)
XIXe dynastie ? (vers 1300-1200 av. J.-C.)

Louvre : AE/E 30239 et E 30547

Les Égyptiens étaient de grands amateurs de vins. Il est possib que ce soit au vin que nous devions les plus anciens texte Puis, sur les grands tableaux quadrillés où était consigné le me idéal du mort, les cases réservées aux différents crus sc nombreuses. Le roi offrait aux dieux des vases de vin et lc des fêtes en l'honneur de la déesse Hathor on se soûlait. Da les tombes des riches et dans les palais de toutes époques l jarres à vin abondaient, sur lesquelles étaient souvent, comn sur nos bonnes bouteilles, précisées date, origine et qualité. Ici nous apprenons que le vin contenu dans une de ces jarr avait été récolté en l'an 6 et qu'il provenait d'un vignoble dc le nom est malheureusement partiellement effacé.

J. L.-

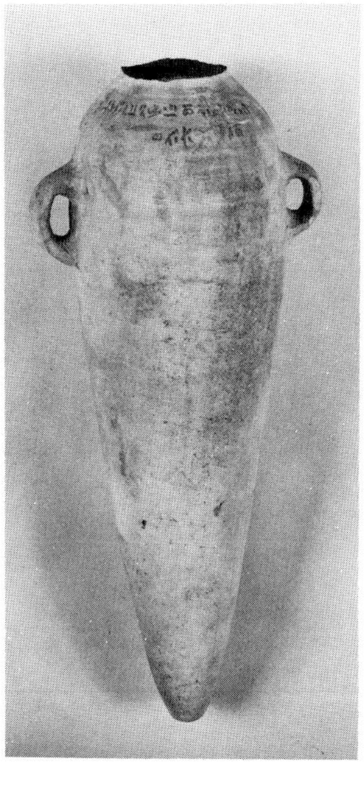

ocuments juridiques

226 Le papyrus Rollin

rit à l'encre noire sur papyrus, en hiératique
ngueur 41 cm ; hauteur : 19 cm
rs 1160 av. J.-C.

bliothèque Nationale Eg. 195
udié en dernier lieu par Goedicke, Journal of Eg. Archeology 49 p. 71-78

a justice, marque de l'ordre du monde, et les tribunaux tiennent ans la société égyptienne une place particulièrement préémi- ente. C'est par exemple au cours d'un véritable procès devant dieu grand juge Osiris et ses assesseurs que se décide le ort des morts. Malgré cela les documents judiciaires conservés ont très peu nombreux pour l'époque classique. La justice énale notamment n'est guère représentée directement que par eux dossiers, particulièrement complets et éloquents il est vrai : nstruction et le jugement contre les pilleurs de tombes royales ers 1120 av. J.-C.) et le procès des membres d'un complot ontre le roi Ramses III, complot qui semble bien avoir réussi. e papyrus Rollin est une colonne séparée d'un des rouleaux e ce dossier : le compte-rendu du jugement d'un des accusés.
Il en est venu à composer des formules magiques pour charmer inciter à la révolte, et à fabriquer des (images) de dieux en re et des drogues pour affaiblir les membres des hommes, qui nt été remises à Pabakkamen et aux autres accusés en disant : ites-les parvenir ; et ils les ont fait parvenir (probablement à ntérieur du harem royal)...
fut interrogé et on constata que toutes ces accusations étaient xactes, que tous les crimes qu'il avait imaginés avaient été xécutés, il les avait bien tous commis avec les autres accusés. 'étaient des crimes passibles de mort...
quand il eut réalisé qu'il avait commis de grands crimes assibles de mort, il se donna lui-même la mort. »

J. L.-C.

227 Statue du barbier Sabastet

Pierre noire (basalte ?)
Hauteur : 19 cm ; largeur : 11,3 cm
Vers 1460 av. J.-C.

Louvre : AE/E 11673
Publiée par :
Linage : Bul. de l'Institut français... du Caire, 38 p. 217 et s.

Les actes juridiques privés étaient rédigés sur papyrus, matière périssable ; aussi avaient-ils peu de chances de nous parvenir. Mais parfois le texte en a été reporté sur des « monuments d'éternité », et la mesure a été souvent efficace. Ainsi de cette statue qui nous a conservé — pas très bien, il est vrai, avec beaucoup de trous — un acte de cession de fonction.
« L'an 27 du règne du roi Menkheperré, le fils de Ré Thoutmosis — doté de vie et de durée comme Ré à jamais — le barbier du roi Sabastet s'est présenté devant les cadets de la chambre du palais pour déclarer :
« Mon serviteur et aide barbier appelé Imeniyou, que j'ai moi-même fait prisonnier quand j'accompagnais le souverain (dans ses campagnes)... (puis dans une lacune quelque chose comme : je lui ai cédé la fonction de barbier du temple) de la déesse Bastet maîtresse de Bubastis à la place de mon père, le barbier Nebseheh. Il ne sera pas frappé et aura libre accès à toutes les portes du palais. Je lui ai donné en mariage la fille de ma sœur Nebetta appelée Takemet... cet acte a été dressé par... en présence de (5 témoins). »

J. L.-C.

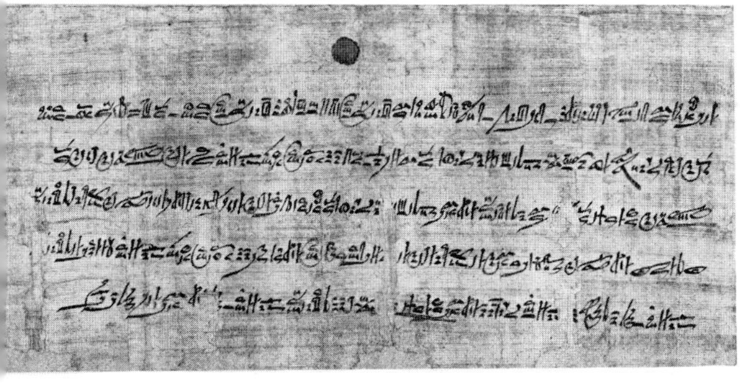

228 La tablette de Neskhons

Écrite à l'encre noire en hiératique sur bois
Hauteur : 27,9 cm ; largeur : 16,5 cm ; épaisseur : 1,4 cm
Vers 1000 av. J.-C. (XXIe dynastie)

Louvre : AE/E 6858
Bibliographie :
Cerny : Bul. de l'Institut français d'Archéologie... du Caire, 41 p. 105-133

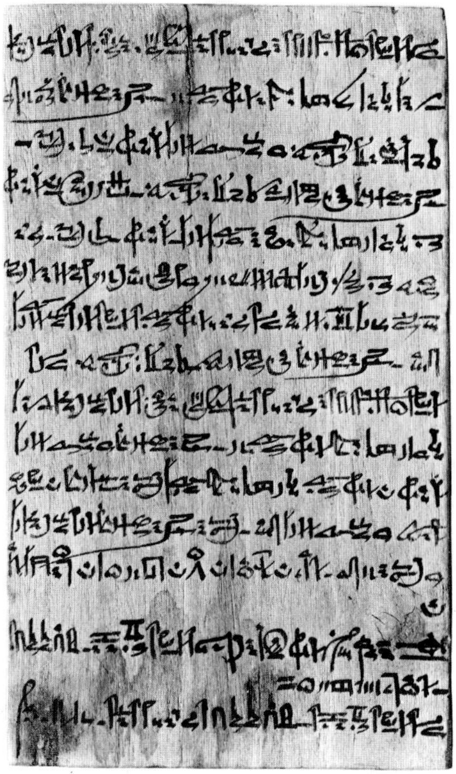

A l'époque où ses premiers prêtres gouvernent tout le sud du pays, le dieu Amon est le juge suprême qui tranche en dernier ressort aussi bien dans les petites chicanes entre particuliers que dans les grands procès politiques ou criminels. Même les contrats et cette forme simple de contrat qu'est une vente peuvent avoir besoin de son patronage. Ici la dame Neskhons, épouse du 1er prêtre Pinedjem achète des figurines funéraires par contrat de vente et de service habillé en décret juridique du dieu.
« Amon-ré, roi des dieux, le dieu grand ; le plus ancien à entrer en existence dit : je chargerai les Oushebtis (= les figurines funéraires) que l'on a faits pour Neskhons, la fille de Tahenthoth, pour qu'ils fassent tout service pour Neskhons... je les chargerai de la protéger en toute année, en tout mois, en toute décade, en tout jour... Quant à tout ce qu'ils ont payé aux fabricants de faïence pour les Oushebtis que l'on a faits pour Neskhons... en cuivre, vêtements, pains, gâteaux... les fabricants de faïence sont remboursés par cela (comme) étant l'argent de leur valeur (= ils ont été intégralement payés)
Quant à tout ce qu'on a fait aux Oushebtis afin de les payer pour être faits en vue de remplacer quelqu'un au travail en disant : « je ferai tout ce qu'il fait », c'est le prix pour que les Oushebtis le fassent afin de rembourser Neskhons...
(traduction Cerny).
La tablette contrat-décret divin devait être déposée dans la tombe à côté des figurines funéraires.

J. L.-C.

229 Figurine funéraire de la dame Neskhons

Faïence égyptienne bleu intense ; textes et détails bleu noir
Hauteur : 17,2 cm
Vers 1000 av. J.-C.

Louvre : AE/E 7680

Voilà une de ces figurines funéraires dont l'achat était enregistré sur la tablette (n° 228) et garanti par le dieu Amon. Sur elle est inscrit le chapitre 6 du livre des morts qui fixe les tâches que ces figurines doivent effectuer à la place du mort dans l'au-delà. Elle provient aussi sans doute de la tombe de Neskhons qui abrita en outre son mari et les dépouilles des rois du Nouvel Empire entassées là pour échapper aux pillards de tombes.

J. L.-C.

Le droit privé dans les documents en hiératique anormal ou démotique

A partir de la fin du VIIIe siècle av. J.-C. les actes juridiques privés, rares auparavant, se multiplient et, jusqu'à la fin de l'histoire de l'Égypte ancienne vont constituer la plus grosse partie de notre documentation sur papyrus. Ils sont d'abord écrits en hiératique anormal, puis en démotique et nous renseignent plus ou moins bien sur la plupart des aspects des rapports sociaux, au moins sur ceux qui, officiellement reconnus, sont l'objet de contrats. Ils peuvent concerner les relations économiques : ventes (n° 233), prêts (n° 230), locations, (n° 106) emploi etc. ou familiaux : mariage, (n° 232) adoption (n° 231) etc.

J. L.-C.

230 Acte de prêt de blé

Écrit à l'encre noire, en hiératique anormal, sur papyrus
Hauteur : 23,5 ; largeur : 44 cm
704 av. J.-C. (?)

Louvre : AE/E 3228 B ; ancienne collection Anastasi
Bibliographie :
Malinine : Choix de textes juridiques, p. 3-14

« le 25 du 3e mois de la saison de l'inondation de la 13e année, En ce jour, le prêtre funéraire Padibastet, fils de Padiimenipet a déclaré au prêtre d'Amon et scribe de la correspondance du roi Neskhonsouounnekh fils de Djedhor :
« Je te donnerai (?) 22 sacs 1/2 de blé mesuré en « boisseau domestique » le 30 du 4e mois de la saison de l'inondation de cette 13e année. Si je ne respecte pas ce délai, (ces 22 sacs 1/2) porteront régulièrement intérêt à partir de l'an 13...
je te les remettrai sans contestation
Aussi vrai qu'Amon vit et que le roi vit, qu'il est en bonne santé et qu'Amon lui accorde la victoire, je ne reviendrai pas sur cet engagement » (Traduction d'après Malinine).
Puis viennent les attestations des 7 témoins qui, de leur main, inscrivent un résumé de l'acte.
Probablement parce que les clauses ont bien été respectées le contrat a par la suite été barré.

J. L.-C.

231 Acte d'adoption

Écrit à l'encre noire, en démotique sur papyrus
Longueur : 52,5 cm ; hauteur : 22 cm
536 av. J.-C.
Provenant de Thèbes d'après le texte

Louvre : AE/E 7832 ; ancienne collection Eisenlohr
Publié par Malinine-Pirenne, p. 76, doc. 42

« Le 2e mois de la saison de l'inondation de la 32e année du règne d'Amasis, Hor fils de Padiousir et de Tayouaou a déclaré au prêtre funéraire Irtouretch fils de Djedkhy et de ... :
« je suis satisfait du prix que tu m'as payé pour être ton fils. Je suis ton fils, avec les enfants qui seraient pour moi mis au monde et tous les biens que je possède ou que j'acquerrais. Personne d'autre au monde n'a de droit sur moi, ni père ni mère ni maître ni maîtresse, ni créancier (?), ni moi même et mes enfants seront tes petits enfants à jamais... »
(Traduction d'après Malinine.)
Le texte se termine par une garantie de dédommagement en cas de contestation de l'acte, par le nom du notaire et la liste des témoins.
L'acte d'adoption est donc rédigé sous la forme d'un acte de vente. Le père adoptif achète, réellement ou fictivement, nous ne le savons pas, la personne qu'il veut adopter.

J. L.-C.

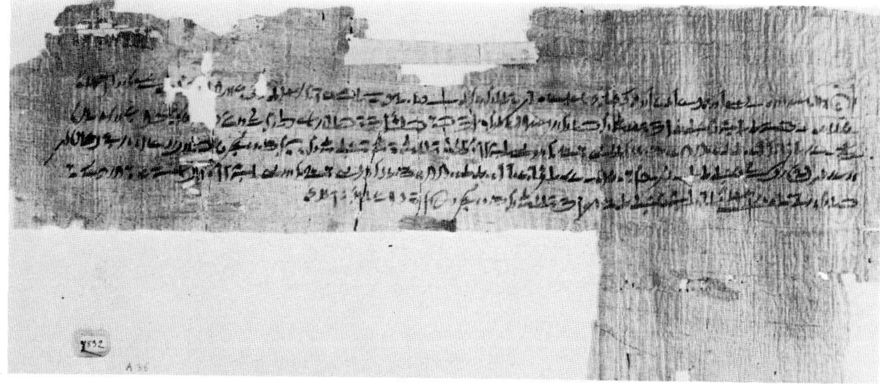

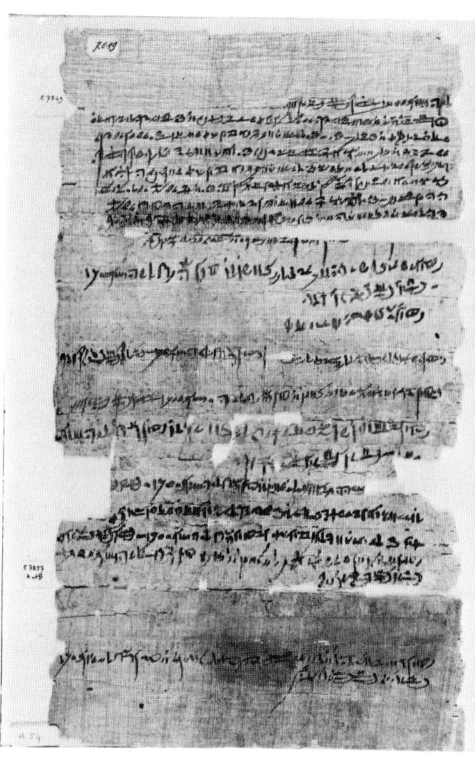

232 Contrat de mariage

Écrit à l'encre noire sur papyrus, en hiératique anormal
Hauteur : 42 cm ; largeur : 25,2 cm
589 av. J.-C.
Provient de Thèbes (d'après le texte)

Louvre : AE/E 7849 ; ancienne collection Eisenlohr
Bibliographie :
Lüddeckens, Aegyptische Eheverträge, p. 12-5

Si nous savons bien que de tout temps les égyptiens se sont mariés (ont « fait femme »), et que dans le couple officiel, la femme (la « maîtresse de maison », ou « épouse ») a tenu un rôle et eu des droits importants, presque d'égalité théorique, il nous faut attendre la fin du Nouvel Empire (vers 1100 ou 1000 av. J.-C.) pour avoir la preuve que ce mariage et ces droits étaient fondés sur un document juridique, un contrat, et il faut encore attendre un peu (879 av. J.-C.) pour trouver un exemplaire de ce type de documents, qui va ensuite se multiplier (nous en possédons plus de 60). Celui-ci est un des plus anciens.

« Le 21 du 4e mois de la saison de la moisson de l'an 5 du Pharaon Psammétique, le prêtre funéraire Khasouiset fils de Ousirken est entré dans la maison du prêtre funéraire Paoutcheshor fils de Nimenekh pour prendre en mariage sa fille Tinetdinebet...
Liste des biens qu'il a déclaré lui remettre en don (caution) de mariage : 2 « dében » d'argent et 50 mesures de blé.
Et il a déclaré : aussi vrai qu'Amon vit que le pharaon vit... si je répudie la dame Tinetdinebet... ou si j'aime une autre femme, sauf si elle a commis la grande faute qu'une femme peut commettre (l'adultère ?), je lui donnerai ces 2 « dében » d'argent et ces 50 mesures de blé ci-dessus mentionnés, sans compter tous les « acquets » que je ferais avec elle, et mes biens paternels et maternels qui seront au nom des enfants qu'elle aurait mis au monde pour moi. »
Suivent les attestations des différents témoins de l'acte, qui a été dressé dans la maison du père de la mariée.

J. L.-C.

233 Double acte de vente de terrain

crit en démotique et en grec, à l'encre noire, sur 2 rouleaux de papyrus
ongueur : 77,5 cm
54 ou 153 av. J.-C.
rovenant d'Ermant d'après le texte

ouvre : AE/N 2416 et N 2417
bliographie :
anscrit et traduit par Zauzich, Die ägyptische Schreibertradition, doc. 56 et 132

es plus anciens contrats, ceux des VIIIe ou VIe siècles, sont refs, beaucoup plus simples que nos actes notariés, mais, petit petit, les formulaires se compliquent. Au lieu d'une feuille de apyrus du format d'une page, les notaires gribouillent sur des ouleaux qui peuvent dépasser deux mètres, à une époque ou papyrus qui se raréfie et est de plus en plus exporté doit être ès cher. Beaucoup des actes sont même dédoublés, comme e contrat de vente qui donne une bonne idée de cette boulimie e papyrus.
ur le premier volet, l'indication de la date occupe à elle seule eux longues lignes et demie :
Le 18 du 1er mois de la saison de la récolte de l'an 28 du Pharaon Ptolémée (VI) et de Cléopâtre sa sœur, les enfants de Ptolémée et de Cléopâtre, les dieux Épiphanes, et au temps des prêtres d'Alexandre (le Grand) et des dieux Soter (= Ptolémée I et son épouse) et des dieux Philadelphes (= Pt. II), et des dieux Évergètes (= Pt. III) et ...IV et ... V ...»
Après avoir encore énuméré une dizaine de prêtres, on passe au vif du sujet : 7 personnes associées (dûment citées avec nom, surnom, noms des parents, etc.), déclarent à l'acheteur qu'ils sont d'accord avec le prix payé pour un terrain à bâtir de quelques 125 m^2 dont la position est minutieusement décrite avec énumération de tous les voisins.
Enfin, en une longue série de clauses de garantie, ils s'engagent à ne pas contester ou laisser contester en leur nom cette vente.
Le second volet est quasiment identique au premier : même datation interminable, mêmes descriptions scrupuleuses, mêmes garanties, mais au lieu de se déclarer d'accord avec le prix, les 7 vendeurs disent n'avoir plus aucun droit sur l'acheteur au sujet de ces malheureux 125 m^2.
Le premier volet est en outre garni d'un enregistrement du notaire en grec.

J. L.-C.

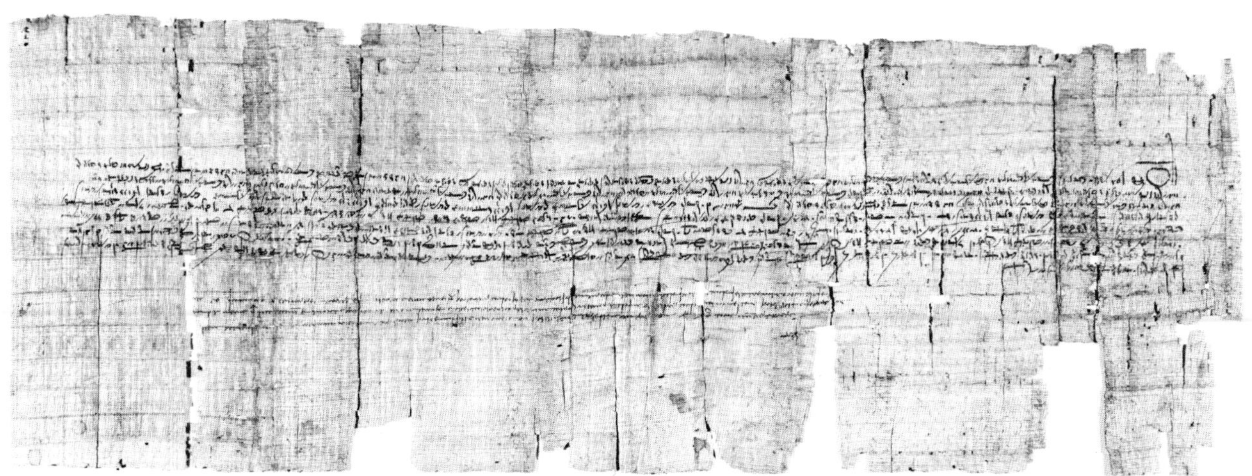

234 Une stèle de donation

Calcaire
Hauteur : 77 cm ; largeur : 36,5 cm
Provenance inconnue (Delta, Kôm el-Hisn ? d'après le texte)
Osorkon Ier (925-910)

Louvre : AE/C 261 = E 8099 (Don Cattaui, mars 1887)
Bibliographie :
A. Cattaui, Rapport sur une mission..., Revue égyptologique, V (1888), p. 84 et 97
D. Meeks, Les donations aux Temples..., OLA 6 (1979), p. 666

Les stèles de donation, particulièrement nombreuses à l'époque libyenne (v. 946-720), officialisent le don, par un particulier, d'une terre à un temple ; l'institution religieuse qui la reçoit en donne le bénéfice à l'un de ses membres : prêtre, musicien, etc. Mais le souverain, propriétaire de la terre d'Égypte, est le donateur fictif du bien, tandis que les bénéficiaires officiels sont les divinités du temple ; ceci justifie la nature des représentations qui ornent le sommet. Le roi tient ici des vases à vin ; sur d'autres stèles du même genre, il tend symboliquemennt l'hiéroglyphe du champ. Le souverain fait face à deux formes de la déesse Hathor : Hathor, maîtresse de la ville d'Imaou (Kôm el-Hisn, dans le Delta), et *« La-belle-aux-sistres »*. Le tenant du bénéfice, un harpiste, est représenté en petite taille, accroupi aux pieds d'Osorkon.
Le texte donne d'abord la titulature d'Osorkon Ier, puis se poursuit ainsi : *« il offre les champs au chef des chantres d'Hathor d'Aphroditopolis, Paiïrounoubet, fils du chef des chantres d'Hathor maîtresse (de la ville) d'Imaou, Inneha, à la place du fils-royal-de-Ramsès Isetakhbit... »*
Le donateur est un grand personnage de la cour. Le titre de « fils royal de Ramsès » est porté à cette époque par des gens qui revendiquent une descendance réelle ou supposée par rapport aux souverains prestigieux du Nouvel Empire (c'est, du moins, l'une des explications les plus vraisemblables). La fin du texte est altérée, et peut-être, incomplète. On y reconnaît des éléments de la formule d'imprécation qui, c'est la loi du genre, vise ceux qui chercheraient à détruire cet acte.
Destinées à être fichées en terre, les stèles de donation ont souvent, comme ici, leur partie inférieure laissée en blanc.

B. L.

235 Une commande de fenêtres

erre cuite rouge foncé avec enduit jaunâtre
argeur : 14,6 cm ; hauteur : 16,4 cm
.cheté à Dra abou'l Nagga (1911)
robablement XIXe dynastie (vers 1305-1196)

ouvre : AE/E 23554 (legs Raymond Weill, 1950)
ibliographie :
. Weill, Monuments égyptiens divers, VII, R. T. 36 (1914), p. 89-90, pl. V, 2

Ce « billet », destiné à un artisan, fait état d'une commande rgente, avec croquis à l'appui. On y lit à la partie supérieure : « *Nakhtimen ! Tu (en) feras quatre de cette espèce, très exac-ement, vite ! vite ! d'ici demain ! Je te donne les indications les oncernant.* » On peut difficilement imaginer texte plus vivant.
.'objet à réaliser en quatre exemplaires, très vraisemblablement ıne fenêtre grillagée, est dessiné au centre du tesson et ıccompagné de cotes : « *largeur de quatre palmes* » et « *hauteur : cinq palmes et deux doigts (?)* ».
.e responsable de la commande a, en outre, répété, à gauche lu croquis, l'indication : « *quatre de cette espèce* ». Les dimen-sions données correspondent à un rectangle de 30 × 41 cm ıpproximativement. Si l'on en croit les exigences de l'auteur du nessage, il doit s'agir d'un travail de menuiserie d'exécution apide.

B. L.

236 Ostracon portant une liste d'objets

Terre cuite beige rosé
Largeur : 14,5 cm ; hauteur : 10,3 cm
Provenance probable : Deir el Médineh
XIXe dynastie (vers 1305-1196)

Louvre : AE/E 17169 (legs Virey, 1945)
Bibliographie :
La vie quotidienne chez les artisans de Pharaon (Metz, 1978-1979 ; Marseille, 1979-1980), p. 76 nº 112

Ce tesson de poterie a servi à dresser une liste d'objets de la vie courante. Le non-spécialiste quelque peu observateur notera la répétition de certains signes à la fin des mots : ceux-ci indiquent la matière :  objets en bois,  : objets en vannerie,  : objets de pierre. Sont énumérés : un pliant, une chaise, un tabouret, un lit et une natte (?), deux types de coffres, des paniers et tamis, une meule et son broyeur.
Si le scribe s'est attaché à classer les objets par genres, il a, en revanche, un peu négligé sa présentation. Cependant, il a pris soin de séparer les deux colonnes de notations par une ligne brisée pour en rendre le lecture plus claire.
Ce brouillon est vraisemblablement un reçu de livraison ou un bon de commande de fournitures.

B. L.

La correspondance

La correspondance occupait une place importante dans la civilisation égyptienne. Écrites sur papyrus, pliées et scellées, les lettres portent le nom de l'expéditeur et du destinataire (pages documentaires). Les scribes se devaient d'être experts dans l'art de rédiger une lettre, et à l'école les maîtres faisaient copier des modèles. Il est parfois difficile à l'égyptologue de distinguer les exercices de scribe des lettres véritables. Mais ce n'est pas le cas pour un « manuel » célèbre, comprenant 28 feuillets de papyrus et présentant sous forme de correspondance la joute littéraire de deux érudits...

C. Z.

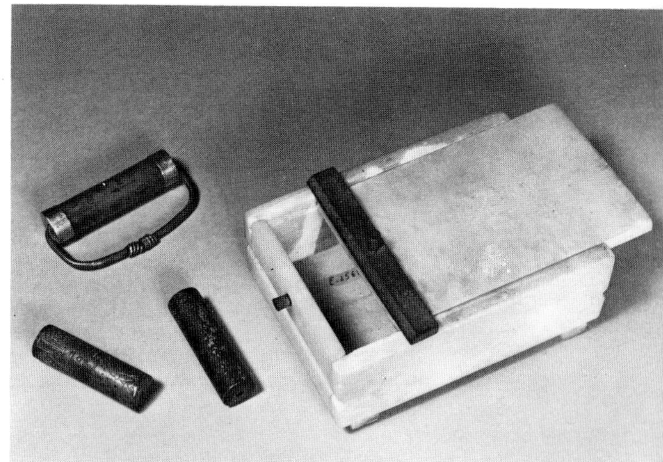

237 Coffret et sceaux-cylindres du roi Montouhotep

Coffret en albâtre et schiste
Hauteur : 5,4 cm ; longueur : 13 cm
Cylindres en bronze. Longueur : 5,6 cm ; diamètre : 1 cm
Longueur : 5,3 cm ; diamètre : 1,1 cm
Cylindre en argent. Longueur : 6,6 cm ; diamètre : 1,1 cm
Acquis en 1967
Règne de Montouhotep (vers 2000 av. J.-C.)

Louvre : AE/E 25685 à E 25688
Bibliographie :
Vandier, Revue du Louvre, 1968, p. 105-107

Les sceaux-cylindres ne sont pas d'un usage fréquent au temps des pharaons, et ceux en métal sont particulièrement rares. Parmi ces derniers, les exemplaires royaux les plus connus datent de l'époque des pyramides : en bronze pour Chéops, en or pour Pépi. Aussi doit-on souligner l'exceptionnel intérêt de cet ensemble qui regroupe trois cylindres — deux en bronze, un en argent — dans leur coffret d'origine. Tous trois portent le nom d'Horus (cat. n° 79) du roi Montouhotep qui vivait vers 2000 av. J.-C. Comme c'est l'usage, le nom royal est surmonté de l'image du faucon divin. Sur deux des cylindres, l'inscription est encadrée par six serpents protecteurs. Le cylindre en argent a conservé sa monture initiale : deux bagues en électrum et un épais fil d'argent permettant de le rouler facilement pour imprimer le nom du souverain sur un quelconque document.

C. Z.

238 Scarabée - sceau du scribe royal Iahmès

Or et faïence
Scarabée : hauteur : 2,5 cm ; largeur : 1,4 cm
Nouvel Empire (vers 1550-1300 av. J.-C.)

Louvre : AE/N 2082
Bibliographie :
C. Ziegler, Les dossiers de l'archéologie (décembre-janvier, 1981)

En égyptien le nom de scarabée se dit *Kheprer.* Un mot très voisin signifie *« être, devenir ».* Aussi le scarabée, qui roule devant lui une boule de fumier d'où semble sortir sa progéniture, devint le symbole du dieu créateur, *« celui qui s'est créé lui-même »,* le soleil... On a retrouvé dans les tombes des milliers d'amulettes à l'image de cet animal, ornées de décors géométriques, de figures royales et divines, ou portant des souhaits. Certains, montés en bague et inscrits au nom de leur propriétaire, servaient de cachet pour estampiller les sceaux d'argile apposés sur les fermetures, les récipients, les lettres... C'est le cas de ce sceau portant le nom et le titre d'un nommé Iahmès qui exerçait la très haute fonction de scribe du roi.

C. Z.

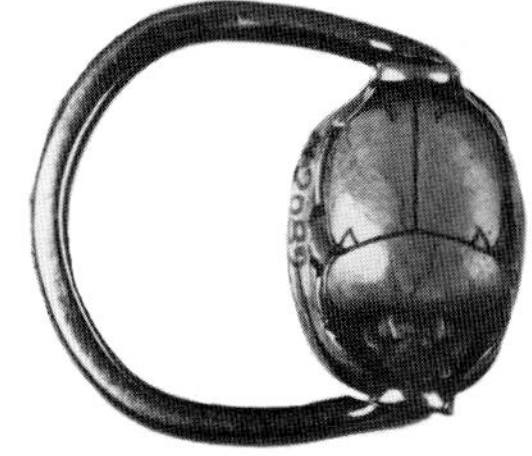

239 Bague-sceau de Téfa

Or. Diamètre : 2,44 cm ; chaton : 3,1 × 1,98 cm
Région memphite
Règne d'Amasis (vers 550 av. J.-C.)

Louvre : AE/E 10699
Bibliographie :
Newberry, Scarabs (1906), p. 188, pl. 38, n° 28.

Après s'être servi de cylindres pour sceller, jusqu'au Moyen Empire, les Égyptiens ont eu recours à des bagues dont le chaton conservait, gravée en creux, la marque à imprimer. Autant bijou qu'objet utilitaire, celle du Louvre appartenait à une certaine Tefa, une dame connue par d'autres sources pour avoir vécu dans la région memphite à la fin de la XXVIe dynastie. La composition de l'inscription est d'ailleurs caractéristique de cette période. La disposition des signes aidant, la personne s'entoure de la protection d'Isis et, détail original, de celle de la patronne d'Imaou, sur les confins occidentaux du Delta. Comme ses parents sont issus de cette partie de l'Égypte, c'est non seulement un souvenir de ses origines mais le signe de son attachement au berceau familial.

O. P.

240 Empreinte de sceau

Argile : largeur : 1,85 cm
Ancienne collection Clot Bey
Fin de la XXVIe dynastie (vers 530 av. J.-C.)

Louvre : AE/E 2005

A côté d'un sceau, il était intéressant de présenter une empreinte laissée par ce type d'objet. Faute de ne pas avoir eu la chance de trouver celle qui corresponde à la bague de Téfa, en voici une portant le nom d'un de ses contemporains ou presque, Ouhemibrêséneb, qui se place sous la protection de Nébet-Hétépet, une déesse d'Héliopolis.

O. P.

241 Lettre du premier prêtre d'Amon Menkheperre

Écrite en hiératique à l'encre noire sur papyrus
Hauteur : 18 cm ; largeur : 22 cm
Vers 1050 ou 1000 av. J.-C.
Provenant d'El Hibeh d'après le texte

Louvre : AE/E 25359 ; don Chassinat
Plusieurs lettres du même dossier ont été publiées par Spiegelberg, Zeischrift für aeg. Sprache 53 p. 1 et s.

« Le 1er prêtre d'Amon-ré-roi-des-dieux, au prêtre et scribe du temple Horemakhbit, au service du dieu Penpaihy :

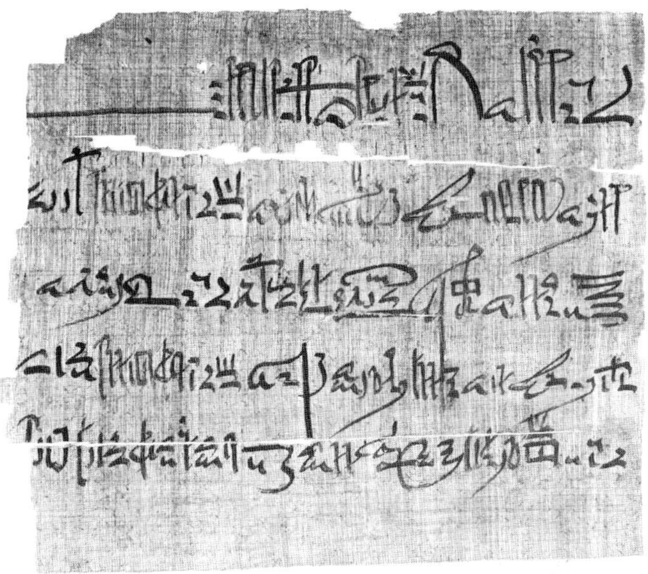

Dès que cette lettre te parviendra, tu feras comparaître le général Aafenhor et ses frères devant le dieu Penpaihy au sujet du partage des serviteurs dont ils ont discuté et Penpaihy opérera le partage quand ils comparaîtront devant lui. Veille bien à m'envoyer ton témoignage. »

Au bas du revers est inscrite l'adresse qui seule apparaissait lorsque la lettre était pliée :
« *Le 1er prêtre d'Amon Menkheperré, au prêtre et scribe du temple Horemakhbit.* »
Ce Menkheperré dont nous avons ici probablement un « autographe », fut un personnage d'importance : en tant que 1er prêtre à un moment où le pays était presque divisé en deux il gouvernait, sous la suzeraineté plus ou moins théorique du Pharaon, tout le sud de l'Égypte et pouvait même inscrire son nom dans un cartouche royal.
La lettre est un éloquent exemple du fonctionnement de ce régime clérical où la plupart des décisions sont prises par Amon en ses oracles (ce dieu Penpaihy ne doit être qu'une de ses formes) : les causes des deux parties sont soumises au dieu (posées devant sa statue ?) qui choisit la meilleure. Cette procédure se répand dans la seconde partie du Nouvel Empire puis envahit toute la vie judiciaire et même politique.

J.-L. C.

242 Graffiti sur un bloc du temple d'Éléphantine

Bloc de grès. Inscription hiératique à l'encre noire
Dimension du bloc : 79,5 × 64 cm
Temple d'Éléphantine
Le relief date de Thoutmosis III (1490-1439). Graffiti : XXe dyn. ? (v. 1200-1100)

Louvre : AE/B 60 = E 12921 *bis* B.
Bibliographie :
D. Valbelle, Satis et Anoukis (1981), p. 14

Devant le visage du roi Thoutmosis III, un scribe, de passage dans le temple, a déposé un graffiti de deux lignes, en grands caractères hiératiques. Malheureusement, le début de ces lignes est perdu et il est difficile de déterminer l'importance des manques. On y lit encore : « ... je me fie à mon talent (lit. : excellence)... (que m'accorde ?) Thot de me tenir respectueusement devant lui. Fait par le scribe Panakhtres (tep ?) ». Le dieu Thot est le patron des scribes.
Les égyptiens de l'antiquité ne respectaient guère plus les monuments de leurs ancêtres que nos contemporains, et les graffiti qu'ils ont laissé sur les parois des édifices sont nombreux. Étant donné qu'ils ont acquis, à leur tour, le caractère vénérable des antiquités, nous ne saurions nous en plaindre.

B. L.

:riture et religion

ıs l'Égypte ancienne, la religion imprégnait chaque instant de vie. Aussi, n'est-il pas rare de trouver dans les textes fanes, en particulier les Sagesses (cat. 261) le reflet d'une spirituelle intense. La littérature purement religieuse consti- pour sa part, la majeure partie des textes connus. Inscrits des papyrus, gravés ou peints sur les parois des sarco- ıges, sur les murs des temples, des tombeaux ou sur les ets funéraires, les textes religieux traitent de sujets divers. y trouve aussi bien les grands mythes et les légendes ınes que les recueils funéraires nécessaires à la survie, les els, les incantations et les prières destinées à se concilier les ux, les ex-votos et les amulettes reflétant une piété naïve...
; versions de la création du monde sont nombreuses, mais ›s ont un point de départ commun : aux origines, seul existait › vaste étendue d'eau stagnante, le Noun. A partir de là, ıque grand sanctuaire, avait sa propre interprétation de la nèse, élaborée par un clergé qui mettait au premier plan le u local (cat. 249).
; légendes divines complètent les grands textes de la création :. 249). Parmi les plus importantes, celles relatant le cycle du eil comportent un déluge à l'égyptienne : « le mythe de la struction de l'humanité ». Également inscrits dans la vallée ; Rois, les grands « Livres », royaux relatent heure par heure périple du soleil qui renait chaque jour après avoir affronté les ıgers nocturnes. C'était pour l'Égyptien le symbole de la vie ›rnelle, de même que la légende d'Osiris : ce dieu bienfaisant, ;assiné par un frère jaloux, ressuscita grâce aux sortilèges de femme Isis, et fut vengé par son fils Horus...
ur connaître le même sort, l'Égyptien avait à sa disposition la gie des textes funéraires écrits dans sa tombe : textes des ramides et « Livres » pour les souverains, textes des sarco- ages (cat. 243) et Livre des morts (cat. 244) pour les rticuliers. A la Basse Époque, on voit fleurir de nouveaux :ueils (Livres des respirations, de parcourir l'éternité...) et des ıels relatant les cérémonies effectuées sur la momie (cat. 247). autres rituels, parfois déposés dans les caveaux comme gages éternité, étaient destinés au culte divin : ils décrivent les gestes complis par les prêtres, donnent le texte de véritables nystères » joués en l'honneur des dieux ou recensent les :antations efficaces à les apaiser... Les hymnes, les prières ıvés sur d'innombrables stèles vont du chef-d'œuvre poétique a phrase banale et stéréotypée (cat. 251).
› foisonnement de textes religieux reflète bien la piété des yptiens, le « plus religieux de tous les peuples ». Il met aussi relief deux traits majeurs de leur civilisation : la quête éperdue l'immortalité, et la confiance en la vertu magique du texte écrit.

Christiane Ziegler

Textes funéraires

243 Textes des sarcophages, inscrits à l'intérieur du cercueil de Sopi

Bois peint
Longueur : 2,26 m ; hauteur : 66 cm
Moyen Empire (vers 2000 av. J.-C.)
El Bersheh

Louvre : AE/E 10779
Bibliographie :
De Buck : The Ancient Egyptian Coffin Texts (1961) ; P. M. IV, (1934) 185

Rempart matériel protégeant la momie des atteintes extérieures, les sarcophages du Moyen Empire faisaient appel à la magie de l'écriture pour renforcer leur efficacité. C'est ce qu'illustre ce cercueil de bois peint provenant de la nécropole d'El Bersheh. L'extérieur porte le nom du propriétaire, un intendant nommé Sopi, et une formule religieuse courante : « *puisses-tu aller au ciel parmi les dieux...* » A l'intérieur se pressent des milliers d'hiéroglyphes, disposés en larges bandes horizontales ou en colonnes serrées. Une carte de l'au-delà est dessinée tout au fond ; elle constitue avec les textes qui l'accompagnent ce que l'on nomme « le Livre des 2 chemins ». En haut de magnifiques signes rehaussés de couleurs vives composent une formule d'offrande traditionnelle. Juste au-dessous sont représentés des objets de la vie courante que l'artiste a placés à la disposition du mort : miroir, pagne, appuie-tête, arc, flèches, sandales... Ces « frises d'objets » sont accompagnées de commentaires écrits en cursive qui donnent le nom de chacun d'entre eux. Enfin, disposés en centaines de colonnes verticales, viennent les fameux « textes des sarcophages ». Il ne faut pas chercher dans ces inscriptions le résultat de réflexions philosophiques ni de spéculations religieuses très élevées. Ce n'est pas davantage une description de la vie d'outre-tombe. Elles font appel à la magie et, par l'intermédiaire de l'écriture, procurent au mort les formules qui lui permettront de goûter au bonheur de la vie éternelle. Elles puisent largement leur inspiration dans les textes des Pyramides, initialement réservés à la survie du Pharaon. Indépendantes les unes des autres, elles ont été classées par les égyptologues en

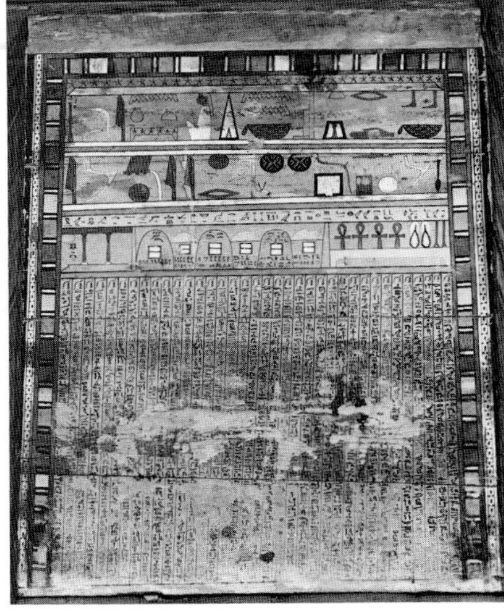

« formules », réunies en 7 volumes de 400 pages chacun... Chaque sarcophage du Moyen Empire possède une partie de ce répertoire, disposée dans un ordre aléatoire. Une revue rapide des principaux chapitres montrent qu'ils reflètent des préoccupations assez terre à terre :

« Formule pour ne pas marcher la tête en bas dans le royaume des morts », « formule pour ne pas manger des excréments ou ne pas boire d'urine dans le royaume des morts », « formule pour devenir le roi du ciel », « pour devenir un magicien » « pour devenir un faucon divin dans le royaume des morts » « pour avoir du pain dans Bousiris »... Quelques passages d'une plus haute tenue augmentent l'intérêt de ces incantations, par exemple celui évoquant la création de l'homme : *« je suis l'âme du dieu Chou, qui s'est créé lui-même. Je suis né de la chair du dieu qui s'est créé lui-même... il me créa par sa volonté, il me fit par sa puissance, il m'exhala par ses narines et je suis celui dont la forme fut exhalée... »*

C. Z.

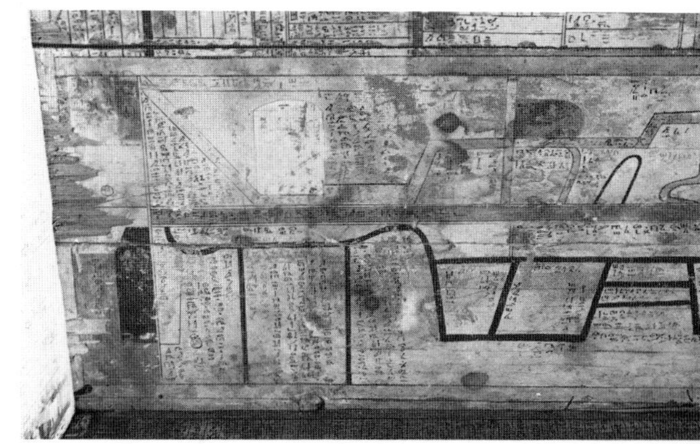

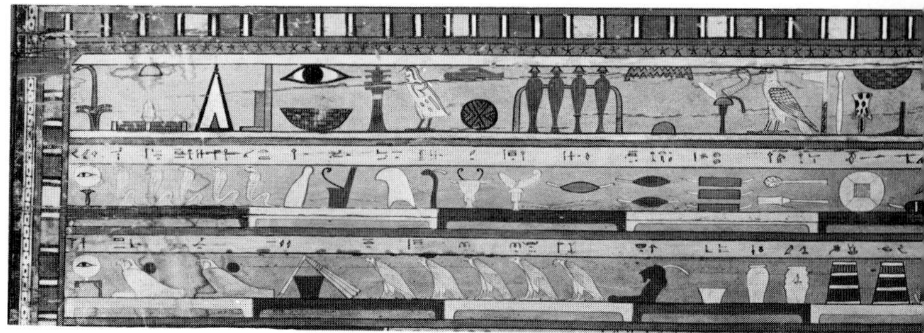

244 Livre des morts appartenant au scribe ebqed

pyrus ; texte écrit à l'encre rouge et noire, vignettes peintes
ngueur totale : 6,30 m
'IIIe dynastie (vers 1500 av. J.-C.)
èbes

uvre : AE/N 3068
liographie sommaire :
veria-Pierret : Le papyrus de Nebqed (1872)
Barguet : Le Livre des morts des Anciens Égyptiens (1967)
rnung : Das Totenbuch der Agypter (1979)

partir du Nouvel Empire, on déposait dans la tombe un *Livre s morts,* rouleau de papyrus, de cuir ou de lin, orné de vignettes mptueusement coloriées ou de fins dessins à l'encre, dont les yptologues ont retrouvé des centaines d'exemplaires. En néral, ils portent un titre, écrit au verso du rouleau et à son mmencement : « Livre de la sortie au jour ». Lus par un prêtre moment des funérailles, les textes qui les composent sont, âce à la magie de l'écriture, mis à la disposition du mort pour ternité. Ils constituent ce que les premiers égyptologues mmaient la « Bible des Anciens Égyptiens » et sont divisés en mbreux chapitres, auxquels, pour plus de commodité, on a tribué un numéro depuis le milieu du XIXe siècle. Ces chapitres, urvus d'un titre et d'une illustration, ont des sources très verses : certains remontent à l'époque des pyramides et sont npruntés aux rituels funéraires royaux, d'autres ont leur origine ns les inscriptions privées du Moyen Empire : textes des rcophages, livre des deux chemins... (cat. n° 243). Jusqu'au e siècle av. J.-C., date à laquelle un classement fut effectué, rdre des textes n'est pas fixé et leur sélection varie d'un pyrus à l'autre. Ce désordre reflète à la fois la diversité des urces, la négligence des scribes et aussi les goûts personnels bénéficiaire : si certains Livres des morts étaient produits et vendus en série, d'autres étaient exécutés sur commande.

L'ensemble de ces textes constitue une vaste fresque décrivant les étapes de la renaissance du mort. Celle-ci est conçue à l'image de celle du soleil, qui meurt et ressuscite quotidiennement après un passage dans le monde des ténèbres. On y retrouve donc constamment le désir qu'a le mort de s'unir au soleil, de faire partie de ceux qui l'entourent et bénéficient de sa lumière. Pour atteindre ce but, un certain nombre de textes sont mis à sa disposition : hymnes solaires, formules lui permettant de prendre les divers aspects de l'astre et de s'identifier à lui, chapitres pour être admis dans la barque du soleil... Après être « sorti au jour » comme le soleil, le défunt rentre dans le monde souterrain pour figurer dans une sorte de Jugement Dernier, au cours duquel il est jugé par le dieu des morts Osiris et ses 42 assesseurs. C'est là que se situent les épisodes les plus connus du Livre des morts, celui de la pesée du cœur, et la confession négative durant laquelle le défunt énumère les forfaits qu'il n'a pas commis. Après son acquittement, il pourra alors goûter en paix aux délices du « champ des roseaux », paradis égyptien où se déroule une nouvelle existence proche de la vie terrestre.

Autour de cette trame s'ordonnent des textes divers. Certains sont en relation étroite avec les rites funéraires : marche vers la nécropole, sauvegarde de la momie au moyen d'amulettes, formule des « ouchebtis », statuettes magiques qui travailleront à la place du mort... D'autres mettent le défunt à l'abri des obstacles et dangers qu'il rencontrera dans sa marche vers l'éternité : formule pour échapper au filet des pêcheurs divins, pour ne pas mourir une seconde fois, pour éviter le massacre, pour repousser le serpent, pour ne pas être mangé par les vers... Il en est aussi qui reflètent des terreurs primitives : formule pour éviter de marcher la tête en bas, ne pas boire son urine, ne pas cuire dans l'eau...

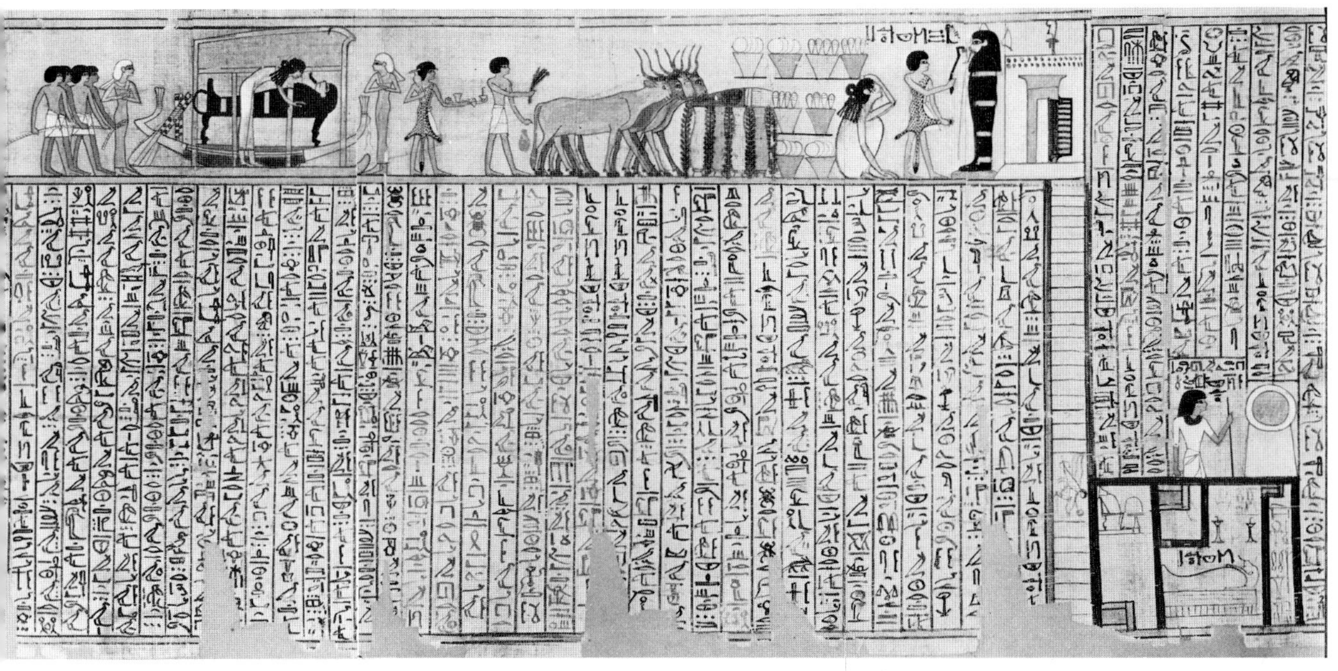

Mais on ne saurait, en si peu de lignes, donner un reflet de la diversité des textes qui composent le Livre des morts. On y voit se succéder des descriptions d'événements ou de rites, des prières et des incantations, des dialogues et de véritables drames où le mort affronte ses adversaires. Tous ces textes reflètent une conception magique de la parole et de l'écriture, puisque leur présence aux côtés du mort garantit sa résurrection.
Chapitre 125 : la déclaration d'innocence
« Ce qui doit être dit quand on aborde la salle de la double justice pour voir le visage des dieux, par l'Osiris, le scribe Nebqed. Il dit : « Salut à toi, dieu grand, seigneur de justice. Je suis venu à toi pour voir ta perfection. Je te connais. Je connais le nom du grand dieu et de ceux qui sont avec toi dans la salle de la double justice, qui vivent de la garde des méchants et se nourrissent de leur sang, le jour du jugement dernier devant Ounnefer. Je me place près de vous, ô Seigneurs, je vous apporte la vérité, j'ai détruit pour vous l'iniquité,
Je n'ai pas commis de faute contre les hommes
je n'ai pas maltraité les gens
je n'ai pas commis de péché dans la place de vérité
je n'ai pas cherché à connaître (ce qui ne doit pas être connu)...
je n'ai pas fait pleurer
je n'ai pas tué
je n'ai causé de mal à personne
je n'ai pas fraudé sur les pains dans les temples
je n'ai pas profané les aliments des dieux
je n'ai pas enlevé les bandelettes des momies
je n'ai pas été pédéraste
je n'ai pas été dépravé
je n'ai pas fraudé sur la mesure de grain
je n'ai pas faussé le peson de la balance
je n'ai rien enlevé de la bouche des enfants
je n'ai pas privé le petit bétail de sa pâture »

C. Z.

245 Papyrus mythologique de Nespakachouty

Papyrus ; texte écrit à l'encre noire, illustrations peintes
Longueur : 2,56 m ; hauteur : 19 cm
XXIe dynastie (vers 1000 av. J.-C.)

Louvre : AE/E17401
Bibliographie :
Piankoff-Rambova : Mythological Papyri (1957), nº 9, p. 104-108

C'est principalement à la XXIe dynastie que furent composés le papyrus qu'on a coutume d'appeler « mythologiques ». Ce so des textes funéraires, créés pour les prêtres et les prêtresse d'Amon de Thèbes, et qui sont très importants pour l'étude c symbolisme religieux. Ils puisent leur inspiration dans les grande compositions du Nouvel Empire : Livre de ce qu'il y a dans l'a delà, Livre des portes, Livres des cavernes, Livre d'Aker et Liv des morts. A la différence de ce dernier, ce sont des documen

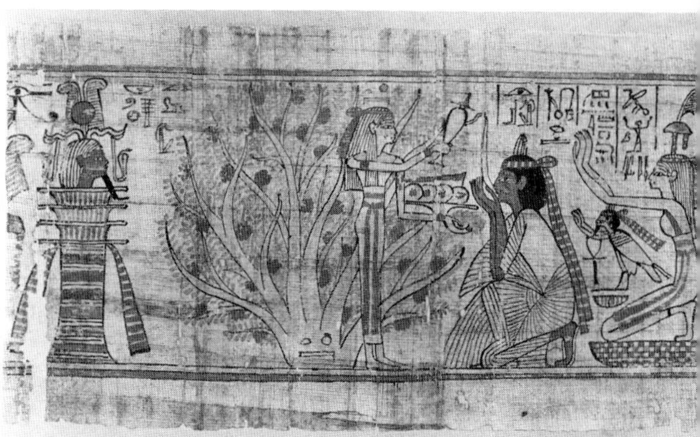

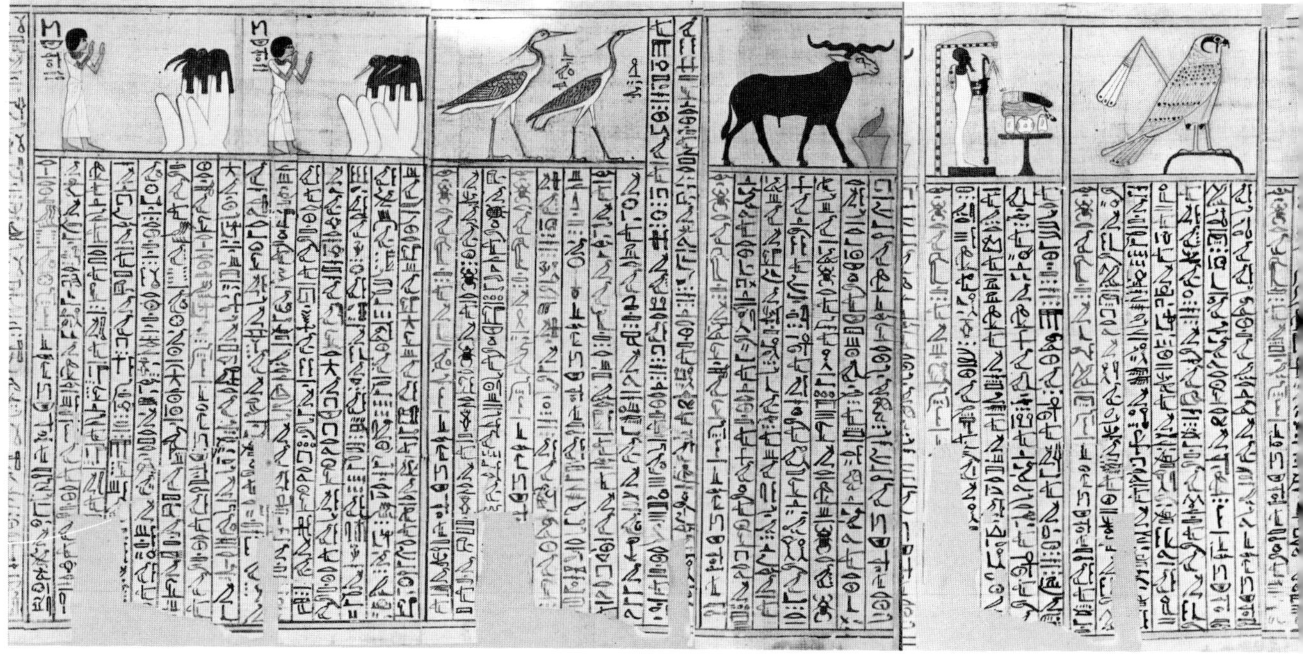

ns lesquels l'illustration l'emporte largement sur le texte. Celui-est cependant fort précieux car il permet de comprendre le ns de représentations parfois très obscures. Ces papyrus ésentent à la fois un condensé des conceptions mythologiques yptiennes et un recueil de formules magiques dont beaucoup sont pas attestées ailleurs.

omme dans la plupart des textes funéraires, le thème central t la marche du défunt vers l'éternité. Sur le papyrus de spakachouty, qui se lit de droite à gauche, on peut reconnaître s épisodes empruntés au Livre des morts : arrivée du défunt vant la porte du tribunal d'Osiris, jugement dernier, identification lotus qui est une des formes du soleil... Ce voyage vers ternité est également assimilé au cycle du soleil, que l'on voit oré sous l'aspect d'un homme à tête de faucon. Mais la surrection s'inscrit dans un cadre plus large, celui d'un éternel tour et de la naissance d'un monde nouveau promettant un uveau cycle de vie.

ıssi l'une des scènes les plus intéressantes est la figure centrale, i illustre la Création : on y voit l'image de la déesse du ciel out, se séparant de son époux Geb couché sur la terre dont est le symbole. Sous la voûte céleste, le dieu soleil navigue ns sa barque, illuminant de ses rayons le premier matin du onde... C'est à lui que s'adresse le texte d'adoration inscrit à uche de la scène.

C. Z.

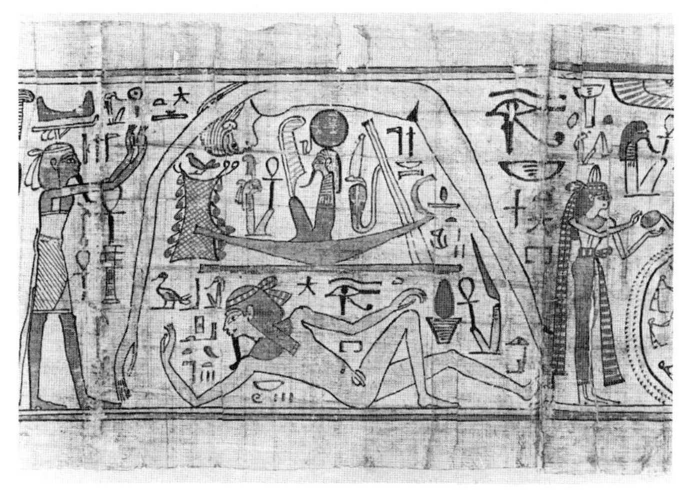

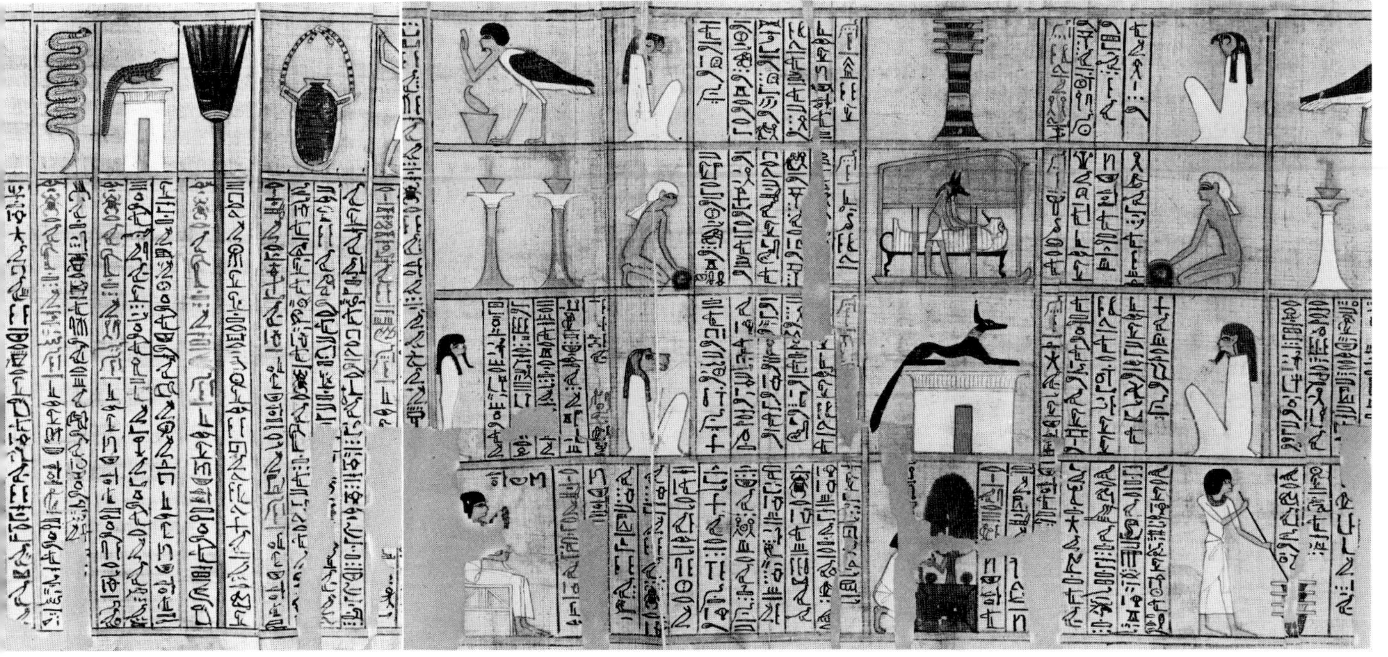

246 Stèle portant un « appel aux vivants » qui la liront

Calcaire peint
Hauteur : 39 cm ; largeur : 23 cm
1re période intermédiaire (vers 2200-2000 av. J.-C.)
Ancienne Collection du Cabinet des médailles

Louvre : AE/C302
Bibliographie :
Ledrain : Monuments Égyptiens de la Bibliothèque Nationale pl. VII
J. Sainte Fare Garnot : L'appel aux vivants (1938)

Dans l'Égypte Ancienne, l'écriture était conçue comme un moyen d'acquérir l'immortalité, au même titre que les représentations figurées. Le fait d'écrire le nom d'un défunt ou la liste des victuailles qui lui étaient nécessaires dans l'au-delà les éternisait à jamais. Plus que par le texte écrit, c'est grâce à la magie du verbe que leur contenu devenait réalité. Prononcer les textes entraînait dans l'au-delà la réalité les faits ou les souhaits qu'ils énonçaient. Les inscriptions étaient donc lues par des prêtres au moment des funérailles. Mais il était souhaitable de renouveler ces paroles. Aussi, sur beaucoup de monuments funérair trouve-t-on ce que les égyptologues nomment un « appel a vivants ». Il s'adresse aux humains, prêtres ou civils qui dans futur passeront près d'une stèle ou d'une statue donnée, et l invite à prononcer les formules qui y sont inscrites. Ce tex s'accompagne parfois de menaces à l'égard de ceux q refuseraient, de conseils — *« le souffle de la bouche ne coû rien pour celui qui le donne, mais c'est beaucoup pour celui q le reçoit... »* — ou de promesses de récompense.
C'est à cette dernière catégorie qu'appartient l'inscription grav sur notre stèle. Elle est placée en bas à droite, face à trc personnages qui sont des membres de la famille du défunt. L termes en sont brefs : *« Le dieu Khentymentiou récompense tous les scribes qui liront cette stèle. »*
En haut on peut voir l'image du fils du mort assis devant u table chargée de victuailles et les textes à prononcer : u formule énumérant des offrandes, et le nom propre du défu Imenemhat.

C. 

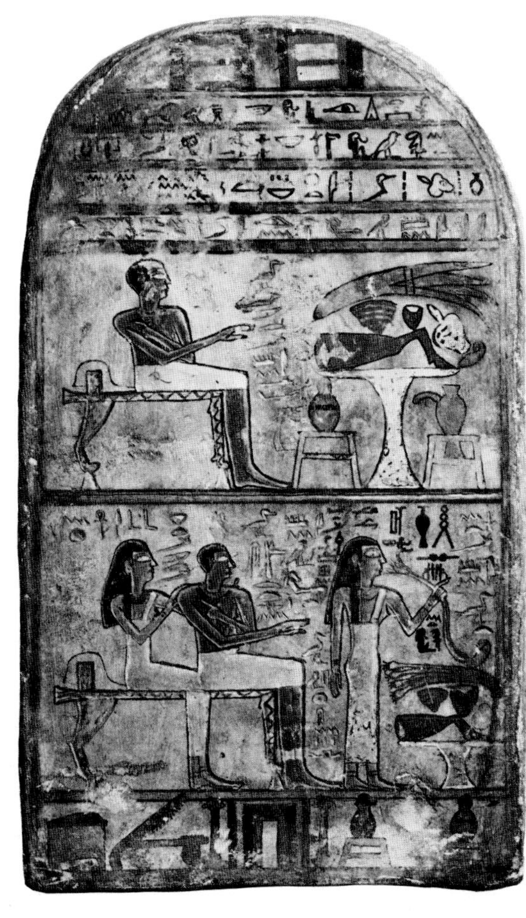

247 Rituel de l'embaumement

pyrus
ngueur : 42,5 cm ; hauteur : 15,7 cm
moitié du Ier siècle av. J.-C.

uvre : AE/N 5158
liographie :
Sauneron : Rituel de l'embaumement (le Caire 1952)
P. Goyon : Rituels funéraires de l'Ancienne Égypte (1972), p. 18-84

ans le grand public, la civilisation égyptienne évoque irrésisti- ement des images funèbres : sarcophages inviolés, momies sséchées dans leurs bandelettes... Pourtant les Égyptiens eux- êmes n'ont laissé que peu de documents concernant la pratique l'embaumement et la plupart de nos informations viennent s historiens grecs de l'Antiquité, en particulier Hérodote.
n ne connaît en effet que deux papyrus traitant de ce sujet ; premier est conservé au Musée du Caire ; le second, partenant aux collections du Louvre, est ici présenté. Tous ux semblent être des copies d'un original beaucoup plus ancien nt le rituel du Louvre n'a gardé que les derniers chapitres. Celui- mentionne le nom de son propriétaire, un certain Hor dont la ère était joueuse de sistre d'Amon. Le papyrus semble avoir é réellement utilisé par un embaumeur car il porte, en haut s pages, des notes écrites en démotique qui jouent le rôle un aide-mémoire. Le texte lui-même est inscrit en hiératique. se présentait sous l'aspect d'un manuel, comportant des ragraphes qui commencent par un titre tracé à l'encre rouge ubrique). L'ordre des paragraphes semblait être dicté par le roulement réel des opérations de l'embaumement : onction corps avec des huiles et des résines parfumées, dépôt des scères dans les vases canopes, pose des bandelettes de lin, rure des ongles, emmaillotement général du corps... Chaque ragraphe est composé de deux parties. L'une décrit les érations techniques exécutées par le praticien, et énumère les produits utilisés. La seconde est formée de textes liturgiques en rapport avec l'acte pratiqué.
Car la momification, accomplie par des prêtres, n'est pas seulement une technique de conservation du cadavre. C'est un acte rituel au cours duquel le défunt, à l'exemple du dieu des morts Osiris, accédera à la vie éternelle.

Traduction d'un paragraphe :

Emmaillotage des jambes

Or ensuite de cela, *quand on aura accompli le travail sur son thorax, à droite et à gauche, le chancelier divin (le prêtre embaumeur), les enfants d'Horus et les enfants de Khenty-en-irty passeront à ses jambes.*

Oindre les plantes de ses pieds, le bas de ses deux jambes puis ses cuisses avec l'huile du minéral qui fait noircir (?). Faire une seconde onction avec de l'huile précieuse. Emmailloter les doigts de ses pieds avec une bandelette et dessiner deux chacals sur deux linges... Envelopper ces pièces d'étoffes avec une bandelette de lin royal ; mettre quatre sachets de plante ankh-imy, de natron, et de bitume à l'extrémité de ses jambes ; faire adhérer avec de l'eau de gomme d'ébénier. Trois (autres) pour sa jambe droite, et trois pour sa jambe gauche...

Paroles à prononcer ensuite de cela

O l'Osiris, le père divin, le prêtre d'Amon roi des dieux, l'initié aux secrets, le prêtre pur Hor, justifié ! pour toi vient l'huile précieuse afin de régénérer ta faculté de marcher ! pour toi vient l'huile du minéral qui fait noircir afin que tes oreilles soient prévenues en tout pays, que vaste soit l'espace où tu marches sur terre, que tes pas soient larges dans les temples ; tu marcheras quand tu seras dans l'au-delà, tu sortiras et tu respireras en Abydos car l'étoffe des dieux est parvenue jusqu'à tes mains, le grand linceul des déesses jusqu'à ton corps... (d'après Goyon).
Les illustrations, au sommet du papyrus, correspondent à ce paragraphe.

C. Z.

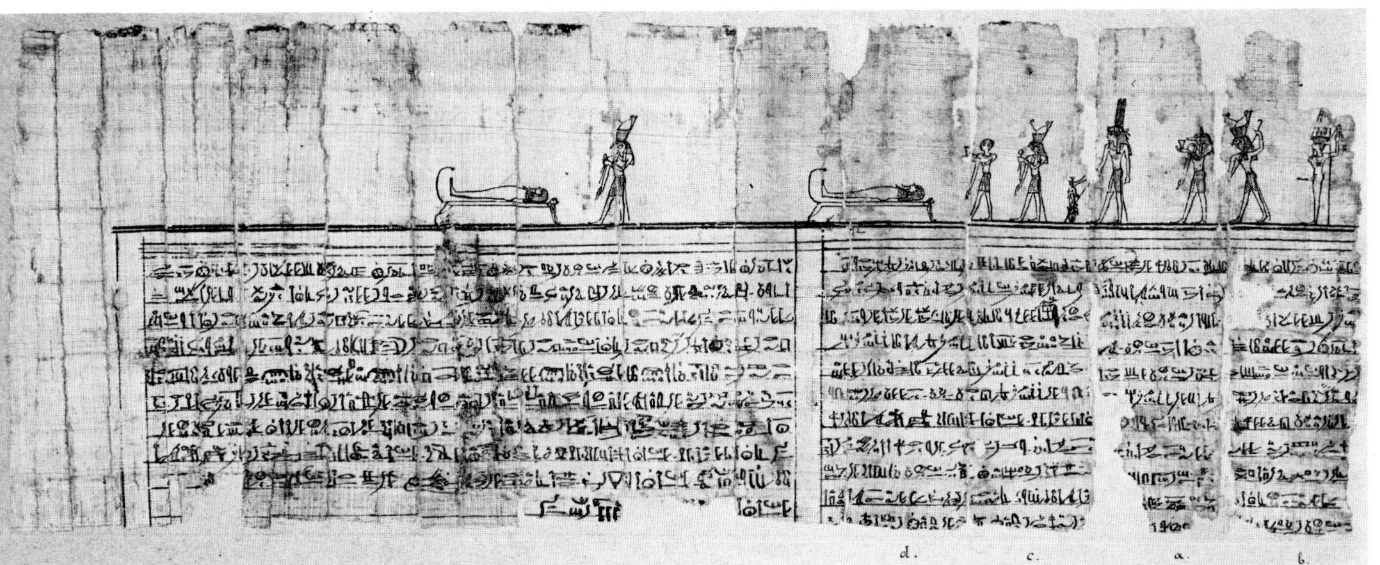

248 Momie de chatte enveloppée de bandelettes

Chatte momifiée ; bandelettes de lin ; masque en cartonnage
Hauteur : 39 cm ; largeur : 9,7 cm
Provenant probablement de Bubastis
Basse Époque

Louvre : AE/AF 9461
Bibliographie :
C. Desroches Noblecourt : La crypte de l'Osiris (1979), p. 15

Peuple très conservateur, les Égyptiens avaient gardé leur dévotion primitive envers les animaux, en l'amalgamant à des croyances nouvelles. Certains animaux étaient considérés comme l'incarnation sur terre d'un des multiples aspects du dieu (par exemple : le taureau Apis, incarnation du dieu Ptah). D'autres étaient élevés dans l'enceinte des temples consacrés à une divinité qui occasionnellement pouvait être représentée sous la forme de cet animal : ainsi des milliers de chattes vécurent à Bubastis, lieu saint de la déesse Bastet.
A leur mort, toutes ces bêtes étaient momifiées dans les règles de l'art, telles qu'elles sont décrites dans les rituels de l'embaumement. On ne peut qu'admirer l'adresse avec laquelle ont été disposées les bandelettes de lin emmaillotant le cadavre de cette chatte sacrée.

C. Z.

249 Traité de géographie religieuse « papyrus Jumilhac »

Papyrus
Longueur totale : 8,96 m ; hauteur : 26,5 cm ; longueur moyenne des feuillets : 42
Fin de l'époque ptolémaïque (vers 40 av. J.-C.)
Ancienne collection Sabatier

Louvre : AE/E 17110
Bibliographie :
J. Vandier : Le papyrus Jumilhac (1961)

Le papyrus auquel appartiennent les deux feuillets présent mesurait 8,96 m lors de sa découverte, mais le texte est incomple à l'origine il devait être beaucoup plus long. L'inscription hiératiq tracée avec un pinceau très fin, est disposée en colonnes lisant de droite à gauche. Elle est illustrée de nombreus vignettes dont certaines ont conservé les traces du croq préparatoire exécuté à l'encre rouge. Dans les marges quelqu annotations ont été portées en écriture démotique.
Ce document provient sans doute des archives d'un sanctua de Hardai, ville du XVIIIe nome de Haute-Égypte, entre El Hib et Tehneh. Les textes sont entièrement consacrés à l'histo religieuse de la région et nous font connaître ses dieux et s légendes ; ils donnent aussi de précieux renseignements géogr phiques. C'est ainsi qu'ils comprennent une liste de 31 sanctuair auquels se rattache tel ou tel épisode de l'histoire religieuse district. Les notices géographiques comportent également d indications très intéressantes sur la vie religieuse dans chac des sanctuaires de la région : elles énumèrent le titre du prêt du lieu, le nom de l'arbre sacré ou de la fête locale, les tabous Les documents de ce type sont extrêmement rares et d'u importance capitale pour la connaissance de la civilisati égyptienne. Ils nous permettent de mieux comprendre la natu et la formation de légendes locales qui appartiennent à un fo commun ; ils contribuent aussi à éclairer la géographie l'ancienne égypte.
Traduction :
« Quant au pavillon d'Anubis, maître de Dounâouy, son nom e « la maison royale », « le château brillant », « la maison de la joie « le château de la protection » ou « le château de l'œil oudjat — Quant au prêtre pur de ce dieu, son nom est « Setem

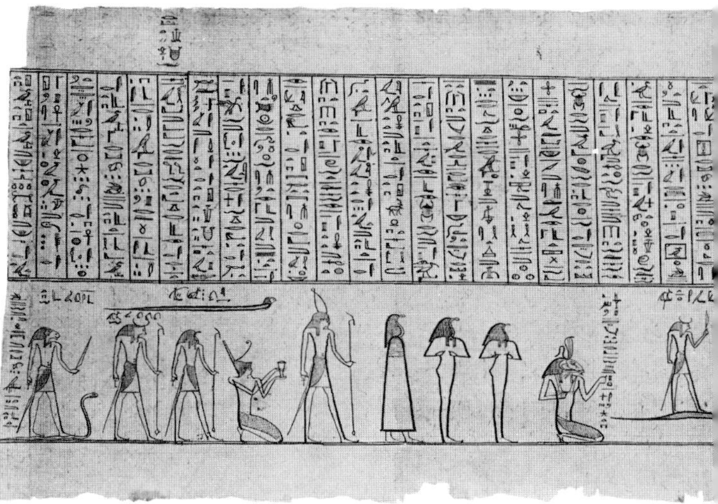

préposé aux secrets», «le Grand qui sonde les cœurs», «le hef des embaumeurs», Djésérirou, Neferâch, «le possesseur es deux ailes»...
- Quant au pavillon divin de ce dieu, son nom est Out, Set-tout-het, ou Zanebef...
- Connaître les noms de ce district :
Dounâouy,
Hardaï,
Hout Redjou, ...
1 Pegem.
- Expliquer les difficultés des noms de ce district :
Quant à Dounâouy, le faucon aux ailes éployées, c'est Chou, uand son âme, partant de ce lieu, s'est envolée au ciel, en ualité de Dounâouy, en présence de son fils Geb; c'est Horus errière son père Osiris.
Quant à Hardaï, c'est Horus qui est sur le trône d'Osiris, Seth tant sous lui.
Quant à Hout Redjou, c'est le château des humeurs de ce ieu auguste...
1 Quant à Pegem, c'est l'albâtre sur lequel on a façonné nsemble les chairs du dieu et c'est aussi la maison des andelettes de Paenmenou (?)...» (d'après Vandier).
es vignettes représentent le taureau sacré Apis, rapportant le orps démembré du dieu Osiris, accueilli par ses compagnes sis et Nephtys, ainsi que différents génies.

C. Z.

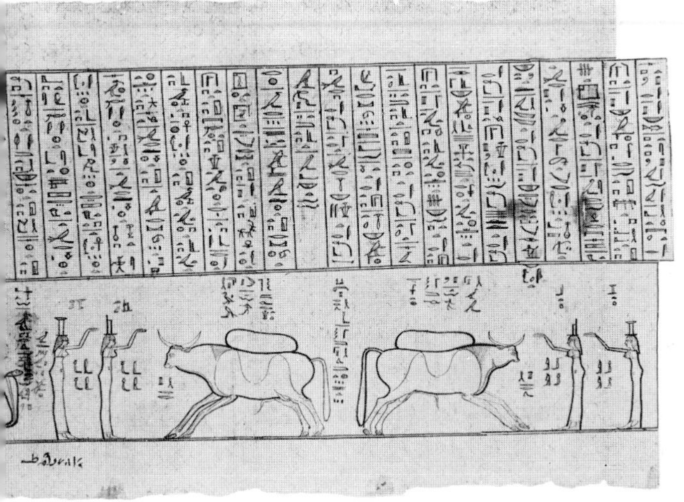

250 Hymnes aux dieux Osiris et Min

Calcaire
Hauteur : 106 cm ; largeur : 71 cm
Ancienne collection Salt
Moyen Empire (vers 1900 av. J.-C.)

Louvre : AE/C 30
Bibliographie :
Pierret : Recueil d'Inscriptions, II, (1874-1878), p. 59-60
Lichtheim, Ancient Egyptian Litterature, I (1973), p. 202-205, sur les hymnes en général, Barucq-Daumas, Hymnes et prières de l'Égypte ancienne (1980)

Les hymnes égyptiens se présentent sous la forme d'énumérations où se succèdent les différents épithètes du dieu, ses pouvoirs et ses lieux de culte. On y trouve également des allusions à certains épisodes de sa légende. Ce type de composition peut nous paraître monotone au premier abord mais

il dénote une recherche de style, avec des effets de symétrie, et la répétition de termes identiques au début de phrases qui peuvent être comparées à des vers.

Les hymnes gravés sur les deux faces de cette stèle éternisent la piété d'un trésorier-substitut nommé Sobekiry. Il est deux fois représenté adorant les dieux auxquels s'adressent ces hymnes : d'un côté le dieu des morts Osiris, enserré dans un linceul, de l'autre le dieu Min, divinité de la fécondité, coiffé de deux hautes plumes.

« Paroles dites par le trésorier-substitut Sobekiry né de la dame Sennou justifiée ; il dit :
Salut à toi, Osiris, fils de Nout
Maître des deux cornes, à la haute couronne
A qui furent données la couronne et la joie devant l'assemblée des 9 dieux,
Dont Atoum a répandu la crainte dans le cœur des hommes, des dieux, des esprits et des morts,
A qui fut donnée la souveraineté dans Héliopolis,
Grand d'apparence à Bousiris,
Maître de l'épouvante dans « les deux buttes »,
Grand de terreur à Rosetaou,
Maître de la crainte à Héracléopolis,
Maître de la force à Tenent,
Grand d'amour sur terre,
Maître de renommée dans le palais,
Grand de gloire à Abydos,
A qui la victoire fut donnée devant l'assemblée des 9 dieux,
Pour qui le massacre fut fait dans la grande salle de Hérour,
Que craignent les grandes puissances,
Pour qui les grands se lèvent de leur natte,
Dont Chou a répandu la crainte,
Dont Tefnout a créé la terreur,
Devant lequel les deux assemblées viennent plier l'échine,
Tant est grande la crainte qu'il inspire,
Et forte la terreur.
Tel est Osiris, roi des dieux,
Grand de puissance dans les cieux,
Maître des vivants...
Je prie Min, j'exalte l'Horus au bras levé.
Salut à toi, Min dans sa procession,
Toi dont les deux plumes sont hautes, le fils d'Osiris,
Né de la divine Isis,
Puissant à Senout, grand à Ipou,
Habitant de Coptos, Horus au bras robuste... »

C. Z

251 Le maître charpentier Didi et son fils présen-ant un hymne au soleil levant

alcaire peint
auteur : 31,5 cm ; largeur : 19,8 cm
eir el Medineh (région de Thèbes)
ègne de Séthi Ier ou de Ramsès II (vers 1300 av. J.-C.)

ouvre : AE/A 63
ibliographie :
M.I., 2 (1964) p. 712. La vie quotidienne (Metz, 1978), p. 60. Pour ce type de tatues, bibliographie donnée par Assman, Sonnenhymnen

:et ex-voto a été sculpté pour deux artisans qui exerçaient la rofession de maître charpentier vers 1300 av. J.-C.
e père et le fils se sont fait figurer agenouillés côte à côte, résentant une stèle qui porte l'image de la barque du soleil. Un ymne au soleil levant, disposé en 6 lignes est gravé au-dessous : *adorer le soleil quand il se lève à l'horizon oriental du ciel par e maître charpentier Pendoua, justifié, et son père le maître-harpentier Didi, justifié : salut à toi qui sors de l'océan primordial, ui éclaires la terre après ton lever, les dieux et les hommes 'acclament, ta mère la déesse Nout se réjouit ».*
:e petit texte populaire appartient à une série d'hymnes fréquents u Nouvel Empire, exprimant la vénération particulière qui 'adresse au dieu soleil. Les célèbres hymnes d'Amarna (pages ocumentaires) se sont inspirés du même thème en le traitant 'une façon beaucoup plus lyrique.

C. Z.

252 Harpiste chantant un hymne au soleil

Bois stuqué et peint
Hauteur : 29,5 cm ; largeur : 22,4 cm
XXIe dynastie (vers 1000 av. J.-C.)

Louvre : AE/N 3657
Bibliographie :
J. Sainte Fare Garnot : L'offrande musicale dans l'Ancienne Égypte, Mélanges Masson (1955), p. 89-92
C. Ziegler : Les instruments de musique égyptiens (1979), p. 99

Dans l'Ancienne Égypte comme chez la plupart des peuples civilisés, la musique tenait une grande place lors des cérémonies religieuses. C'est ce qu'illustre cette stèle, provenant sans doute d'une tombe, et qui représente un prêtre au crâne rasé et vêtu de lin blanc psalmodiant un hymne. Lèvres entrouvertes, il s'accompagne sur une harpe cintrée dont le sommet est orné d'une tête de pharaon. Son chant s'adresse au dieu solaire Réhorakhty, figuré sous l'aspect d'un homme à tête de faucon, coiffé d'un soleil flamboyant d'où jaillit un cobra. Si nous n'avons pas conservé la musique de cet hymne, les Égyptiens semblant avoir ignoré tout système de notation musicale, nous en connaissons au moins le titre qui est inscrit au-dessus de la harpe : *« adorer le soleil quand il se lève, par le chanteur d'Amon maître des trônes des deux terres qui réside à Thèbes, Djed-Khonsou-ioueфankh... »*

C. Z.

253 Dépôts de fondation d'Hatchepsout et de Thoutmosis III

Plaque de faïence verte. N 2267 = E 1877
14,3 × 8,2 × 1,3 cm
Plaque de faïence verte. N 2259 = E 1878
14,4 × 8,8 × 1,1 cm
Modèle de traîneau en bois. AF 9473
Longueur : 22,5 cm; largeur : 11,5 cm
Petit modèle de traîneau en bois. N 650 (10)
Longueur : 9 cm; largeur : 4,2 cm
Petit modèle de traîneau en bois. N 808 (2)
Longueur : 8,3 cm; largeur : 4 cm
Herminette : bois, cuivre et cuir teint en rouge. N 658
Hauteur totale : 13,2 cm; longueur de la lame : 12,4 cm; largeur de la lame : 2,2 cm
Herminette : bois, cuivre et cuir teint en rouge. AF 7034
Hauteur totale : 23,8 cm; longueur de la lame : 19,5 cm
Modèle de houe en bois. N 2253
Longueur de la grande branche : 14 cm
Simulacre d'herminette en bois. AF 9475
Longueur : 20,8 cm; hauteur : 4,7 cm
Simulacre d'herminette en bois. N 790
Longueur : 8,5 cm; hauteur : 3 cm
Petit vase d'albâtre. AF 9475
Hauteur : 7,8 cm; diamètre supérieur : 4,2 cm
Provenance : Temple d'Hatchepsout à Deir el-Bahari (collections diverses)
Vers 1490-1470
Bibliographie sommaire sur les dépôts d'Hatchepsout :
Cf. W. C. Hayes : The Scepter of Egypt, II, p. 84-88

La fondation des temples, des tombeaux et de certains édifices importants s'accompagnait d'une cérémonie, au cours de laquelle, après détermination de l'orientation par des visées astronomiques, le plan était tracé. Au cours de cette célébration, on enfouissait des objets et des offrandes sous les emplacements des murs et des sols, très souvent aux angles. La déesse Séchat, divinité des écrits et du savoir patronne la cérémonie. Sur les représentations, on la voit tendant le cordeau avec le roi.

Les objets enfouis sous les fondations évoquent les matériaux ordinaires ou précieux (briques, blocs, plaques, plaquettes), les outils de la construction (haches, herminettes, scies, burins), mais aussi les instruments de la cérémonie (pieu, maillet, houe pour creuser la tranchée, leviers pour mettre en place le bloc d'angle). On trouve également de nombreux récipients, des offrandes et des dépouilles d'animaux sacrifiés. Mentionnons, pour finir, des amulettes, des scarabées commémoratifs et des objets rituels : ainsi, un certain type d'herminette plate, qui est représenté ici, n'est probablement pas un outil; proche de l'instrument que l'on approche du visage de la momie pour la réanimer (rite d'Ouverture de la Bouche), elle a certainement une fonction symbolique : en effet, on connaît l'existence d'un rite d'« ouverture de la bouche » du temple, lors des cérémonies de fondation; celui-ci est assimilé à un être inerte qu'il convient d'éveiller à la vie.

Les dépôts de fondation trouvés dans le temple d'Hatchepsout à Deir el-Bahari sont parmi les plus riches et les plus beaux. Les objets, découverts lors de diverses fouilles, clandestines et officielles, sont maintenant dispersés dans plusieurs musées. Ceux qui sont présentés ici, s'ils proviennent tous du temple de la reine, ne font pas nécessairement partie du même ensemble. De petits traineaux en bois ont beaucoup intrigué les égyptologues; on les considère généralement comme les images d'engins ayant servi à traîner et à basculer les blocs de pierre. Notons toutefois qu'on ne les a jamais rencontrés ailleurs que dans les dépôts de fondation de Deir el-Bahari.

Tous les objets que l'on voit ici, portent une ou plusieurs inscriptions donnant, sous des formes diverses, les noms des souverains dédicataires, celui de l'édifice et celui de la principale divinité du temple. Elles sont gravées ou tracées à l'encre noire. Les plaques portent la formule simple : *« Le dieu parfait Maâtkarê doué de vie, de stabilité et de puissance »* et *« Le dieu parfait Menkheperrê doué de vie, de stabilité et de puissance »* (Hatchepsout et Thoutmosis III). Hatchepsout, régente du pays pour le compte de son jeune neveu, a dû, bien que prétendant elle-même au titre royal, l'associer à ses actes officiels. Une autre formule plus développée : *« Le dieu parfait Maâtkarê, aimée d'Amon qui règne dans Djeser-djeserou »* signifie pratiquement que le temple de Deir-el-Bahari, dont le nom est *« le Saint des Saints »*, a été consacré par la reine Hatchepsout à Amon, le dieu de Thèbes.

B. L.

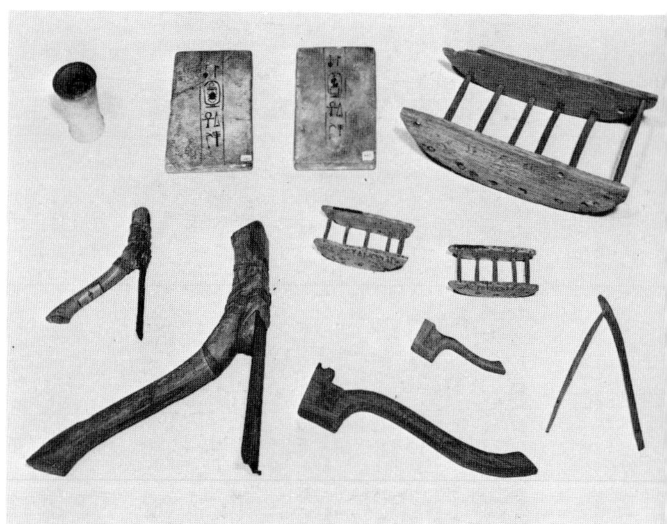

Écriture et magie

Si l'antique Égypte est considérée comme la terre des magiciens, c'est bien à juste titre. Les contes anciens nous disent que, dès l'époque des pyramides, le roi Chéops faisait appel à leurs talents pour se distraire : alors le mage Djédi repliait l'eau d'un lac comme un tapis, permettant aux jolies servantes d'y repêcher un bijou perdu sans qu'une goutte d'eau ne gâte leur toilette...
)ans beaucoup de civilisations, magie et vieux grimoires font bon ménage. C'est le cas en Égypte où les sorciers ont pour armes certains mots, et cherchent fièvreusement les papyrus qui transmettent leur secret. Il suffit de savoir les formules pour s'approprier leur pouvoir : lire un texte magique permet de l'utiliser à son profit.
Sur les figurines d'envoûtement, les inscriptions sont de première importance (cat. n° 254). Réciproquement, effacer un nom propre ou bien le transformer, maudit à jamais son propriétaire. Mais à côté de la magie noire, la plus renommée, il y a la magie bienfaisante : celle des clés des songes qui permettent de prévoir l'avenir, celle des textes funéraires qu'il suffit de connaître pour accéder à l'éternité (cat. n° 243), celles des papyrus protecteurs dont les formules écartent les dangers (cat. n° 256) et surtout la magie guérisseuse qui tient une place prédominante dans la médecine égyptienne (cat. n° 267). Les hiéroglyphes eux-mêmes peuvent être bénéfiques ou s'avérer dangereux : porter sur soi un collier dont les perles ont la forme du signe « nefer » est un gage de bonheur (cat. n° 89) ; mais dans les inscriptions des tombes les scribes mutilent quelquefois les signes humains ou animaux pour éviter qu'ils ne nuisent au défunt.
Aussi l'écriture tient-elle une place considérable dans la magie égyptienne. Celle-ci est avant tout question de mots ; elle reflète une croyance répandue dans beaucoup d'autres civilisations : le langage parlé ou écrit ferait partie intégrante des réalités qu'il nomme. Ainsi, peut-on agir sur les êtres vivants ou les objets en écrivant leur nom, en le modifiant ou en le faisant disparaître. De même prononcer une phrase du type « le serpent meurt » équivaut à le tuer réellement. Le fait que les signes hiéroglyphiques aient l'aspect de petites images représentant les réalités de l'univers donne à l'écriture égyptienne une efficacité supplémentaire. Indépendamment du sens des textes, c'est l'écriture tout entière qui est magique.

Christiane Ziegler

254 Statuette d'envoûtement

Bois ; restes de peinture (blanche et noire)
Texte écrit à l'encre noire en hiératique
Hauteur : 18,2 cm
Moyen Empire (vers 2000 ou 1900 av. J.-C.)

Louvre : AE/E 27204

Datant de l'Ancien ou du Moyen Empire, nous sont parvenues de nombreuses figurines représentant un homme dans l'attitude typique du prisonnier de guerre : debout ou à genoux les bras liés derrière le dos. De terre ou de pierre, ces images sont souvent très grossières, ramenées même parfois à l'apparence de simples plaquettes. Sur le corps, en écriture cursive, sont inscrits les noms et qualités de personnages dont la destruction est souhaitée.
Ce sont en général des ennemis du dehors, chefs de peuples de Nubie ou d'Asie et leurs bandes. Ces listes « exécratoires » nous fournissent sur la géographie, la langue de ces contrées des renseignements qu'on ne saurait souvent puiser pour cette époque à d'autre sources.
Mais à côté de ces étrangers figurent aussi des Égyptiens. A la place du titre que l'on donne aux chefs nubiens ou asiatiques est inscrit souvent le mot « mort ». Il semble donc bien qu'au même titre que les ennemis du sud ou du nord, ceux du dessous, du monde des morts, aient été si redoutables que

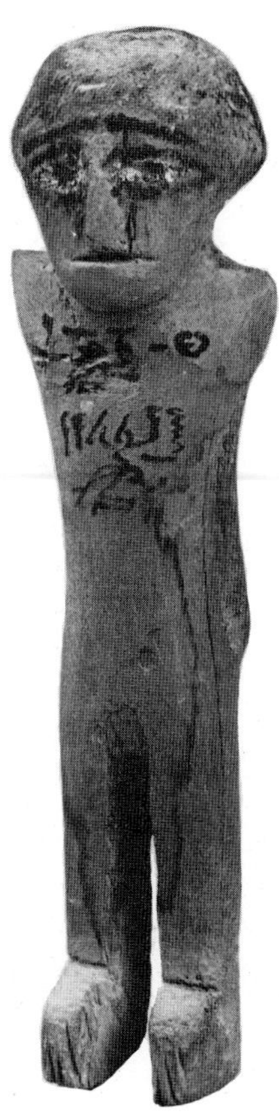

l'emploi des rites de la magie noire ait été contre eux un auxiliaire indispensable. Cette peur des morts insatisfaits est bien attestée à cette époque (voir les lettres adressés aux morts pour leur demander de cesser leurs tracasseries, comme le n° 255) et le recours contre eux à des formules magiques est courant à des époques plus tardives.

C'est à ce type que se rattache notre statuette : les bras, tirés derrière le dos, devaient être attachés aux coudes par un lien de toile disparu. Sur la poitrine est écrit :

« *Le mort Hénouy fils d'Intef.* »

Le déterminatif suivant les noms : un prisonnier ligoté, avec du sang jaillissant de la tête, ne laisse pas de doute sur le sort souhaité à ce malheureux Hénouy.

J. L. C.

255 Lettre à un mort

Terre cuite
Diamètre : 13,7 cm ; hauteur : 7 cm
Don 1869
Première période intermédiaire (vers 2200-2000 av. J.-C.)

Louvre : AE/E 6134
Bibliographie :
Piankoff-Clère : JEA XX, p. 157-69

Pour les anciens Égyptiens, les défunts avaient la possibilités d sortir de leur tombeau (cat. n° 244) et les histoires de revenar n'étaient pas rares. Un des moyens les plus simples d communiquer avec eux était de leur adresser une lettre. A la fi du IIIe millénaire av. J.-C., on adopta l'idée ingénieuse d'écrir cette correspondance sur les récipients déposés dans la tomb et contenant des offrandes. La teneur en est variée : plaintes menaces, appels à l'aide... C'est à cette dernière catégori qu'appartient la lettre ici présentée. Elle est écrite en hiératiqu sur la face externe d'un bol de terre cuite. Le début du text longe les bords du récipient et continue en décrivant une spiral qui s'achève à la base. Il s'agit d'un message adressé par un mère à son fils aîné défunt, nommé Méréri. La mère, en butt aux persécutions d'un personnage qui n'est pas désigné demande à son fils d'intervenir en sa faveur auprès des dieux
« *O Méréri, né de Merti ! Osiris te donne des millions d'année en octroyant à ton nez la brise, en te donnant du pain et de l bière aux côtés d'Hathor, la dame de l'horizon... tu t'opposes aux ennemis, mâle et femelle, qui ont de mauvaises intentions contre votre (?) maison, contre ton frère, et contre ta mère... Comme tu étais excellent sur terre, tu es excellent dans l nécropole... Sois, dans ton propre intérêt, le plus favorable de mes défunts, mâle ou femelle ! tu sais, « il » m'a dit : « je portera plainte contre toi et contre tes enfants ». Plains-toi, pour ta part vois tu es dans la place de justification.* » (d'après Clère).

C. Z

256 Décret oraculaire

apyrus
auteur : 46 cm ; largeur : 8,2 cm
égion de Thèbes
e-VIIIe siècle av. J.-C.

ouvre : AE/E 8083
ibliographie :
S Edwards : Oracular amuletic decrees of the Late New Kingdom (1960), p. 81-4

ous le nom de « décret oraculaire » on désigne de petits textes nagiques nombreux en Égypte du Xe au VIIIe siècle av. J.-C. e sont des lettres d'une espèce très particulière, adressées à es hommes, des femmes et des enfants appartenant vraisemlablement aux classes populaires. Rédigées par des prêtres, lles ont pour expéditeur les dieux de Thèbes, Amon, Mout et honsou, et d'autres divinités spécialement vénérées comme sis et Horus. Ces lettres mentionnent le texte d'un oracle rendu ar les dieux en faveur des personnes dont le nom est nentionné. La teneur en est surprenante : les plus grands dieux 'Égypte se penchent sur des problèmes concernant la vie de ous les jours : maladies, accidents de la circulation, dégâts ausés par la foudre ou la chute d'un mur, morsures d'animaux enimeux, mauvais rêves...
es anciens Égyptiens pensaient que ces calamités étaient nvoyées par les dieux. Un des moyens pour les éviter, était de orter sur soi ces petits papyrus magiques dans lesquels les ivinités assuraient leur protection contre tous les maux énunérés dans le texte. Alors que beaucoup de porte-bonheurs gyptiens tirent leur efficacité de leur forme et de leur couleur, i la protection est assurée par la magie de l'écriture.
(Amon, Mout) et Khonsou de Thèbes Neferhotep, les grands ieux, disent : je sauvegarderai Nestayerré, la fille de Hori, dont a mère est Tabekenmout, notre servante. Je la garderai en onne santé. Je ferai qu'elle ait de beaux rêves, je ferai que les utres rêves qu'un autre aura pour elle soient beaux...
e la sauvegarderai du crocodile, du serpent et des scorpions. e la sauvegarderai de toute gueule qui mord. Je la garderai de oute maladie, de la médisance, de l'injustice... je la sauvegardeai des démons Khayty et Chemay. Je la sauvegarderai du dieu u Livre « ce qui est dans l'année »... Je ferai prospérer ses erres, ses gens, son bétail, ses chèvres, et tous ses biens dans e pays de façon à ce qu'aucun dieu ni déesse du Nord ou du ud ne lui fasse de mal... Je sauvegarderai Nestayerré, la fille e Hori, dans toute espèce de voyage qu'elle fera. Je la auvegarderai en bateau... Je la sauvegarderai sur le chariot où lle montera. Je la sauvegarderai d'un mal de tête. Je la auvegarderai de la migraine. Je la sauvegarderai d'un mal de angue. Je la sauvegarderai d'un mal de l'œil. Je garderai en onne santé son cœur, ses poumons, son foie, ses reins et son entre tout entier.
Aout et Khonsou, les grands dieux disent : « Quant aux bonnes hoses dont l'énumération a été oubliée dans cet oracle, je les erai exister. Quant aux mauvaises choses qui n'ont pas été numérées, je la garderai sous ma tutelle chaque jour. »

C. Z.

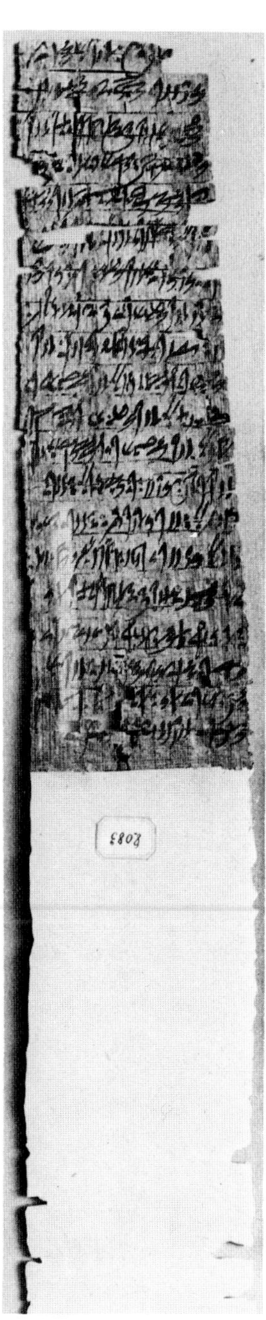

257 Pendentif ayant contenu un décret oraculaire

Or
Hauteur : 5 cm ; diamètre : 1,3 cm
Acheté en 1858
Xe-VIIe siècle av. J.-C.

Louvre : AE/E 3316
Bibliographie :
Bourriau-Ray : JEA 61 (1975) p. 257-258

Les petits papyrus portant les décrets oraculaires (cat. 256) étaient roulés très serrés et ficelés avec un fil de lin. On les plaçait dans un étui en cuir, de bois ou de métal précieux muni d'un anneau permettant d'y passer une cordelette. Leur propriétaire pouvait ainsi les suspendre à son cou et bénéficier en permanence de leur protection magique. Cet étui d'or porte lui-même une inscription dans laquelle le dieu Amon garantit sa sauvegarde à un personnage nommé Chaq.

C. Z.

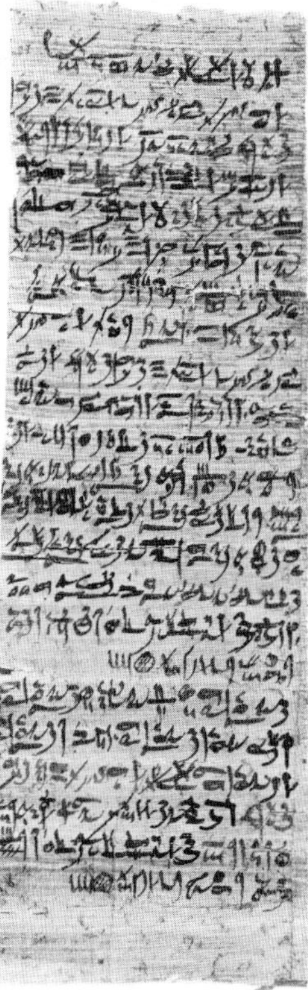

258 Formules de protection contre les ennemi

Papyrus
Hauteur : 19,5 cm ; largeur : 7 cm
Ancienne collection Anastasi
XXe dynastie (vers 1200-1150 av. J.-C.)

Louvre : AE/E 3239
Bibliographie sommaire :
Chassinat, R.T. 14 (1893), p. 13-17
Goyon, BIFAO 75, p. 351

Ce papyrus porte, en écriture hiératique, un extrait de « Révélations du mystère des 4 boules », rituel de protection d'Osiri contre son ennemi mortel Seth, personnifié par le serpen Apopis.
De là, ces formules en sont venues à être utilisées contre le ennemis en général, et, inscrites sur un petit papyrus roulé portées autour du cou à des fins prophylactiques par les gen du peuple.
Des parties de ce rituel sont gravées dans une des salles d temple d'Hibis à Khargeh (1re domination perse) et le ritue complet figure sur le papyrus New York MMA 35.9.21 (époqu ptolémaïque). On récitait ce rituel sur 4 boules d'argile qu'o jetait ensuite aux quatre points cardinaux. Chacune des boule était placée sous la protection d'une divinité. Ce papyru contient le texte de la « deuxième boule », dépendant de l déesse Bastet. Un exemplaire identique, conservé au Musée d Louvre, porte le texte de la « première boule » sous la protectio de la déesse Serket.
« Il est comme Seth, le furieux, le reptile, le serpent mauvai dont le venin, dans sa gueule, est de flamme, celui qui vient, s face (étant courroucée, ses yeux remplis de mensonge, pou commettre à nouveau, le grand crime, comme ce qu'il avait (déjà perpétré contre Osiris lorsqu'il (Seth) fit qu'il (Osiris) soit immerg dans l'eau du malheur, tous ses membres dispersés.
— Détourne-toi, détourne ta face, Seth, le reptile, le serpen mauvais, dont le venin, dans sa gueule, est de flamme ! Ne t'approche pas du corps du dieu, car tu es celui qui fait dire a sujet des quatre briques de faïence qui sont dans Héliopolis « Deux d'entre elles sont brisées en ce jour. »
Ta tête est frappée, tes os sont brisés, ton bâ est anéanti e toute place qui t'appartient, ton œil est obstrué, ta gueule es scellée, on te tue et tu meurs dans ton trou. Tu ne t'approche pas pour voir le grand dieu.
— Viens, dresse-toi, Osiris-à-la-tête-de-l'Occident ! Vois, le rebelles sont abattus — quatre fois.
En ton moment (de faire quelque chose) contre moi — deux foi
— Arrogant ! — deux fois — En ton moment contre mo Douloureux est l'instant en ton moment contre moi ! Héden, e ton moment contre moi c'est ton moment contre Seth, — l reptile, dont le venin, dans sa guele est de flamme — et se compagnons, c'est-à-dire ceux que repousse Rê.
— Viens, dresse-toi, Osiris-Sepa ! Vois, les rebelles sont abattu — quatre fois. »

F. v. K

259 Un recours à une voyante

stracon de calcaire écrit sur une seule face
,3 cm × 13,3 cm
ovenance thébaine. Deir el-Médineh ?
ate probable (d'après la paléographie) : XIXe dyn. (v. 1300-1200)

ollection particulière
bliographie :
Letellier : *La destinée de deux enfants...*, *Livre du Centenaire de l'IFAO, MIFAO V (1980), p. 127-133, pl. IX*

et éclat de calcaire porte une lettre, rédigée en écriture ératique. Son expéditeur, qui se nomme Kenenkhepech, adresse à une femme, à la suite d'un événement qui ne nous st pas précisé et qui a causé la mort de deux garçons : *Kenenkhepech dit à Inerouaou : Pourquoi donc ne t'es-tu pas ndue auprès de la voyante à propos des deux enfants qui sont orts, à ta charge ? Demande à la voyante, au sujet de la mort u'ont connue les deux enfants : est-ce leur sort, est-ce leur estinée ? Et tu consulteras à leur sujet pour moi et tu te éoccuperas de ma vie, à moi, et de la vie de leur mère. Quant dieu, quel qu'il soit, qu'on te (nommera)... tu m'écriras sur n identité...* » La dernière ligne, altérée par des cassures, est oscure.

e document est intéressant à plus d'un titre : d'abord, c'est n des très rares textes égyptiens qui mentionne une voyante mot utilisé a pour sens strict : « la savante »). Ensuite, enenkhepech fait allusion à la « Destinée » des enfants, c'est-dire au sort, impliquant la durée de vie, qui est fixé pour chaque homme, à sa naissance, par les puissances divines. Les Égyptiens pensaient que ce destin n'était pas intangible et pouvait être modifié en fonction de l'humeur des dieux.

L'auteur de la lettre, qui semble bien être le père, s'adresse à une personne qui a eu, à un moment donné, la responsabilité des enfants : est-ce en tant que servante, nourrice, voire sage-femme ? On ne peut le déterminer à coup sûr, car on ne nous dit rien sur leur âge. Un point est clair, en tout cas : Kenenkhepech craint qu'ils aient été victimes d'un maléfice et que celui-ci s'exerce à nouveau contre lui et contre la mère des garçons. L'allusion au dieu, dont il cherche à connaître le nom, devient alors claire : il souhaite conjurer le génie persécuteur qui aurait provoqué la mort des enfants, anticipant peut-être l'heure fixée par le destin.

Ces suppositions ne sont pas gratuites, car de telles croyances nous sont révélées par d'autres textes. Les « décrets oraculaires » (v. cat. 256) font état de préoccupations similaires. D'autre part, dans l'un de ces phylactères, on promet à la femme de la protéger contre l'éventualité d'une grossesse gémellaire. Cet événement pouvait légitimement être redouté, dans une civilisation qui ne maîtrisait pas complètement les techniques de l'accouchement, et donc être perçu comme une malédiction. Nos garçons, morts au même moment, semble-t-il, ne seraient-ils pas des jumeaux mort-nés ou décédés peu après leur naissance ? L'hypothèse est séduisante !

B. L.

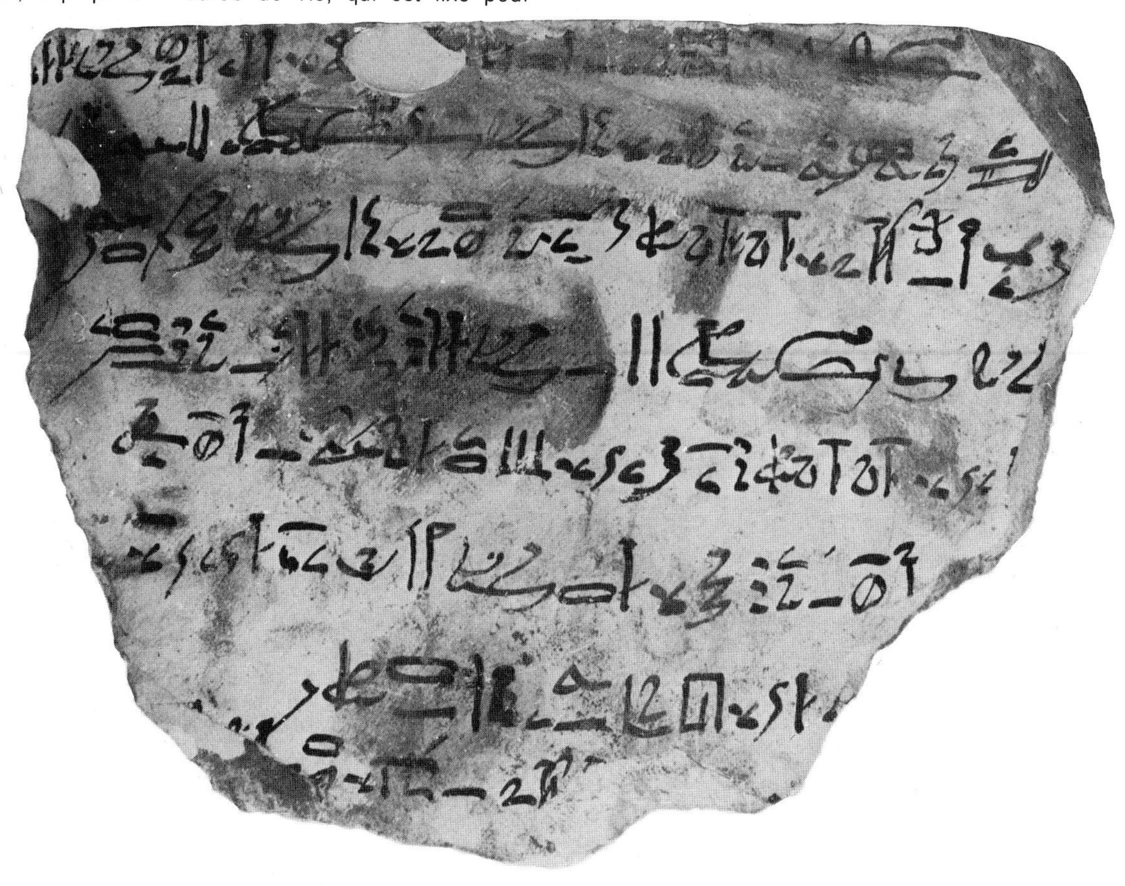

260 Statuette de Panthée portant des incriptions magiques

Bronze incrusté d'or
Hauteur : 28,8 cm ; largeur : 7,5 cm
Acheté en 1917
Règne de Psametik Ier (vers 660 av. J.-C.)

Louvre : AE/E 11554
Bibliographie :
Inédit (photo dans RdE VIII) ; sur ce sujet :
Sauneron, Le papyrus magique illustré de Brooklyn — Ägyptische Kunst (Catalogue de vente Bâle, 1981) n° 61, p. 26-27

Cet être monstrueux, qui n'est pas sans évoquer le démon oriental, Pazuzu (cat. 204), est appelé « Panthée » par les égyptologues. Muni de quatre bras et d'un masque de Bès (cat. 267), il possède quatre ailes et une queue de faucon. Les mufles d'animaux qui hérissent sa tête, les serpents dressés sur ses jambes, le soleil qui flamboie sur sa coiffure et la multitude d'yeux gravés sur tout le corps sont maintes fois décrits dans les papyrus magiques.

Sous cet aspect menaçant se cache une divinité protectrice q met ses pouvoirs au service d'un haut dignitaire du roi Psamé tik Ier nommé Pakharou, comme l'indique une ligne d'inscriptio gravée sur le socle. Celui-ci est entièrement recouvert de texte magiques évoquant ce génie qui incarne les forces destructrice de différents dieux. Ici il s'agit de l'émissaire d'Horus le Gran dont on peut lire le nom sous les pieds de la statuette. E colonnes serrées se succèdent les hymnes, la liste de ses nom et de ses formes, l'évocation de sa puissance (il a 100 coudée de haut...) et de ses pouvoirs effrayants (une flamme dévo rante...), l'énumération des ennemis contre lesquels il protèg (le démon « mangeuse de l'occident », la truie malfaisante...) *« O cet âme vivante de Ré, cachée le jour, émergée de l'ea primordiale, qui chasse les ténèbres par son apparence, qu repousse les nuées du ciel, qui crée le jour et fait la lumière celui qui s'est créé lui-même à partir de l'eau primordiale... »*

C. Z

criture et vie intellectuelle

 Égypte, l'invention de l'écriture et son utilisation par une sse de lettrés, les scribes, ont permis, dès l'époque des ramides, l'épanouissement d'une culture de très haut niveau. stinés à l'administration, mais aussi prêtres et savants, les ribes constituent un public cultivé qui stimule la création ientifique et littéraire. C'est d'ailleurs dans leur cercle que se crutent principalement les auteurs. La postérité retient leur m, répété de bouche en bouche avec vénération. Les scribes nsmettent aussi le savoir aux jeunes générations en le fusant autour d'eux dans les écoles ou les temples.
est principalement à travers l'enseignement que nous con- issons la vie intellectuelle de l'ancienne Égypte : on y a trouvé des milliers d'exercices d'écoliers, mais aussi des anuels, des recueils de morceaux choisis (les « miscella- es »), une liste de signes, un dictionnaire bilingue, des cyclopédies raisonnées (« les onomastica »)... Les fonde- ents de la culture des temples nous sont donnés par les ventaires des ouvrages conservés dans les « maisons des res » et par les documents retrouvés sur place : rituels, traités astronomie et de médecine, textes littéraires et recueils de ots classés, recettes des laboratoires... Les disciplines litté- res tenaient une grande place et pour cette raison nous avons nservé les chefs-d'œuvre, et quelquefois le nom des premiers rivains de l'humanité. La littérature égyptienne est d'une hesse insoupçonnée et allie les genres les plus divers : aximes de morale, hymnes aux dieux et aux rois, contes storiques et récits d'aventures, chants d'amour, poésie épique, oles... (pages doc.). Les recueils de morceaux choisis font une ace considérable aux textes anciens, et, dans la vie intellec- elle comme dans les autres domaines, on trouve une tendance rmanente de la civilisation égyptienne : le respect de la adition. Cette foi illimitée dans les écrits du passé peut être un ein, et par exemple des disciplines comme les mathématiques la médecine ne progresseront guère après le Moyen Empire ers 2000 av. J.-C.). Cependant la conquête d'un empire iental durant le second millénaire mettra l'Égypte en contact ec d'autres civilisations évoluées ; dans le domaine intellec- el, elle en tirera profit en adoptant des termes nouveaux et en rfectionnant sa connaissance des langues étrangères.
 les textes scientifiques connus sont en plus petit nombre que s écrits littéraires, ils abordent les domaines les plus variés : athématiques, médecine, astronomie... ils sont déroutants pour esprit moderne car ils associent des données extraordinai- ment exactes (calcul de la surface du cercle, du volume de la ramide, diagnostics de chirurgie osseuse...) avec des phéno- ènes relevant de la magie et de la superstition. D'autre part, s « sciences » égyptiennes sont avant tout utilitaires et la cherche n'est pas désintéressée. Il en va de même pour la ographie et l'histoire qui combinent à des considérations rement religieuses des résultats exacts exigés par les besoins lministratifs : la mesure du Nil, l'ampleur de ses crues, nventaire des villes et des provinces, celui des domaines de ands temples, la liste des pays étrangers versant un tribut au araon...
ans l'enrichissement et la transmission des connaissances, criture hiéroglyphique a joué un rôle fondamental. Instrument cessaire à l'administration d'un royaume centralisé, l'écriture présente beaucoup plus que cela aux yeux du lettré. C'est un oyen de transmettre à travers les âges la sagesse des temps primitifs ; c'est aussi une voie sûre pour accéder à l'immortalité. C'est en ce sens qu'il faut comprendre la vénération des Égyptiens pour le texte écrit et leur respect aveugle de la tradition.

Christiane Ziegler

Littérature

261 Deux feuillets de « l'enseignement de Ptahotep »

Papyrus
Hauteur : 12 à 14 cm ; longueur totale : 7,05 m
Longueur d'un feuillet : 68 à 83 cm
Thèbes
Texte remontant à l'Ancien Empire (vers 2400 av. J.-C.)
Copie faite au Moyen Empire (vers 2000 av. J.-C.)

Bibliothèque Nationale :
« Papyrus Prisse »
Bibliographie sommaire :
Zaba : Les maximes de Ptahotep (1956)
Lichtheim : Ancient Egyptian Litterature, I, (1973), p. 61-80

Écrites sur un papyrus long de 7,05 m, les 37 maximes de Ptahotep appartiennent à un genre littéraire très ancien qu'on appelle des « Sagesses ». Elles se présentent en général sous la forme d'une énumération de conseils donnés par un père à son fils, que ce dernier soit un simple fonctionnaire ou un prince héritier. Elles reflètent l'expérience de toute une vie et on y trouve pêle-mêle des passages dignes d'un manuel de savoir vivre (ne prend pas la meilleure part à table !), des conseils sur la manière de se conduire avec ses supérieurs (respecter la hiérarchie, se soumettre à l'autorité, ne pas contredire son patron...) et aussi une règle de conduite. Les qualités dont doit faire preuve l'Égyptien antique tout au long « du chemin de vie » sont diverses : modération, discrétion, contrôle de soi, gentillesse, générosité, justice, loyauté...
Ces sagesses sont attestées dès l'Époque des Pyramides et on se transmet le nom de leur auteur de génération en génération. Elles constituent un des fondements de l'enseignement : les écoliers les apprennent dès leur plus jeune âge (cat. n° 300). Le contenu des sagesses égyptiennes atteint au début du premier millénaire av. J.-C. une grande élévation morale et certaines sentences leur sont empruntées par la Bible. Car, comme le reconnaissait un prince du Liban qui vivait vers l'an 1000 av. J.-C. « c'est d'Égypte qu'est sortie la sagesse pour atteindre le pays où je vis... »
Commencement des préceptes de la bonne parole que prononça le prince, le comte, le père divin, l'aimé du dieu, le fils aîné véritable du roi, le maire de la ville et vizir Ptahotep, pour instruire l'ignorant en science et méthode de paroles excellentes, choses profitables à celui qui écoutera, chose nuisible à celui qui l'enfreindra.
Il dit à son fils :
1 - Ne sois pas orgueilleux de ton savoir
Consulte l'ignorant et le sage ;
Les limites de l'art ne sont pas atteintes,
Aucune esquisse n'est parfaite.
La bonne parole est aussi cachée que la pierre verte
Mais peut être trouvée parmi les servantes qui moulent le grain.
2 - Si tu rencontres un opposant en action
Un homme puissant, qui t'est supérieur,
Plie le bras, courbe le dos
t'animer contre lui ne fera pas qu'il soit d'accord avec toi.
Fais peu de cas de ses mauvaises paroles

En ne le contrariant pas dans son action ;
On dira de lui que c'est un ignorant
Ton contrôle de toi l'emportera sur sa prolixité.
...
5 - Si tu es un dirigeant
Qui dirige les affaires de beaucoup d'autres
Tends à chaque espèce de bienfaisance
De façon à ce que ta conduite soit sans blâme.
Grande est la justice, durable dans ses effets,
Incontestée depuis le temps d'Osiris.
On punit celui qui transgresse la loi
Bien que l'homme avide n'y prenne garde. La bassesse peut saisir les riches,
Mais jamais le crime n'atteind son port ;
A la fin c'est la justice qui demeure...
6 - Ne complote pas contre le peuple,
Dieu punit d'une chose pareille.
Si un homme dit « je vivrai de cela »
Il lui retirera le pain de la bouche...
7 - Si tu es parmi les invités
A la table d'un plus important que toi,
Prends ce qu'il te donne comme c'est placé devant toi ;
Regarde en face de toi,
Ne le regarde pas fixement...

C.

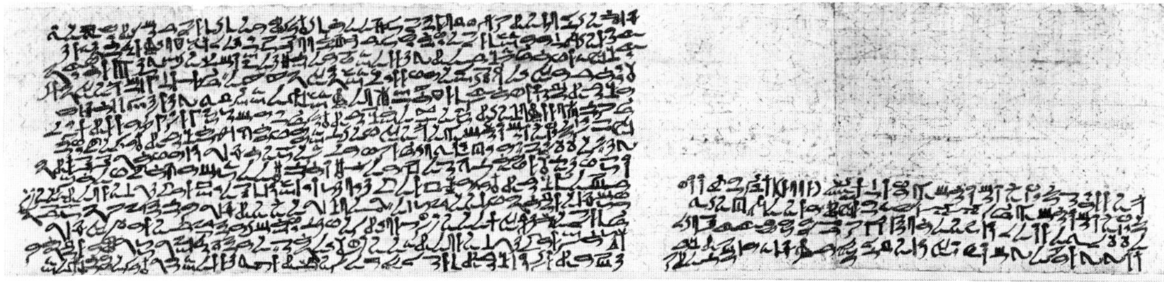

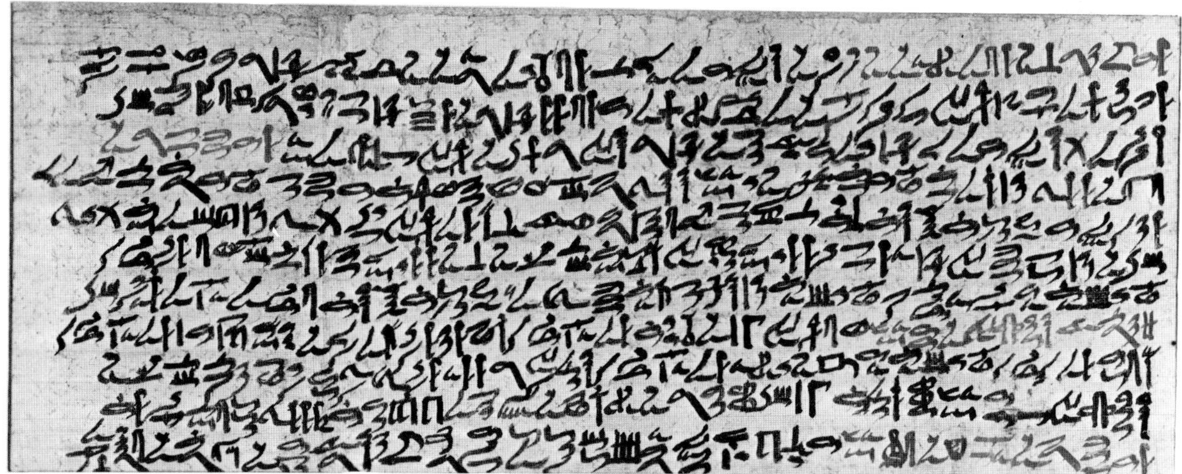

262 Enseignement loyaliste

›yrus
ıgueur : 37,5 cm ; hauteur : 16 cm
ı
eu de la XVIIIe dynastie (vers

ıvre : AE/E 4864
›liographie :
sener : L'Enseignement loyaliste (1976)

›us le nom d'Enseignement loyaliste, on désigne un certain mbre de textes dérivant probablement d'un modèle commun abli au début de la XIIe dynastie (vers 1990 av. J.-C.). Aucune pie complète n'est parvenue jusqu'à nous et une traduction ivie n'a pu être établie qu'en combinant des inscriptions ›chiffrées sur une stèle, une tablette en bois, trois papyrus, et exercices sur calcaire... Cet enseignement, qui se présente ›us forme d'instructions à la jeunesse, combine une glorifica-›n du pharaon et une « sagesse » de type traditionnel (cat. 261), essentiellement axée sur les rapports entre maître et ›rviteurs. En fait les deux sujets sont complémentaires et ›nstituent un modèle de conduite à l'usage des classes aisées. bien-être de ces dernières dépend en effet de leur loyauté l'égard du pharaon, leur maître, mais aussi de la docilité du ›uple qui travaille pour eux.
ors que la glorification du pharaon s'exprime en termes ›étiques, comparables aux hymnes religieux, on retrouve, ›rès une exhortation à suivre les conseils de l'auteur, le style opre aux « sagesses » : goût pour les balancements à l'inté-›ur des phrases, parallélisme des sujets traités, ou au contraire ›positions frappantes...

« C'est sa puissance qui combat pour lui,
;a) férocité impose son prestige.
›illant sur...
est fondé sur l'adoration de
ı beauté.
Il révèle la nature (?)...
... son cœur.
C'est la vie pour celui qui lui
adresse des louanges,
Ses ennemis seront réduits à...
(Leurs) cadavres...

Le roi est la subsistance, sa
bouche est la Nourriture ;
Celui qu'il élève...
C'est l'héritier de tout dieu,
Le défenseur de ceux qui l'ont créé.
Ils frappent pour lui ses ennemis,
Alors que Sa Majesté est
dans son palais.
C'est Atoum pour celui qui
rattache les cous ;
Sa protection est derrière celui
qui assoit sa puissance.
C'est Khnoum de tout le monde,
Le géniteur qui crée les humains.
C'est Bastet, protectrice des deux pays...

Après des années encore, vous louerez ces préceptes
Car leur solidité assure le succès.
Un autre propos destiné à former (?) vos cœurs
Est plus utile que ceux-là à l'égard de vos serfs.
Soyez autoritaires avec les hommes, rassemblez les gens,
Puissiez-vous fixer les serfs travailleurs.
Ce sont les hommes qui créent ce qui existe,
On vit de ce qu'il y a dans leurs bras ;
Si on en manque, la pauvreté règne. »...
(d'après Posener)

C. Z.

263 Conte du roi Néferkaré et du général Sisené

Papyrus
Longueur : 37 cm ; hauteur : 15,5 cm
Ancienne collection Chassinat ; provient sans doute de la région de Thèbes
XXVe dynastie (vers 740 av. J.-C.)

Louvre : AE/E 25351
Bibliographie :
Posener : Rd'E, XI (1957), p. 119-137

La littérature de l'Ancienne Égypte comprend un certain nombre de contes comparables aux « Mille et Une Nuits ». On y voit se succéder des aventures où s'enchevêtrent le merveilleux et le burlesque. C'est le cas de ce papyrus, probablement écrit vers 740 av. J.-C. et qui relate les méfaits d'un pharaon vivant au temps des pyramides. Ce roi, nommé Néferkaré, est connu par les documents officiels. Il paraît avoir été un bien triste sire si l'on en croit notre document.
Celui-ci mentionne deux épisodes. Le premier met en scène un personnage inconnu, le « plaideur de Memphis », qu'on veut à tout prix empêcher d'obtenir justice en faisant du chahut au tribunal. Il semble que le monarque et son favori, le général Sisené, ne soient pas étrangers à cette manœuvre... Le second épisode narre, à la façon d'un roman policier, les relations coupables que Néferkaré entretenait avec son général : à la tombée de la nuit, un nommé Théti s'enhardit à prendre le roi en filature, afin d'avoir le cœur net sur certaines rumeurs circulant à Memphis. Il ne semble pas avoir été déçu par ses aventures nocturnes !

Ce conte léger, très irrespectueux pour le souverain, semb puiser ses origines dans une tradition populaire très ancienn Il éclaire de façon très inattendue les années précédant la chu de l'Ancien Empire.
... « Si le Plaideur de Memphis venait pour (s'expliquer) aupr du chef du tribunal, ce dernier (?) (faisait ?) chanter les cha teurs, jouer les musiciens, clamer les acclamateurs et siffler le siffleurs de sorte que le Plaideur de Memphis sortait, sans qu' aient écouté, et ils terminaient (?) en le « chahutant »...
Le Plaideur de Memphis s'en alla en pleurant très fort, se cheveux en...
... Alors (il aperçut) la Majesté du roi de Haute et Basse-Égypt Néferkaré s'en allant dans la nuit en promenade (?) solitair sans aucune personne avec lui. Alors il (Théti) s'éloigna de l (le roi), pour éviter qu'il (le roi) le vit. Théti fils de Hent se ti immobile en réfléchissant et en se disant : « Puisqu'il en e ainsi (?) c'est donc la vérité, ce qu'on raconte : il sort la nuit ! Théti fils de Hent suivit ce dieu sans que son cœur lui fit de reproches pour voir tout ce qu'il allait faire. Il (le roi) arriva à maison du général Sisené. Il lança une brique, et il frappa (du pied, sur quoi on lui fit descendre (une échelle ?). Il mont tandis que Théti fils de Hent resta à attendre jusqu'à ce que S Majesté sortit. Après que Sa Majesté eut fait ce qu'Elle ava désiré auprès de lui (le général), elle se dirigea vers son pala et Théti La suivit. Quand Sa Majesté eut pénétré dans la Granc Demeure, Théti regagna sa maison... » (d'après Posener)

C.

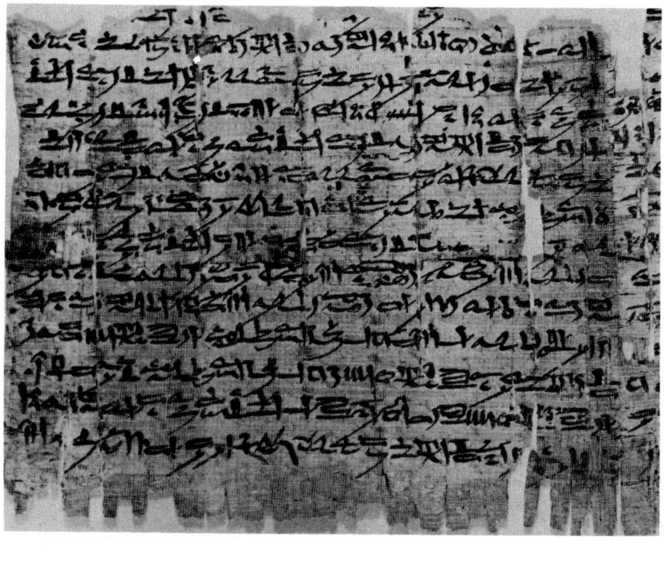

·ciences humaines : géographie

264 Papyrus « des mines d'or »

ɔngueur totale supposée : 2,82 m ; hauteur : 41 cm
ɔnservé en grands fragments : le premier fragment de gauche est ici exposé
Xe dynastie (vers 1100 av. J.-C.)

usée égyptien de Turin, Collection Drovetti, n° cat. 1879, 1899, 1969
bliographie sommaire :
Goyon : Le papyrus de Turin dit « des mines d'or », ASAE, 49 (1949), p. 337 sq.

e papyrus représente une région du Ouadi Hammamat avec à auche les fameuses mines d'or, puis une longue route qui les lie à une carrière de basalte ; on peut le définir comme une arte à la fois topographique et géologique.
a description topographique appartient au type qui sera si pandu à Rome puis au Moyen Age sous le nom d'« itinera-um » : elle est orientée comme les itinéraires de façon à résenter en haut les éléments les plus importants du paysage lans notre cas avec le côté supérieur au Nord, bien que les gyptiens se soient généralement orientés face au Sud) ; elle présente le relief du terrain et les édifices qui sont dessus avec un profil « rabattu » sur la surface : les cartographes utilisèrent cette projection jusqu'au XVIIe siècle, époque à laquelle ils adoptèrent la projection orthogonale. Il n'est pas à l'échelle. Le dessin est complété par des commentaires en écriture cursive antique (ce qu'on appelle le hiératique) qui indiquent les localités et les distances qui les séparent.
La description géologique est faite avec des couleurs qui reproduisent les couleurs naturelles des zones : le rouge indique le granit ; le noir, le basalte, une pierre que les Égyptiens nommaient bekhen et qu'ils utilisaient pour les statues ; le marron, la terre ; le blanc, les édifices.
L'ensemble est si précis que la zone a pu être identifiée sur le terrain.
Dans la partie que nous exposons, les crêtes du Gebel alignées en quatre chaînes sont représentées par des profils ondulés ; en haut « les montagnes de l'or », de granit, avec les veines aurifères ; au pied de celles-ci, les petites maisons des ouvriers, et à droite un temple du dieu Amon ; dessous, une stèle du roi Séthi Ier, une citerne et un puits qu'on identifie comme l'actuel Bir Hammamat ; en bas, la route principale, jalonnée de rochers et de pierres.

S. C.

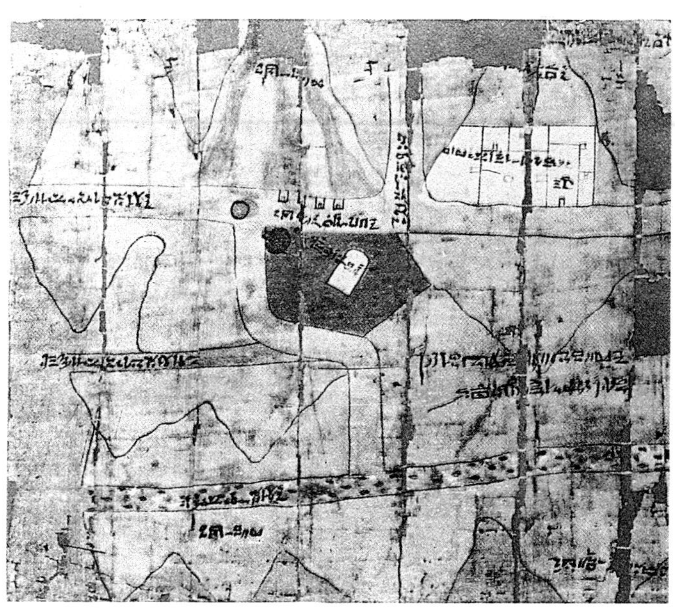

Mathématiques

265 Le papyrus mathématique Rhind

Papyrus
Longueur : 2 m ; largeur : 32 cm
Nécropole thébaine
Règne d'Aouserré Apophis, (vers 1600 av. J.-C.)

British Museum 10058
Bibliographie sommaire :
T. C. Peet : The Rhind Mathematical Papyrus (Liverpool, 1923) ; A. B. Chase autres : The Rhind Mathematical Papyrus (Oberlin, Ohio, 2 volumes, 1927, 1929, R. J. Gillings : Mathematics in the Time of the Pharaohs (Cambridge, 1972).

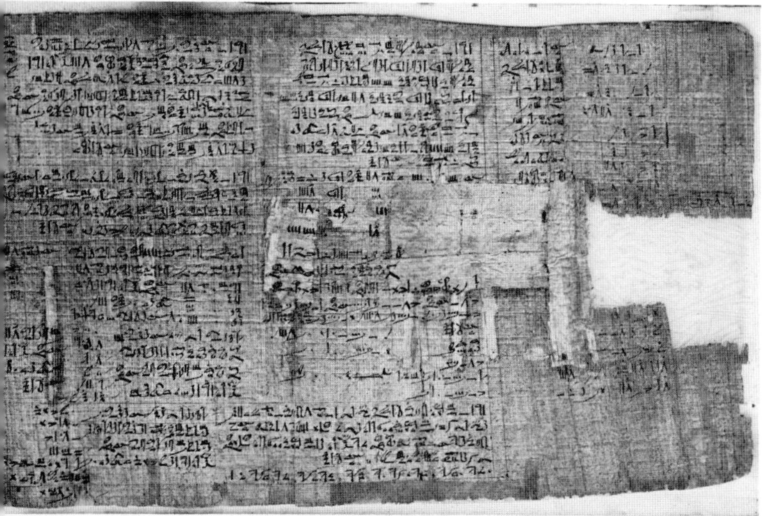

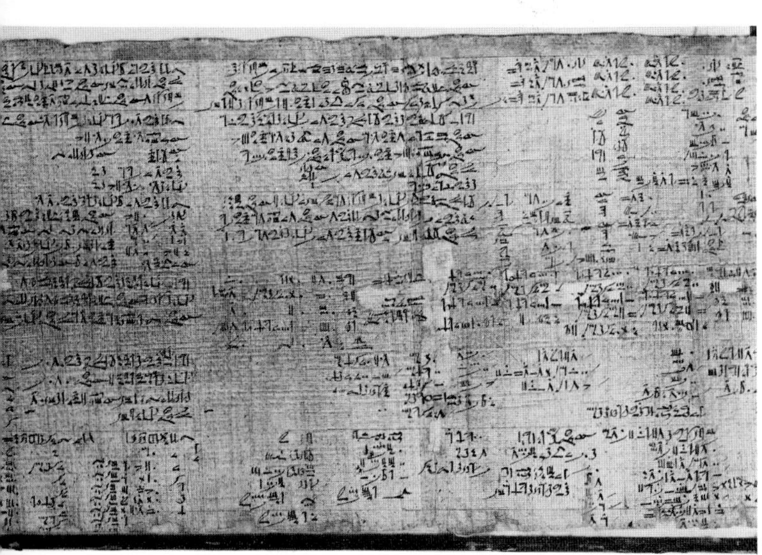

Le papyrus mathématique Rhind tire son nom d'Alexandre Henr Rhind, un homme de loi écossais, qui voyagea en Égypte a milieu du XIXe siècle, pour des raisons de santé. Il dirigea de fouilles dans la nécropole de Thèbes, et pendant son séjour Thèbes, il acheta de nombreux papyrus passant pour avoir ét trouvés près du Ramesseum, le temple funéraire de Ramsès I Grand.
Quand le papyrus mathématique fut acquis par Rhind, il était déj séparé en deux parties, et, pour cette raison, il est actuellemer présenté au British Museum sous les numéros 10057 et 1005E Une lacune d'environ 20 cm sépare les deux parties, et de fragments de cette lacune sont préservés au Brooklyn Museun à New York. Après son entrée au British Museum en 1864, l document fut monté sur du papier fort et placé dans deux sous verres. La première partie (10058), montrée à cette expositior est longue de 2 mètres ; la seconde partie (10057), non exposée, est longue de 2,95 mètres. A l'origine, la longueu totale du papyrus complet peut être estimée aux environs d 5,15 mètres. Cette longueur, qui diffère des premières lon gueurs publiées, a été mesurée après une récente restauratio des deux parties qui a impliqué de les séparer de leur suppo de papier.
Le titre du document, écrit à l'extrémité droite, de la parti exposée, établit qu'il a été écrit par le scribe Iahmès en l'an 3 de Aouserré Apophis, le grand souverain Hyksos de la XVIe dy nastie (vers 1600 av. J.-C.), étant copié sur un original écrit sou le règne du roi Amenemhat III de la XIIe dynastie (vers 1790 av J.-C.). Le texte a été décrit, de façon tout à fait erronée, comm un traité de mathématiques égyptiennes. C'est, dans un sens trè large, une compilation d'énoncés modèles montrant comment o peut les résoudre. La première section, qui concerne la parti ici exposée, contient une table donnant la division de deux pa tous les nombres impairs de 3 à 101. Il est tout à fait possibl qu'il ait été conçu comme une espèce de règle à calcul pour le scribes qui s'exerçaient. Les parties suivantes du documer contiennent des problèmes arithmétiques, des calculs de volume et de la surface du carré, du cercle et des triangles. A la fin sor résolus une série de problèmes mathématiques variés de natur pratique. La graphie du texte hiératique est très lisible, caractéris tique de la fin de la deuxième période intermédiaire ; les signe sont pour la plupart écrits isolément, avec peu de ligatures.
On a utilisé de l'encre noire et de l'encre rouge, cette dernièr étant employée pour les têtes de chapitre et pour mettre e valeur certains éléments dans la résolution des problèmes.

T. G. H. G

Médecine

266 Le médecin-chef Ramosé adorant les dieux

Calcaire
Hauteur : 47,4 cm ; largeur : 31,8 cm
XIXe-XXe dynastie (vers 1200 av. J.-C.)

Louvre : AE/C 62
Bibliographie :
Jonckheere : Les médecins de l'Égypte pharaonique, p. 58, nº 55

Le médecin-chef Ramosé est représenté deux fois sur ce petit monument qui éternise sa piété. On le reconnaît à son crâne rasé qui contraste avec les perruques des autres personnages. Sur le registre du bas, il est assis aux côtés de son épouse et fait face à ses parents. Dans la partie supérieure, il est sculpté à l'extrême droite et verse de l'eau bénite à quatre divinités alignées : Osiris, Isis, Horus et la reine Ahmès Nefertari.
Les inscriptions nous apprennent que Ramosé cumulait la profession de médecin-chef avec celle de scribe royal. Le fait n'est pas unique et l'on connaît aussi des praticiens associant des disciplines complémentaires : médecin et vétérinaire, médecin et prêtre exorciste... Comme la plupart du temps en Égypte, la profession était très hiérarchisée, allant du simple « médecin » au « commandant des médecins ». Il existait également des spécialisations et des affectations précises, à la cour ou dans l'administration. (Voir pages documentaires.)

C. Z.

267 Stèle magique portant un texte contre les crocodiles

Diorite
Hauteur : 14 cm
Ancienne collection Guimet
VI-IVe siècle av. J.-C.

Louvre : AE/E 20008
Bibliographie sommaire pour des objets identiques :
Seeles : JNES, VI (1947), p. 42-52
Jacquet : Brooklyn Museum Annual (1965-1966), p. 53-64
Jelinkova-Reymond : La statue de Djedhor, le sauveur

Souvent dressées dans les lieux publics, les statues guérisseuses et les petites « stèles d'Horus sur les crocodiles » étaient censées protéger des piqûres venimeuses et des animaux dangereux. Elles devaient leurs vertus magiques autant aux images qui les ornent qu'aux textes gravés sur toutes leurs faces. Le décor est inspiré par légende de l'enfant Horus, fils d'Isis et d'Osiris : malencontreusement piqué par un scorpion, il dut sa survie à l'intervention des dieux. Il est ici représenté en fort relief, piétinant un crocodile ; dans chaque main il maîtrise des bêtes redoutables : à droite, deux serpents et un oryx, à gauche un lion et un scorpion. Au-dessus de sa tête, on peut voir le masque grimaçant du dieu Bès. Les inscriptions qui recouvrent la stèle appartiennent au répertoire classique des textes magiques. Celle du dos est spécialement destinée à écarter les crocodiles, qui sont identifiés au dieu Seth, frère et meurtrier d'Osiris :
« O vieillard qui se rajeunit à son moment, patriarche qui fait jouvence, puisses-tu faire que le dieu Thot accoure à ma voix pour écarter pour moi « celui au visage hideux » (le crocodile)... ne levez pas vos têtes, vous qui êtes dans l'eau... vos bouches sont closes, votre gosier est bloqué. Arrière, ennemi, ne lève pas ta tête contre Osiris. »
On connaît le mode d'emploi de ces objets. Après avoir fait couler de l'eau sur les inscriptions, on recueillait le précieux liquide, tout imprégné des propriétés magiques des incantations. Il suffisait de le boire pour être immunisé ou guéri.

C. Z.

268 Ostracon médical

Terre cuite,
Hauteur : 8,5 cm ; largeur : 13 cm
Collection Anastasi, 1857
Numéro d'inventaire : E 3255

Bibliographie sommaire :
Jonckheere : Prescriptions médicales sur ostraca hiératiques, CdE 29 (1954), p. 46-61

Cet ostracon médical porte cinq lignes de texte écrit en hiératique à l'encre rouge et noire. C'est une liste de quatre remèdes administrés par fumigation dont deux concernent l'oreille. La traduction proposée par Jonckheere est la suivante :
« (Un autre) remède, un deuxième : corne de daim ; broyer finement. Une autre fumigation semblable à cela : excrément de crocodile, œufs fécondés de grenouille ; fumiger les oreilles (avec cela). Écailles de tortue ; fumiger les oreilles (avec cela). »
Nous remarquons par le début du texte que le premier médicament manque. D'ailleurs Deveria et l'inventaire signalent que c'est un fragment d'ostracon, provenant d'une pièce de comptabilité. La formulation de ces inscriptions indiquerait des prescriptions pour le même organe. L'identification et l'interprétation des termes des textes médicaux restent souvent problématiques. Les composants utilisés sont inhabituels en dehors des excréments de crocodile. Le papyrus Ebers (n° 764) préconise l'emploi de la corne de daim *« pour une oreille à court d'entendre »*. C'est l'unique mention connue jusqu'ici pour soigner la surdité que les égyptiens attribuaient aux vaisseaux par lesquels pouvaient entrer la vie ou la mort :
« Il y a deux vaisseaux en lui (allant) à son oreille droite : en eux entre le souffle de vie
il y a deux vaisseaux en lui (allant) à son oreille gauche : en eux entre le souffle de la mort » (Pap. Ebers, n° 856g). Deux autres passages sont énigmatiques : médicament pour *« éloigner un mort de l'oreille »* (Pap. Berlin, n° 71) et une onction pour une *« oreille ensorcelée »* (Pap. Ebers, n° 786). Sinon les égyptiens soignaient les écoulements, les affections inflammatoires et les otites par des procédés divers : pommade, boulette à introduire, injection ou compresse. Dans le domaine de la petite chirurgie ils recousaient le lobe et l'oreille déchirée. Nous ignorons quelles maladies otologiques s'appliquaient la fumigation.
Nous ne connaissons actuellement que quatre autres ostraca médicaux et pour deux leur provenance : Tell el Amarna et Deir el Medineh. Devant une documentation si pauvre nous devons rester dans le domaine de l'hypothèse quant à leur signification. Certains ont supposé qu'il s'agissait d'une ordonnance lorsqu'un seul remède figure sur l'objet. D'autres d'aide-mémoire pour le médecin en tournée pour qu'il se souvienne quels remèdes il devait fabriquer. Et pour la plupart, ce sont des exercices d'écriture. L'idée de l'ordonnance est séduisante mais fondée sur l'ostracon de Londres. Celui du Caire porte un remède pour le cœur au recto et un pour la toux au verso. Tandis que l'exemplaire du Louvre donne une série d'ingrédients pour les oreilles avec un mode d'emploi unique : la fumigation. Le fragment de Berlin, difficile à comprendre, contient au moins six remèdes dont trois mentionnent des onguents.
Jonckheere pense être en présence de recopies de manuscrits originaux par des médecins dans les « Maisons de Vie » pour compléter leur documentation. Ajoutons à cela la possibilité d'une étude ou recherche faite par un médecin ou un élève. Cette supposition d'une copie s'appuie sur une annotation qui figure sur l'ostracon de Berlin : *« véritablement excellent »*. Des commentaires similaires sur l'efficacité des médicaments se retrouvent sur les papyrus médicaux. Le médecin ne transmettait son savoir qu'à son héritier, ses remèdes devaient rester secrets. Si cette hypothèse paraît la plus plausible trop d'inconnues l'entourent encore.

G. L 

es écrits égyptiens de nature scientifique oncernent les mathématiques, l'astrono-ıie et la médecine. Leurs connaissances ans ces domaines sont empiriques.

.e calendrier et la mesure du emps

e calendrier

es Égyptiens possédaient trois calen-riers. Le calendrier lunaire qui remonte l'aube de leur histoire demeure jusqu'à Basse Époque parallèlement aux deux utres. Le calendrier civil existe au début u IIIᵉ millénaire où l'année est déjà de 65 jours qui se regroupent en 12 mois e 30 jours auxquels sont ajoutés 5 jours ar rapport au calendrier astronomique de 65 jours 1/4. Au bout de 1460 ans les eux calendriers coïncident à nouveau.

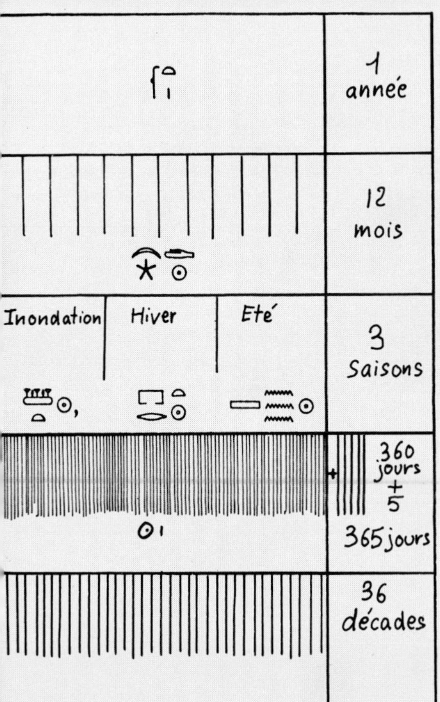

.'heure

.a journée égyptienne est divisée en vingt-quatre heures, douze heures pour le jour it douze heures pour la nuit. Les « horo-ogues », nom donné par les Grecs aux prêtres-astronomes égyptiens, attachaient beaucoup d'importance au temps car il ythmait le culte journalier dans les temples it lors des grandes fêtes. C'est pourquoi es heures ont reçu des noms religieux. En dehors de cette catégorie les Egyptiens semblent avoir été peu soucieux de préciser l'heure exacte, rares sont les récits qui le font. Dans la vie quotidienne le soleil restait sans doute la meilleure montre. Les instruments de mesure du temps faisaient partie du mobilier divin.

La clepsydre

Cette clepsydre votive qui est une copie d'une plus ancienne du Moyen Empire (environ 1300 av. J.-C.) est une « horloge à eau ». Percée au fond, sa forme conique donnait à l'eau une pression constante qui permettait ainsi son écoulement régulier. Des graduations à l'intérieur indiquaient l'heure, et à l'extérieur avec le nom des mois un décor symbolique. Il y a douze intervalles pour les heures nocturnes d'été et quatorze intervalles pour les nuits plus longues de l'hiver. A l'époque romaine les clepsydres sont utilisées dans les plaidoiries et, dans les textes, nous trouvons les expressions suivantes : « donner de l'eau » = donner du temps ; « perdre de l'eau » = perdre du temps... Jules César les employait pour organiser les gardes de nuit de ses troupes. Au VIIIᵉ siècle c'est un cadeau princier. Charlemagne en reçoit une qui donnait l'heure, le jour du mois, les phases de la lune, les signes du zodiaque. Elle sonnait même les heures.

Les « horloges à ombre »

Précise uniquement aux alentours de midi.

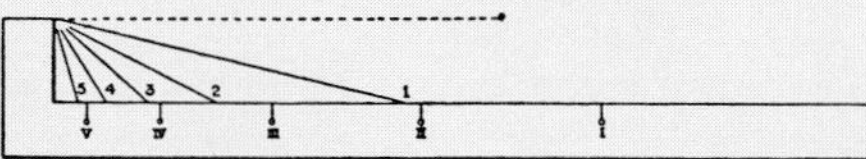

Sa forme ramassée par rapport à la précédente la rend plus exacte pour les ombres étirées du soleil couchant. Mais elle ne peut être utilisée que le soir ou le matin, à moins d'être retournée.

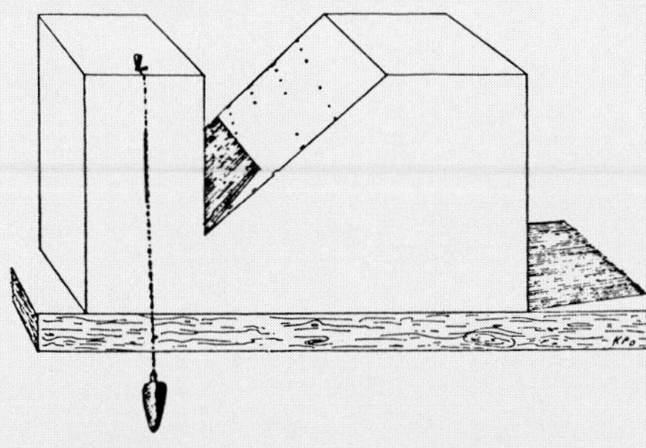

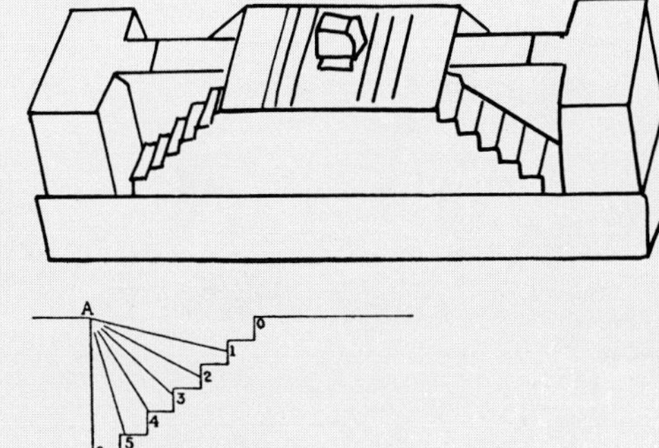

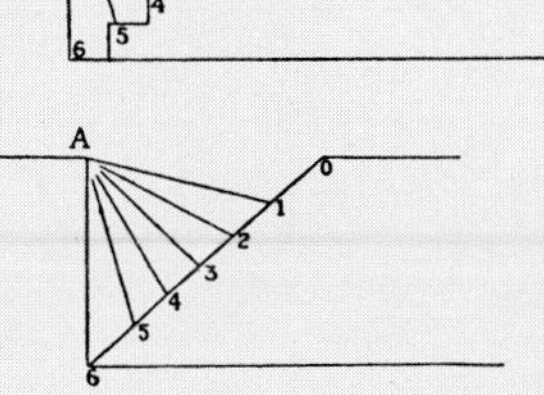

Celle-ci peut servir le matin comme le soir.

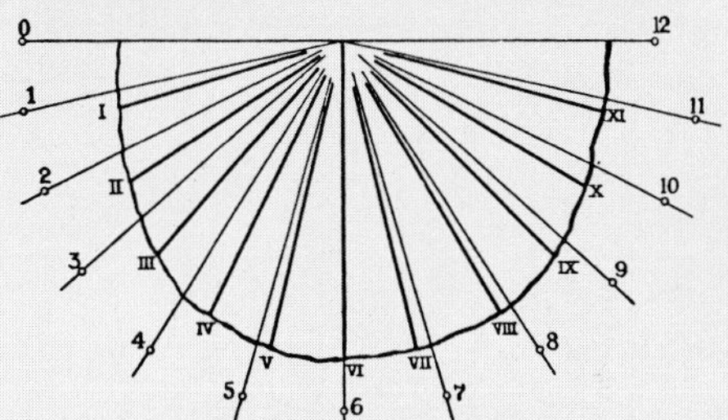

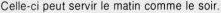

Le cadran solaire est une amélioration des « horloges à ombre » car ce n'est plus la longueur de l'ombre mesurée qui compte mais sa direction. Ainsi c'est aussi précis à neuf heures qu'à dix-huit heures.

La visée astrale

Permet de connaître l'heure pendant la nuit, la date et l'orientation des temples à bâtir. Observons le groupe de gauche : le personnage placé au nord dans la direction de l'étoile polaire lui tourne le dos et tient une
fig. 1 équerre « bay ». L'observateur placé au sud effectue la visée au moyen d'une règle
fig. 2 fendue, le « mekhet », et d'un « bay » ; son compagnon sert de point de repère. Sur un tableau le prêtre-astronome lira qu'à telle heure, une étoile se trouvera au-dessus de son œil droit et à une autre, à gauche de son épaule. Ainsi des tables établies à l'avance sur une durée de quinze jours donnaient les positions de chaque étoile aux douze heures de la nuit. Les Égyptiens notèrent donc que des constellations apparaissaient régulièrement aux mêmes heures pendant dix jours, d'où leur nom, décan. On en totalise trente-six. Ces listes constituent les plus anciens textes astronomiques connus actuellement car les premiers remontent à la IXe dynastie (environ 2150 av. J.-C.) inscrits sur des sarcophages. Nous les retrouvons dans les tombes royales de Ramsès IV, Ramsès VII, Ramsès IX puis sur les plafonds astronomiques de temples ptolémaïques et romains. A cette époque tardive furent introduits les signes du zodiaque. Les Égyptiens distinguaient cinq planètes dont Mars et ils connaissaient : la Grande Ourse, le Cygne, Orion, Cassiopée et quelques groupements stellaires. Par contre, les phénomènes célestes leur étaient peu connus en dehors des éclipses.

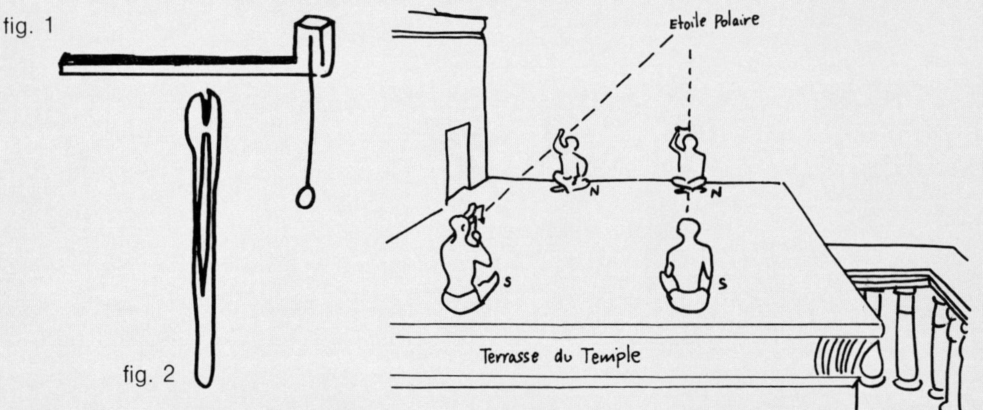

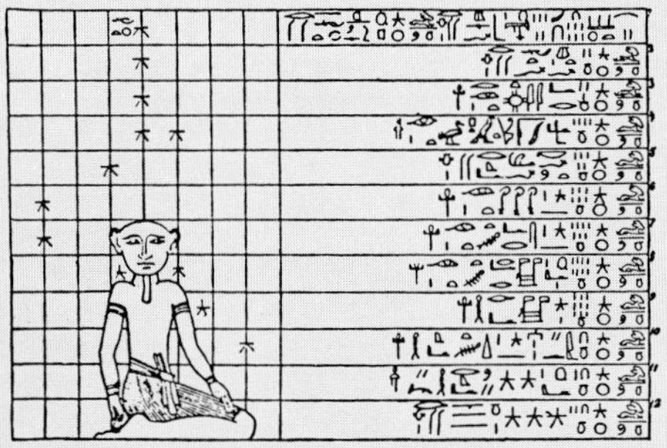

Le Papyrus Rhind regroupe 84 problèmes avec leur solution et à son début des divisions de 2 par des nombres qui vont de 3 à 101.
Exemples :

1. Un récipient circulaire a 9 coudées de haut et 6 de diamètre. Quelle est la quantité de maïs qu'il peut contenir ?
2. Méthode pour calculer la surface d'un terrain qui a 9 khet de diamètre ?
3. Une pyramide dont le côté mesure 140 unités de longueur, 5 palmes et un doigt de pente. Quelle est la hauteur verticale de la pyramide ?

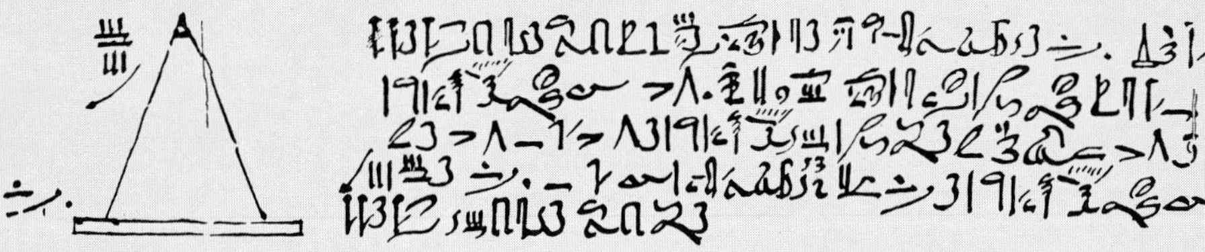

▲ Problème mathématique: trouver la hauteur d'une pyramide dont on connaît la base et la pente

Les mathématiques

Les débuts de cette science commencer sans doute avant le premier document qu l'on possède. Nos connaissances actuelle reposent en partie sur deux papyrus asse complets et quelques fragments. Ils dater presque tous du Moyen Empire. Ces texte ne donnent pas des règles mathématique mais une série de problèmes avec leu solution.

Les nombres

I	1
∩	10
	100
	1 000
	10 000
	100 000
	1 000 000

La plus grande unité e le million.
Exemples :

= 1323

= 202

Les Égyptiens ne connaissaient pas le zéro pour l'écrire ils laissaient un espace.

Par contre ils connaissaient les √ et √2 d quelques nombres, ce qui facilitait le mesures de surfaces et de volumes, la règ de trois et les équations du second degr Ils résolvaient les équations du 1er degré une inconnue. Ils calculaient la surface d rectangle, du triangle, du trapèze et d cercle, le volume de la pyramide, de pyramide tronquée et du cylindre.

La multiplication et la division

La table de multiplication n'existant pas, il procédaient par duplication. Le même sys tème est employé pendant le Moyen Age Le procédé est inverse pour la division.
Exemples :

13 × 15

13 = 1 + 4 + 8
13 × 15 = 15 + 60 + 120

1	15 - 1
2	30
4	60 - 6
8	120 - 12
	19

13 × 23

13 = 1 + 4 + 8
13 × 23 = 23 + 92 + 184

1	23 - 2
2	46
4	92 - 9
8	184 - 18
	29

3 × 254
3 = 1 + 4 + 8
3×254=254+1 016+2 032

1	254	- 254
2	508	
4	1 016	- 1 016
8	2 032	- 2 032
		3 302

es fractions

n dehors de $\frac{2}{3}$ et $\frac{3}{4}$ les fractions n'ont pas e numérateur supérieur à 1. Leurs divisions t leurs multiplications s'effectuent de la nême manière que pour les chiffres entiers eur système fractionnaire est complexe :

$\frac{}{2}$ = ⊏ *gs* $\frac{1}{4}$ = ×

xemples :

$\frac{2}{1} \rightarrow \frac{1}{6} + \frac{1}{66}$

$\frac{1}{5} \rightarrow$

$\frac{2}{5} \rightarrow \frac{1}{3} + \frac{1}{5} \rightarrow$

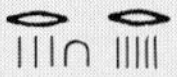

$\frac{3}{6} \rightarrow$

$\frac{1}{276} \rightarrow$

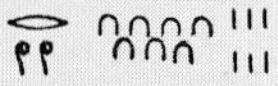

$\frac{2}{62} \rightarrow$

$\frac{1}{0} + \frac{1}{244} + \frac{1}{488} + \frac{1}{610} = \frac{2}{62}$

$\frac{5}{7} \rightarrow$

$5 + \frac{1}{2} + \frac{1}{7} + \frac{1}{14}$

$\frac{6}{7} \rightarrow$

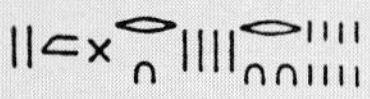

$2 + \frac{1}{2} + \frac{1}{4} + \frac{1}{14} + \frac{1}{26}$

Les mesures

Unités de longueur	La petite coudée
La coudée royale était utilisée pour les monuments	= 44,3 cm
= 52,3 ou 51,55 cm	= 6 palmes
= 7 palmes	= 24 doigts
= 28 doigts	La « mesure-rivière »
	= 20 000 coudées
	= 10,5 km

Unités de surface
1 setchat : 1 000^2 coudées
= 2/3 acre
= 2 737 m^2
le setchat avait les subdivisions suivantes :
$\frac{1}{2}$ $\frac{1}{4}$ $\frac{1}{6}$

Unités de volumes
1 khar : 16 héqats
1 héqat : 4,54 litres
1 hin : 1/2 litre
l'héqat avait les subdivisions suivantes :
$\frac{1}{2}$ $\frac{1}{4}$ $\frac{1}{8}$ $\frac{1}{16}$ $\frac{1}{32}$ $\frac{1}{64}$
D'autres mesures existaient mais on ignore pour l'instant à quoi elles correspondaient. Ces unités servaient pour les liquides.

Le poids

Le « shât » = 7,5 grammes d'or
le « deben » = 12 shâts
= 91 grammes
la « kité » = 1/10 de deben

A l'Ancien Empire la référence utilisée est le shât. L'étalon pondéral est l'or tandis qu'au Nouvel Empire c'est l'argent. A cette époque le système sexagésimal disparaît au profit du décimal. A la XIXe dynastie une nouvelle unité apparaît, la kité. Ces mesures sont employées uniquement pour les métaux, le grain étant mesuré au boisseau. Pour peser de petits objets les Égyptiens se servaient des fractions de ces unités. La technique commerciale était le troc.
Exemple :
« 1 bœuf soit 120 deben de cuivre il reçoit en retour 2 pots de graisse soit 60 deben, 5 pagnes de tissu fin soit 25 deben; 1 vêtement de lin méridional, soit 20 deben; 1 cuir soit 15 deben. » Cet échange se passait au Nouvel Empire et nous constatons que le métal servait d'étalon pour les estimations.
Au Fayoum à la XVIIIe dynastie une aroure de terre coûtait deux shâts d'argent et environ 400 ans plus tard 11 kite. Une journée d'une servante deux shâts, c'est-à-dire le quart de la valeur d'une vache à la même époque.

La médecine

Les connaissances sur la médecine égyptienne proviennent essentiellement de 8 papyrus médicaux. Les thèmes principaux de ces traités concernent les voies respiratoires et les poumons, les voies urinaires, le gastrologie, la proctologie, la gynécologie et l'art vétérinaire. Les affections décrites comme par exemple les vers instestinaux, les maux de tête, les rétentions d'urine, les problèmes gastriques s'accompagnent de remèdes. La momification n'a pas apporté à cette science des connaissances anatomiques précises. Ainsi ils ignoraient l'existence des reins. Il n'existait pas de terme spécifique pour désigner le squelette ni chaque partie du corps. Ils pensaient que les vaisseaux partaient du cœur dans tout le corps et qu'ils véhiculaient aussi bien le sang, l'eau, le sperme, l'air, l'urine que les larmes. Mais en contrepartie, ils avaient découvert l'existence du pouls.

Le médecin Pentchou reçoit en récompense des colliers et bracelets d'or. La réputation du corps médical s'étendait au-delà des frontières. Une stèle connue sous le nom de « stèle de Bakhtan » relate que Ramsès II aurait envoyé un médecin égyptien à un roi asiatique. A l'époque grecque Hippocrate et Galien consultent les ouvrages médicaux dans le temple d'Imhotep à Memphis. Pline rapporte que Rome faisait venir des spécialistes égyptiens. Les médecins étaient formés dans la Maison de Vie mais nous ignorons le genre d'enseignement qu'ils y recevaient et par qui il était fait.
Hérodote rapporte que cette profession était hiérarchisée et spécialisée. En effet les titres de l'Ancien Empire nous enseignent qu'il y avait des oculistes, des dentistes, et des gastrologues. Mais par la suite ces catégories ne sont plus mentionnées dans le titulature en dehors d'un dentiste à la Basse

Époque. Un médecin pouvait avoir plusieurs spécialités. Elles sont le reflet des domaines problématiques qui le sont encore actuellement. Ne trouve-t-on pas la mention d'une maladie qui sévit aujourd'hui encore : la bilharziose. Le médecin exerçait parfois d'autres métiers (cf. 00) ; ainsi Ramosé est scribe royal. Les prêtres de Sekhmet ont des connaissances médicales. Sans doute devaient-ils souvent être appelés à soigner les maladies que répandait la déesse qu'ils servaient. Les maladies étaient pour les Égyptiens le produit d'esprits malfaisants.
Leur rémunération se faisait en nature comme pour les autres métiers. Le médecin pouvait être aidé d'infirmiers, de bandagistes et de préparateur de remèdes.

La femme
Dans les papyri sont abordés de nombreux problèmes gynécologiques, ils sont très divers : cancer de l'utérus, recettes contraceptives, traitement de la stérilité et même des tests pour la détermination du sexe de l'enfant. Un titre de l'Ancien Empire est particulièrement intéressant puisqu'il s'agit d'une « directrice des médecins ».

Les yeux
L'œil de cet ouvrier est soigné par un personnage à genoux à l'aide d'un bâtonnet. Les inscriptions retrouvées sur les pots à kohol montrent quelle attention les Égyptiens portaient aux soins oculaires : *« Bon antimoine, bon pour la vue, repousse le sang (décongestionne), repousse la douleur », « poudre pour enduire pendant la période de l'inondation ».* Le kohol, cosmétique, entrait dans la composition de médicaments pour la vue. Plusieurs dieux peuvent intervenir, Thot en tant que médecin de l'œil d'Horus, Amon *« médecin qui guérit l'œil sans médicament... »*, Amenhotep, *« viens, ô bon médecin ! vois, je souffre des yeux »*, et Douaou qui est à l'Ancien Empire le patron des oculistes.

G. L.

Lettres

Nous possédons de nombreuses lettres écrites sur des feuillets de papyrus, pliées, attachées par un lien et munies d'un sceau d'argile. Leur intérêt littéraire est souvent restreint car elles présentent au début et à la fin de longues formules de politesse. Le motif de la lettre occupe peu de place ; il est exposé d'une manière brève et souvent obscure.
La plus ancienne de celles que nous connaissons date de la VIe dynastie. Elle contient la protestation d'un officier dont les troupes travaillaient dans les carrières de Tourah. Il s'y plaint de la lenteur des services administratifs qui avaient mis six jours pour fournir des vêtements neufs à ses hommes d'équipe. Les lettres les plus nombreuses datent du Nouvel Empire. Les plus intéressantes proviennent du village des ouvriers de Deir el Medineh. Elles nous relatent des incidents survenus dans cette communauté d'artisans, d'ailleurs connus par d'autres documents.
Les scribes avaient l'habitude de s'écrire entre eux, ce qui nous vaut une série de lettres où ils tentent de rivaliser d'érudition. La plus célèbre est celle du scribe Hori adressée au scribe Amenemopé où il lui fait le récit d'un voyage fictif en Asie. Il y accumule des noms géographiques aux orthographes complexes. Des lettres étaient aussi adressées aux parents ou amis défunts ; elles étaient écrites sur des bols de terre cuite contenant des offrandes alimentaires.

Rédaction de la lettre
Pour les textes longs formant un « livre » les scribes écrivaient sur le recto ou la face intérieure d'un rouleau de papyrus, à l'endroit où les fibres végétales sont horizontales. Pour les documents plus courts comme les lettres, le papyrus n'était pas utilisé de la même façon. Il est clair que le scribe, au lieu de tenir le rouleau horizontalement comme il l'aurait fait en écrivant un « livre » (fig. 1), le tournait de côté de telle sorte que la direction des fibres, à l'origine horizontale, devenait verticale (fig. 2). Le scribe utilisait des rouleaux de papyrus de différentes largeurs selon ce qu'il avait à écrire. Il employait, pour un message important, un rouleau « normal » d'une largeur d'environ 44 centimètres. Mais pour des textes plus courts, le papyrus étant une denrée précieuse, il coupait ce même rouleau en deux ou en quatre obtenant ainsi des rouleaux plus petits, de vingt-deux ou de onze centimètres de large. Le rouleau sur ses genoux, le scribe commençait à écrire. Quand il estimait avoir rédigé la moitié de sa lettre, il coupait le feuillet écrit, le retournait dans le sens vertical et terminait son texte au verso en prenant soin de réserver un espace blanc à la fin. Le début de la lettre en haut du recto correspond donc toujours à la fin du texte sur le verso.

Pliage de la lettre
La lettre terminée, il fallait alors la plier pour protéger son contenu, rédiger l'adresse du destinataire et la sceller. Les documents conservés portent la trace de ce pliage compliqué, les fibres du papyrus étant cassées à ces endroits. Le feuillet écrit sur ses deux faces était plié plusieurs fois dans le sens de la hauteur (fig. 3). On obtenait ainsi un étroit rectangle de papyrus qu'il suffisait de plier une dernière fois dans le sens de la longueur, de telle sorte qu'apparaisse à l'extérieur la partie laissée en blanc à la fin du verso (fig. 4). Le scribe attachait alors les deux extrémités de ce rectangle à l'aide d'un lien et écrivait sur une des faces, à droite du lien, l'adresse de son correspondant, et sur l'autre face, à gauche du lien, son nom d'expéditeur (fig. 5). Le nœud du lien portait habituellement un sceau d'argile avec la marque de la bague ou du scarabée de l'expéditeur.
Il n'existait pas de système organisé de transport du courrier au sens où nous l'entendons aujourd'hui, sauf dans le cas de la transmission de documents officiels où des messagers appelés « porte-lettres » étaient employés. Pour expédier les lettres ordinaires on faisait appel à des messagers

fig. 1

fig. 2

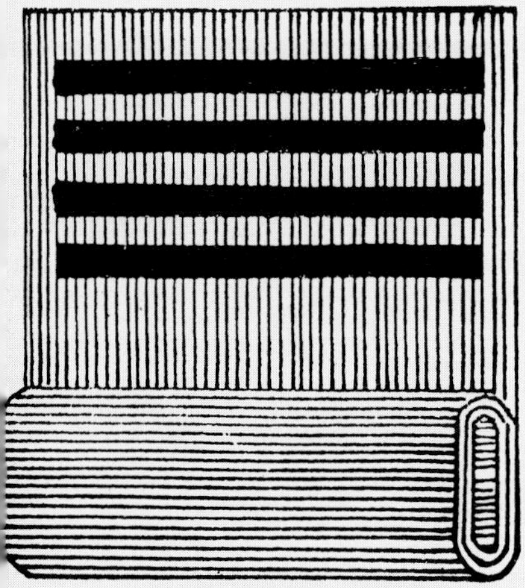

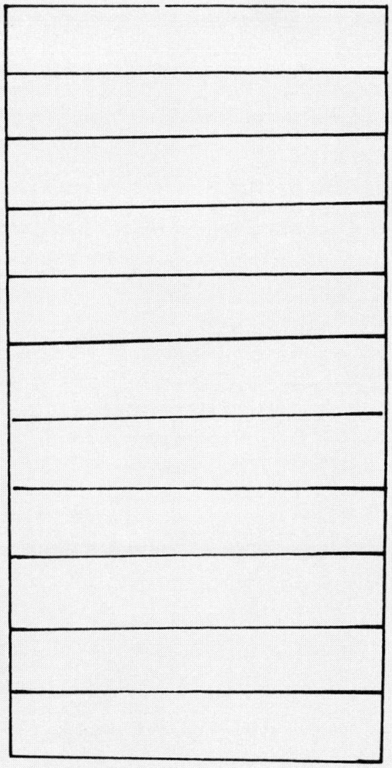

fig. 3

particuliers en qui on avait toute confiance. Un relief du temple de Dendérah nous montre quatre oiseaux volant, un papyrus suspendu à leur cou. Sans vouloir affirmer que les Égyptiens connaissaient l'usage du pigeon voyageur, on peut supposer qu'ils utilisaient, du moins à Basse Époque, des oiseaux porteurs de messages aux dieux, lors de fêtes religieuses.

S. G.

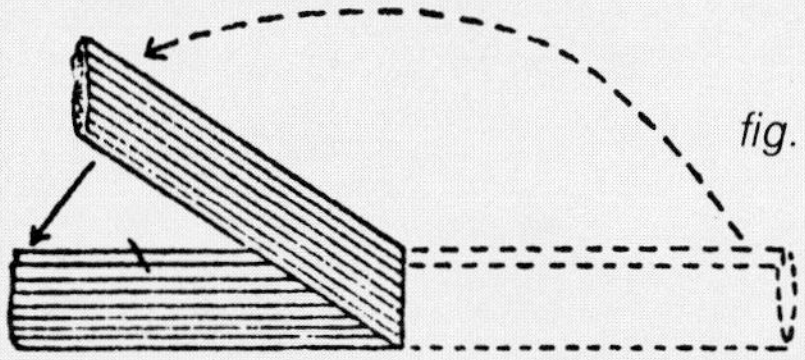

fig. 4

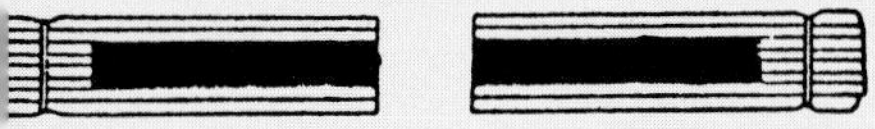

lien pliure fig. 5 lien

Lettres et sceaux

Il, en va des écrits, et spécialement des lettres et des documents administratifs, type contrats, comme de tout ce qui revêt de l'importance, un naos abritant la statue divine ou un cercueil contenant la dépouille du roi par exemple : l'usage veut qu'on les scelle.

La façon de procéder ne varie pas de celle qui est couramment employée en d'autres lieux et à d'autres époques. Seuls les accessoires utilisés peuvent différer. Une fois le papyrus plié et ficelé, on dépose une pastille d'argile là où les liens se croisent. Puis, profitant de ce que la matière est encore humide, on applique dessus le sceau qui imprime sa marque en léger relief. Il ne reste plus ensuite qu'à laisser sécher.

Avec son sens de la bureaucratie, la société pharaonique a fait une large place au dépositaire du sceau. L'administration est ainsi organisée que tout passe par lui, car elle ne concède aucune valeur officielle à quoi que ce soit tant que le sceau n'a pas été apposé. A cet égard, de plus significatif que l'énumération des fonctions en rapport avec le sceau — en tête desquelles figurent celles de « chancelier de la Couronne de Basse-Égypte » et de « directeur du sceau » —, il y a ce passage des Textes des Pyramides où le collaborateur du Maître Universel est décrit comme le personnage qui « ouvre ses coffrets à papyrus, brise le sceau de ses instructions, scelle ses lettres et envoie ses messagers ».

Le sceau lui-même a valeur de symbole, si bien qu'une relation d'autorité s'exprime nécessairement par référence à lui. Ainsi,

Remise du sceau au vice roi de Nubie.

d'un dieu qui commande l'inondation, on dira que « la crue est sous son sceau ». L'objet devient l'insigne du pouvoir. Tel est le sens des paroles de Ramsès II quand il s'adresse à Nebounenef promu « grand prêtre d'Amon » : « son trésor et ses greniers sont sous ton sceau ».
Aussi n'existe-t-il pas de nomination à un poste de responsabilité sans remise de l'anneau. Houy choisit d'ailleurs cette scène pour immortaliser dans sa tombe son investiture comme vice-roi de Nubie. Esshou d'autre part, le père du sage Pétosiris, s'enorgueillit du fait que le souverain lui « a donné en récompese un anneau d'or [...] avec (le titre de) scribe royal des comptes de tous les biens du temple d'Hermopolis », marque de ses nouvelles attributions qu'il porte à un doigt de sa main gauche.

O. P.

Littérature

Sculpté sur les murs des temples et des tombes, tracé à l'encre sur du papyrus, des tablettes de bois ou des éclats de calcaire, l'écrit est partout présent en Égypte. Les anciens Égyptiens ont eu une littérature authentique. Notre connaissance en est hélas imparfaite : les papyrus sont fragiles, les textes souvent fragmentaires et leur traduction diffficile. Mais la variété des œuvres qui nous sont parvenues nous laisse entrevoir l'immense richesse de la production littéraire pendant les trois millénaires de l'histoire de l'Égypte. Sagesses, romans, contes, textes historiques, hymnes religieux, poèmes d'amour, écrits scientifiques, tous les genres sont représentés nous apportant une foule de renseignements infiniment précieux pour la connaissance de la civilisation égyptienne.

S. G.

dialogue d'un désespéré avec son âm
(XIIe dynastie)

« La mort est aujourd'hui devant moi
comme la guérison devant un malade,
comme la première sortie après une maladie

La mort est aujourd'hui devant moi
comme le parfum de la myrrhe,
comme lorsqu'on est sous la voile, par gran
vent.

La mort est aujourd'hui devant moi
comme le parfum du lotus
comme lorsqu'on se tient sur la rive d
l'ivresse.

La mort est aujourd'hui devant moi
comme un chemin connu
comme lorsqu'un homme revient de guerr
vers sa maison.

La mort est aujourd'hui devant moi
comme un ciel qui se dévoile
comme lorsqu'un homme découvre ce qu'
ignorait. »

Traduction F. Dauma

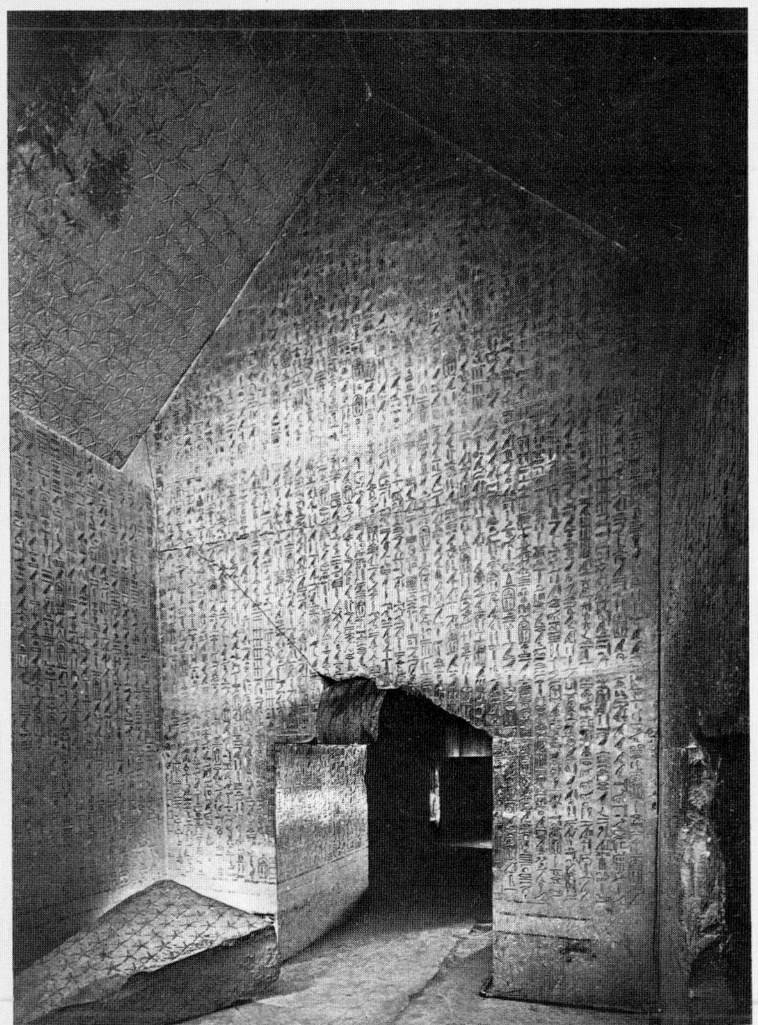

Texte des pyramides (fin de l'Ancien Empire)

« Celui qui vole, qu'il vole.
Il s'envole loin de vous, hommes,
Il n'est plus pour la terre,
Il est pour le ciel.
Toi, dieu de sa cité, son Ka est près de toi.
Il est monté à l'assaut du ciel comme un héron,
Il a embrassé le ciel comme un faucon,
Il a pris son élan vers le ciel comme une sauterelle. »

Traduction F. Daumas.

Petosiris (fin IVe siècle av. J.-C. - début IIIe siècle av. J.-C.)

« O vivants qui êtes sur terre, et ceux qui sont à naître, qui viendrez à cette montagne, verrez ce tombeau et passerez auprès de lui, venez je vous guiderai vers le chemin de la vie : vous naviguerez avec un vent favorable, sans accident, et vous aborderez au port de la ville des générations sans avoir éprouvé d'afflictions. Je suis un mort parfait, sans péché ; pour vous, si vous écoutez mes paroles, si vous vous y attachez, vous en éprouverez l'utilité. Elle est bonne la route de celui qui est fidèle à Dieu ; c'est un béni celui que son cœur dirige vers elle. Je vous dirai ce qui m'est advenu, je ferai que vous soyez informé des volontés de Dieu ; je ferai que vous pénétriez dans la connaissance de son esprit. Si je suis arrivé ici, à la ville d'éternité, c'est que j'ai fait le bien sur la terre, et que mon cœur s'est complu sur le chemin de Dieu, depuis mon enfance jusqu'à ce jour ; toute la nuit l'esprit de Dieu était en mon âme et dès l'aube je faisais ce qu'il aimait ; j'ai pratiqué la justice ; j'ai détesté l'iniquité ; je n'ai pas pris ce qui appartenait à autrui ; je n'ai fait de mal à personne. J'ai fait tout cela en pensant que j'arriverais à Dieu après ma mort et parce que je savais que viendrait le jour des Seigneurs de la Justice quand ils feront le partage, lors du jugement. Heureux celui qui aime Dieu. Il arrivera à sa tombe sans accident ! »

Traduction G. Lefebvre

Poèmes d'amour — Nouvel Empire

« L'amour de ma belle est sur l'autre rive.
Un bras du fleuve est entre nous,
Et le crocodile se tient sur le banc de sable.
J'entre à l'eau, je plonge dans le flot ;
Mon cœur est puissant sur les ondes ;
L'eau est comme terre sous mes pieds.
C'est son amour qui me rend ainsi fort,
Pour conjurer les dangers du fleuve.

Unique amante, sans seconde,
Plus belle que toutes les femmes,
Vois, elle est comme l'étoile qui se lève
Au commencement d'une belle année.
Lumineuse et parfaite, éclatante de teint,
Elle séduit par le regard de ses yeux
Elle charme par les paroles de ses lèvres
Son cou est long, et son sein éclatant,
Sa chevelure de vrai lapis-lazuli,
Son bras surpasse l'or,
Ses doigts ressemblent aux fleurs de lotus.
Étroitement ceinte à la chute des reins,
Elle a des jambes belles plus que ses autres beautés,
Et noble est son maintien quand elle marche sur la terre. »

Traduction P. Gilbert

Mythe de l'œil du soleil papyrus démotique (IIe siècle après J.-C.)

« Il arriva qu'un lion allait, cherchant l'homme. Et un petit rat apparut entre ses pattes, d'aspect bien faible et né depuis peu. Comme le lion allait le fouler aux pieds, le rat lui dit : « ne me foule pas aux pieds, ô Monseigneur lion ; si tu me manges tu ne seras pas rassasié et si tu me laisses partir, tu n'auras même plus envie de me manger. Si tu me donnes mon souffle en cadeau, moi je te donnerai le tien une autre fois. Si tu m'épargnes et ne me détruis pas, je te ferai sortir de ta propre destruction, et te ferai échapper à ton malheur. Le lion se rit du rat en disant : « qu'est ce que tu feras finalement »? mais celui-ci lui jura et dit : « Je te ferai échapper au malheur quand, quelque mauvais jour, il s'abattra sur toi. » Le lion considéra ce qu'avait dit le rat comme une plaisanterie et pensa : « Si je le mange, je ne serai pas rassasié, c'est vrai. Et il le laissa partir.

Il advint qu'il y eut un chasseur qui plaça un piège pourvu d'un filet, après avoir creusé une fosse devant le lion. Le lion tomba dans la fosse et fut aux mains de l'homme. Il le plaça dans le filet et ils attachèrent avec des sangles sèches et le lièrent avec des sangles fraîches. Et ainsi il fut abandonné dans le désert et il était tout triste.

Quand vint la 7e heure de la nuit, le destin voulut que s'effectua sa plaisanterie par les grandes paroles qu'avaient prononcées le lion et il fit apparaître le petit rat devant le lion. Celui-ci dit : « Tu ne me reconnais pas ? Je suis le petit rat à qui tu as concédé le souffle en cadeau et je suis venu pour t'en donner aujourd'hui la récompense : Je vais te sauver du malheur dans lequel tu es tombé. Car accomplir de bonnes actions est utile à celui qui les accomplit. » Et aussitôt le petit rat fit aller sa mâchoire sur les liens du lion. Il tailla les sangles sèches et rompit les sangles fraîches dont il était lié tant qu'il y en eut et fit sortir le lion de ses liens. Le rat se cacha dans sa crinière et il le transporta au désert. »

Hymne au soleil d'Aménophis IV

« Tu apparais en beauté dans l'horizon du ciel,
Disque vivant, qui as inauguré la vie !
Sitôt tu es levé dans l'horizon oriental,
Que tu as empli chaque pays de ta perfection,
Tu es beau, grand, brillant, élevé au-dessus de tout l'univers.
Tes rayons entourent les pays jusqu'à l'extrémité de tout ce que tu as créé.
C'est parce que tu es le soleil que tu les as conquis jusqu'à leurs extrémités,
Et tu les lies pour ton fils que tu aimes.
Si éloigné sois-tu, tes rayons touchent la terre.
Tu es devant nos yeux mais ta marche demeure inconnue.
Lorsque tu te couches dans l'horizon occidental,
L'univers est plongé dans les ténèbres et comme mort.
Les hommes dorment dans les chambres, la tête enveloppée,
Et aucun d'eux ne peut voir son frère.
Volerait-on tous leurs biens qu'ils ont sous la tête,
Qu'ils ne s'en apercevraient pas !
Tous les lions sont sortis de leur antre,
Et tous les reptiles mordent.
Ce sont les ténèbres d'un four et le monde gît dans le silence.
C'est que leur créateur repose dans son horizon.
Mais à l'aube, dès que es levé à l'horizon,
Et que tu brilles, disque solaire dans la journée,

ɘ roi Akhenaton adorant le soleil.

ı chasses les ténèbres et tu émets tes
yons.
'ors le Double-Pays est en fête,
humanité est éveillée et debout sur ses
eds ;
'est toi qui les as fait lever!
tôt leur corps purifié, ils prennent leurs
ètements
leurs bras sont en adoration à ton lever,
univers entier se livre à son travail. »

Traduction F. Daumas

apport d'Ounamon (XXIIe dynastie)

Je le trouvai assis dans son cabinet, le
ɔs tourné à une fenêtre, et les vagues de
puissante mer de Syrie semblaient rouler
squ'à son cou. » — On se querelle : Le
ince : « je ne suis pas ton serviteur, je
ɘ suis pas non plus le serviteur de celui
ıi t'a envoyé. Quand je parle d'une voix
rte au Liban, le ciel s'entrouvre et les
bres se couchent sur le rivage » —
unamon : « Il n'y a pas de navire sur le
euve qui n'appartienne à Amon. A lui est
mer ; à lui est le Liban, dont tu as dit « Il
'appartient. »

Le prince prédestiné (XIXe dynastie)

« Il y avait une fois, dit-on, un roi d'Égypte auquel n'était pas né d'enfant mâle. Alors sa majesté demanda aux dieux de son temps de lui accorder un fils, et ceux-ci ordonnèrent qu'il lui en naquit un. Il coucha donc cette nuit-là avec sa femme et celle-ci devint enceinte. Et quand elle eut accompli les mois de la naissance, voici que naquit un garçon. Alors vinrent les Hathors pour lui fixer un destin. Elles dirent :
"Il périra par le crocodile ou par le serpent, ou encore par le chien." Les gens qui étaient auprès de l'enfant entendirent ces paroles et les rapportèrent à Sa Majesté dont le cœur devint triste. Et Sa Majesté lui fit construire, sur le plateau désertique une maison en pierre, qui fut fournie en personnel et en toute sorte de bonnes choses provenant du palais, car l'enfant ne devait pas aller dehors.
Quand l'enfant fut devenu grand, étant monté sur sa terrasse, il aperçut un chien qui suivait un homme marchant, sur la route. Alors il dit à son serviteur qui était près de lui : "Qu'est ce qui marche derrière l'homme qui s'avance sur la route" ? il lui répondit "C'est un chien".
Et l'enfant dit :
"Qu'on m'en amène un pareil".
Alors son serviteur alla répéter ses propos à Sa Majesté. Et Sa Majesté dit :
"qu'on lui amène un jeune chien frétillant afin que son cœur ne soit pas triste."
Et alors on lui amena le chien, or, après que des jours eurent passés, l'enfant prit de l'âge et il demanda à son père :
"A quoi sert-il que je reste inactif ici ? Vois, je suis promis au destin. Permets donc que je sois laissé libre d'agir à ma fantaisie, jusqu'au jour où Dieu fera ce qu'il à l'intention de faire."
On attela pour lui un char et on lui dit : "Va maintenant à ta guise". Son chien était avec lui. Et il alla au Nord, à sa fantaisie. »

Traduction G. Lefebvre

V. Les scribes

les scribes mésopotamiens
les scribes égyptiens

Les scribes

Le fait de savoir lire et écrire était considéré, par les anciens orientaux, comme un privilège et une supériorité considérables. Seules des familles aisées pouvaient offrir à leurs enfants l'instruction nécessaire qui coûtait cher, exigeait de longues années d'apprentissage et empêchait l'écolier d'accomplir des tâches matérielles qui auraient pu l'aider à subvenir aux besoins de ses parents.

Les scribes occupaient des fonctions très variées et furent de plus en plus spécialisés. La hiérarchie allait de l'écrivain « public » qui offrait ses services sur les marchés ou aux portes des villes, pour rédiger les actes privés, jusqu'au scribe royal, ou attaché aux grands temples, faisant en même temps fonction de prêtre ou de secrétaire d'État. Entre les deux, se situaient toutes les catégories de scribes répartis dans les différentes administrations ou rattachés aux temples et aux palais, et faisant office de contrôleurs ou de témoins ; il existait aussi des scribes spécialisés dans les sciences (comme les savants « mages chaldéens » de Babylone). Les scribes nous ont laissé de nombreux récits sur eux-mêmes, exaltant leur profession. Nous connaissons le nom de plusieurs milliers d'entre eux.

La profession semble avoir été ouverte aux femmes, mais nous n'en avons que très peu d'attestations.

B. A.-L.

Le scribe mésopotamien, l'enseignement, la création littéraire et les bibliothèques

Les scribes s'appelaient eux-mêmes DUB-SAR (en sumérien) ou *tupšarru* (en akkadien), c'est-à-dire : « ceux qui écrivent les tablettes ». Leur formation se faisait dans l'*E'-DUB-BA,* « la maison des tablettes » ; elle était longue et les disciplines enseignées variées, depuis l'apprentissage de la lecture des syllabes et les pages de clous, jusqu'aux copies des grandes œuvres du passé, sans oublier les mathématiques. Et si le travail est ardu, car « de tous les métiers humains qui existent sur terre, et dont (le dieu) Enlil a nommé les noms, il n'a nommé le nom d'aucune profession plus difficile que l'art du scribe », il n'en est pas de plus utile pour transmettre l'expérience humaine, et donc la récompense est digne de l'effort.

Le principe de l'enseignement était fondé sur la maîtrise progressive de mots et de phrases de plus en plus complexes. L'existence d'une langue de culture morte et savante, dès le début du IIe millénaire av. J.-C., le sumérien, imposa un bilinguisme à l'apprenti scribe. Il apprenait à écrire et à lire des syllabes bi-ba-bu, ib-ab-ub, puis des idéogrammes sumériens de plus en plus complexes. Des listes de mots apparaissent, disposées en groupes de synonymes puis par catégories d'objets. Nous possédons des répertoires de formes grammaticales de mots concernant les sciences naturelles, la botanique, la zoologie ou la minéralogie..., des problèmes mathématiques et des recueils juridiques. Ces compilations nous permettent de constater une constante de la pensée mésopotamienne : jamais elle ne s'élève du particulier au général et aucune loi n'est tirée de ces collections d'observations.

Nous possédons un grand nombre de copies à usage scolaire de textes officiels ou littéraires, la copie d'un de ces textes devant être considérée comme une sorte de « chef-d'œuvre » de l'étudiant. C'est par ces copies, et le souci constant de sauvegarder la tradition, que nous pouvons aborder le problème de l'édition et de la création littéraire dont les écoles devaient être les hauts lieux : les plus célèbres furent, à l'époque sumérienne, l'école de scribes du temple de Nippur avec sa bibliothèque, puis d'Isin, remplacées ensuite par celles de Babylone, de Nimrud et de Ninive.

Les premières œuvres littéraires que nous possédons, apparaissent à l'époque de Fara-Shuruppak, dès 2600 av. J.-C. Ce sont les premières versions écrites de la littérature sumérienne, transcrites souvent au moyen de racines simples, laissant au lecteur le soin de suppléer les éléments absents, ce qui rend la lecture parfois insurmontable. De l'époque d'Agadé, nous possédons peu de choses, connues par des copies plus récentes. Les souverains exaltent leur gloire dans leurs inscriptions, mais leurs succès et leur puissance nous sont connus par des textes rédigés au IIe millénaire.

Des rois de la troisième dynastie d'Ur, nous possédons une documentation écrite considérable concernant tous les domaines touchés par la réorganisation du pays : vastes archives administratives et économiques du palais et des temples, documents juridiques... Grand siècle des lettres et des arts, le renouveau culturel sumérien fut surtout une tentative pour restaurer une tradition sur le point de s'éteindre. C'est l'époque où poètes, écrivains et savants de l'*e-dubba* repensent, mettent par écrit et diffusent les grandes œuvres littéraires de la vieille tradition orale : hymnes aux dieux et aux rois divinisés, mythes, prières, épopées, essais, recueils sapientiaux.

La mutation linguistique définitive se situe au cours de la dynastie de Larsa (vers le XIXe siècle av. J.-C.). Le sumérien disparaît alors comme langue vivante, mais le transfert fut progressif et incomplet, et s'effectua de manière différente selon les périodes et les genres de textes. En fait, la plupart des œuvres sumériennes furent rédigées ou recopiées alors, dans les écoles de scribes maintenant une riche activité littéraire inspirée par la tradition sumérienne, dont les principaux textes furent répertoriés en catalogues. Les hymnes royaux connurent alors leur plein épanouissement, exaltant la personne royale.

Sous la première dynastie babylonienne, les hymnes royaux disparaissent : certains genres de textes réapparaissent en akkadien, mais transformés, comme les textes mythologiques et épiques. Pendant le dernier tiers de la période babylonienne ancienne, les textes sumériens qui n'avaient pas encore été traduits, passèrent à la postérité littéraire dans leur langue originelle, et le bilinguisme des scribes fut soigneusement entretenu. Sur le plan scientifique, le corpus médical est alors fixé, et l'astrologie apparaît dans les textes, tandis que la divination se développe.

Il ne nous reste de la langue des Kassites que quelques noms de personnes, de dieux et de termes techniques. L'akkadien se complique alors, régressant dans la multiplication des signes, valeurs phonétiques et homophones. L'écriture idéogrammatique sumérienne réapparaît aussi dans certaines catégories de textes.

Les Kassites encouragèrent une attitude conservatrice en face des textes. On s'appliqua à sauvegarder la tradition scribale par une mise en forme figée, standardisée, du corpus des textes antérieurs qu'ils soient littéraires, comme l'épopée de Gilgamesh, magiques, religieux ou scientifiques. En cela, la période témoigne d'un esprit curieux dans tous les domaines.

Au nord, sous l'influence hittite, les Assyriens commencèrent à rédiger des chroniques et annales historiques. Mais c'est surtout du sud que partit l'esprit créatif. Le problème métaphysique du mal est traité, à la fin de la période, dans la « Théodicée », dialogue entre un homme pieux et un sceptique, dont la conclusion est que, si les dieux sont chargés de faire régner la justice, il n'empêchent pas toujours l'homme de faire le mal.

Au cours du Ier millénaire av. J.-C., l'écriture cunéiforme et l'akkadien régressent puis disparaissent progressivement. Après la pénétration des Araméens, la commodité de leur écriture alphabétique a dû contribuer à l'expansion de leur langue et à l'élimination de l'akkadien et de son écriture complexe, et par suite réservée à un nombre restreint d'individus. D'autant plus que les savants-scribes mésopotamiens, figés par le poids d'une tradition que personne ne voulait transgresser, et attachés à leur support périmé, entreprirent de compliquer le système par une multiplication des signes et des jeux graphiques différents pour chaque genre de texte et donc pour chaque catégorie de scribes spécialistes. L'un des meilleurs exemples de ces jeux graphiques apparaît avec l'exégèse faite des cinquante noms de Marduk, grand dieu de Babylone, dans l'*« Enuma Eliš »* ou poème de la Création appelé ainsi du nom des deux premiers mots du texte, « lorsque en haut ». Chacun des noms, d'ailleurs sumériens, proclamés par les autres dieux, est décomposé en éléments syllabiques, et l'auteur, tirant parti de leurs diverses acceptions, retire de chacun d'eux des caractères et attributs multiples qui diversifient à l'extrême la divinité de Marduk. Par exemple, le vers : « Asari, qui (aux hommes) a donné la culture, qui a établi les bordures des champs »,

« Créateur du grain et du lin (?), qui fait pousser la verdure »... (Trad. R. Labat)
dans lequel le nom se décompose en *Asari/Asaru :* qui donne ; *ru* = créer ; *sar* = grain ; *sar* = (lin ?) ; sar = sortir (pousser) ; sar = vert, restituant ainsi le sens de l'attribut divin.
Un autre système de jeu graphique apparaît dans les textes historiques, avec l'habitude de noter les noms des principaux dieux par des chiffres : ainsi, *Šamaš,* dieu soleil et de la justice, était écrit *il* 20 ; avec son déterminatif du dieu = *ilu,* la phrase « (celui) qui honore Anu, Enlil et Éa » (la triade des trois dieux principaux du panthéon) donnera : « *par-Liḫ* 21, 50 *ù* 40 ».
L'Assyrie, comme la Babylonie, vécurent surtout sur un acquis intellectuel plus ancien, les scribes recherchant, par un goût de l'Antique, des textes des IIIe et IIe millénaires av. J.-C. Le roi Nabonide collectionna à Babylone statues et textes anciens, mais le plus célèbre érudit de l'époque fut Assurbanipal (668-627 av. J.-C.), qui constitua à Ninive sa capitale, une bibliothèque immense dont il nous reste aujourd'hui vingt-cinq mille fragments, soit environ mille cinq cents ouvrages. La mauvaise conservation des textes est compensée par les nombreux duplicata de chaque œuvre. Ce roi lettré, qui se vantait de connaître le sumérien, fit rassembler et copier tous les textes littéraires et d'érudition qu'il put découvrir sur le territoire mésopotamien : mythes et épopées, dictionnaires, textes de présages, de médecine, d'astronomie et d'astrologie. Les scribes classèrent les tablettes par sujets, leur donnèrent des titres, en indiquèrent la succession par des chiffres et rédigèrent des catalogues. On peut penser que l'éventail des textes conservés dans cette collection, de par la volonté royale, est représentatif de l'essentiel, sinon de la totalité de la tradition scribale mésopotamienne, depuis les origines sumériennes. Ce désir de maintenir une tradition littéraire est un trait culturel fondamental de la civilisation mésopotamienne.
Si l'akkadien a dû cesser d'être parlé, vers le Ve siècle av. J.-C., il continua à être écrit, et le sumérien aussi, jusqu'à l'ère chrétienne, dans les milieux religieux et savants d'Uruk, puis de Babylone qui en gardèrent la tradition. Le dernier texte cunéiforme date de 75 apr. J.-C. et, par un étonnant retour aux origines, il provient de la métropole d'Uruk, où, plus de 3 300 ans avant, l'écriture était née... ! Le souci de sauvegarder cette tradition fut fatal à l'écriture cunéiforme et à la culture mésopotamienne. Tout ceci fut enterré pendant plus de 2 000 ans, parce que les derniers lettrés babyloniens négligèrent, et peut-être de façon délibérée, de transmettre leur héritage à l'araméen et au grec.

B. A.-L.

Les dieux des scribes

Les protecteurs de la profession de scribe furent d'abord la déesse Nisaba, déesse de la science, puis le dieu Nabû, fils de Marduk, grand dieu de Babylone. Les scribes déposaient, en offrandes votives, dans leurs temples, des tablettes de leur plus belle écriture.
La ville sainte de Nabû est Borsippa, au sud de Babylone, son temple est l'*E'-zi-da,* « la maison stable ». Représenté sur les kudurrus avec le dragon cornu et son emblème : une tablette et un stylet à écrire (cf. cat. n° 144), il est celui qui tient le calame, et le « créateur » de l'écriture. Il écrit les sorts que Marduk fixe dans « le podium des destins » pour les rendre éternels. Il est le scribe de l'Ésagil (le temple de Marduk à Babylone), d'où émanent les lois divines, celui qui détient les secrets de la destinée, le « porteur des tablettes des destins des dieux ».
Il est aussi un dieu de sagesse, au même titre qu'Enki-Éa et Marduk, car l'écriture cunéiforme, que sa complexité rendait accessible aux seuls initiés, était dépositaire de la science sacrée et profane, bases de la sagesse.
Tous ceux qui connaissent l'art d'écrire se placent sous la protection de Nabû, tel Assurbanipal qui lui dédia une copie de tablette :
« Au dieu Nabû,... surveillant de l'Univers, qui tient la tablette d'argile, qui saisit le calame des destins, qui prolonge les jours... au grand seigneur, à son seigneur. »
Les statues divines sont rares en Mésopotamie. Faites de bois périssable, et légères, pour être transportées lors des processions, très peu d'entre elles ont été retrouvées. Nabû est surtout représenté par son symbole de roseau et d'argile sur les kudurrus et les sceaux-cylindres.

Béatrice André-Leicknam

Le matériel

269 Reconstitution proposée d'un calame

Le bout est de forme triangulaire et permettait une impression légère dans l'argile molle, pour former la tête du clou.
En changeant légèrement la position du calame et en appuyant plus ou moins, les traits obtenus étaient longs ou courts.
Le climat de la Mésopotamie ne permettait pas la conservation de matières périssables. Les fouilles n'ont donc pas livré de calame et nous en sommes réduits à des suppositions de reconstitution.
(Cf. dessins partie documentaire.)

B. A.-L.

Til Barsip (Assyrie)
Peinture murale : deux scribes
VIIIe siècle av. J.-C.

270 Motte d'argile

Le support privilégié de l'écriture cunéiforme était l'argile fraîche. Même les textes les plus précieux furent d'abord écrits sur tablettes d'argile, avant d'être gravés dans la pierre ou le métal. Conservée toujours humide dans des jarres, le scribe en façonnait des tablettes de formes variées sur lesquelles il écrivait. Il les faisait ensuite sécher au soleil ou, plus rarement, cuire au four.

B. A.-L.

271 Matrice de brique et son empreinte

Argile cuite
Longueur : 8,9 cm ; largeur : 6 cm ; épaisseur : 3 cm
Larsa (Basse-Mésopotamie)
Début du IIe millénaire av. J.-C.

Louvre : AO 27586
Bibliographie sommaire :
D. Arnaud : Revue d'Assyriologie 66, 1972, p. 36

Les briques de fondation des temples et constructions royales, enfouies dans la maçonnerie en nombreux exemplaires semblables (cf. cat. n° 56), furent inscrites à la main, ou estampées au moyen de matrices, que le scribe utilisait comme nos tampons encreurs modernes.
Cette matrice, inscrite en écriture inversée, était destinée à permettre la multiplication d'un texte à l'infini sur les briques en cours de séchage.
Rédigée à la première personne, la dédicace qu'elle porte commémore la construction du temple de Shamash, dieu soleil et de la justice, par un roi de Larsa.

B. A.-L.

272 Écritoire araméen

Bois
Longueur : 21 cm ; largeur : 5,5 cm
Égypte ; Ve siècle av. J.-C. ?

Louvre : AO 17204
Bibliographie sommaire :
N. Aime-Diron : Un diptyque écritoire araméen (extr. du Bulletin français d'Archéologie orientale), XXXIV (1934), Le Caire, p. 83 ss

Des caractères araméens d'époque perse sont tracés au verso de la planche inférieure.
L'écritoire est constitué par deux planchettes en bois en forme de rectangle allongé, reliées entre elles par une charnière formée par des éléments cylindriques de corne et d'os montés sur une âme de bois en forme de baguette ronde autour de laquelle ils sont mobiles.
La planchette supérieure porte un réceptacle pour l'encre noire, un second réceptable sans doute destiné à l'encre rouge ainsi que l'étui qui devait contenir les roseaux du scribe.
Celui-ci tenait l'objet verticalement dans la main gauche, sa main droite tenant le calame.
L'intérieur était peut-être revêtu d'une couche de cire sur laquelle on pouvait graver les signes.

B. A.-L.

273 Sceau d'un scribe royal

Serpentine
Hauteur : 4 cm ; diamètre : 2,6 cm
Mésopotamie. Époque d'Agadé
Règne de Sharkalisharri (vers 2280 av. J.-C.)

Louvre : AO 22303
Bibliographie sommaire :
H. Frankfort : Cylinder-seals (1939), pl. CXVII
Boehmer : Die Entwicklung der Glyptic Während der Akkad zeit, Berlin (1965), fig. 22
P. Amiet : L'Art d'Agadé au Musée du Louvre, Paris (1976), p. 84 et 133 et fig. 7

Le sceau-cylindre que l'on déroulait sur la tablette d'argile ou sur son enveloppe, pour authentifier et garantir un acte ou une transaction, est un des signes personnels les plus significatifs du scribe, contrôleur ou témoin par excellence de ce qui est consigné par écrit.
L'usage de sceller les documents, comme pour y imprimer une marque de propriété, est apparu avant même l'écriture. Ce sceau très finement gravé dans le style classique et monumental propre à l'art d'Agadé, est un objet précieux voué pour le roi divinisé par un scribe, haut fonctionnaire. Le cartouche inscrit est porté par deux buffles abreuvés par des héros nus, acolytes du dieu des eaux dont ils portent l'emblème : des vases d'où jaillissent les flots. Au-dessous, un fleuve serpente entre deux rangées de montagnes évoquées conventionnellement par des imbrications.
Inscription : *« le divin Sharkalisharri, roi d'Agadé, Ibni-Sharrum, le scribe (est) ton serviteur ».*

B. A.-L.

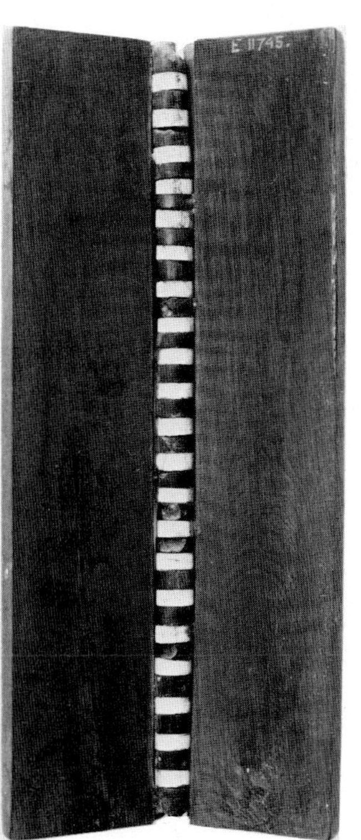

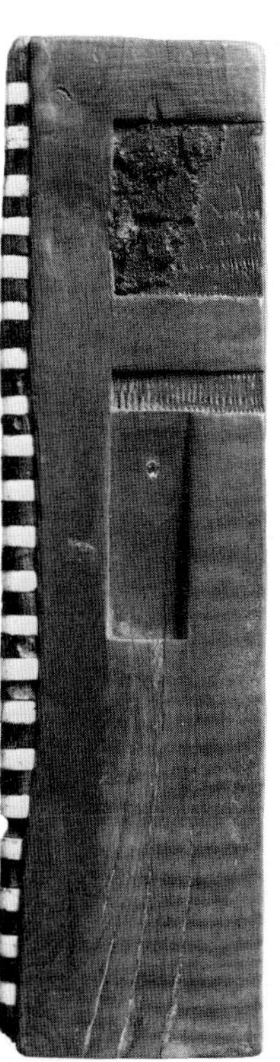

a représentation du scribe

274 Kudurru : acte de donation de Marduk-Zâkir-humi, roi de Babylone

alcaire
auteur : 32,5 cm ; largeur : 15 cm ; épaisseur : 4,3 cm
asse-Mésopotamie
ègne de Marduk-Zâkir-Shumi (852-828 av. J.-C.), an 2 = 851 av. J.-C.

uvre : AO 6684
bliographie sommaire :
Thureau-Dangin : Revue d'Assyriologie, XVI, 3 (1919), p. 117 ss
Seidl : Baghdader Mitteilungen, 4 (1968), p. 57

ette stèle relate un acte de donation fait par le roi à un prêtre *alû* qui avait pour mission d'« apaiser le cœur des dieux », et tait en même temps scribe du grand temple de l'Éanna d'Uruk. Ce personnage est représenté au sommet, debout en face du roi. Le roi porte la robe babylonienne plissée par-derrière. Derrière le prêtre, parmi les emblèmes divins toujours représentés sur ce genre de monuments (cf. cat. nº 144), est le calame de Nabû, dieu des scribes, le *« qan-tuppi » :* « roseau de la tablette ».
Marduk, son père, grand dieu de Babylone, est également représenté par son emblème, le *marrû :* la bêche.
Le grand scribe de l'Éanna était un personnage très important, si l'on en juge par les bénéfices qui lui sont alloués par le roi et qui comprennent : une terre de 12 *gur* (près de cent hectares), huit maisons en bordure de l'Éanna, un esclave et sa famille, et des parts sur les sacrifices offerts à divers dieux de l'Éanna ou sur les revenus généraux du temple.

B. A.-L.

275 Relief des scribes du pillage de Muṣaṣir et dessin original

Calcaire
Hauteur : 64 cm ; largeur : 46,5 cm ; épaisseur : 17 cm
Khorsabad (ancienne Dûr-Sharrukîn), Mésopotamie du Nord
Époque néo-assyrienne, fin du règne de Sargon II (vers 706 av. J.-C.)

Louvre : AO 19892
Bibliographie sommaire :
E. Botta : Monuments de Ninive, II (1849), pl. 141
J. Nougayrol : Revue d'Assyriologie, 54 (1960), p. 203 ss

Fragment de bas-relief conservé du pillage de la ville de Muṣaṣir, en Urartu, par Sargon II, au cours de sa huitième campagne (714 av. J.-C.) (cf. cat. n° 133), et dessin du relief complet tel que le vit Botta lors de la découverte du palais de Sargon à Khorsabad en Assyrie, en 1843.
Le relief représente un fonctionnaire assis, et, devant lui, deux scribes comptant et inscrivant le butin. Le scribe assyrien, q
écrit en écriture cunéiforme sur tablette d'argile, est suivi d
scribe araméen, déroulant son papyrus.
L'inscription, encore visible à la partie supérieure du relief, e
un morceau des annales de Sargon : *« (Et ces nations) tirère
mon joug... Mérodach-Baladan du Bit-Yakin, roi de Chaldée,
comptant sur le « Fleuve amer » et la crue massive (pour
défendre), rejeta les engagements jurés par les dieux et suspen
son tribut... »*
Le texte, très mutilé, est difficile à lire, et sa restitution a été fa
à partir d'estampages et de parallèles.
Nous avons là une des rares représentations du scribe e
Mésopotamie. L'époque assyrienne nous a livré plusieurs ba
reliefs le représentant auprès des souverains, mais contraireme
à l'Égypte, il est absent de l'iconographie antérieure.

B. A.-

276 Stèle néo-hittite du scribe de Marash

asalte
auteur : 74 cm ; largeur : 28,5 cm ; épaisseur : 15,5 cm
ans doute Marash (ancienne Gurnum), Anatolie (Turquie)
n du VIIIe siècle av. J.-C.

ouvre : AO 19222
bliographie sommaire :
ttel : Les Hittites, Paris (1976), p. 277, fig. 316
ossert : Zur Geschichte von Karkamis (1951), p. 27
Beyer : Catalogue Exposition « Huit mille ans de civilisation anatolienne », Paris, NESCO (1981)

a stèle représente un enfant sur les genoux de sa mère, identifié ar l'inscription en écriture hiéroglyphique hittite.
s'agirait du scribe Tarhunpiyas, évoqué peut-être par l'image e l'écritoire araméen que l'on voit dans le champ à côté de lui, t semblable à l'écritoire en bois (cat. n° 272).
s'agit d'une stèle funéraire.

B. A.-L.

L'enseignement

277 Tablette lenticulaire : exercice d'écolier

Argile
Diamètre : 7,4 cm ; épaisseur : 2,5 cm
Mésopotamie
Époque de la renaissance sumérienne (fin du IIIe millénaire av. J.-C.)

Louvre : AO 7755

Les sites mésopotamiens de toutes époques ont livré un grand nombre de tablettes d'écoliers. Ce sont, pour la plupart, de petits disques lenticulaires de formes irrégulières, car façonnés par l'apprenti scribe, sur lesquels le maître a écrit de sa main, sur une face, un signe, un mot ou une brève phrase, que l'élève s'efforçait de copier au verso ou sur la ligne en dessous. Le petit scribe commençait par copier des textes simples, il lui fallait ensuite apprendre par cœur la prononciation des signes ; quand il était plus adroit, il s'exerçait à copier des œuvres littéraires.

B. A.-L.

278 Tablette lenticulaire scolaire

Argile
Diamètre : 8,6 cm ; épaisseur : 3,4 cm
Mésopotamie
Époque paléo-babylonienne (début du IIe millénaire av. J.-C.)

Louvre : AO 26350

Comme la précédente, cette tablette de forme fruste comporte quatre lignes, deux écrites de la main du maître, deux de la main de l'apprenti scribe.
« Na ^{d}en-lil-na-na. »
Il s'agit du nom du dieu Enlil, dieu principal du panthéon sumérien, dieu des destinées, organisateur de l'Univers

B. A.-L.

279 Tablette : composition littéraire sumérienne sur l'éducation d'un scribe

Argile
Hauteur : 9,9 cm ; largeur : 6,3 cm ; épaisseur : 3 cm
Copie d'un texte plus ancien
Mésopotamie
Époque paléo-babylonienne : an 1 du règne de Samsu-Iluna de Babylone (1749 av. J.-C.)

Louvre : AO 6711
Bibliographie sommaire :
S. N. Kramer : Journal of the American Oriental Society, 69 (1949), p. 199-215
S. N. Kramer : L'Histoire commence à Sumer, 2e édition, t. 2 (Paris, 1975), p. 40 ss

Les scribes sumériens nous ont laissé de nombreux récits sur eux-mêmes. Cet essai, rédigé sans doute par un professeur, nous décrit la vie quotidienne d'un écolier. Le texte entier a pu être restitué à partir de nombreuses tablettes et fragments conservés dans les musées de l'Université de Pennsylvanie à Philadelphie, à Istanboul et au Louvre, ce qui prouve que, devenu un classique, il a été maintes fois recopié.
Le récit nous montre que la vie de l'écolier est dure : il se lève tôt le matin et les châtiments corporels semblent être de règle chaque fois qu'il est en retard ou se conduit mal.
L'essai commence par une question :
« Écolier, où es-tu allé depuis ta plus tendre enfance ?
— Je suis allé à l'école.
— Qu'as-tu fait à l'école ?
— J'ai récité ma tablette, j'ai pris mon déjeuner, j'ai préparé ma nouvelle tablette, je l'ai remplie d'écriture, je l'ai terminée ; puis on m'a indiqué ma récitation, et dans l'après-midi on m'a indiqué mon exercice d'écriture. A la fin de la classe, je suis allé chez moi, je suis entré dans la maison où j'ai trouvé mon père assis... Quand je me suis éveillé, tôt le matin, je me suis tourné vers ma mère et je lui ai dit : "Donne-moi mon déjeuner, je dois aller à l'école" ... A l'école, le surveillant m'a dit : "pourquoi es-tu en retard ?" Effrayé, et le cœur battant, je suis allé au-devant de mon maître et je lui ai fait une respectueuse révérence. »
Mais il semble que le garçon eut à subir le fouet à plusieurs reprises pour avoir bavardé, s'être levé en classe, ou parce que son « écriture n'est pas satisfaisante ».
Il suggère donc à son père d'inviter le maître, de lui faire quelques présents et de le flatter. Le maître, ravi, récompensera l'élève : *« ... Parce que tu n'as pas dédaigné ma parole... puisses-tu atteindre le pinacle de l'art du scribe ; puisses-tu y accéder pleinement... De tes frères puisses-tu être le guide, de tes amis le chef ; puisses-tu atteindre au plus haut rang parmi les écoliers... Tu as bien rempli tes tâches scolaires, te voici devenu un homme de savoir. »*
(Traduction S. N. Kramer.)

B. A.-L.

280 Tablette bilingue Sumérien-Akkadien exaltation d'Ishtar

Argile cuite
Longueur : 19 cm ; largeur : 9 cm ; épaisseur : 2,8 cm
Uruk (Basse-Mésopotamie)
Époque séleucide (IIIe-Ier siècle av. J.-C.)
Copie d'un original plus ancien

Louvre : AO 6458
Bibliographie sommaire :
F. Thureau-Dangin : Revue d'Assyriologie, XI (1914), p. 141 ss
F. Thureau-Dangin : Textes cunéiformes du Louvre, VI, n° 51 (1922), p. XCV-XCVIII

Tablette bilingue comportant de nombreuses gloses (ou annota-tions expliquant en akkadien les passages obscurs de la versio[n] sumérienne).
Jusqu'à la fin de la civilisation mésopotamienne, la culture res[te] bilingue, le sumérien, langue morte et savante, depuis le déb[ut] du IIe millénaire av. J.-C. restant la principale langue de cultur[e] comme le latin du Moyen Age, même bien après que l'akkadie[n] ait prit la même place vis-à-vis de l'araméen, parlé de plus e[n] plus en Mésopotamie.
Le bilinguisme des scribes se conservait par l'apprentissage d[e] listes de mots, comme le montre le vocabulaire suivant (ca[t.] n° 281). Dans certains contextes religieux, le courant de [la] tradition comprenait un certain nombre de textes en sumérien avec, entre les lignes, comme c'est le cas ici, la traduction e[n] akkadien.
Le texte sumérien est mis en évidence, chaque ligne comportan[t] son équivalence akkadienne en dessous, présentée un peu e[n] retrait.
Le mythe relaté a une signification astrale et concerne Ishtar, [la] planète Vénus, « la plus brillante des étoiles », qui aspire [à] devenir l'épouse en titre d'Anu, le dieu suprême, le dieu du cie[l.] Son élévation représente l'ascension de la planète Vénus dan[s] le ciel, avec la complicité des autres dieux.
Extrait (traduction F. Thureau-Dangin) :
« Anu, le saint et le grand, dont la parole est sans fin...
O père des dieux ta parole est le fondement du ciel et de [la] terre : quel dieu est rebelle ?
Tu es le seigneur, le prince qui se conseille lui-même : qu'est ce que notre conseil ?
A la jeune femme Ishtar, que tu as possédée, tends la main...
Qu'elle soit l'Antu, l'épouse ton égale, qu'elle s'élève jusqu'[à] ton nom...
Qu'elle seule tienne les rênes du ciel et de la terre : qu'elle so[it] la plus puissante d'entre nous !... »
« ... Au commencement, Anu, Enlil et Éa ont fait des parts :
... pour Sin et Shamash, il y eut deux parts égales, le jour et [la] nuit, de la base au sommet du ciel, ils ont fait connaître leur[s] mesures du temps.
Comme des épis, se presse la masse des étoiles du ciel...
O Innin, sois la plus brillante d'entre (elles), qu'ils t'appeller[nt] "Ishtar des étoiles" ... »

B. A.-L.

281 Tablette : vocabulaire de la bibliothèque de l'Éanna, grand temple d'Uruk, pour l'usage des prêtres

Argile
Longueur : 14,5 cm; largeur : 9,5 cm; épaisseur : 2,8 cm
Proviendrait d'Uruk (actuelle Warka), Basse-Mésopotamie
Époque néo-babylonienne ou postérieure (milieu du Ier millénaire av. J.-C.)

Louvre : AO 7661
Bibliographie sommaire :
F. Thureau-Dangin : Textes cunéiformes du Louvre, VI (1922), n° 37
Hallock : Materials for the Assyrian Dictionary (AS), 7, Chicago, 1940
Offner : Revue d'Assyriologie, 44 (1950), p. 135 ss
L. Oppenheim : Journal of the American Oriental Society, supplt. 10, Baltimore (1950)

Les dictionnaires bilingues sumérien-akkadien étaient principalement destinés à l'enseignement des scribes. Ils ont aidé les savants modernes à déchiffrer l'écriture cunéiforme et principalement le sumérien. Ce vocabulaire appartient à la section *hu-um : HUM : ḫa-mâ-sum* = écraser, broyer (de la série *á : A : na-a-qa* ou *naqū :* littéralement, á est la prononciation du signe A sumérien dont la traduction est : « se plaindre » : *naqû*, en akkadien).
Disposés en colonnes verticales, les mots sumériens, au centre, sont accompagnés à gauche de leur prononciation en akkadien, exprimée en simples signes syllabiques, et à droite, de leur traduction en akkadien. Si un signe pouvait être lu de plusieurs façons, il était répété aussi souvent que nécessaire. Ces listes sont disposées en groupes de synonymes. Le principe des syllabaires et listes de mots existait dès l'époque sumérienne.
Cette tablette est intéressante également par son colophon, indication généralement portée au bas des tablettes et comportant le nom du scribe, le titre de l'œuvre, le numéro de la tablette s'il s'agit d'une série, le nombre de lignes qu'elle contenait et les premières lignes de la tablette suivante.
Comme souvent quand elle appartenait à une grande bibliothèque, le scribe a ajouté, à la fin de la tablette, une clause concernant son rangement dans la bibliothèque de l'Éanna. Elle a été écrite en l'honneur de la déesse Ishtar afin d'obtenir des bénédictions, et le scribe avertit le lecteur ou copieur éventuel que la déesse lui sera favorable ou non selon qu'il remettra ou ne remettra pas le document à sa place : *« le lecteur qui ne détournera pas le document et le replacera dans le porte-tablette, qu'Ishtar le regarde avec joie ; celui qui, de l'Éanna, le fera sortir, qu'Ishtar le dénonce avec colère ».*

B. A.-L.

Archives et bibliothèques

282 Tablette : catalogue de textes littéraires sumériens

Argile
Hauteur : 9,3 cm ; largeur : 15,5 cm ; épaisseur : 3 cm
Nippur (Mésopotamie)
Début du IIe millénaire av. J.-C.

Louvre : AO 5393
Bibliographie sommaire :
H. de Genouillac : Textes cunéiformes du Louvre, XV (1930), p. LXVII et VIII
S. N. Kramer : Bulletin of the American Schools of Oriental Research, December (1942), p. 16 ss
W. W. Hallo : Journal of the American Oriental Society, 83 (1963), p. 167 ss
S. N. Kramer : L'Histoire commence à Sumer, deuxième édition, traduction française (Paris, 1975), p. 258 ss

Nous possédons plusieurs catalogues établis par les bibliothécaires sumériens ou assyro-babyloniens. Celui-ci comporte 68 titres d'ouvrages sumériens.
Nous ne savons pas à quoi servaient exactement ces catalogues. Il se peut que l'ordre des titres ait été fonction de le rangement ou de la taille des tablettes.
Parmi les titres mentionnés, c'est-à-dire les premiers mots c texte catalogué, certains appartiennent à des œuvres connues
Ene nigdue : « Le Seigneur, ce qui convient », désigne le poèm de la création de la pioche.
Uria : « Les jours de la création », septième titre du catalogu désigne le poème épique *« Gilgamesh, Enkidu, et les Enfers »*
Hursag ankibida : « Sur la montagne du ciel et de la terre concerne un essai philosophique, qui se présente comme ur controverse entre « le bétail et le grain », qui révèle la conceptic sumérienne de l'Homme.
Angalta Kigalshe : « Depuis le Grand En-haut vers le Grand Er bas », trente-quatrième titre de la tablette, désigne le mythe d la « Descente d'Inanna aux Enfers ».
Lulu nammah dingire : « Homme, l'excellence des dieux quarante-sixième titre de la tablette, désigne un essai poétiqu sur la souffrance et la soumission.

B. A.-

283 Étiquette de panier où l'on conservait les ablettes

rgile
ongueur : 5,4 cm; largeur : 5,2 cm; épaisseur : 2,2 cm
ello (ancien État de Lagash), Basse-Mésopotamie
poque des dynasties archaïques, règne de Lugalanda, vers 2380 av. J.-C.

ouvre : AO 4653
bliographie sommaire :
. Lambert : Revue d'Assyriologie, LXIII (1969), n° 2, p. 7 et 8

ans les archives des temples ou les bibliothèques, les ablettes, classées par catégories, étaient conservées dans des rres ou dans des paniers. Il s'agit ici de documents concernant e l'orge appartenant au temple, comme l'indique l'inscription e cette étiquette, appartenant à la femme du prince de Lagash, n forme de demi-sphère, dont le revers plat porte encore empreinte du clayonnage du panier auquel elle était attachée ar un cordon passé dans les trous pratiqués à chaque xtrémité.
nscription (traduction M. Lambert) :
Panier à tablettes (dans lequel) il fit placer (les documents oncernant) l'orge propriété du seigneur (aussi bien celle) livrée dans) le champ (que celle) livrée (dans) le magasin. Barag-amtarra, femme (de) Lugalanda, prince (de) Lagash — (an) 2. »
B. A.-L.

Les « Initiés »

Reconstitution de la Ziqqurat de Babylone appelée Etemenanki, « Tour du fondement du Ciel et de la Terre », la fameuse « Tour de Babel » biblique (cf. cat. n° 284).

284 Tablette donnant les dimensions de l'Ésagil (temple du dieu Marduk) et de la tour à étages de Babylone

Argile cuite
Hauteur : 18 cm ; largeur : 10 cm ; épaisseur : 1,8 cm
Mésopotamie
Datée de l'an 83 de l'ère séleucide (229 av. J.-C.). Copie d'un document plus ancien

Louvre : AO 6555
Bibliographie sommaire :
F. Thureau-Dangin : Textes cunéiformes du Louvre, VI (1922), nº 32
F. H. Weissbach : Das Hauptheiligtum des Marduk in Babylon, Esagila und Etememanki II, Osnabrück, 1967

Le texte, copié à partir d'un document plus ancien, décrit le temple de Marduk à Babylone (cf. cat. nº 165) tel que le reconstruisirent les rois de la dynastie babylonienne Nabopolassar (625-605 av. J.-C.) et Nabuchodonosor II (604-562 av. J.-C.). Ce temple s'appelait l'*E-sag-ila,* « temple qui relève la tête ».

Après sa description, le scribe donne les mesures de la tour à étages placée dans l'enceinte ou *ziqqurat,* appelée l'*E-temen-an-ki,* « maison du fondement du ciel et de la terre », la tour de Babel de la Bible (Genèse XI, 1-9). Celle-ci devait avoir sept étages, disposés en gradins, que surmontait le temple du sommet. Les fouilles allemandes ont confirmé les dimensions de sa base carrée : plus de 91 m de côté. Elles ont révélé que trois grands escaliers, appuyés à la face sud, donnaient accès au premier étage, plus élevé que les autres, et au second étage. Des escaliers plus petits permettaient d'atteindre le sommet, probablement à 90 m de hauteur.

Ce texte, qui illustre les méthodes de calcul mathématiques employées par les Babyloniens, nous introduit dans un domaine plus mystérieux de l'art du scribe : ces dimensions sont « sacrées », et au revers, la récapitulation des dimensions à calculer comporte l'indication : *« que l'initié à l'initié le montre, le profane ne doit pas le voir ».* Ce système hermétique et savant n'était destiné qu'aux « sages », gardiens de la tradition. Par souci de la sauvegarder, ils omirent de la transmettre à leurs collègues araméens ou grecs, ce qui entraîna la disparition de la culture mésopotamienne tout entière, pendant près de deux mille ans.

Cette tour de Bēl-Marduk nous est également connue par des sources grecques : Diodore de Sicile (II ,7-10) rapporte que « Le temple de Bélus élevé au milieu de la ville... était extraordinairement élevé... et que les Chaldéens y faisaient leurs travaux astronomiques », et Hérodote (I, 178-182) en donne les mesures : « il est quadrangulaire et chacun des côtés peut avoir deux stades. Au milieu s'élève une tour solide ayant un stade en longueur et en largeur, sur cette première tour, une autre est bâtie, une troisième sur celle-ci, et ainsi de suite jusqu'au nombre de huit ». Le texte babylonien nous confirme ces données.

B. A.-L.

Iatériel et supports le l'écriture cunéiforme

'écriture suppose un support sur lequel crire et un instrument avec lequel on écrit. es signes cunéiformes furent écrits :
– Sur argile avec un calame de roseau ou e bois. Découverte par les potiers et les raveurs de sceaux dès le VIe millénaire v. J.-C. comme matière d'expression comnode pour représenter et fixer la pensée umaine, l'argile restera d'une importance ondamentale pendant toute l'histoire du ystème cunéiforme dont l'écriture est tribuaire de ce support.
rgile et roseaux étaient abondants en Mésopotamie. L'argile était façonnée en tablettes de formes et de tailles variées selon les époques et les genres de textes. Une fois inscrites, elles étaient séchées au soleil, ou parfois cuites au four. La tablette tournait sur un axe horizontal. Après avoir achevé d'inscrire la face, le scribe la faisait pivoter de façon à ce que les premières lignes du revers soient proches des dernières lignes de la face. Le stylet peut avoir été occasionnellement en os ou en ivoire.
— Sur pierre avec un ciseau : monuments inscrits (reliefs, statues), sceaux-cylindres et tablettes de pierre reproduisant la forme des tablettes d'argile. Les signes étaient gravés par un tailleur de pierre qui suivait probablement le contour du signe dessiné au préalable par le scribe avec un morceau de craie.
— Sur métal, variation de l'écriture sur pierre.
— Sur cire avec une pointe de métal. De telles tablettes en bois, recouvertes d'une couche de cire, n'ont été trouvées que sur le site de Nimrud en Assyrie (fin VIIIe siècle av. J.-C.).
— Sur terre cuite glaçurée avec un pinceau. Les seuls cas où les signes cunéiformes furent peints et non imprimés ou gravés se trouvent en Assyrie, à époque récente (certains éléments de décoration d'architecture et de mobilier sont inscrits de cette façon).

Reconstitution de calames pour l'écriture cunéiforme

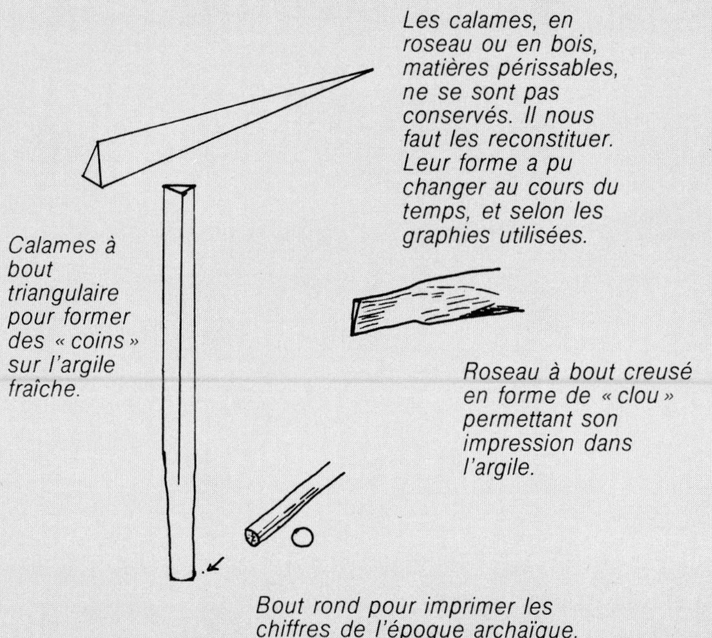

Les calames, en roseau ou en bois, matières périssables, ne se sont pas conservés. Il nous faut les reconstituer. Leur forme a pu changer au cours du temps, et selon les graphies utilisées.
Calames à bout triangulaire pour former des « coins » sur l'argile fraîche.
Roseau à bout creusé en forme de « clou » permettant son impression dans l'argile.
Bout rond pour imprimer les chiffres de l'époque archaïque.

Deux scribes assyriens écrivant l'un sur un écritoire en bois recouvert de cire, l'autre sur un rouleau de papyrus.
Ninive, palais de Sennachérib, VIIe siècle av. J.-C.

Le scribe et son vocabulaire

[Signes sumériens]

É - DUB - BA
(maison) (tablette)
(akkadien : *bît tuppi*)

= « La maison des tablettes »
= L'école

[Signes de l'époque de Hammurabi,
XVIIIe siècle av. J.-C.]

sumérien : Gi - DUB - BA
(roseau) (tablette)
akkadien : *qān tuppi*

= « le roseau de la tablette »
c'est-à-dire, le stylet, le calame du scribe

[Signe de l'époque de Hammurabi,
XVIIIe siècle av. J.-C.]

sumérien SAR
akkadien *šaṭāru* = « écrire »

[Signes de l'époque de Hammurabi,
XVIIIe siècle av. J.-C.]

sumérien : DUB - SAR

= « (celui qui) écrit la tablette » = le scribe
akkadien : *ṭupšarru*

Dialogue d'un scribe avec son fils

Texte sumérien, fin du IIIe millénaire av. J.-C.

« Où es tu allé ?
— Je n'ai été nulle part.
— Si tu n'as été nulle part, pourquoi muser comme un fainéant ? va à l'école, présente-toi au « père de l'école », récite ta leçon, ouvre ta sacoche, grave ta tablette, laisse ton « grand frère » calligraphier ta nouvelle tablette. Quand tu auras terminé ta tâche et l'auras montrée à ton surveillant, reviens vers moi sans flâner dans les rues...
Sois un homme, voyons. Ne hante pas le jardin et ne traîne pas dans les avenues et sur les boulevards... De ma vie, je ne t'ai ordonné de porter les roseaux à la jonchaie... Je ne t'ai jamais dit : « suis mes caravanes ». Je ne t'ai jamais fait besogner, fait labourer mon champ. Je ne t'ai jamais contraint à des tâches manuelles. De ma vie, je ne t'ai dit : « va travailler pour m'entretenir »...
Entêté contre qui je suis en colère... quel homme peut-il être réellement en colère contre son fils ?... De tous les métiers humains qui existent sur terre et dont Enlil a nommé les noms, il n'a nommé le nom d'aucune profession plus difficile que l'art du scribe. Car s'il n'y avait la poésie... semblable à la rive de la mer, la rive des lointains canaux,... tu ne prêterais l'oreille à mes conseils et je ne te répéterais pas la sagesse de mon père... »

Traduction S.N. Kramer

Détail du Kudurru de Melishiḫu II
XIIe siècle av. J.-C.

L'emblème, de Nabû dieu des scribe. représenté par la tablette et le calame, s son animal attribut, le dragon cornu.

les scribes égyptiens

Les scribes égyptiens

285 Le scribe accroupi

Calcaire peint — yeux : albâtre, cristal de roche, ébène (?) enchâssés dans une bague de cuivre
Hauteur : 53,7 cm ; largeur : 43 cm
Saqqara — fouilles Mariette
IVe ou Ve dynastie

Louvre : AE/N 2290 = E 3023 = IM 2902
Bibliographie sommaire :
P. M., III, 113

Sans atteindre la célébrité de la Joconde, « le scribe accroupi » est l'un des chefs-d'œuvre les plus connus du Louvre. Sa popularité vient de l'expression attentive, extraordinairement vivante de son visage intelligent, animé par deux yeux incrustés de cristal et de quartz. Assis en tailleur, un rouleau de papyrus sur les genoux, la main repliée sur un pinceau aujourd'hui disparu, il semble prêt à enregistrer les consignes de quelque haut personnage.
Ce chef-d'œuvre, inventorié au Département égyptien sous deux numéros différents, a aussi son mystère. Fut-il vraiment découvert en 1850 dans une tombe de Saqqara comme l'écrit l'archéologue Auguste Mariette ? ou n'aurait-il pas été acheté chez un antiquaire comme l'ont prétendu quelques mauvaises langues de l'époque ? Les problèmes de sa date et de son identité n'ont pas davantage été résolus. La pièce étant unique, il est difficile de lui attribuer une période précise dans l'Ancien Empire. Elle est dépourvue des inscriptions habituelles, qui devaient être gravées sur un socle séparé, et le scribe du Louvre demeure anonyme.
A son sujet beaucoup d'hypothèses ont été avancées, qui s'appuyent sur des arguments fragiles. Pour notre part, nous en proposerons une autre, fondée sur des documents jusque-là inédits. Un inventaire d'Auguste Mariette conservé aux archives des Musées de France note dans quelles conditions fut découvert le « scribe rouge » : « 19 novembre 1850. Dans un puits situé au Nord de Serapeum... n° 2902 : statue, peinte, en calcaire représentant un personnage accroupi à l'orientale. Pas d'inscription — n° 2903 — le bras droit est cassé et détaché corps : statue peinte en calcaire représentant un personna assis, *probablement le même que le n° 2902.* Sur le siè inscriptions hiéroglyphiques des plus anciennes dynasties. » Or la seule statue du Louvre correspondant à cette derniè description est celle d'un certain Péhernefer (A 107). Si ce identification était exacte, le scribe aurait vécu vers 2550 a J.-C.

C.

es scribes égyptiens et leurs dieux

ɔur désigner les hiéroglyphes, les Égyptiens employaient un rme évocateur : « les paroles divines ». Ils en attribuaient la éation à Thot, le dieu lune à tête d'ibis, qui est aussi présenté sous la forme d'un singe (cat. 287). Il existait aussi ıe déesse nommée Séchat à laquelle était dévolu l'enregis-ement des annales du royaume. Son nom peut s'écrire à l'aide ı signe représentant l'attirail du scribe. A Basse Époque, ıhotep, l'architecte divinisé du roi Djéser (cat. 289), était aussi ɔnsidéré comme le patron des écrivains. Quant à Thot, il ésidait à tous les aspects de la vie intellectuelle : protecteur es scribes, c'est le dieu de tout ce qui se compte, en particulier s mois et les années. Connaissant les « paroles divines », Thot st également le dieu des magiciens, celui qui peut envoûter ou ɹérir par le charme des hiéroglyphes.

C. Z.

286 Le singe sacré de Thot, protégeant le scribe Nebmertouf

Schiste
Hauteur : 19,5 cm ; longueur : 20,5 cm
Règne d'Aménophis III (vers 1400 av. J.-C.)

Louvre : AE/E 11154
Bibliographie sommaire :
Monuments Piot, XIX (1912), p. 3-40

Les mains sagement posées sur les genoux, un singe babouin est juché sur un petit socle. Il serait sacrilège de le confondre avec un animal familier ! Ce singe est l'une des formes du dieu Thot, patron des scribes... C'est ce que nous rappellent la table d'offrande placée au bas de son piédestal et l'attitude du scribe, humblement assis à ses pieds. Il déroule un papyrus inscrit sur ses genoux et courbe la tête en signe de dévotion. L'inscription qui court tout autour de ce petit groupe consiste en invocations à Thot, « maître des paroles divines », au bénéfice du scribe, dont les titres sont énumérés. C'est un très haut personnage, nommé Nebmertouf, prêtre, archiviste et scribe royal ayant rang de ministre. Aménophis III, son souverain, lui accorda l'insigne faveur d'être représenté à ses côtés sur les murs du temple de Soleb.

C. Z.

287 Le dieu Thot sous l'aspect d'un singe cynocéphale

Faïence turquoise, argent et or
Hauteur : 15 cm ; largeur : 5,6 cm
Sans doute début de l'époque ptolémaïque (vers 330 av. J.-C.)

Louvre : AE/E 17496
Bibliographie :
Les animaux dans l'Égypte ancienne (Lyon 1977) nº 92

Dieu-Lune vénéré sous la forme d'un ibis dans son sanctuaire d'Hermopolis, Thot régnait sur le monde intellectuel : il passait pour avoir inventé le langage et l'écriture, les chiffres et le calendrier... Greffier des dieux, il enregistrait la déclaration du mort lors du jugement dernier. Certains théologiens voyaient en Thot une des manifestations du dieu créateur : « grand caqueteur » il symbolisait la parole divine qui avait donné naissance à l'univers. En dehors de ces attributions, Thot était aussi le maître de la magie dont les formules, consignées sur de vieux grimoires peuvent guérir les malades ou ensorceler les vivants. Quand le dieu Thot est représenté en train d'écrire, les artistes le figurent de préférence sous sa forme d'oiseau. Mais pour évoquer sa fonction de protecteur des scribes, on lui donne plus volontiers l'aspect d'un singe.
Sur notre statuette, le museau est incrusté d'argent comme si le sculpteur avait voulu montrer le visage du dieu nimbé d'un rayon de lune. Il porte sur la tête le croissant et le disque de la pleine lune. Sur sa poitrine un pendentif en forme d'œil magique *oudjat* fait allusion à la légende de « l'œil d'Horus » qui symbolisait la lune pour les Égyptiens.
L'objet avait probablement été déposé comme ex-voto, dans le grand sanctuaire de Thot, situé à Hermopolis (Moyenne Égypte). Dans l'inscription du socle, le dieu apporte sa protection à un nommé Horhotep, fils de Padibastet.

C. Z.

288 Séchat, déesse de l'écriture représenté sur un godet de scribe

Pierre brune
Hauteur : 4,6 cm ; longueur : 11,6 cm
Basse Époque

Louvre : AE/E 3213
Bibliographie (sur Séchat) :
Bonnet, RARG, p. 699-701 ; Parlebas

Dans l'ancienne Égypte, si la profession de scribe était réserv aux hommes, c'est une déesse qui passait pour avoir inven l'écriture. Son nom, Séchat, est très proche du mot égyptie signifiant scribe. Elle est ici représentée assise devant une tab d'offrande et recevant l'adoration d'un personnage agenouill sans doute le scribe qui lui a dédié son godet. Elle porte sur tête sa coiffure caractéristique, une étoile à 6 branches surmo tée de 2 cornes renversées.
« Dame de la maison des livres », « maîtresse des plans et de écrits », elle a parmi ses nombreuses tâches celle de tenir le annales du royaume d'Égypte : on la voit souvent figuré inscrivant le nombre des années de règne du pharaon et cel de ses fêtes jubilaires. C'est elle qui conçoit le plan des édifice sacrés et elle joue un rôle important dans les cérémonies d fondation (cat. 253). Mais elle a d'autres attributions qui nou semblent plus frivoles : experte à manier le pinceau, c'est aus la maquilleuse des dieux...

C. Z.

289 Statuette d'Imhotep, protecteur des scribes

ronze
lauteur : 15 cm ; largeur : 5,2 cm
asse Époque (VIIe-Ier siècle av. J.-C.)

ouvre : AE/E 3640
ibliographie (sur Imhotep en général) :
Vildung : Egyptian Saints (1977) — Imhotep und Amenhotep (MAS 36, 1977)

Jn papyrus déroulé sur les genoux, Imhotep est gravement ssis dans son fauteuil. Ce personnage qui vécut vers 2700 av. .-C. passe pour avoir inventé l'architecture de pierre, et onstruit à Saqqara la première des pyramides d'Égypte. Il laissa 'image d'un érudit, auteur de nombreux ouvrages aujourd'hui lisparus. Les scribes l'avaient adopté comme patron et ne nanquaient pas de répandre en son honneur quelques gouttes l'eau puisées à leur godet avant de se mettre à l'ouvrage.
Mais c'est seulement à la Basse Époque qu'Imhotep fut admis u rang des dieux. Les Grecs l'identifièrent à Asklépios, dieu les médecins, et dans son sanctuaire de Saqqara les malades ffluaient pour l'implorer. Comme aujourd'hui à Lourdes se uccédaient des guérisons miraculeuses qui étaient enregistrées dans des livres saints. Les pèlerins lui dédiaient de petits ex-voto de bronze comme celui qui est ici présenté.

C. Z.

Le matériel des scribes égyptiens

Nous connaissons assez bien les instruments de travail des scribes grâce aux objets retrouvés dans les sépultures et à leur représentation dans la statuaire et sur les bas-reliefs ou peintures ornant les murs des tombes de toutes les époques.
Le matériel était rangé et transporté dans des paquetages probablement en vannerie (Ancien Empire), puis dans des coffres en bois (à partir du Moyen Empire). Ces meubles servaient également de support pour les instruments, au cours du travail, ou de casiers à papyrus, lorsque ceux-ci n'étaient pas conservés dans des jarres. On écrivait aussi sur des tablettes de bois ou des ostraca (éclats de poterie ou de calcaire), moins précieux que le papyrus. Celui-ci se présentait en rouleaux, soigneusement ficelés et rangés. On pouvait y découper des morceaux pour les textes courts (lettres, comptes...), mais aussi l'utiliser tout entier pour les écrits plus longs (littérature, textes religieux, funéraires...). Le scribe, en général droitier, déroulait sur ses genoux la partie de papyrus nécessaire et y écrivait de droite à gauche, en colonnes ou en lignes ; dans ce cas, il répartissait son texte en « pages » de largeur raisonnable, souvent numérotées, qui se succédaient, elles aussi, de droite à gauche et lui évitaient une manipulation gênante de son rouleau. Son calame était une simple tige de jonc, dont il mâchonnait le bout pour en faire un pinceau. Il le trempait dans un petit pot rempli d'eau pour délayer les encres ou les couleurs ; celles-ci étaient préparées à base d'éléments naturels additionnés de gomme. L'encre noire était obtenue à partir de noir de fumée ; elle servait à écrire la plus grande partie du texte. L'encre rouge était fabriquée avec l'ocre, oxyde de fer tiré de la terre égyptienne. Par contraste avec la noire, elle permettait de distinguer des séries (par exemple dans les premiers documents de comptabilité), d'indiquer des dates, de ponctuer un récit et surtout de marquer les têtes de chapitres, le début des paragraphes et la conclusion d'un long texte. Cette habitude a enrichi notre propre vocabulaire du mot « rubrique » (du latin « ruber », rouge). Pour préparer ces couleurs, le scribe utilisait un broyeur et un mortier. La substance, encore solide, était façonnée en forme de pains et placée dans les godets des palettes. Ces dernières comportent donc toujours deux cupules au moins (celles des peintres en présentent plusieurs, pour les différentes couleurs, qui éclairent encore tant de vignettes, enluminures des papyrus funéraires). Les palettes les plus simples furent réalisées dans des coquillages travaillés ou taillés dans la pierre. Celles de forme allongée, en bois, servaient aussi de plumier pour ranger les calames. Le scribe possédait encore un chiffon, un grattoir et un instrument destiné à repolir les surfaces effacées avant la correction des fautes. Ce matériel, assez sommaire, était souvent muni de cordelettes pour le suspendre à la ceinture, ou pour en réunir certains éléments. Le résumé de cet attirail figure dans le hiéroglyphe qui désigne le scribe : étui à calames relié au godet à eau et à la palette (cf. dossier documentaire).

Dominique Benazeth

290 Fragment de bas-relief : le scribe dans son atelier

Calcaire
Longueur : 59 cm ; largeur : 26 cm ; épaisseur : 15 cm
Provient sans doute d'un mastaba
Ancien Empire

Louvre : AE/E 14321

Le scribe est représenté au travail, dans son « bureau » : il s'est assis par terre, un genou relevé, dans une attitude illustrée aussi par la statuaire. Avec son calame, tenu de la main droite, il écrit sur une tablette ou bien prend de l'encre dans un godet de sa palette : la schématisation de cet objet et l'usure du relief ne permettent pas de le préciser. Il a placé derrière son oreille gauche deux autres calames, prêts à l'emploi, comme le font encore certains de nos contemporains ! De chaque côté de cette figure sont rangés des rouleaux de papyrus, de hauteurs différentes, liés et placés verticalement, et deux récipients aux parois concaves contenant l'eau nécessaire à délayer les couleurs et rincer les pinceaux ; sur l'un d'eux, une palette à deux godets est dressée pour présenter sa surface, selon les conventions de l'art égyptien, mais elle devait être posée à plat ; on aurait pu aussi la suspendre au moyen de la cordelette fixée à l'une de ses extrémités. Cet attirail est disposé sur une banquette (à droite) et (à gauche) sur la « valise » destinée à le ranger. Cette partie du relief est très endommagée. Une inscription hiéroglyphique occupe la partie supérieure de la scène et le mot « scribe » se trouve précisément au-dessus de la figure de celui-ci.

D. B.

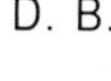

291 Palette de scribe

Schiste
Longueur : 15,1 cm ; largeur : 9 cm ; épaisseur : 5 cm
Ancienne Collection Clot-Bey
Ancien Empire

Louvre : AE/E 932

Cette palette rectangulaire est creusée de deux larges cupules circulaires, dont le rebord forme un léger bourrelet. Ces godets contenaient les couleurs noire et rouge utilisées pour écrire. Le trou foré en biais au milieu d'un des petits côtés permettait d' passer un lien pour la préhension ou la suspension. Ce double encrier pouvait aussi être rattaché à d'autres instruments (étui à calames, godet...) comme l'attestent d'une part le dessin de hiéroglyphe « sech » (cf. dossier documentaire) et d'autre par les représentations d'écrivains portant à la main ou sur l'épaule les attributs distinctifs d'une fonction dont ils étaient fiers (cf. pa exemple le bas-relief de Hésyrê, dossier documentaire).

D. B

292 Palette de scribe au nom de Toutankh-mon

ois, jonc, traces de couleurs
ongueur : 37 cm ; largeur : 5,5 cm ; épaisseur : 1,3 cm
hèbes (probablement)
in XVIIIe dynastie

ouvre : AE/N 2241
ibliographie :
. M. I, 2, p. 843

et objet constitue un bon exemple de ce que l'on désigne sous es termes de « palette de scribe » : c'est une planchette résentant deux encriers circulaires et un plumier à calames. Un videmment longitudinal, s'amorçant en pente douce, passe ous la cavité médiane, creusée dans la masse même du bois, uis disparaît sous un couvercle à glissière, qui facilitait le angement des pinceaux ; quatre d'entre eux sont encore en lace et leur extrémité visible pointe en direction des encriers : es godets, délimités par le motif du signe « chen » (cf. cat. ° 294), contiennent encore des traces d'encre rouge et noire t, sur leur pourtour, le bois est resté teinté de ces couleurs : ette palette a donc réellement servi, alors que d'autres exemplaires sont des simulacres votifs. Un cartouche incisé borde le etit côté supérieur ; il contient le nom de couronnement du élèbre pharaon Toutankhamon : Neb-Khéperou-Rê, ainsi que es titres habituels de « dieu parfait, maître des Deux Terres » et 'épithète « aimé de Thot », le dieu des scribes.

D. B.

293 Palette du peintre Dédia

Bois, jonc, traces de couleur
Longueur : 41 cm ; largeur : 5,2 cm ; épaisseur : 1,2 cm
Thèbes (probablement)
Début XIXe dynastie

Louvre : AE/N 2274
Bibliographie :
P. M., I, 2, p. 844

Cette palette diffère de la précédente : le plumier n'a pas de couvercle, mais présente, sur la tranche gauche, une fente communiquant avec le casier interne : elle a dû être pratiquée pour faciliter le creusement de ce dernier et non pour aider au glissement des calames, qu'il était plus aisé de retirer par le haut ; la disposition des quatre exemplaires conservés le montre clairement. Une inscription hiéroglyphique, en partie dissimulée par ces pinceaux, donne le nom du Chef des peintres d'Amon, Dédia. Quant au cartouche, il désigne le pharaon Séthi Ier (Men-Maât-Rê). Les sept godets ovales sont soulignés par une ligne incisée ou par le motif du cartouche. Le nombre de ces cupules caractérise les palettes des peintres-dessinateurs, qui décoraient les vignettes des papyrus, par opposition aux tablettes d'écrivains, à deux encriers. Des traces de peinture rouge sont encore visibles dans les deux godets médians.

D. B.

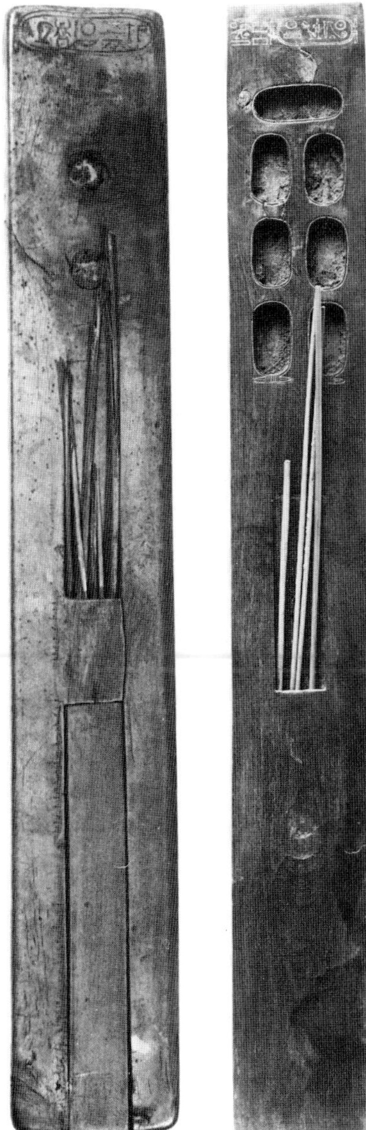

294 Double godet

Faïence égyptienne
Longueur : 6,8 cm ; largeur : 3 cm ; hauteur : 2,1 cm

Louvre : AE/N 3035

Ce réceptacle devait contenir des couleurs ou bien l'eau servant à les délayer : sa base en léger ressaut, décorée d'une ligne brisée continue, évoque plutôt l'eau, traditionnellement représentée par le zig-zag dans l'art égyptien comme dans l'écriture (signe correspondant au son « n » et mots désignant les liquides). Les deux godets ronds sont soulignés par une chaînette, dont le lien noué forme entre eux un motif symétrique : c'est la double représentation du signe « chen », figurant l'entité du monde ; cet emblème s'emploie souvent comme motif décoratif, mais garde sa charge symbolique. Le cartouche est un élément de même nature et évoque le même concept, mais son anneau est plus étiré ; dans les titulatures royales, il enserre deux des noms du pharaon. Il entoure ici les godets et dessine le contour de l'objet. La tranche du petit côté plat porte une inscription hiéroglyphique qui donne le nom de Thot, maître d'Hermopolis.

D. B.

295 Coffre

Bois peint
Hauteur : 28 cm ; longueur : 37 cm ; largeur : 27,2 cm
Nouvel Empire

Louvre : AE/N 2635

Les Égyptiens utilisaient des coffres pour ranger des étoffes et divers objets. Les scribes y plaçaient leur matériel de travail ou les rouleaux de papyrus ; les scènes décorant les tombes du Moyen et du Nouvel Empires représentent ces meubles dans les « bureaux » : les écrivains, très affairés, s'en servent pour poser leurs instruments ou, à l'occasion, comme appui pour écrire. Ce coffre est d'un type courant dans le mobilier égyptien. Son corps est constitué par cinq planchettes chevillées sur les montants d'angles, qui forment aussi les pieds. Le couvercle plat, de même dimension que le caisson, semble être simplement posé sur ce dernier ; en fait, il y est encastré au moyen de deux baguettes, fixées transversalement à chaque extrémité de sa surface interne. Celle de l'arrière est taillée en biseau et s'incruste dans une pièce similaire, rapportée dans le coffre. Un bouton placé à l'avant permettait de soulever le couvercle pour le libérer de cette entrave. Un bouton similaire lui correspond, sur le petit côté du coffret ; il servait à sceller l'ensemble au moyen d'une ligature entourant ces deux appendices. La facture de cet objet est fort sommaire ; le bois est irrégulièrement raboté et seules les parties visibles sont rehaussées de couleurs : sur un fond noir se détachent des panneaux orangés, cernés par un double encadrement blanc. Cette peinture n'est pas très soignée, mais conserve à ce meuble intact son éclat antique.

D. B.

296 Mortier

Basalte
Longueur : 13,5 cm ; largeur : 8,4 cm ; hauteur : 2,2 cm

Louvre : AE/E 18544

Ce « mortier » est une petite palette servant probablement à dissoudre les couleurs. La sobriété de sa forme rectangulaire, aux côtés évasés en trapèze s'allie à l'élégance de la cupule : peu profonde et arrondie, elle est soulignée par un motif incisé dessinant un cartouche. Ce lien entoure généralement les noms du pharaon, évoquant la totalité du monde, sur lequel il règne ; il forme aussi un décor souvent employé sur les godets de scribes (cf. n° 294). La dorure, indiquée par les traces qui subsistent sur la surface, devait faire de cet instrument un objet magnifique.

D. B.

297 Broyeur

Porphyre
Hauteur : 9 cm ; longueur : 10,1 cm ; largeur : 6,4 cm
Époque tardive

Louvre : AE/N 3032
Bibliographie :
Desroches-Noblecourt : La feuille blanche, n° 3 (1942), p. 15, fig. 9

Cette molette de pierre a dû servir à écraser les couleurs car sa surface inférieure conserve des traces de matière bleue. La forme arrondie, aux côtés concaves, assurait une bonne préhension de ce lourd instrument.

D. B.

L'enseignement

Dans l'Égypte ancienne, l'enseignement était conçu comme la transmission du savoir et de l'expérience patriarcale. Les textes littéraires que nous appelons « Sagesses » ou « Enseignements » sont présentés sous forme de conseils donnés par un père à son fils. L'éducateur et son disciple étaient liés par cet usage ; les princes avaient des précepteurs particuliers ; dans le cadre de la famille, c'était le père qui apprenait son métier à ses enfants. Nous ne savons rien sur l'éducation des filles.

Les écoles

S'il n'y avait aucune organisation générale de l'enseignement, il existait cependant différents centres de formation pour les garçons qui se destinaient à prendre le métier de scribe, à entrer dans la bureaucratie ou à devenir prêtres : dans les administrations provinciales, les jeunes entraient en apprentissage. Autour du palais royal, de véritables écoles formaient les plus favorisés à devenir de hauts fonctionnaires (trois de ces institutions ont été reconnues à Thèbes). Dans les temples, les « Maisons de Vie » s'occupaient en partie de l'instruction des futurs prêtres et des copistes de textes sacrés.

Le contenu de l'enseignement

L'apprentissage de l'écriture et de la lecture était la principale occupation. Il fallait aussi savoir compter, mais les mathématiques étaient moins développées que les études littéraires. Le dessin, la musique et la culture physique étaient sans doute pratiqués de façon très secondaire. Nous ignorons tout de l'enseignement des langues étrangères ; pourtant des interprètes comprenaient l'akkadien au Nouvel Empire et le grec était bien connu à l'époque ptolémaïque.

Les méthodes

Étant donné la complexité de l'écriture égyptienne, les enfants entraient à l'école vers l'âge de dix ans seulement Ils y passaient quelques années mais les plus doués poursuivaient leurs études jusqu'à l'âge adulte ! Pour apprendre à lire et exercer leur mémoire, les écoliers psalmodiaient en chœur. L'art d'écrire était acquis à force de copies et de dictées, d'abord en cursives, puis en hiéroglyphes. Les modèles étaient extraits de textes littéraires souvent anciens et ne correspondant plus à la langue parlée ; mais en travaillant sur ces « morceaux choisis », les élèves se cultivaient, étudiaient le style et la syntaxe. Ces apprentis scribes utilisaient des ostraca (éclats de poterie ou de calcaire) ou des tablettes en bois recouvertes de stuc ; comme nos « ardoises », elles étaient lavées pour servir à nouveau. Lorsqu'ils avaient fait leurs preuves, ils pouvaient s'essayer à l'écriture sur papyrus. Outre les conseils des maîtres, ils bénéficiaient de véritables manuels (comme le « kémit »), de recueils contenant des modèles de lettres et des « onomastica », sortes de dictionnaires où les mots étaient classés par matière. Ces derniers étaient destinés aux étudiants les plus brillants, qui se livraient parfois à de véritables joutes intellectuelles. Les examens ne sont pas attestés avant l'époque ptolémaïque, mais les sanctions corporelles étaient sans doute efficaces : « l'oreille du garçon est sur son dos, il écoute quand on le bat ! » Il n'était pas facile de devenir savant et l'on comprend la fierté des scribes, très conscients de leur supériorité, et aussi de l'épanouissement offert par la culture : « science et connaissance sont une bénédiction pour qui les entend, une malédiction pour qui s'en éloigne ».

Dominique Benazeth

298 Ostracon

Calcaire ; encre noire et rouge
Hauteur : 29,5 cm ; largeur : 19 cm ; épaisseur : 3,5 cm
Nouvel Empire

Louvre : AE/N 684 *bis*
Bibliographie :
Deveria : Catalogue..., p. 125 (III, 101)

Cet « ostracon » est un éclat de calcaire ; un texte y a été tracé en hiératique, disposé sur les deux faces en colonnes, délimitées par des lignes verticales tirées à l'encre noire. Ces traits, comme les signes, suivent les irrégularités de la surface. Les bords ayant été en partie endommagés, le texte présente quelques lacunes. Certains passages, inscrits à l'encre rouge, indiquent le début des paragraphes, terminés ensuite à l'encre noire. Il s'agit d'un extrait du chapitre 17 du Livre des Morts, qui introduit la section concernant la « Sortie au Jour » et où le mort s'identifie au démiurge, maître de l'Univers. Le Livre des Morts était surtout écrit sur papyrus et il est très rare d'en trouver des fragments sur ostraca. Le Musée du Louvre en possède quelques-uns, dont trois semblent avoir été tracés par la même main. Aucun ne mentionne le nom du défunt. D'autre part, si l'écriture est belle, la présentation est peu soignée. Cet exemplaire a-t-il été réellement déposé dans la tombe d'un personnage trop pauvre pour acquérir un beau papyrus ? Ou n'est-ce pas tout simplement un brouillon, un exercice de scribe ? Les étudiants utilisaient de nombreux ostraca pour leurs devoirs d'écriture ; les textes étaient généralement des morceaux de littérature classique, comme les « Sagesses ». Cependant, les écoliers des « Maisons de Vie », futurs copistes des écrits sacrés, et en particulier de ces Livres des Morts produits en grande série, ont très bien pu s'essayer sur ce type de support.

D. B.

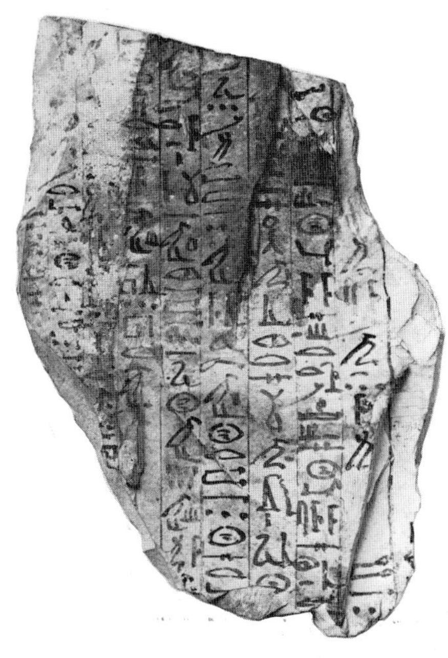

299 Tablette d'écolier

Bois entoilé et stuqué
Longueur : 52 cm ; hauteur : 20,5 cm ; épaisseur : 1 cm
Acheté en 1849
Nouvel Empire

Louvre : AE/N 693
Bibliographie :
Piankoff : Ed'E, 1 (1933), p. 51-74

Ce document présente un double intérêt pour notre connaissance de l'enseignement dans l'Égypte antique : d'une part, il s'agit d'une tablette d'écolier, utilisée pour un exercice de copie et, d'autre part, le texte est extrait des « Instructions de Douaf », connues sous le nom de « Satire des Métiers », qui exalte précisément la fonction d'écrivain et encourage l'élève à devenir scribe.
Cette tablette est très détériorée, incomplète et fragmentaire. Un trou, percé dans un angle, permettait sa suspension. La planchette, qui était rectangulaire, a été stuquée, entoilée et finalement couverte d'une nouvelle couche de stuc. Le texte est rédigé en hiératique, à l'encre noire, sur les deux faces. La ponctuation et des dates insérées dans le texte sont tracées à l'encre rouge : dater un exercice était d'un usage assez fréquent, qui ne distingue en rien ces apprentis-scribes des élèves de notre époque ! Les six mentions indiquent que la copie s'est échelonnée du 10ᵉ au 27ᵉ jour du 4ᵉ mois de la saison Péret, ce qui donne une idée de la cadence de travail de ce copiste, qui écrivait en moyenne deux lignes par séances. Par distraction, ou à cause de ces interruptions, il a retracé, en retournant sa tablette, les deux lignes qu'il avait déjà écrites au bas de l'autre face ! Les passages reproduits concernent d'abord Meskhenet, la déesse des naissances : elle prédestine l'enfant à une profession littéraire. Puis, après un court extrait d'un hymne au Nil, vient la série des différents métiers avec un commentaire sur les inconvénients présentés par chacun d'eux : paysan, tisserand, fabricant d'armes, courrier, préparateur d'onguents, cordonnier, blanchisseur, chasseur d'oiseaux ou pêcheur, tous éprouvent la fatigue, les dégoûts ou les risques de leur emploi. Cette énumération décourageante se termine par l'éloge du métier de scribe, qui n'offre que des avantages... « car c'est lui qui commande. Si tu connais l'écriture, ceci est plus utile pour toi que (tous) les autres emplois que j'ai placés devant toi. Vois !... » (traduction de Piankoff). Cette œuvre a dû être être composée au Moyen Empire. Or la préparation du support et la paléographie datent la tablette de la XVIIIᵉ dynastie ; c'est d'ailleurs le plus ancien exemplaire retrouvé et l'on ne peut que déplorer ses lacunes. Cela indique néanmoins que la « Satire des Métiers » était entrée dans l'anthologie de la littérature égyptienne et qu'elle figurait dans les programmes de l'enseignement au Nouvel Empire et même plus tard, d'après les autres témoignages. Outre le travail de calligraphie d'ailleurs excellent sur cet exemplaire, c'était également une étude de texte et un modèle de style (la langue est classique) pour l'étudiant, qui devait peut-être aussi l'apprendre par cœur.

D. B.

300 Tablette d'écolier

Bois
Longueur : 13,4 cm ; hauteur : 13 cm ; épaisseur : 1 cm
Acquise à Thèbes
Legs Virey (1945)
Basse Époque ? (car le bois n'est pas stuqué)

Louvre : AE/E 17173
Bibliographie :
Virey : RT, VIII (1886), p. 169-170 (avec fac-similé)
Posener : Rd'E, XVIII (1966), p. 46-50

Cette tablette carrée est perforée, sur la tranche du petit côté droit, pour y passer un lien de suspension. Elle a été brisée et réparée dans l'antiquité, au moyen de chevilles, que la restauration a rendues invisibles. On peut supposer que la réparation a été effectuée avant que l'élève n'y trace son travail. Le texte, écrit en hiératique, à l'encre noire, est un court extrait d'une œuvre célèbre composée au Nouvel Empire : la « Sagesse d'Aménémopé » ; sa version complète se trouve sur le papyrus 10474 du British Museum. L'étudiant en a recopié quatre vers de l'introduction : il s'agit des titres et épithètes du fils de l'auteur, pour qui fut écrit cet « Enseignement » :

« L'initié aux secrets de Min-Kamoutef,
Celui qui verse l'eau pour Ounennefer,
Qui installe Horus sur le trône de son père,
Après avoir contourné son auguste sanctuaire. »
(ou : quand il veille sur son auguste sanctuaire ?)

Entre ces lignes, l'écolier a noté des dates et des noms propres ; les premières sont de simples mentions de jours (le 22e, le 26e et le dernier) consacrés à l'exercice ; plusieurs séances ont donc été nécessaires pour réaliser cette courte copie (cf. cat. n° 299). L'adjonction de noms propres est parfois attestée sur ce genre de document ; il ne peut s'agir de la signature du copiste, puisqu'il y en a trois : Horsaïsis, Ankhef et Pachérinmoutef ; ils désignent peut-être les maîtres qui ont surveillé les différentes séances ; ou bien cette pratique, existant aussi en Mésopotamie, correspond-elle à un devoir supplémentaire, l'apprentissage de l'orthographe des noms de personnes ?

D. B.

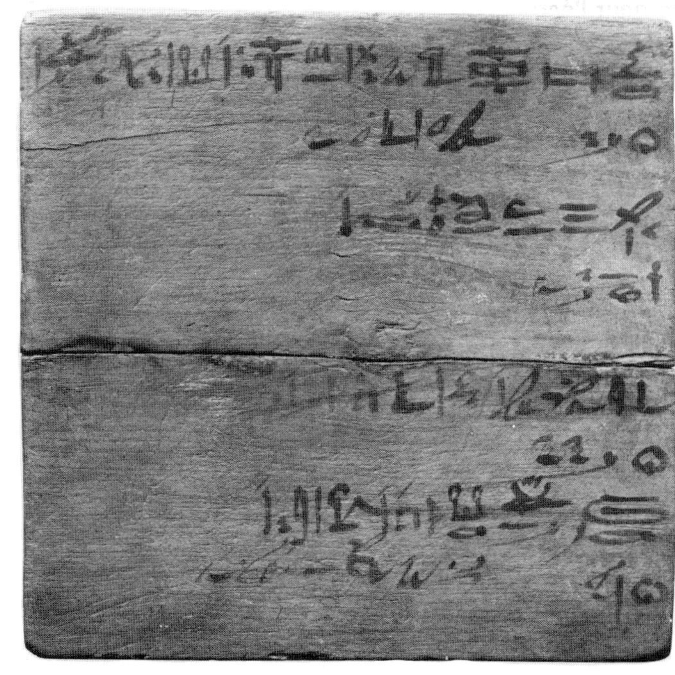

e papyrus et sa fabrication

s mots « pharaon » et « papyrus » ont la même étymologie. ancien égyptien « pa-per-âa » (copte : papouro ; grec : papuros) gnifie « celui du roi » ; en effet, à l'époque ptolémaïque, la brication du papyrus était un monopole royal. Dans notre langue, terme désigne aussi bien la plante que le support d'écriture nfectionné à partir de ses fibres. Les égyptologues l'emploient core pour qualifier certains textes qu'ils y ont décryptés : ils rlent par exemple du papyrus Westcar, du papyrus Jumilhac... fin, le mot qualifie le matériau constituant de nombreux objets alisés avec ce végétal extraordinaire : barques, cordes, mobilier, nnerie, pièces de vêtements...

plante

« Cyperus Papyrus L. » est l'espèce de cypéracée qui poussait ns l'Égypte antique. Aujourd'hui, on ne la rencontre plus qu'en hiopie et au Soudan, à l'état sauvage, ainsi qu'en Sicile, où e fut acclimatée dès l'époque gréco-romaine. Ses racines et s feuilles coriaces qui entourent le pied sont immergées dans au stagnante des marécages. Plusieurs tiges partent d'un ême rhizome, formant ainsi de véritables fourrés. Ces tiges, section triangulaire, sont très vigoureuses et peuvent atteindre à 6 mètres de hauteur ; elles se terminent par une corolle de ioles d'où s'échappent les ramifications de l'ombelle souple élégante. Le papyrus, chargé d'une symbolique complexe et versifiée, est constamment représenté dans l'art égyptien.

a fabrication du papyrus employé pour l'écriture

s représentations de l'époque pharaonique ne donnent aucune dication sur la méthode de fabrication du papyrus, support écriture ; seules, quelques scènes montrent la cueillette, le ansport et la première opération d'écorçage des tiges. Le travail mmençait donc sur place et la fabrique ne devait pas être très oignée du lieu de la récolte, pour que les fibres restent fraîches. n s'appuyant sur la description de Pline et l'examen des papyrus tiques, on a tenté, depuis le XVIIIe siècle, de reconstituer les apes de cette industrie : la tige était d'abord coupée en tronçons environ 40 cm de long ; puis la moelle était débitée en fines uches juxtaposées pour obtenir une surface. On y superposait ors une seconde couche de lamelles, de manière à ce que les res soient perpendiculaires à celles de la première. L'adhésion faisait naturellement grâce à la sève. L'expression égyptienne battre comme papyrus » suggère avec quelle énergie on frappait pressait cet ensemble pour obtenir une feuille. Elle était ensuite chée, lissée et découpée en un rectangle au contour net. Avec ne vingtaine de ces feuilles, on confectionnait un rouleau : pour ela, chacune était collée sur le bord vertical de sa voisine, en enant soin de les disposer toutes du même côté ; ainsi la bande ardait sa souplesse : elle était roulée à partir de la gauche, les res horizontales à l'intérieur, pour que les lamelles verticales e subissent aucune contrainte. Le rouleau terminé présentait n bord libre, renforcé par une mince bande de papyrus collée ur toute sa hauteur ; il était prêt à l'emploi. Le scribe pouvait cilement commencer son travail en remplissant d'abord le début e la face interne, qu'il déroulait progressivement à partir de la oite. C'est pourquoi nous appelons « recto » la face aux fibres orizontales. Les dimensions des papyrus retrouvés sont très ariables, car ils étaient souvent recoupés. Leurs qualités diffèrent, les aussi : ils sont plus ou moins fins, polis, jaunis ; mais il emble qu'ils étaient blancs à l'origine.

tilisation et intérêt des papyrus

a fabrication du papyrus exigeait beaucoup de soin et ce produit, ès élaboré, présentait de nombreux avantages : il était solide et souple, léger, facile à ranger et à transporter ; il suffisait d'un pinceau et d'un peu d'encre pour y tracer rapidement des écritures cursives. Malgré son coût, il était utilisé en grande quantité ; du comptable campagnard au grand lettré, tous les écrivains s'en servaient et le contenu des papyrus qui nous sont parvenus est donc très varié : documents administratifs ou législatifs, littérature, textes scientifiques, religieux, funéraires, magiques... Ils constituent pour nous une immense documentation sur l'Égypte pharaonique. Mais le papyrus fut aussi apprécié par tous les peuples de la Méditerranée Orientale, qui l'importaient (le nom du port de Byblos vient du grec « biblion », livre) et tentaient d'acclimater la plante. Ses qualités reconnues lui firent supplanter progressivement la tablette d'argile et le système cunéiforme ; si ce dernier fut employé dans l'invention de l'alphabet ougaritique, il était cependant plus aisé de tracer les signes linéaires au pinceau et les alphabets élaborés par la suite abandonnèrent la méthode du poinçon (cf. chapitre III). Ainsi le papyrus nous a transmis un héritage gigantesque, qu'on ne peut qu'évoquer dans ces quelques lignes : écrits araméens, textes bibliques, littérature grecque et romaine, livres arabes...

Produit égyptien par excellence, le papyrus fut fabriqué dès la plus haute époque et employé pendant fort longtemps (le dernier exemplaire connu porte un texte arabe du XIe siècle apr. J.-C.). Cependant, au début de notre ère, il fut peu à peu remplacé par le parchemin et le papier, nouveaux supports pour l'écriture et la transmission du patrimoine littéraire.

D. B.

301 Représentation d'un fourré de papyrus

Peinture sur limon stuqué
Longueur : 74,5 cm ; hauteur : 43 cm
Thèbes, tombe de Néferhotep
XVIIIe dynastie

Louvre : AE/E 13101
Bibliographie :
L. Keimer, Rd'E, IV (1940), p. 45-65
Catalogue de l'exposition « La vie au bord du Nil... », Calais (1980-1981), n° 1

Ce fragment constituait la partie centrale d'une scène de pêche et de chasse dans les marécages qui bordent le Nil. Divertissement du défunt dans sa vie d'outre-tombe ou symbole de la lutte contre le chaos évoqué par ces zones de friches peuplées d'animaux sauvages, cet épisode décore de nombreuses tombes, depuis l'Ancien Empire jusqu'à la Basse Époque. Le peintre s'est employé à rendre la vie de cette faune avec un grand sens de la composition, de l'observation et du coloris ; il a brossé les ébats des papillons et des oiseaux (canards sauvages, hupp hérons...) ; l'un d'eux couve ses œufs et des oisillons piaill dans leurs nids, tandis que de petits carnassiers s'en approch sournoisement... Le mouvement provoqué par cette inten activité ne bouscule pas l'ordre du fourré, qui s'épanouit éventail. Sur un fond vert clair en demi-cercle, se détache vert plus sombre de vigoureuses tiges de papyrus. Les ombel forment, sur un fond blanc, une frise d'un bel effet décorat chacune d'elles s'imbrique alternativement dans l'espace délim par ses voisines ; ainsi, sur les tiges les plus courtes, elles referment en bouton ; à l'étage médian, elles s'ouvrent en coro et, sur le pourtour, elles sont si épanouies que leurs extrémi se rejoignent en un feston continu, jaune, hachuré de roug ce détail évoque la multitude des pointes terminales et se retrou aussi au sommet des boutons. Avec la même précision, et mêmes couleurs, le peintre a dessiné l'imbrication des folio triangulaires d'où s'échappent les corolles.

D.

302 Palimpseste

yrus, encres noire et rouge
gueur : 62,5 cm ; hauteur : 17,5 cm
IIe dynastie

vre : AE/N 3171
liographie :
diner : *JEA, 26 (1940), p. 56-58*
gler : *Catalogue de l'exposition « La vie au bord du Nil... », Calais (1980-1981),*
58

papyrus très lacunaire est inscrit en hiératique à l'encre noire, ec des initiales et des nombres tracés en rouge, selon l'habitude. texte, réparti en trois colonnes de lignes horizontales, est un cument économique concernant le transport et la taxation de réales (orge et épeautre). Il donne des dates, le décompte s sacs de grains fournis par chaque cultivateur, avec leurs noms et ceux de leurs villages, et désigne l'officier chargé de la réquisition. Le transport devait se faire par bateau, jusqu'aux greniers de Memphis.

Au-dessus de la colonne de droite, quelques longs traits noirs sont sans doute des essais de calame. Entre la 2e et la 3e ligne, le texte a été effacé. Un scribe a tracé à la place, après avoir retourné le papyrus, le début d'un « Enseignement d'un père à son fils », dont l'introduction est connue par un manuscrit du British Museum (no 10258). Cette ligne, un peu de travers, est un exercice d'écriture, copie ou dictée d'un élève, qui n'a pas poursuivi son travail. Le papyrus était un matériau précieux ; lorsqu'un document n'était plus utilisé, on en récupérait les parties restées vierges ou bien on effaçait le texte pour réemployer la feuille. C'est ce qu'on appelle un « palimpseste ». Il est parfois possible de décrypter l'ancien passage, lorsqu'il a été mal effacé.

D. B.

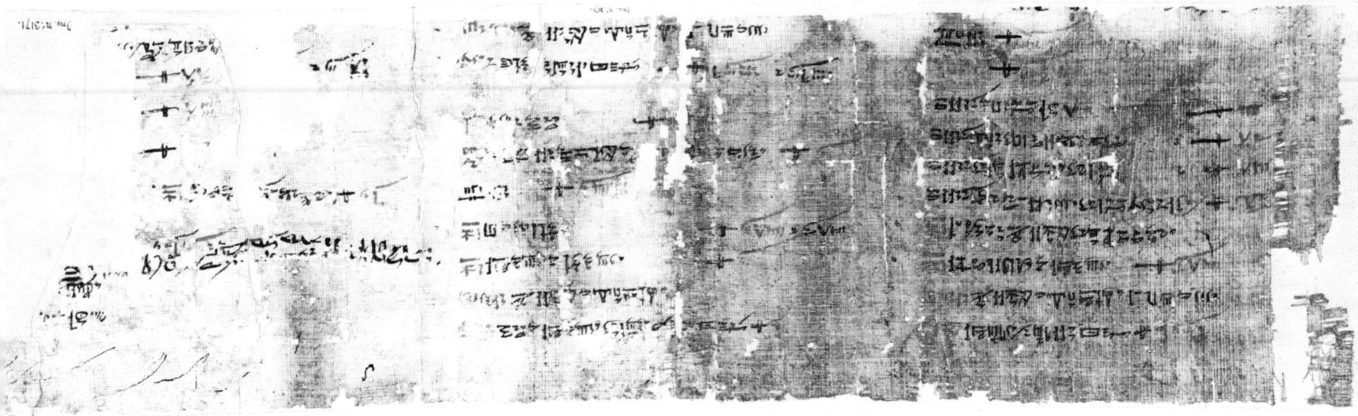

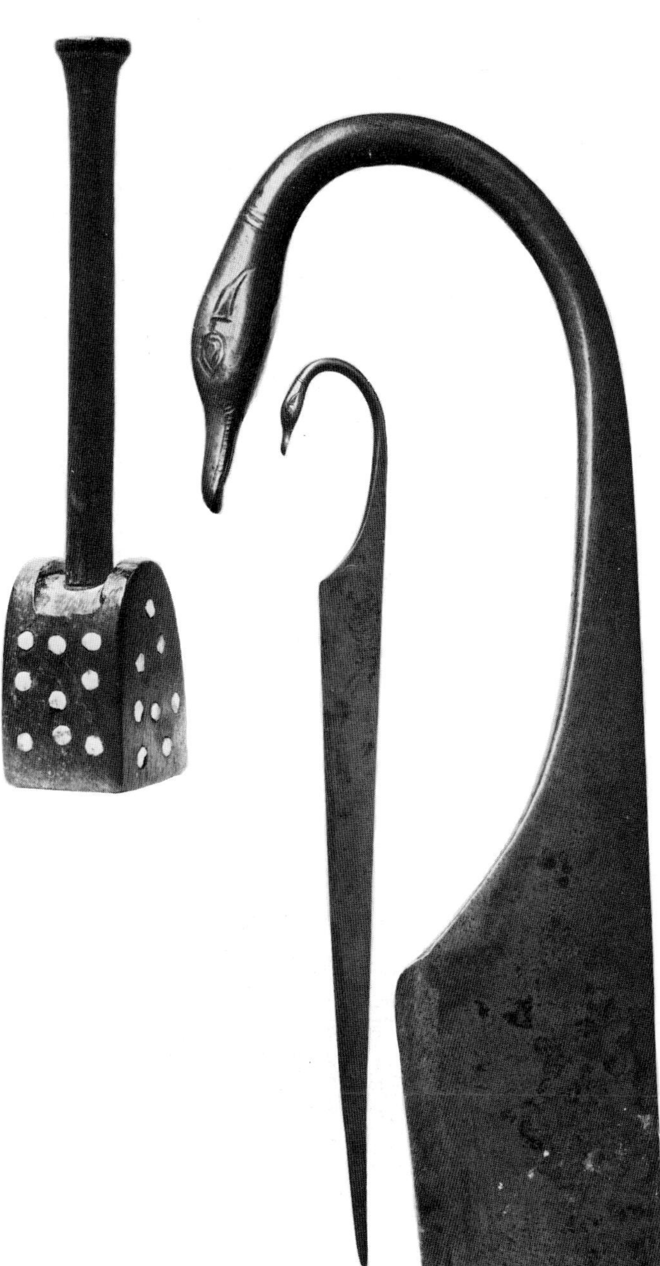

303 Lissoir pour papyrus (?)

Bois, ivoire
Hauteur : 12 cm ; largeur : 2,3 cm

Louvre : AE/N 1723
Bibliographie :
Desroches-Noblecourt : La feuille blanche, 3 (1942), fig. 11
Pour comparaison :
Jéquier : Frises d'objets, p. 268, et Letellier : La vie quotidienne chez les artisa de Pharaon, Metz-Marseille (1979-1980), nº 92

L'utilisation de cet instrument est, reconnaissons-le, indéterm née. On le range parmi les accessoires d'écriture, car un obj similaire apparaît à côté du matériel de scribe, dans le déc d'un sarcophage du Moyen Empire. Le rapprochement avec ur sorte de maillet trouvé dans une tombe ramesside à Deir e Médineh n'éclaire pas davantage sur son emploi. La partie plar de la petite borne, aux faces incrustées de points en ivoire, la disposition du manche semblent indiquer une tenue vertica de l'instrument pour écraser ou polir. Ce n'est certainement pa un broyeur pour les couleurs, que l'on concassait au moyen c molettes en pierre ; on songe plutôt à un lissoir pour les feuille de papyrus : il fallait en effet les aplanir avant d'écrire et, parfoi repolir les surfaces grattées à l'endroit des fautes.

D.

304 Coupe-papyrus

Bronze ou cuivre
Longueur : 24,5 cm ; largeur : 3 cm
Nouvel Empire

Louvre : AE/E 3673
Bibliographie :
Pour comparaison, Norman de Garis Davies : The Tomb of Rekh-mi-Rê, vol. pl. XC et LIII

Les lettres ou les textes brefs écrits sur papyrus ne justifiaie pas l'emploi de rouleaux entiers ; les scribes y découpaient don des morceaux de dimension variable, en fonction de la longueu de leur écrit. Avec quel instrument ce découpage était-il pratiqué Les représentations de scribes au travail, pourtant nombreuse et détaillées, ne le montrent pas. Un tel « coupe-papier » a p servir à cette opération. Le tranchant est bien conservé ; son a été obtenu par martelage. Le manche s'arrondit élégammer en col de cygne et se termine par une fine tête d'oiseau. Ce objet figure avec d'autres instruments qu'un scribe transport sur un coffre (cf. cat. nº 295 et dossier documentaire), dans l tombe du vizir Rekhmirê. Le délicat motif de la tête d'oisea retournée orne une cuiller à encens, représentée dans la mêm tombe, dans l'atelier du fondeur. Le Musée de Boston conserv un couteau identique à celui-ci ; il a été trouvé en Abydos, dan une tombe de la XVIIIe dynastie.

D. E

Le papyrus

) Fourré de papyrus. (Institut du papyrus.)

2) Tombe d'Akhethotep
La cueillette et transport d'une botte de papyrus : l'homme mange la racine !

3) photo Institut du papyrus
transport dans les marais, même joie de vivre !

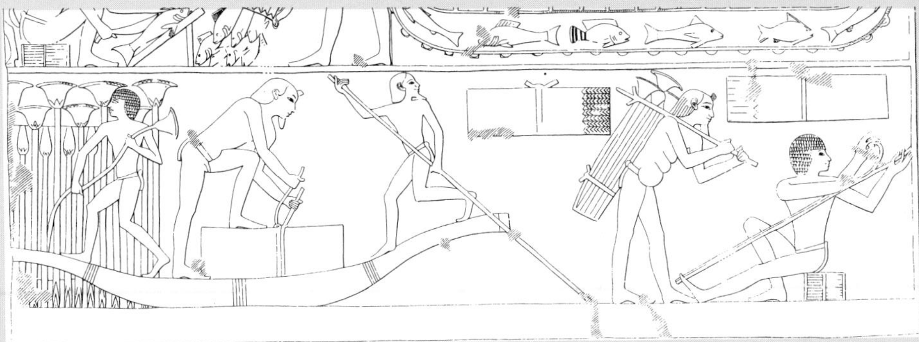

4) Tombe de Puyemrê
cueillette, bottelage, transport, écorçage

5) Écorçage Institut du papyrus

6) Papyrus en rouleau
(Chester Beatty I)

D. B.

Fabrication du papyrus

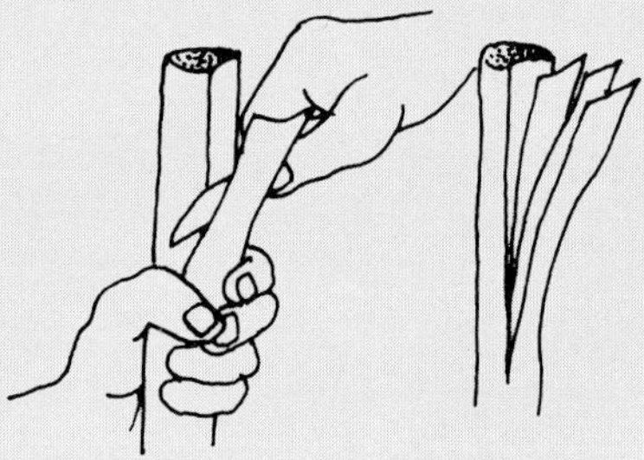

1) La tige du papyrus est tranchée en lamelles.

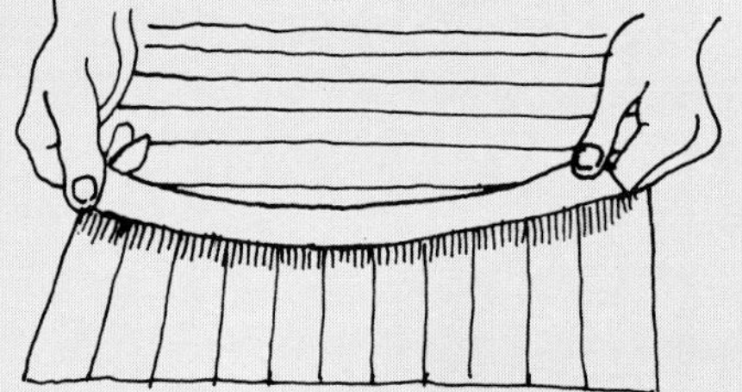

2) Deux couches de lamelles sont disposées perpendiculairement.

3) Les deux couches sont battues avec un maillet (cf. l'expression égyptienne : « Battre comme papyrus »)

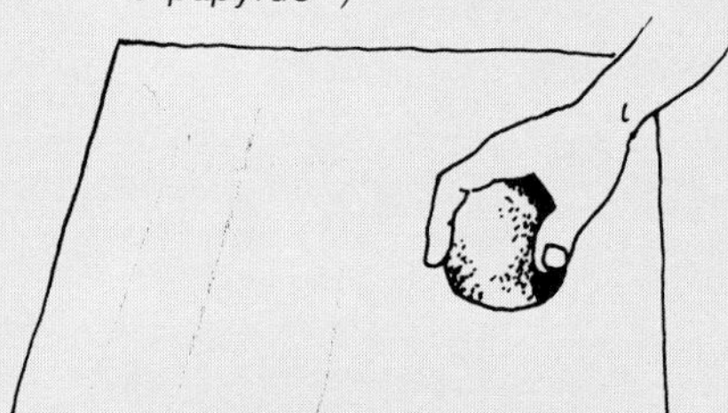

4) La surface de la feuille est lissée.

Éloge de la profession de scribe

« Elle te sauve du labeur, elle te protège de tous les travaux ; elle t'évite de porter la houe et la pioche : tu n'as pas à coltiner le couffin ; elle te dispense de manier la rame. Elle t'évite le tourment : tu n'es pas sous les ordres de nombreux maîtres, d'une multitude de supérieurs. Car, de tous ceux qui exercent un métier, le scribe est le chef. »

Le scribe et son matéri[el]

1

2

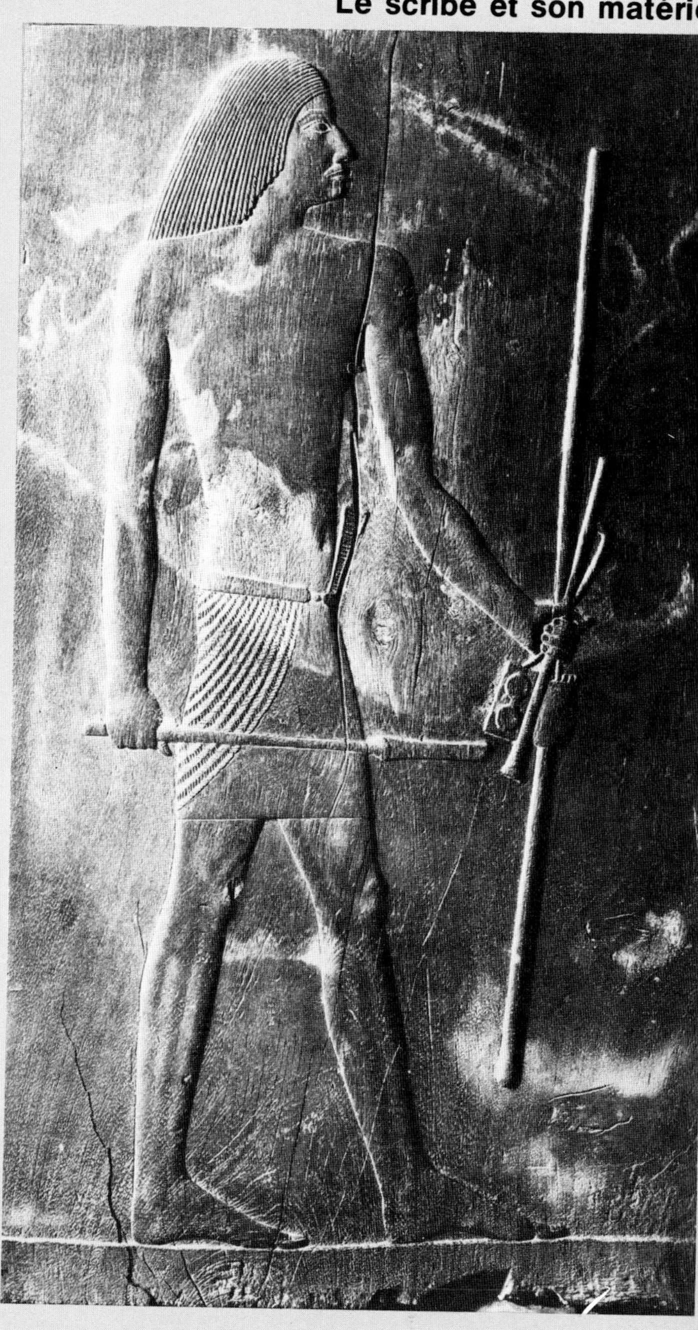

3

1) Hiéroglyphe représentant le matériel du scribe.

2) Hiéroglyphe représentant un papyrus roulé et ficelé.

3) Tombe d'Hézyrê. Scribe tenant son matériel à la main.

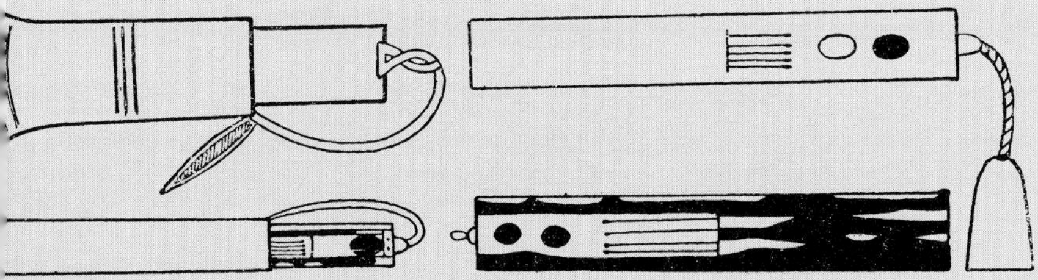

) Différents types de palettes.

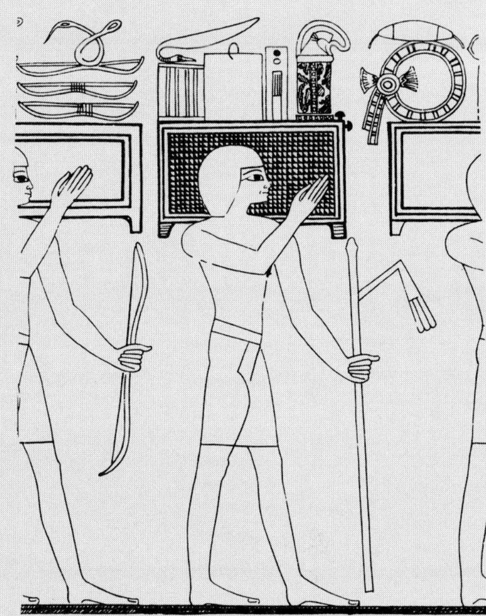

5) Tombe de Rekhmirê. Transport du coffre et de l'attirail.

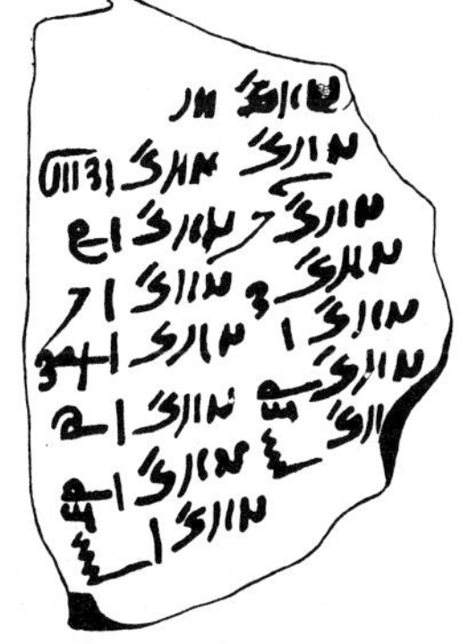

Exercice d'écolier : 2 conjugaisons du verbe « dire » en écriture démotique

ils m'ont dit	*je disais*
ils t'ont dit	*tu disais*
ils lui ont dit	*il disait*
ils lui ont dit (à elle)	*ils disaient*
ils leur ont dit	*nous disions*
ils nous ont dit	*vous disiez*
ils vous ont dit	

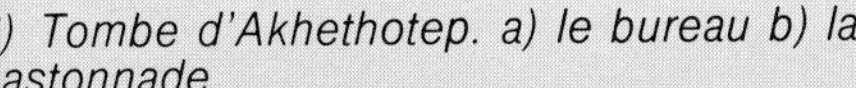

) Tombe d'Akhethotep. a) le bureau b) la astonnade

a

b

J.F. CHAMPOLLION

VI. Le déchiffrement

le déchiffrement des écritures cunéiformes
Champollion et le déchiffrement des hiéroglyphes

Le déchiffrement du cunéiforme

Jusqu'au début du XIXe siècle, et avant que des fouilles systématiques ne commencent à livrer des milliers de documents, seules quelques briques inscrites ramassées en surface, ou des inscriptions rupestres copiées plus ou moins fidèlement par des voyageurs, avaient attiré l'attention du monde savant. Mais le souvenir des langues qui y étaient écrites était oublié depuis longtemps, de même qu'était perdu le secret de ces signes que l'on appela « cunéiformes » parce qu'ils étaient composés d'éléments en forme de clous ou de coins (du latin : cuneus), et dans lesquels certains sceptiques refusaient même de voir une écriture.

Cette partie de l'Asie n'était plus alors connue que par ce qu'avait relaté la Bible des rois maudits d'Assur, de Ninive et de Babylone, et par les récits imprécis des historiens de l'Antiquité classique, Hérodote ou Strabon. Mais ceux-ci n'avaient connu qu'une civilisation mésopotamienne sclérosée qui ne faisait plus que se survivre. On possédait aussi des relations des voyageurs du Moyen Age et de la Renaissance qui, tel le Napolitain Pietro della Valle, avaient copié à Persépolis les premiers caractères cunéiformes qui fussent jamais parvenus en Europe.

Enfin, à la fin du XVIIIe siècle, le « Caillou Michaux », un kudurru ou charte de donation de terrain kassite, datant du XIIe siècle av. J.-C., porteur d'une inscription et d'une iconographie, fut rapporté à Paris par le botaniste du même nom et éveilla intérêt et curiosité en même temps que les langues orientales attiraient l'attention des chercheurs. Le nom de cunéiforme fut donné aux inscriptions de Persépolis en 1700 par Thomas Hyde, professeur d'hébreu à l'université d'Oxford, dans son livre *« ductuli pyramidales seu cuneiformes »*.

C'est la Perse, plus que la Mésopotamie, qui attirait alors les voyageurs européens parmi lesquels le Danois Carsten Niebuhr mérite une mention spéciale. De ses copies d'inscriptions de Persépolis en 1778 datent les fondements des premiers efforts sérieux de lecture.

Aux alentours de 1800, il était clair que l'écriture cunéiforme contenait les secrets de l'Antiquité mésopotamienne. Ce sont des inscriptions trilingues gravées dans le roc par les grands rois perses achéménides à Persépolis et à Behistun qui permirent les premiers déchiffrements. Le même texte y était écrit en trois langues, toutes en écritures cunéiformes mais différentes : le vieux-perse, l'élamite et l'akkadien (babylonien). Elles représentaient les trois langues parlées dans l'Empire perse.

La première, grâce à un nombre restreint de 36 caractères et à ses affinités avec le persan, fut identifiée dès 1802 par G. F. Grotefend de Göttingen, et le prêtre irlandais E. Hincks. Des groupes de signes représentant des noms royaux, leur filiation et leurs titres royaux, furent isolés et comparés avec ceux relatés par les Hébreux et les Grecs, et les inscriptions perses pehlvies postérieures. Mais ce fut le diplomate militaire anglais, Henry Creswicke Rawlinson, le « père de l'Assyriologie », qui paracheva le déchiffrement en escaladant le rocher de Behistun au péril de sa vie pour copier la longue inscription trilingue du roi Darius I. Le travail était achevé en 1846.

La seconde langue, l'élamite, comportant plus de signes (langue syllabique d'environ 100 signes), fut déchiffrée par Norris de 1838 à 1851 à partir des noms propres de Darius et de Xerxès.

Il fallut plus de cinquante ans pour décrypter la troisième, l'akkadien (assyro-babylonien), qui contenait plusieurs centaines de caractères. Grâce aux valeurs syllabiques des noms propres, on put déterminer que la langue ainsi notée appartenait à la famille des langues sémitiques comme l'arabe ou l'hébreu, ce qui facilita la compréhension de son vocabulaire et de sa grammaire. Un pas décisif fut fait lorsqu'en 1857, la Société Asiatique de Londres demanda à quatre savants : Rawlinson,

Fox-Talbot, Hincks et Oppert, de traduire le même texte d'un roi d'Assyrie : un prisme des annales de Teglat-Phalasar I. Les résultats se révélèrent satisfaisants, car la similitude des quatre traductions était grande. Mais cette langue mêlait le phonétisme d'une écriture syllabique et l'idéographie, le même signe pouvant avoir tantôt une valeur de signe-son, tantôt une valeur de signe-mot. On en vint donc à penser que l'écriture en avait servi à noter une langue autre et plus ancienne, où le signe primitif, et son sens était un idéogramme. Ce n'est qu'à partir de 1880 que les fouilles du Français Sarzec en Basse-Mésopotamie apportèrent à Jules Oppert la certitude que son idée était juste. Cette langue, révélée par de nombreuses inscriptions, fut appelée, par lui, le sumérien.

Le sumérien ne se rattache à aucune autre langue connue. On le déchiffra principalement à l'aide de textes et de dictionnaires bilingues suméro-akkadiens. En 1905, le Français F. Thureau-Dangin publie ses *« Inscriptions de Sumer et d'Akkad »* qui marquent une date dans le déchiffrement de cette langue. Mais si aujourd'hui l'akkadien nous est connu presque aussi bien que le latin ou le grec, le sumérien présente encore, notamment en ce qui concerne les grands textes littéraires, de nombreuses difficultés grammaticales et lexicales.

En 1880, le nom de Sumer avait disparu de la mémoire des hommes depuis plus de 2000 ans. On commençait juste à se douter que ses ruines allaient livrer la plus ancienne écriture qui nous soit parvenue.

Béatrice André-Leicknam

305 Kudurru, ou charte de donation de terrain babylonienne, dit « le caillou Michaux »

Serpentine noire
Hauteur : 45 cm ; diamètre : 20 cm
Trouvé au sud de Bagdad, dans les ruines d'un palais
Règne de Marduk-nadin-ahhe de Babylone (début du XIe siècle av. J.-C.)

Paris, Bibliothèque Nationale, Cabinet des Médailles, inv. Chabouillet 702
Bibliographie sommaire :
Milin : Monuments inédits, I (1802), p. 8 et 9
M. Chabouillet : Catalogue général et raisonné des Camées et Pierres gravées de la Bibliothèque Impériale... (Paris, 1858), p. 109 ss
E. F. Peiser : Texte juritischen und geschäftlichen Inhalts, IV, Berlin, (1896), p. 78 ss.
Ursula Seidl : Die Babylonischen Kudurru Reliefs, Baghdader Mitteilungen, 4 Berlin (1968), p. 47 ss
J. A. Brinkman : A political history of Post Kassite Babylonia, Rome (1968), p. 120, note 688 ; p. 252, n° 38

En 1786, le botaniste A. Michaux rapportait en France le premier document épigraphique babylonien qui soit parvenu en Europe. Il s'agit d'un kudurru, stèle constituant un titre de propriété, placée sous la sauvegarde des dieux, et déposée dans un sanctuaire (cf. cat. n° 144). Ce monument aurait été trouvé, au sud de Bagdad, dans les ruines d'un palais nommé « Les Jardins de Sémiramis ».

Dès qu'il fut connu, les savants s'efforcèrent d'en traduire l'inscription. C'est Lichtenstein qui proposa une première traduction qui commençait ainsi : *« L'armée du ciel ne nous abreuve de vinaigre que pour nous prodiguer les remèdes propres à procurer notre guérison. Si elle sépare souvent tant d'amis fidèles, elle les réunit ensuite pour toujours... » !* (cité par Fossey : « Manuel d'Assyriologie », I (1904), p. 100).

Cette interprétation était évidemment un peu loin de la réalité ! Gobineau, dans son « Traité des écritures cunéiformes » paru en 1859, y vit des caractères arabes... Il s'agit en fait d'une dot en terre assurée par un père à sa fille à l'occasion de son mariage : Le début du texte, en akkadien, peut être restitué ainsi (traduction D. Arnaud) :

« 20 Kur d'emblavures, l'iku étant à un simdu, mesuré à la grande coudée,
terroir de la ville de Kar-Nabu,
sur le bord du canal Me-Kalkal, sur le territoire de la tribu de Habban,
champ dotal,
sur 1080 mètres de grand côté supérieur, à l'Est, jouxtant le district de la ville de Hudada ;...
Nirah-nasir, descendant de Habban,
à Dûr-Sharrukîn-ayyitu,
sa fille, fiancée de Tab-ashab-Marduk,
descendant d'Ina-Esagil-Zeru,
administrateur, a livré à jamais... »

B. A.-L.

306 Gravure : portrait du Major Général, Sir Henry Creswicke Rawlinson, Bart, G.C.B., F.R.S.

Gravée par Samuel Cousins en 1860, d'après un portrait de Henry Wyndham Philips, exécuté en 1850
Londres, British Museum : Department of Prints and Drawings
Bibliographie sommaire :
Alfred Whitman : Samuel Cousins, London (1904), p. 93

Orientaliste, major général ; membre du Parlement ; créé baronet en 1891 ; Président de la « Royal Asiatic Society » et de la « Royal Geographical Society ».
La gravure le représente assis à une table sur laquelle sont posés des feuillets écrits en caractères cunéiformes, et des sceaux-cylindres.
H. C. Rawlinson fut le déchiffreur génial de l'écriture cunéiforme. Major de cavalerie et diplomate, il fut envoyé en Inde en 1826, où il apprit l'hindoustani, l'arabe et le persan moderne. Au cours d'un séjour diplomatique en Perse, en 1833, il s'attaqua au déchiffrement du cunéiforme.
Après avoir refusé un poste de Résident au Népal et demandé la faveur de retourner à Bagdad comme agent politique, il acheva, en 1846, grâce aux inscriptions trilingues du rocher de Behistun en Iran de l'Ouest (cf. cat. n° 307) et à sa connaissance des langues orientales modernes, le déchiffrement du vieux perse commencé par Grotefend.
Il entreprit ensuite de percer les mystères des deux autres langues de l'inscription de Behistun, l'élamite et l'akkadien (babylonien), au cours de voyages successifs entrepris pour mener des fouilles pour le compte du British Museum.
En 1857, la confrontation entre quatre savants, de leurs quatre traductions du même texte d'un roi d'Assyrie, démontra que « les portes de l'écriture cunéiforme étaient officiellement ouvertes ».

B. A.-L.

Column I.

307 Vue générale du rocher de Behistun, dessinée depuis le bas du rocher par H. C. Rawlinson

Gravure
Hauteur : 33,5 cm ; largeur : 50 cm

Londres, 1846
Collège de France ; Cabinet d'Assyriologie

Illustration du livre du major H. C. Rawlinson, C. B., « The Persian cuneiform inscription at Behistun, decyphered and translated, with a Memoir of Persian cuneiform Inscriptions in general and on that of Behistun in particular » ; London, 1846.
Le rocher de Behistun est situé dans les Monts du Zagros dans le sud-ouest de l'Iran. A cent mètres au-dessus de la plaine, sont gravés des reliefs héroïques célébrant les exploits de Darius le Grand.
Au-dessous des sculptures, plusieurs larges panneaux portent mille deux cents lignes d'inscriptions trilingues gravées.
Rawlinson copia les lignes inférieures de l'inscription en vieux perse, en se tenant debout sur une saillie étroite. Pour atteindr la partie supérieure, il lui fallait une échelle, qui ne pouvait ten qu'en porte à faux.
Il raconta ainsi son exploit :
« Debout sur la plus haute marche de l'échelle, sans autre suppo que mon corps maintenu le plus près possible du rocher à l'aid du bras gauche, tandis que ma main gauche tenait un carnet d notes et la droite un crayon, je copiai ainsi les inscription supérieures, et l'intérêt de mon occupation m'enlevait tout sen du danger. »
Le bas-relief récapitule les victoires du roi qui est figuré un pie posé sur son ennemi Gaumata. Il juge neuf autres prisonnier attachés les uns aux autres par une corde. Derrière le roi, s tiennent deux officiers portant sa lance et son arc. Au-dessu de la scène, se tient le dieu dynastique Ahuramazda.
Avant le déchiffrement des inscriptions, certains savants pensaier que la scène représentait les tribus captives d'Israël.

B. A.-L

308 Autographie du texte babylonien de l'ins-
·ription de Behistun, exécutée d'après les estam-
·ages réalisés par Sir H. Rawlinson sur le rocher

·ge de livre ; livre in-folio : Hauteur : 54 × 38 cm ; double page : Hauteur : 53 × 70 cm
·hographie de R. E. Bowler, Londres, 1870
·uvre ; Bibliothèque de la Conservation
·éférences de l'ouvrage :
·ajor Général Sir H. C. Rawlinson, G.C.B., F.R.S.
·A selection from the Miscellaneous Inscriptions of Assyria», London, 1870,
. XXXIX-XL
·égende des pl. XXXIX-XL
·Texte babylonien de la célèbre inscription trilingue de Darius à Behistun.
·inscription relate la descendance de Darius, depuis Achaemenes, la révolte de
·merdis le Mage, et la victoire de Darius sur lui et les autres rebelles »

·'inscription de Behistun célèbre l'écrasement des révoltes qui ·arquèrent le début du règne de Darius Ier l'Achéménide (522-486 ·v. J.-C.).

Le personnage du Mage Gaumata est mentionné par Hérodote (III, 61-79). Profitant de l'absence de Cambyse (530-522 av. J.-C.) retenu en Égypte, il aurait fomenté des révoltes dans l'Empire perse, en se faisant passer pour le frère du roi, Bardiya (ou Smerdis). Il se proclama roi en 522 et détruisit des sanctuaires. Aussitôt après la mort de Cambyse, sur le chemin de son retour vers Suse, Darius, aidé de six compagnons perses, aurait fait assassiner Gaumata près d'Ecbatane.
Malgré les dires de Darius, il se peut que Gaumata ait été réellement le frère du roi et non un mage usurpateur.

B. A.-L.

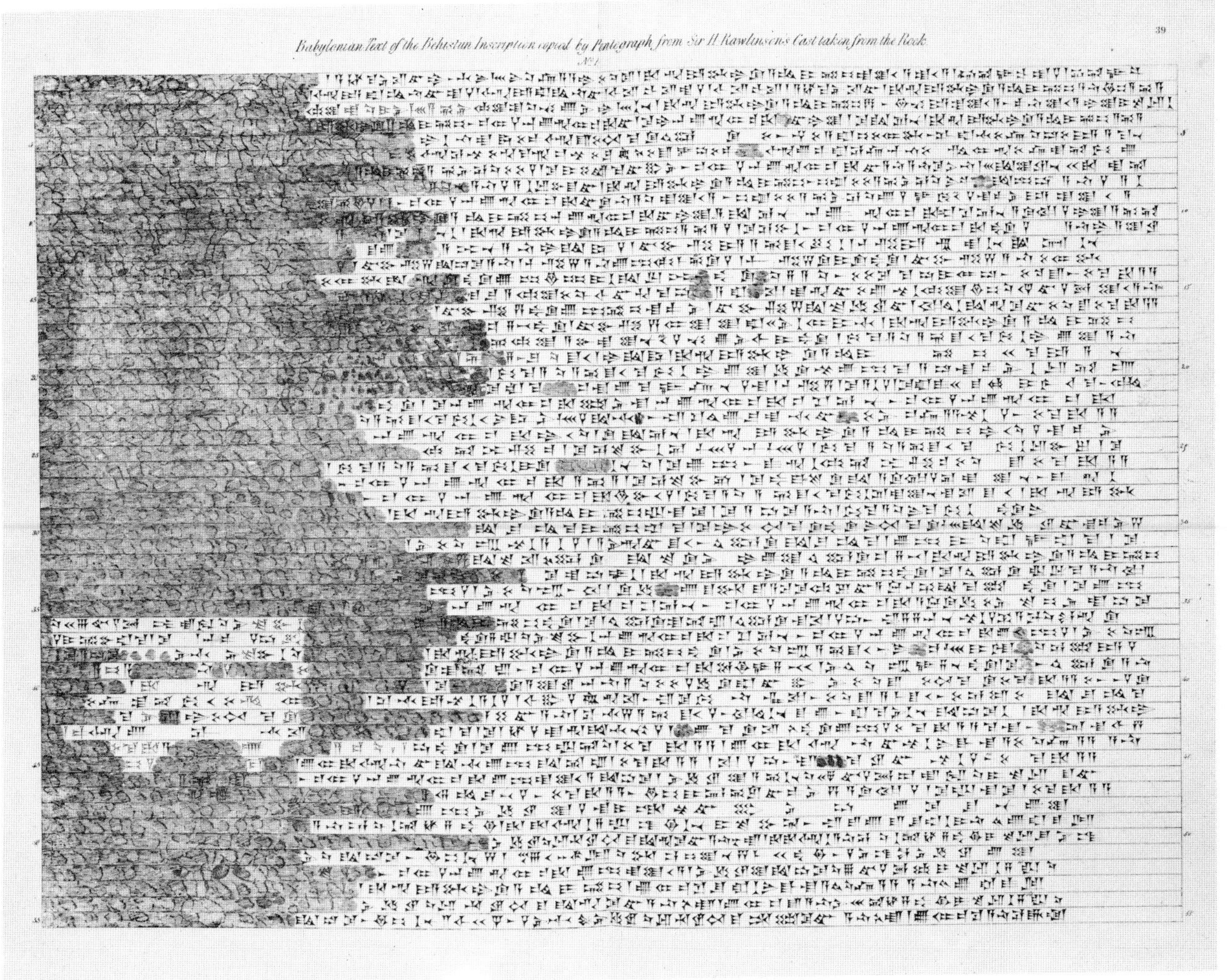

309 Buste de Jules Oppert, assyriologue (1825-1905)

Bronze
Hauteur : 61 cm ; largeur : 49 cm ; épaisseur : 36 cm
Réalisé par Zeitlin en 1900
Collège de France, Cabinet d'Assyriologie

Né à Hambourg, en Allemagne, Jules Oppert fit de la France sa patrie d'adoption à partir de 1847. Il est principalement connu pour sa contribution magistrale au déchiffrement de l'écriture cunéiforme et des langues qu'elle a servi à transcrire, par ses travaux sur l'origine de cette écriture, et la redécouverte de la langue sumérienne.

Il affirme et démontre le premier que les caractères cunéiformes ne sont pas des signes arbitraires, mais des images plus ou moins altérées. Il avait découvert quelques formes de signes archaïques dans lesquelles l'image primitive de l'objet était facilement reconnaissable. Il en conclut, avec raison, qu'il en était de même pour tous les signes, même pour ceux où il était impossible de reconnaître la forme d'un objet quelconque, découvrant ainsi la véritable origine des idéogrammes.

L'une des œuvres qui marquent l'avènement de l'Assyriologie comme science définitivement constituée, est son *« Expédition Scientifique en Mésopotamie »,* en 2 volumes (1858-1863), dans laquelle il démontra que l'on n'avait pu passer de l'idéogramm au phonétisme qu'en donnant comme valeur phonétique à u signe le nom de l'objet qu'il représentait, comme le font le auteurs de nos rébus modernes : par exemple, le mot charpi serait écrit avec des images par un char et une pie, parce qu ces sons évoquent pour nous, en même temps que l'idée d'u véhicule et d'un oiseau, les sons « char » et « pie ». Mais quelqu'u parlant une autre langue ne pourrait pas lire ces dessins de l même façon.

Or, si l'on considère les signes cunéiformes on peut constat que le signe qui est l'image de la montagne, en assyrien *šad* est écrit par le signe KUR. Oppert en conclut que les inventeur de l'écriture cunéiforme ne parlaient pas l'assyrien, mais un langue non sémitique, dans laquelle montagne se disait KUR. Quelle était cette langue ? Oppert l'appelait en 1859 casdo scythique, puis il lui substitua le nom de sumérien lorsqu' constata qu'elle était celle que l'on trouvait sur les monument les plus anciens de la Babylonie, dans les inscriptions des roi de Sumer, découvertes par les fouilles de Tello en 1880. E 1874, il vint occuper au Collège de France la chaire de « philologi et archéologie assyrienne » créée pour lui.

B. A.-L

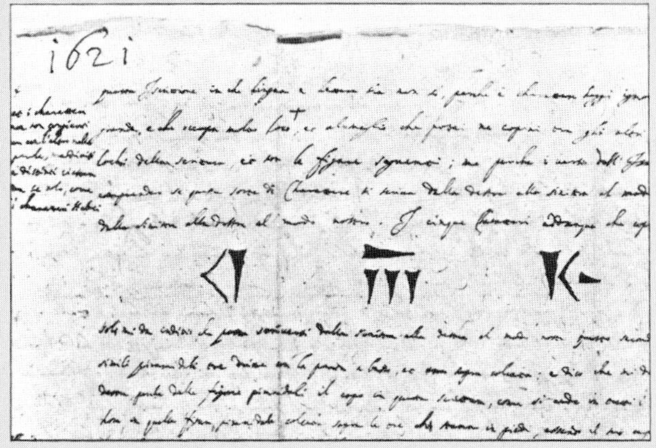

L'Italien Pietro della Valle, au cours d'un voyage à Persépolis, copia des caractères cunéiformes dans une lettre qu'il envoya en Italie en 1621. Ce sont les premiers exemples de cunéiformes jamais parvenus en Europe, et ils permirent les premiers essais de déchiffrement. Della Valle y échoua, mais il découvrit pourtant que l'écriture se lisait de gauche à droite.

Cette copie d'un texte du site de Persépolis arriva en Europe en 1694. L'autographie en fut faite par Engelbert Kämpfer, qui escalada les ruines au péril de sa vie, pour voir les caractères. Il fut l'un de ceux qui donnèrent son nom à l'écriture cunéiforme, nom basé sur le mot latin cuneus : *coin ou clou, dont elle a l'apparence.*

B. A.-L.

Carsten Niebuhr (1733-1815)

Envoyé comme mathématicien dans une expédition danoise explorant l'Arabie, il arriva à Persépolis en 1765. Il dessina les ruines et les inscriptions cunéiformes. Il fut le premier à réaliser que les inscriptions comportaient trois écritures différentes. De retour au Danemark en 1767, il publia ses dessins qui fournirent une aide importante pour le déchiffrement de l'une des trois langues de Persépolis : le vieux-perse.
Sur cette gravure, Niebuhr s'est fait représenter dans un costume qui lui avait été donné par un chef arabe. Il avait coutume de voyager habillé en pauvre hère pour éviter les attaques des brigands.

B. A.-L.

Georg Grotefend, professeur allemand, qui proposa le premier déchiffrement plausible du vieux-perse à partir de 1802, à la suite d'un pari qu'il avait fait avec des amis de trouver la clef des inscriptions de Persépolis.

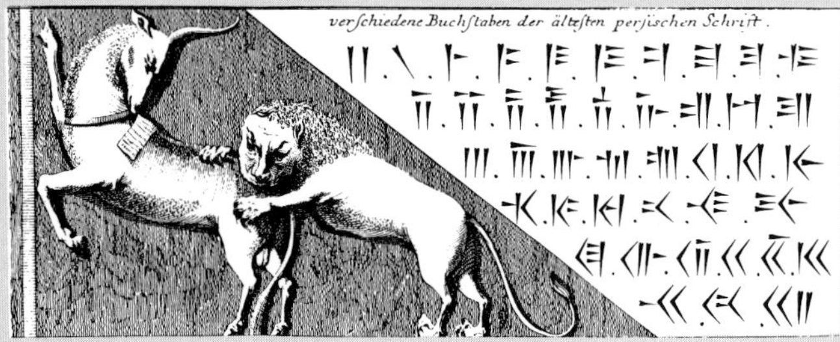

Gravure d'une page d'un livre de C. Niebuhr (vers 1770) comportant une légende en allemand et en français : « caractères de l'ancienne écriture persique ».
La gravure est faite d'après un bas-relief d'un escalier de Persépolis : elle représente un lion attaquant un taureau.
A droite, sont dessinés les 42 symboles de l'écriture cunéiforme vieux-perse que Niebuhr réussit à isoler, supposant avec justesse que les signes appartenaient à un alphabet syllabique.

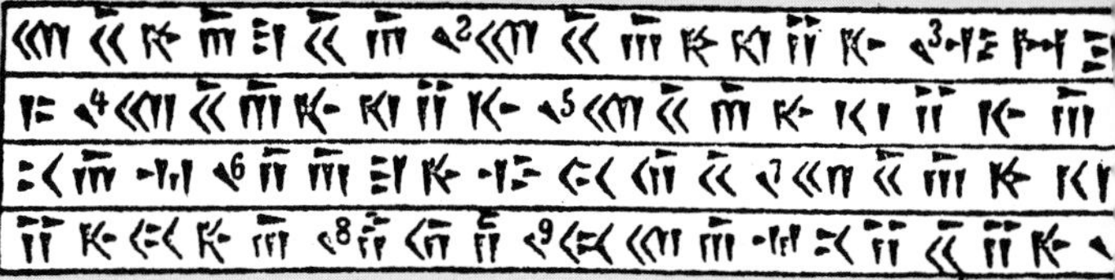

Inscription de Xerxès (486-465 av. J.-C.) en vieux-perse

(littéralement) *(1) X(a)-š(a)-y(a)-a-r(a)-š(ā)-a (2) x(a)-š(a)-a-y(a)-ʋ (a)-y(a) (3) v(a)-z(a)-r(a)-k(a) (4) x(a)-š(a)-a-y(a)-ʋ(a)-i-y(a) (5) x(a)-š(a a-y(a)-ʋ(a)-i-y(a)-a-n(a)-a-m(a) (6) D(a)-a-r(a)-y(a)-v(a)-h(a)-u-š(a) (x(a)-š(a)-a-y(a)-ʋ(a)-i-y(a)-h(a)-y(a)-a (8) p(a)-u-ç(a) (9) H(a)-x(a)- m(a)-n(a)-i-š(a)-i-y(a)*
(à prononcer) *Xšayāršā xšāyaʋiya vazrka xšayāʋiya xšāyaʋiyānā Dārayavahauš xšāyaʋiyahya puça Haxāmanišiya*
« Xerxès, le grand roi, le roi des rois, de Darius, du roi, le fil l'Achéménide. »

Gravure représentant le rocher de Behistun, vu depuis la plaine, par H. C. Rawlinson.

François Thureau-Dangin (1872-1944), Assyriologue français, conservateur adjoint, puis conservateur du Département des Antiquités Orientales du Musée du Louvre de 1908 à 1928.
Son livre « Les Inscriptions de Sumer et d'Akkad » (1905) marque une étape importante dans le déchiffrement du sumérien.

Champollion et le déchiffrement des hiéroglyphes

Le déchiffrement des hiéroglyphes

Il y a tout juste 150 ans mourait à Paris Jean-François Champollion. Le « premier des Égyptologues », qui était aussi le fondateur du Musée égyptien du Louvre, avait à peine dépassé 40 ans. Enfant prodige, passionné par les écritures anciennes, il perçait dès 1822 le secret des hiéroglyphes. Toute sa vie fut consacrée à établir les principes de leur déchiffrement, léguant à ses successeurs la clef de la civilisation égyptienne.

Malheureusement pour nous, les scribes égyptiens n'avaient pas laissé, comme leurs collègues sumériens, des documents où les signes sont classés et comparés avec leur lecture en différentes langues. La connaissance des hiéroglyphes semble avoir disparu très rapidement après le triomphe du christianisme et l'adoption de l'écriture copte qui utilise les lettres grecques et 7 signes spéciaux issus de démotique. A partir du milieu du Ve siècle apr. J.-C. les seules indications nous sont données par les auteurs classiques et les premiers Pères de l'Église. Elles sont confuses et souvent contradictoires. Les plus intéressantes sont dues à l'écrivain Horapollon qui, ayant vécu en Égypte dans la deuxième moitié du Ve siècle, a laissé tout un traité sur les hiéroglyphes en s'inspirant d'un ouvrage antérieur de 300 ans. Si, dans son traité, beaucoup de valeurs attribuées aux hiéroglyphes sont exactes, les commentaires qui les accompagnent sont plus que fantaisistes. Ainsi, la valeur  = « fils », en elle-même parfaitement exacte, est expliquée par « l'amour extrême que ressent cet oiseau pour sa progéniture »... Ces commentaires ne sont d'ailleurs peut-être pas l'œuvre d'Horapollon mais de son traducteur grec. C'est hélas, en s'appuyant essentiellement sur ce texte, qu'au milieu du XVIIe siècle, le jésuite Athanase Kircher entreprit d'expliquer le système hiéroglyphique. En partant du principe parfaitement exact de la filiation entre le copte, encore parlé dans l'Église d'Égypte, et l'égyptien ancien, Kircher obtint des résultats lamentables. Son erreur fut, en effet, d'attribuer aux hiéroglyphes des valeurs symboliques, suivant, entre autres, les théories du philosophe néo-platonicien Jamblique. Ainsi, à la place du nom du pharaon Apriès, Kircher déchiffrait-il la phrase suivante : « les bienfaits du divin Osiris doivent être procurés par le moyen des cérémonies sacrées et de la chaîne des génies, afin que les bienfaits du Nil soient obtenus ! ».

Champollion lui-même n'échappera pas à cette illusion : jusqu'au début de septembre 1822, il continua à penser que son alphabet hiéroglyphique ne valait que pour l'écriture de noms étrangers. Il l'avait, en effet, établi à l'aide des noms de souverains ptolémaïques (Ptolémée, Cléopâtre...) reconnaissables à leur cartouche : ces noms avaient des lettres en commun et possédaient une traduction grecque. Mais, jusque-là, Champollion restait convaincu que l'écriture pharaonique était symbolique et figurative. C'est en recevant les estampages d'inscriptions provenant du temple d'Abou Simbel que la lumière jaillit le 14 septembre 1822. Dans le cartouche il reconnut tout de suite la lettre  = s de son alphabet. Il avait quelques raisons de penser que le signe  avait des rapports avec le verbe « naître » qui se prononce *mas* en copte. Toujours en s'aidant du copte, dont il avait une connaissance stupéfiante, il pensa que le premier signe, un soleil, pouvait se lire Ré ou R Le résultat Ra-ms-s était le nom d'un des pharaons le pl souvent mentionnés par les Anciens. Dans ce mot, une par était écrite phonétiquement, l'autre idéographiquement, le tc précisé comme étant un nom royal grâce à l'emploi du cartouc dont Barthélemy et Zoega avaient déjà démontré la significatio En quelques heures, il découvrait une structure analogue da le nom du célèbre roi Ḏḥwty-ms (), que les Gre appelaient Thoutmosis. Dès cet instant, il avait compris principe du système hiéroglyphique qu'il explique quelqu jours plus tard dans une communication à l'Académie : c'est fameuse « Lettre à Monsieur Dacier ». Pour aller plus loin, il av à sa disposition la copie d'un document dont le rôle fut déci pour le déchiffrement des hiéroglyphes : il s'agit de la céléb pierre de Rosette qui porte en hiéroglyphes, en démotique en grec le texte d'un même décret de Ptolémée V (196 a J.-C.).

Découverte à Rosette, à l'est d'Alexandrie, par François Xavi Bouchard, officier de Bonaparte, elle fut saisie, en 1801, par l Anglais après la capitulation de Menou ; elle se trouve actue lement au British Museum. Dès 1802, Sylvestre de Sacy Akerblad avaient réussi à reconnaître dans le texte démotique nom de Ptolémée. Sur la partie hiéroglyphique, malheure sement fragmentaire, l'Anglais Young avait identifié ceux Ptolémée et Bérénice sans pouvoir expliquer la valeur d signes (cat. n° 311). En quelques années, Champollion accumu les matériaux qui aboutiront à deux ouvrages de génie, Grammaire et son Dictionnaire. Publiés après sa mort prémat rée à l'âge de 42 ans, ils fondent une science nouvell l'Égyptologie, et fournissent l'instrument nécessaire à la co naissance et à la compréhension d'une des plus grand civilisations antiques.

Christiane Ziegl

310 Portrait de Champollion

Peinture sur toile
Peint par Léon Cogniet
Acquis par Louis-Philippe en 1847
1831

Musée du Louvre, Département des peintures : inv. 3294. Mis en dépôt au Département des antiquités égyptiennes

Bibliographie sur Champollion :

H. Hartleben : Champollion. Sein Leben und Sein Werk, Berlin, 1906
S. Curto : « Jean-François Champollion et l'Italie », dans B.S.F.E., 65, octobre 1972, p. 13-24
Ch. O. Carbonnell : « Jacques-Joseph et Jean-François Champollion, la naissance d'un génie », dans B.S.F.E. 65 octobre 1972, p. 25-42
J. Yoyotte : « Champollion », dans Archeologia, 52, novembre 1972, p. 8-9
P. Barguet : « L'œuvre de Champollion », dans Archeologia, 52, novembre 1972, p. 30-36

Peint environ un an avant sa mort, ce portrait figure l'« inventeur » des hiéroglyphes en buste sur un fond de paysage thébain où l'on distingue les fameux colosses de Memnon.
Jean-François Champollion est né à Figeac (Lot) le 23 décembre 1790. Son enfance et sa jeunesse se déroulent dans les tourments de la Révolution et de l'Empire dans lesquelles Champollion s'engage résolument. A partir de 1801, son éducation est entièrement prise en charge par son frère Jacques-Joseph, dit Champollion-Figeac, son aîné de 12 ans. Ce soutien solide et efficace, qui ne cessa à aucun moment, fut certainement pour Jean-François le ferment qui lui permit d'aboutir au « Je tiens mon affaire » du 14 septembre 1822.
En 1804, il devient pensionnaire au lycée de Grenoble. Dès cette époque, il s'intéresse aux « mystères » des hiéroglyphes et, comprenant l'importance des langues orientales, il entreprend d'étudier le latin, le grec, l'hébreu, l'arabe, le copte, le syriaque, le persan, le sanscrit et le chinois.
A seize ans il affirme, devant l'Académie de Grenoble, que la langue copte n'est qu'une forme tardive de la langue parlée de l'ancienne Égypte. Grâce aux recommandations de son frère, Jean-François est admis comme élève des langues orientales. En 1809, il est nommé professeur d'histoire à Grenoble. Néanmoins les idées républicaines des deux frères les forcent à s'exiler à Figeac de 1816 à 1818. Ayant retrouvé son poste à Grenoble, Jean-François l'abandonne en 1820 pour aller retrouver son frère à Paris, devenu secrétaire particulier de Dacier, secrétaire perpétuel de l'Académie des Inscriptions et Belles-Lettres.
A la suite de nombreux tâtonnements, mêlés d'espoir et de désespoir, c'est la fameuse lettre à Dacier (1822) *relative à l'alphabet des hiéroglyphes phonétiques employés par les Égyptiens pour inscrire sur leurs monuments les titres, les noms et les surnoms des souverains grecs et romains,* théorie qu'il applique aussitôt en déchiffrant la pierre de Rosette.
Deux ans après, il part pour l'Italie étudier la collection égyptienne du Musée de Turin (1824-1826). A son retour, il est nommé Conservateur du Musée égyptien du Louvre et entreprend des démarches pour l'acquisition de la Collection d'Henri Salt, ex-consul d'Angleterre à Alexandrie (1826). De 1828 à 1829, une équipe franco-toscane dirigée par Champollion et I. Rossellini, professeur à l'Université de Pise, parcourt toute l'Égypte, établissant dessins et relevés qui formeront les quatre volumes des *« Monuments de l'Égypte et de la Nubie »,* Paris, 1835-1845, suivis des *Notes Descriptives,* Paris, 1864-1879.
A la fin de son voyage il soumet à Méhémet Ali un rapport sur la nécessité de protéger les monuments, idée qui, plus tard, sera reprise et réalisée par Auguste Mariette.
Enfin il organise lui-même le transport à Paris de l'un des deux obélisques de Louxor, offert par l'Égypte à la France, mais dont il ne verra jamais la réalisation (arrivé à Toulon le 11 mai 1832). Nommé membre de l'Académie des Inscriptions et Belles-Lettres (1830), puis professeur au Collège de France (1831), il s'éteint à Paris le 4 mars 1832, abattu par l'épuisement.
L'année 1982 marque donc le 150e anniversaire de la mort de Champollion. Cette exposition sur la naissance de l'écriture et son évolution se devait de commémorer, dans le domaine égyptien, la personnalité de celui qui créa l'Égyptologie. Son souvenir a été rappelé par la présentation d'un manuscrit écrit de sa propre main ainsi que par la photographie du prestigieux document qui concrétisa la découverte de Champollion : la pierre de Rosette.

Autres ouvrages de J.-F. Champollion

L'Égypte sous les Pharaons, Paris, 1814.
Précis du système hiéroglyphique des anciens Égyptiens, Paris, 1824.
Notice descriptive des monuments égyptiens du Musée Charles X, Paris, 1827.
Lettres écrites d'Égypte et de Nubie en 1828 et 1829, Paris, 1833.
Grammaire égyptienne, Paris, 1836-1841.
Dictionnaire égyptien, Paris, 1841-1844.

M. H. R.

311 Pierre de Rosette (photographie de la)

Basalte noir
Hauteur : 1,14 m ; largeur : 0,73 m ; épaisseur : 0,28 m
Fort Julien près de Rashid « Rosette » (port situé à l'est d'Alexandrie)
Découverte en août 1799
An IX de Ptolémée V épiphane : 196 av. J.-C.

Londres, British Museum
Bibliographie :
K. Sethe : Hieroglyphische Urkunden der Griechisch-römischen Zeit, II, Leipzig, 1904, p. 166-198
A. Baillet : « Le Décret de Memphis et les Inscriptions de Rosette et de Damanhour », dans Bibliothèque égyptologique, XV, Paris, 1905, p. 245-401
C. Andrews : The Rosetta Stone, British Museum Publications, 1981

Découverte en juillet 1799 par Pierre-François Xavier Bouchard, officier du Génie, au cours de travaux de terrassements à Fort Julien, elle fut aussitôt envoyée à l'Institut du Caire où furent faites de nombreuses copies envoyées à des savants européens. C'est ainsi que Champollion put en voir un exemplaire à Paris dès 1808. Saisie par les Anglais lors de la capitulation de 1801, elle fut transportée à Londres au British Museum.
Dès août 1799, le « Courrier d'Égypte » notait : « Cette pierre offre un grand intérêt pour l'étude des caractères hiéroglyphiques, peut-être même en donnera-t-elle la clef. » Il s'agit d'une stèle, dont la partie supérieure était probablement cintrée et ornée d'un disque ailé (?) portant la copie d'un décret de Ptolémée V en hiéroglyphes, en démotique et en grec.
Une grande partie des lignes perdues en hiéroglyphes a pu être restaurée à partir d'une stèle découverte en 1898 à Damanhour dans le Delta et datée de l'an XXIV du roi (Musée du Caire) ainsi que du décret de Philae placé sur la paroi est du pronaos du Mammisi, en hiéroglyphes et démotique (an XXI du roi).
Le bilinguisme de la stèle et ses rééditions ont ainsi permis d'obtenir le texte complet de ce décret, promulgué par les prêtres rassemblés à Memphis afin de célébrer la première commémoration du couronnement du roi.

Traduction d'après le texte démotique

L'an IX du roi, le 4 de Xandikos, correspondant pour les habitants de l'Égypte au deuxième mois de l'hiver, jour 18, l'adolescent qui est apparu en roi sur le trône de son père, Seigneur des Uraei, dont la puissance est grande, qui a stabilisé l'Égypte et qui l'a embellie, lui dont le cœur est dévoué envers les dieux, lui qui domine son ennemi, qui a rendu prospère la vie des hommes, le Maître des Jubilés comme Ptah le Grand, Souverain comme Rê, Roi des contrées supérieures et des contrées inférieures, le Fils des dieux Philopators, choisi par Ptah, auquel Rê donna la victoire, l'image vivante d'Amon, fils de Rê, Ptolémée, vivant éternellement, aimé de Ptah, dieu Épiphane, Eucharisté, fils de Ptolémée et d'Arsinoé, dieux Philopators ; étant prêtre d'Alexandre et des dieux Sôters et des dieux Adelphes et des dieux Évergètes et des dieux Philopators et du roi Ptolémée, dieu Épiphane, Eucharisté, Aétès, fils d'Aétès ; Pyrrha, fille de Philinos, étant athlophore de Bérénice Évergète ; Aria, fille de Diogène, étant canéphore d'Arsinoé Philadelphe ; Irène, fille de Ptolémée, étant prêtresse d'Arsinoé Philopator, en ce jour, décret :

Les grands prêtres et les prophètes et les prêtres qui entrent dans le lieu sacré pour vêtir les dieux, ainsi que les scribes des livres divins et les scribes de la Maison de Vie et les autres prêtres, qui sont venus des temples de l'Égypte à Memphis pour la fête de la prise du pouvoir suprême de la main de son père pour faire roi Ptolémée, vivant éternellement, aimé de Ptah, dieu Épiphane, Eucharisté, s'étant rassemblés dans le temple de Memphis, ils disent :

Vu que, de par le roi Ptolémée, vivant éternellement, dieu Épiphane, Eucharisté, fils du roi Ptolémée et de la reine Arsinoé, dieux Philopators, de nombreux bienfaits ont été donnés aux temples d'Égypte et à tous ceux qui sont sous l'autorité du roi ; étant dieu, fils de dieu et de déesse ; étant semblable à Horus, fils d'Isis, et d'Osiris, qui protégea son père Osiris ; son cœur étant dévoué aux dieux ; ayant excellé à donner de l'argent et du blé en quantité aux temples de l'Égypte ; ayant beaucoup donné pour instaurer la paix en Égypte et pour rétablir les temples ; ayant excellé à gratifier de largesses toutes les troupes placées sous son autorité ;

que des impôts et des contributions qui étaient levés en Égypte, il en diminua et il en supprima complètement pour rendre le peuple et tous les autres hommes satisfaits au temps du roi ;

que les redevances dûes au roi par les habitants de l'Égypte et par tous ceux qui sont sous l'autorité royale, qui constituaient une grande quantité, il les supprima ;

que les hommes qui étaient emprisonnés il les relâcha ainsi que ceux qui étaient dans l'illégalité depuis longtemps ;

qu'il a ordonné, concernant les fondations aux dieux ainsi que l'argent et le blé qui sont donnés en revenus aux temples chaque année et en raison des parts données aux dieux sur les champs de vigne et les vergers, et toute chose qui est en leur possession, et qui leur appartenait sous son père, de les leur conserver ;

qu'il ordonna aussi, concernant les prêtres, qu'ils n'aient pas à donner en impôt de prêtrise plus qu'ils ne le faisaient jusqu'à la première année de son père ;

qu'il exempta les hommes, qui sont fonctionnaires dans les temples, du voyage qu'ils faisaient à Alexandrie chaque année ;

qu'il ordonna de ne pas enrôler les marins ;

qu'il exempta des deux tiers la toile de byssus que les temples devaient au roi ;

que toute chose qui avait délaissé le bon droit depuis longtemps, il les ramena dans leur équilibre ;

qu'il mit tous ses soins à faire en sorte que, ce qui avait été prescrit de faire pour les dieux soit rétabli dans le juste droit ; de même qu'il fit que justice soit rendue aux hommes conformément à l'action de Thot deux fois grand ;

qu'il ordonna aussi concernant ceux qui reviendraient, soldats ou toutes autres personnes, qui s'étaient engagés dans le parti ennemi au moment des troubles survenus en Égypte, de les renvoyer dans leurs demeures avec leurs biens ;

qu'il mit tous ses soins à faire marcher la troupe, la cavalerie et la flotte contre ceux qui étaient venus par terre et par mer combattre contre l'Égypte ;

qu'il fit de grandes dépenses en argent et en blé pour ces choses afin que les temples et les gens qui sont en Égypte vivent dans la paix ;

qu'il marcha contre la ville de Lycopolis qui avait été fortifiée par les ennemis par toutes sortes de travaux, remplie de nombreuses armes et de toutes sortes d'équipements ; il assiégea celle-ci au moyen d'une muraille extérieure à cause des ennemis qui s'y trouvaient, et qui voulaient commettre de nombreux maux contre l'Égypte, ayant abandonné le chemin de l'obéissance au Roi et de l'obéissance aux dieux ; il fit des digues aux canaux qui amenaient l'eau à cette ville, toute chose que ne surent pas faire les Rois antérieurs ; il employa énormément d'argent dans ces dépenses ; il rassembla les troupes, fantassins et cavalerie, sur les canaux susnommés pour les protéger dans leur intégrité ; en raison des inondations qui furent importantes en l'an VIII, de nombreux soldats occupèrent les canaux ainsi nommés qui répandent l'eau en quantité sur la terre ; le roi enleva de leur main ladite ville par la force en peu de temps ; il fit frapper les ennemis qui y étaient et ils les anéantit comme l'avait fait Rê et Horus, fils d'Isis, contre ceux qui étaient leurs ennemis en ces lieux-là, autrefois ; quant aux ennemis qui avaient rassemblé des troupes et qui se trouvaient à leur tête afin de jeter la confusion dans les nomes, faire du tort aux temples et abandonner le chemin du Roi et de son père, les dieux lui accordèrent de les exécuter à Memphis au moment de la fête de la prise du pouvoir suprême de la main de son père ; il les fit abattre par le pieu ;

vu que les reliquats dûs au Roi par les temples jusqu'à l'année X, il les céda alors qu'ils se comptaient par quantités d'argent et de blé ; de même, qu'il céda le prix d'étoffe de byssus dû par les temples à la Maison du Roi ainsi que le restant fourni jusqu'à ce temps-là ;

qu'il ordonna également, en ce qui concerne les mesures de grains dûes par aroure, qu'il prélevait dans les domaines des offrandes divines, de les exempter ; il fit de même pour la vigne dûe par aroure de vignoble appartenant aux divins domaines des dieux ;

qu'il fit des bienfaits en quantité à Apis et Mnévis ainsi qu'à tous les autres animaux sacrés de l'Égypte plus que ceux qui avaient été avant lui ; son cœur étant à leurs ordres à tout moment, il fit en sorte de se soucier de leurs sépultures afin qu'ils soient vénérés et honorés ;

qu'il prit à sa charge les dépenses des temples pour les fêtes, les sacrifices antérieurement à eux et toutes choses qu'il est prescrit de faire ;

que les honneurs dûs aux temples et les honneurs dûs à l'Égypte, il les perpétua en leur forme selon la loi ;

qu'il donna en quantité de l'or, de l'argent, du blé et toutes sortes d'autres choses pour la place d'Apis ; qu'il fit préparer celle-ci à neuf et d'une extrême beauté ;

qu'il fit achever les temples, les chapelles, les autels des dieux à neuf et fit d'autres choses de la sorte ;

qu'il avait le cœur d'un dieu dévoué envers les dieux, s'enquérant des honneurs à faire aux temples afin qu'ils soient renouvelés sous le règne du Roi selon la forme qui convienne.

Que les dieux lui donnent en échange de ces choses la victoire, la puissance, la force, la santé et toutes sortes d'autres bienfaits ; que son pouvoir royal soit affermi pour lui et pour ses enfants éternellement.

Avec la bonne fortune,

il est venu au cœur des prêtres de tous les temples d'Égypte d'augmenter les honneurs du Roi Ptolémée, vivant éternellement, dieu Épiphane, Euchariste, dans les temples et ceux des dieux Philopators qui l'ont créé et ceux des dieux Évergètes qui ont créé ceux qui l'ont créé, et ceux des dieux Adelphes qui ont créé ceux qui les ont créés, et ceux des dieux Sôters, pères de ses pères :

qu'on élève une statue du roi Ptolémée, vivant éternellement, dieu Épiphane, Euchariste, qu'on le nomme Ptolémée, Protecteur de l'Égypte, ce qui signifie, Ptolémée sauveur de l'Égypte, ainsi qu'une image du dieu de la Ville lui donnant le glaive de victoire dans le temple, de même dans chaque temple, au lieu apparent du temple, faites selon le travail des Égyptiens ;

que les prêtres du temple et de chaque temple servent les images trois fois par jour ; qu'ils placent devant elles le mobilier et qu'ils accomplissent tout ce qui doit être fait comme on l'accomplit pour les autres dieux au moment des fêtes, des sorties en procession et des jours éponymes ; qu'on fasse paraître l'image divine du roi Ptolémée, dieu Épiphane, Euchariste, fils de Ptolémée et de la reine Arsinoé, dieux Philopators, ainsi que le naos d'or dans le temple, de même dans chaque temple. Qu'on fasse qu'il repose dans le sanctuaire avec les autres naos d'or.

Lorsque se feront les grandes fêtes dans lesquelles les dieux apparaissent en gloire, qu'on porte avec eux en procession le naos du dieu Épiphane, Euchariste. Afin de reconnaître le naos aujourd'hui et le reste du temps à venir, qu'on place dix couronnes royales d'or, portant chacune un uraeus comme cela doit être fait pour les couronnes d'or, sur la partie haute du naos à la place des uraei qui sont disposés en haut sur le reste du naos. Que la Double Couronne apparaisse au milieu des couronnes, pour que resplendisse par elle la gloire du Roi dans le sanctuaire de Memphis, lorsqu'on accomplira pour lui tout ce qui doit être fait légitimement au moment de la prise du pouvoir suprême ;

qu'on établisse à la partie supérieure du socle quadrangulaire, à l'extérieur des couronnes et devant la couronne d'or, mentionnée plus haut, un papyrus et un jonc ; qu'on place un uraeus sur une corbeille reposant sur un papyrus, sur le côté occidental, à l'angle du naos d'or ; qu'on place un uraeus disposé sur une corbeille, supportant un papyrus, sur le côté oriental : Ceci signifiant que le Roi illumine la Haute et la Basse-Égypte.

Puisque le dernier jour du quatrième mois de l'Été est le jour de la naissance du Roi, on a établi fêtes et processions dans les temples antérieurement. Qu'il soit fait de même, le deuxième mois de l'hiver, jour 17, où l'on accomplira pour lui les rites de sa prise de pouvoir suprême, la naissance du Roi, vivant éternellement, et la prise de la dignité suprême par lui-même étant à l'origine des bienfaits survenus à tous les hommes. Ces jours, le 17e et le dernier du mois, ont été établis en jours de fête chaque mois.

Qu'on fasse les holocaustes, des libations et le reste des choses qu'il est prescrit de faire pour les autres fêtes, au moment des deux fêtes, chaque mois ; tout ce qu'on fait en offrandes, qu'on le destine aux personnes qui font le service des temples ;

qu'on établisse une fête à procession dans les temples et l'Égypte tout entière pour le roi Ptolémée, vivant éternellement, dieu Épiphane, Euchariste, chaque année, le premier jour du premier mois de l'Inondation pendant 5 jours, en portant une couronne, en faisant des holocaustes, des libations et tout ce qui est prescrit de faire ;

que les prêtres qui sont dans les temples d'Égypte, dans chaque temple, soient appelés « les prêtres du dieu Épiphane, Euchariste » en plus de leurs noms de prêtres ;

qu'ils l'inscrivent sur tous leurs documents ; qu'ils inscrivent la fonction de « prêtre du dieu Épiphane, Euchariste » sur leurs anneaux, sur lesquels ils devront la graver ;

qu'il soit permis à tous les hommes du peuple qui seraient heureux aussi de faire resplendir l'aspect du naos d'or du dieu Épiphane, Euchariste, mentionné plus haut, de le placer dans leurs maisons ;

qu'ils célèbrent les fêtes et les processions, inscrites ci-dessus, chaque mois et chaque année et qu'il soit manifeste que les habitants de l'Égypte honorent le dieu Épiphane, Euchariste, comme il est prescrit de le faire.

Qu'on inscrive le décret sur une stèle de pierre dure en écriture sacrée, en écriture littéraire et en grec ;

qu'on la dresse dans les temples de première catégorie, les temples de 2e catégorie, les temples de 3e catégorie près de la statue du dieu, roi vivant éternellement.

M. H. R.

312 Note manuscrite accompagnant la Lettre monsieur Dacier

ecrétaire perpétuel de l'Académie royale des Inscriptions et elles-Lettres, relative à l'alphabet des hiéroglyphes phoné-ques employés par les Égyptiens pour inscrire sur leurs onuments les titres, les noms et les surnoms des souverains recs et romains.

gnée par J.-F. Champollion
2 septembre 1822

stitut de France, Académie des Inscriptions et Belles-Lettres

e 25 octobre 1822, J.-F. Champollion reçoit des dessins 'hiéroglyphes envoyés d'Égypte par l'architecte français Huyot. ertain, déjà depuis plusieurs mois, de l'exactitude de son ystème de déchiffrement, il réussit sans peine à lire et à aduire les noms de Ramsès et de Thoutmosis. En proie à une op vive excitation et accablé par la fatigue, il tombe dans une rise de léthargie qui durera cinq jours.
léanmoins, dès le 22 septembre, il dicte à son frère cette lettre M. Dacier dans laquelle il expose, en dix pages, les principes u déchiffrement des hiéroglyphes. Un extrait seulement de la ettre sera lu par Champollion lui-même à la séance de l'Acadé-nie du 27 septembre, par laquelle il met définitivement en vidence la valeur phonétique et idéographique des signes mployés dans l'écriture de l'Égypte ancienne.

M. H. R.

313 Notes préparatoires au catalogue de Champollion de 1827

Archives des Musées nationaux, 7 DD 6
1826-1827
Bibliographie :
Yvonne Courtin : Répertoire analytique des anciens inventaires (1793-1870) déposés aux Archives du Louvre, Mémoire présenté à l'École du Louvre, 26 février 1968

Nommé conservateur du Musée égyptien du Louvre en 1826, J.-F. Champollion entreprit la publication d'un catalogue paru à Paris en 1827 sous le titre « Notice descriptive des monuments égyptiens du Musée Charles X ».
Ce manuscrit autographe probablement rédigé en quelques mois entre 1826 et 1827 a servi de préparation au catalogue définitif.
La page 31 présentée ici offre la description de huit statuettes d'Horus dont sept proviennent de la Collection Salt acquise en 1826 par Champollion lui-même et la dernière de la Collection Durand acquise en 1824.

M. H. R.

A le 26 8bre

Paris le 25 octobre 1822.

Monsieur le Secrétaire perpétuel,

J'ai l'honneur de vous envoyer le premier exemplaire qui me parvient de la Lettre relative à l'Alphabet des Hiéroglyphes-Phonétiques, que vous avez bien voulu me permettre de vous adresser. Veuillez encore, Monsieur, offrir ce premier exemplaire à l'Academie: Je lui en dois l'hommage, et je la prie de l'agréer comme une preuve de mon profond respect et de ma vive reconnaissance, pour l'intérêt et la bienveillance dont elle a honoré les recherches qu'elle m'a permis de lui communiquer.

J'ai l'honneur de vous renouveller, Monsieur le Secrétaire perpétuel, l'hommage de mes sentiments les plus respectueux.

J.-F. Champollion le Jeune

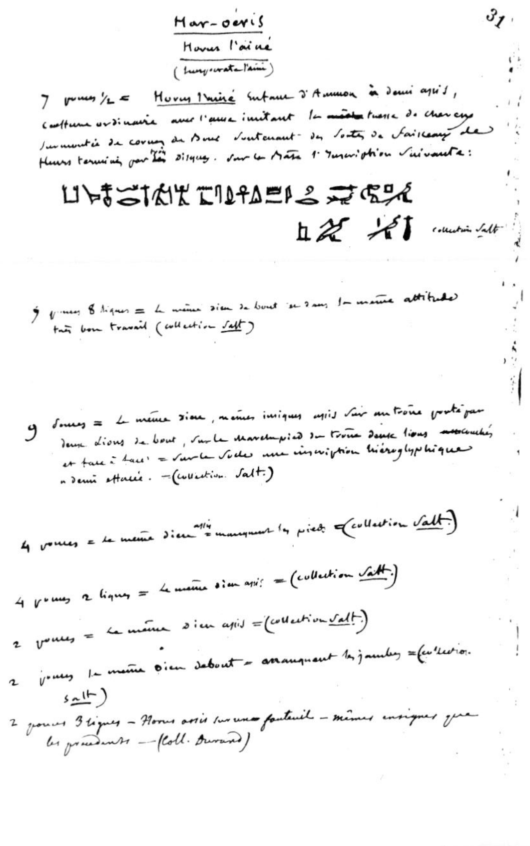

Har-oëris
Horus l'aîné
(Harpocrate l'aîné)

31

7 pouces 1/2 = Horus l'aîné enfant d'Ammon à demi assis, coiffure ordinaire avec l'uraeus imitant la tresse de cheveux surmontée de cornes de bouc soutenant des sortes de faisceaux de fleurs terminés par trois disques. Sur la base l'inscription suivante: collection Salt

9 pouces 8 lignes = le même dieu debout et dans la même attitude très bon travail (collection Salt)

9 pouces = le même dieu, mêmes insignes assis sur un trône porté par deux lions debout, sur le marchepied du trône deux lions couchés et face à face = sur le socle une inscription hiéroglyphique à demi effacée. — (collection Salt.)

4 pouces = le même dieu assis = manquant les pieds = (collection Salt.)

4 pouces 2 lignes = le même dieu assis = (collection Salt.)

2 pouces = le même dieu assis = (collection Salt.)

2 pouces le même dieu debout = manquant les jambes = (collection Salt)

2 pouces 3 lignes — Horus assis sur un fauteuil — mêmes insignes que les précédents — (Coll. Durand)

1

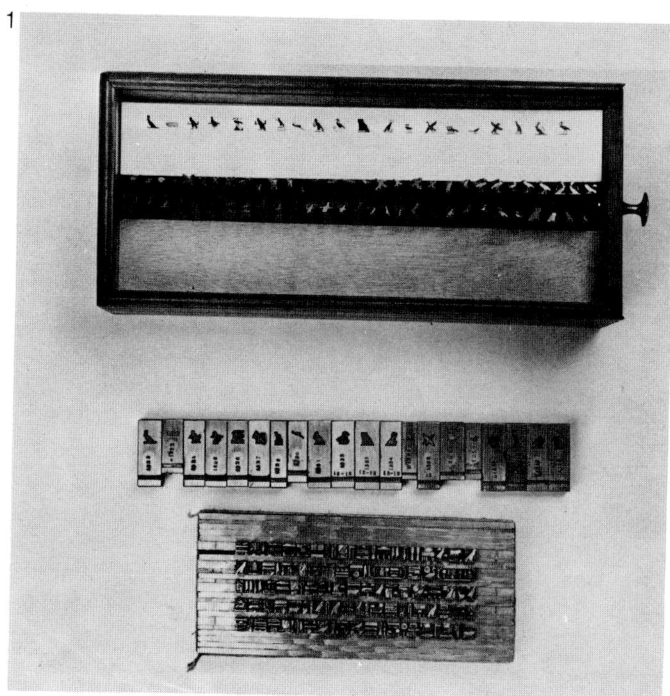

2

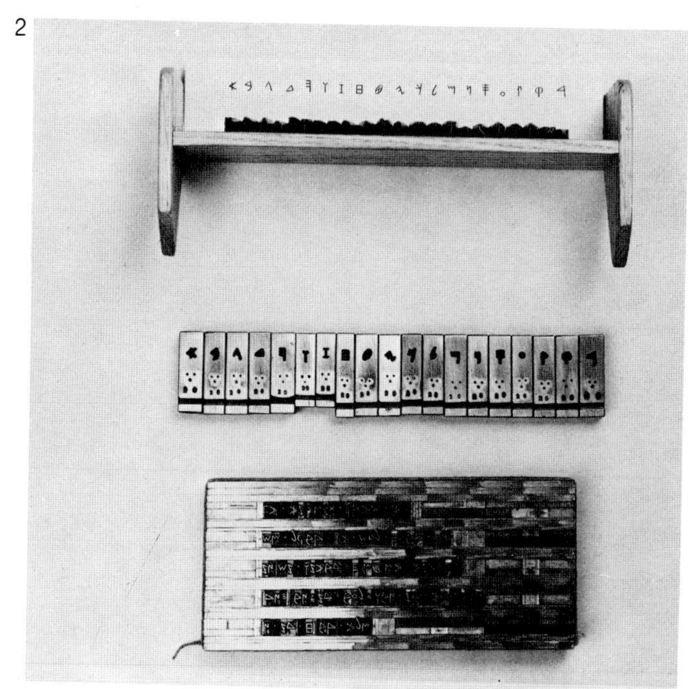

5

7

Caractères hiéroglyphiques cunéiformes et phéniciens de l'Imprimerie nationale

C'est l'Imprimerie nationale qui imprima les travaux des savants de l'Expédition d'Égypte dans le grand ouvrage commencé sous l'Empire : *La description de l'Égypte,* œuvre d'art unique au monde dont Louis XVIII n'osa pas interrompre la publication et que Charles X finit de payer. Le futur directeur de l'imprimerie, J.-J. Marcel, qui accompagna Bonaparte en Égypte, fut le premier à faire un frottis de la pierre de Rosette qui devait permettre à Champollion le Jeune de déchiffrer les hiéroglyphes en 1822. La collection des poinçons orientaux allait désormais pouvoir s'enrichir des caractères hiéroglyphiques récemment déchiffrés.

Les caractères hiéroglyphiques de l'Imprimerie nationale qui furent les tout premiers à être exécutés sur acier, se composent aujourd'hui de 4 140 poinçons répartis en deux corps d'hiéroglyphes : le corps 18, dessiné par Eugène Devéria et J.-J. Dubois, sous la direction d'Emmanuel de Rougé, et gravé par Delafond et Ramé fils, de 1842 à 1852. Le corps 12 obtenu par réduction électroplastique du corps 18.

La fabrication des caractères mobiles se décompose en trois phases : la gravure d'un poinçon à l'une des extrémités d'un morceau d'acier, la frappe d'une matrice dans un bloc de cuivre et, dans cette matrice, la fonte de milliers de lettres.

Il était donc intéressant de suivre les différentes étapes de cette fabrication. A côté de quelques dessins originaux d'hiéroglyphes dus à Devéria et Dubois est présentée une série de poinçons figurant des oiseaux d'une étonnante diversité. Quelques matrices obtenues par la frappe de ces poinçons ainsi qu'une série de plombs viennent compléter la vitrine.

L'Imprimerie nationale a bien voulu nous composer les cinq premières lignes d'une stèle de Basse Époque conservée au Musée du Louvre (c 284), connue sous le nom de « stèle de Bakhtan ». Il est question dans ce document d'un miracle accompli par la statue du dieu Khonsou de Thèbes en faveur de la princesse Bentresh, fille d'un prince asiatique du pays de Bakhtan. Il pourrait s'agir d'un conte imaginé par le clergé de Khonsou pour attirer à son sanctuaire les faveurs du public. Pour appuyer la valeur historique de ce document une titulature commence le texte, où une confusion est établie entre les noms de Thoutmosis IV et de Ramsès II. C'est ce protocole royal factice qui est ici composé.

L'Imprimerie nationale possède également trois corps de « ninivite », néo-

6

8

9

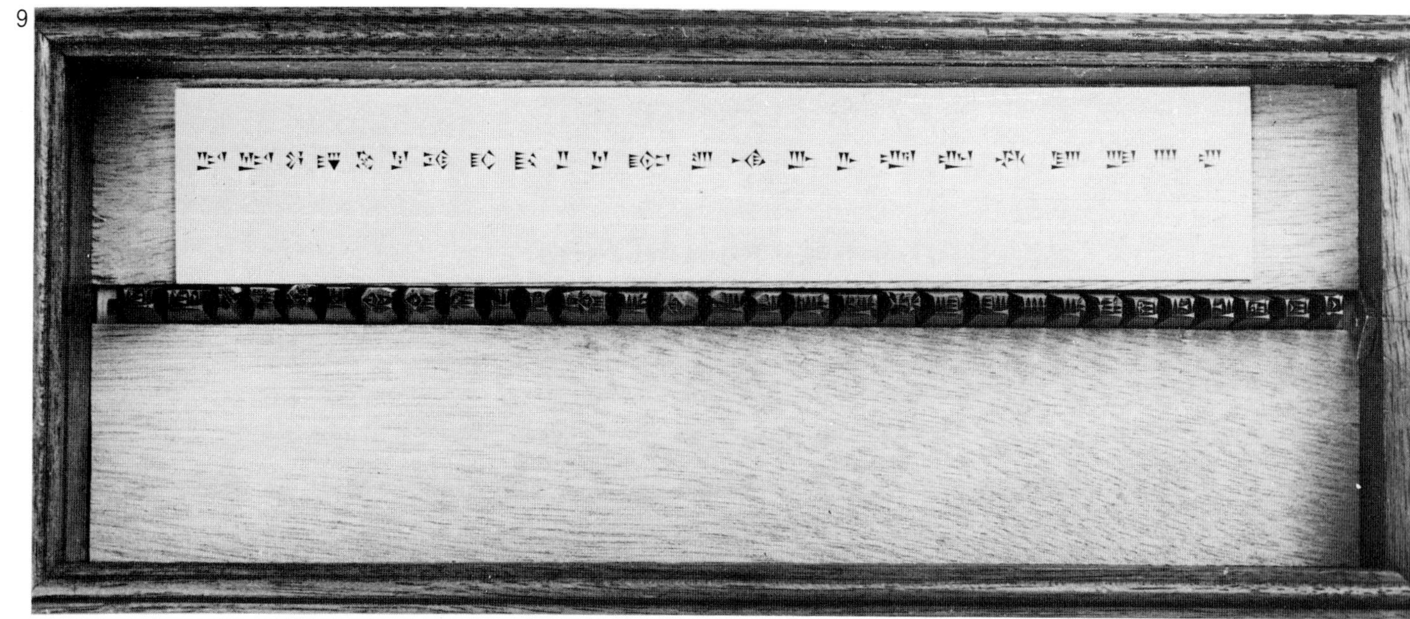

assyrien, cunéiforme, ainsi que six corps de phénicien ancien et classique. Trois corps de « ninivite » : le corps 16 fut gravé par Marcellin Legrand en 1846 d'après les empreintes prises sur les monuments découverts à Khorsabad par P.-E. Botta à partir de 1842 ; par réduction de ce précédent corps, on créa en 1865 le corps 12. Enfin, en 1910, Lek grava le corps 9. Ici, sont présentés les poinçons, fumés et matrices de corps 9 ; par contre les plombs ayant servi à l'élaboration de la composition typographique, extraite d'une inscription de Khorsabad, sont du corps 16. Six corps de phénicien : Aubert grava en 1879, en corps 16 et 20, aussi bien le phénicien ancien sous la direction de l'érudit Ph. Berger, que le phénicien classique sous la direction de l'orientaliste E. Renan et de Ph. Berger. En 1847, Ramé père exécuta le corps 13, dirigé par F. de Saulcy. En 1860, le duc de Luynes enrichit la collection en cédant un corps sur 18 points dessiné d'après les inscriptions phéniciennes de Chypre. Une composition typographique a été réalisée en phénicien ancien et conjointement sont exposés les poinçons, fumés, matrices et plombs du corps 20.
Actuellement on ne peut utiliser le « ninivite » que pour les inscriptions de la période néo-assyrienne ; pour les autres époques, les épigraphistes font eux-mêmes des autographies ou copies. Les poinçons de phénicien ancien ou classique permettent de réaliser aisément des compositions typographiques à partir des inscriptions.

S. G.-M. P.

Photo n° 1 Poinçons et fumés d'hiéroglyphes matrices plombs
Photo n° 2 Poinçons et fumés, matrices, plombs de phénicien ancien
Photo n° 3 Plombs de « ninivite »
Photo n° 4 Composition typographique de « ninivite », inscription de Khorsabad
Photo n° 5 Plombs de phénicien ancien
Photo n° 6 Composition typographique de phénicien ancien
Photo n° 7 Plombs, 5 premières lignes de la stèle de Bakhtan
Photo n° 8 Composition typographique du début de la stèle de Bakhtan
Photo n° 9 Poinçons et fumés de « ninivite »

Bibliographie sommaire

Orient

e lecteur ne trouvera pas ici la bibliographie des ouvrages ayant ervi à l'élaboration de l'exposition, mais seulement des uvrages accessibles à tous. Sauf cas très exceptionnel, ils sont crits en Français.

Sur l'écriture en général

M. Cohen, *La grande Invention de l'Écriture et son Évolution,* Paris, Imprimerie Nationale, 1958.

Écritures : Systèmes idéographiques et pratiques expres-ives », Actes du Colloque International de l'Université de Paris VII, Le Sycomore, 1982.

Sur le système cunéiforme

R. Labat, *Manuel d'Épigraphie Akkadienne,* cinquième édition, Paris, Geuthner, 1976.

« L'Écriture », Corps écrit n° 1, revue trimestrielle, Paris, P.U.F., février 1982 (un article pour grand public sur l'écriture cunéiforme).

Histoire et civilisations orientales (Mésopotamie, Pays du Levant, Anatolie)

P. Amiet, *L'Art antique du Proche-Orient,* Paris, Mazenod, 1977.

J. Deshayes, *Les Civilisations de l'Orient Ancien,* collection « Les Grandes Civilisations », Paris, Arthaud, 1969.

P. Garelli, *L'Assyriologie,* collection « Que sais-je ? », n° 1144, Paris, P.U.F., 1964.

P. Garelli, *Le Proche-Orient Asiatique, I : des origines aux invasions des peuples de la mer,* collection « Nouvelle Clio » n° 12, Paris, P.U.F., 1969.

P. Garelli et **V. Nikiprowetski,** *Le Proche-Orient Asiatique, II : Les Empires mésopotamiens. Israël,* collection « Nouvelle Clio », n° 12, Paris, P.U.F., 1974.

L. Oppenheim, *La Mésopotamie, portrait d'une civilisation* (traduit de l'anglais), Paris, Gallimard, 1970.

M. Rutten, *La Science des Chaldéens,* collection « Que sais-je ? », n° 893, Paris, P.U.F., 1960.

« La Mésopotamie et la Bible », Le Monde de la Bible, n° 15, août-septembre 1980.

« La Syrie Antique », Le Monde de la Bible, n° 20, août-octobre 1981.

« Sumer et Babylone, découvertes au berceau de notre civilisation », Les Dossiers de l'Archéologie, n° 51, mars 1981.

Traductions de textes (Mésopotamie, Pays du Levant, Anatolie)

J. Briend et **M.-J. Seux,** *Textes du proche-Orient Ancien et Histoire d'Israël,* Paris, Éditions du Cerf, 1977.

A. Caquot, M. Sznycer, A. Herdner, *Textes ougaritiques, I : mythes et légendes,* collection L.A.P.O. 7, Paris, Éditions du Cerf, 1974.

A. Finet *Le Code de Hammurapi,* collection L.A.P.O. 6, Paris, Édition du Cerf, 1973.

S. N. Kramer, *L'Histoire commence à Sumer* (traduit de l'anglais), Paris, Arthaud, 2e édition, 1975.

R. Labat et Al., *Les Religions du Proche-Orient Asiatique,* Paris, Fayard/Denoël, 1970.

J. B. Pritchard Ed., *Ancient Near Eastern Texts relating to the Old Testament,* Princeton, University Press, New Edition, 1975.

M. J. Seux, *Hymnes et Prières aux dieux de Babylonie et d'Assyrie,* collection L.A.P.O. 6, Paris, Éditions du Cerf, 1976.

E. Sollberger et **J. R. Kupper,** *Inscriptions Royales Sumériennes et Akkadiennes,* collection L.A.P.O. 3, Paris, Éditions du Cerf, 1971.

Déchiffrement

A. Parrot, *Archéologie Mésopotamienne, I : Les Étapes,* Paris, Albin Michel, 1946 (Chapitre III — Le déchiffrement des écritures cunéiformes, p. 109-125).